*Elogios a* TEMPO DE VIDA

"Neste livro perspicaz e provocador, que investiga como envelhecemos e se os seres humanos podem superar a decadência e a degeneração, Sinclair confronta algumas das questões mais fundamentais sobre a ciência do envelhecimento. O resultado é um livro elegante e animador, que merece ser lido ampla e profundamente."

— Siddhartha Mukherjee, vencedor do Prêmio Pulitzer
e autor best-seller número 1 do *New York Times*

"Se alguma vez você se perguntou como envelhecemos, se é possível retardar ou até reverter os efeitos do envelhecimento e ainda viver mais de 100 anos com saúde, o novo livro de David Sinclair, *Tempo de Vida*, o guiará pela ciência e pelas estratégias práticas para que sua saúde seja tão longa quanto sua vida, e que seja duradoura e vibrante."

— Dr. Mark Hyman, Diretor Médico da Cleveland Clinic Center
for Functional Medicine e autor best-seller número 1 do *New York Times*

"Este é o livro sobre envelhecimento mais visionário que já li. Aproveite o dia — e este livro!"

— Dr. Dean Ornish, fundador e presidente do Preventive Medicine
Research Institute, e autor do best-seller do *New York Times UnDo It!*

"Em *Tempo de Vida*, David Sinclair revela claramente o segredo que todos querem saber: como viver mais e envelhecer lentamente. Sinclair nos mostra que é possível viver mais de 100 anos, e inevitavelmente seremos capazes de fazê-lo em breve. Se quer saber como superar o envelhecimento, *Tempo de Vida* é leitura obrigatória."

— Dr. William W. Li, autor do best-seller do *New York Times*
*Eat to Beat Disease*

"Esclarecedor, inspirador e informativo. [Sinclair] transformou uma diversidade de detalhes moleculares em um programa que todos podem seguir para viver de forma mais saudável por mais tempo. Para quem está interessado em entender o envelhecimento, viver por mais tempo evitando as doenças decorrentes do processo, este é *o* livro."

— Dr. Dale Bredesen, autor do best-seller
do *New York Times O Fim do Alzheimer*

"Um livro visionário de uma das autoridades da atualidade sobre longevidade. *Tempo de Vida* nos prepara para mudar nossa saúde hoje, revelando um futuro possível em que permaneceremos jovens por mais tempo."

— Dra. Sara Gottfried, autora do best-seller do *New York Times*
*The Hormone Cure*

"Prepare-se para ser surpreendido. Você está segurando em suas mãos o resultado precioso de décadas de trabalho, compartilhado pelo Dr. David Sinclair, a celebridade sobre envelhecimento e longevidade humana."

— Dave Asprey, fundador e CEO da Bulletproof e
autor do best-seller do *New York Times Bulletproof: A dieta à prova de bala*

"Imagine um mundo em que possamos viver tempo suficiente para conhecer, não apenas nossos netos, mas também nossos bisnetos. Essa é a visão de Sinclair para o futuro da humanidade, um panorama que estuda a ciência, a natureza, a história e até a política para defender que é possível viver bem até os 100 anos. *Tempo de Vida* está, audaciosamente, mostrando o caminho."

— Dr. Jason Fung, autor de
*O Código do Diabetes e O Código da Obesidade*

"Em *Tempo de Vida*, o Dr. David Sinclair nos dá ferramentas para usarmos diariamente e frear o que ele chama de 'a doença do envelhecimento'. Você e seus entes queridos merecem ler e seguir seus conselhos, como eu fiz nos últimos 15 anos!"

— Dr. Steven R. Gundry, autor do best-seller do *New York Times*
*The Longevity Paradox* e médico diretor do International
Heart and Lung Institute

"*Tempo de Vida* transcende tudo o que sabemos sobre envelhecimento e longevidade — é uma combinação de trabalho científico brilhante, uma mente pioneira e o sonho de uma vida mais longa, saudável e feliz. *Tempo de Vida* oferece uma visão do nosso futuro e instruções de como chegar lá, mesclando descobertas científicas e mudanças simples no estilo de vida. Não apenas para nos fazer sentir mais jovens, mas para nos tornar mais jovens."

— Naomi Whittel, autora do best-seller do *New York Times Glow15*

"David Sinclair categoricamente apresenta uma visão ousada do futuro em que a humanidade será capaz de retardar ou reverter o processo de envelhecimento e viver mais jovem e saudável por mais tempo."

— Dr. Victor J. Dzau, presidente da US National Academy of Medicine e CEO da Duke University Medical Center

"Poucos livros me fizeram pensar sobre a ciência de maneira totalmente nova. O livro de David Sinclair fez isso por mim em relação ao envelhecimento. Todos devem ler este livro."

— Leroy Hood, doutor, professor do California Institute of Technology, inventor, empreendedor, membro das três US National Academies e coautor de *Code of Codes*

"Em *Tempo de Vida*, Sinclair traz à tona todo otimismo, bom humor e persuasão como cientista-narrador. Espero que David Sinclair fique conosco, fazendo sua ciência e escrevendo livros por mais 500 anos."

— David Ewing Duncan, jornalista premiado, autor best-seller e curador da *Arc Fusion*

"*Tempo de Vida* nos dá esperança para uma vida extraordinária. Como explica o brilhante Dr. David Sinclair, o envelhecimento é uma doença e ela é tratável. Este livro abre nossos olhos e nos leva para a linha de frente de descobertas incríveis. Aproveite esta obra-prima de leitura obrigatória!"

— Dr. Peter H. Diamandis, autor do best-seller do *New York Times Abundância* e *Bold*

"(D)escreve ciência real que analisa a base de tudo o que acreditamos sobre a vida e a sociedade."

— Salman Khan, fundador da Khan Academy

"David é um pioneiro disposto a mudar a maneira como pensamos e entendemos o envelhecimento."

— Stephanie Lederman, CEO da American Federation for Aging Research (AFAR), de Nova York

"O assunto de maior importância do nosso tempo. No futuro, a humanidade contemplará este livro com reverência e respeito. Leia. Sua vida depende disso."

— Marc Hodosh, ex-proprietário e cocriador do TEDMED

"*A tour de force*. O livro de Sinclair e o trabalho de sua vida estão à altura das maiores contribuições para elevar o bem-estar e a alegria de viver, comparável aos trabalhos de Jenner, Pasteur, Salk, Locke, Gandhi e Edison. Uma obra-prima."

— Martine Rothblatt, fundadora, presidente do Conselho e CEO da United Therapeutics, e criadora da SiriusXM Satellite Radio

"Pisar na Lua mudou a humanidade. Em *Tempo de Vida*, Sinclair dá o passo final da humanidade que transformará nossas vidas além de qualquer coisa que poderíamos imaginar. O autor é ousado, sua ciência é consistente e nosso futuro está aqui."

— Henry Markram, doutor, professor na EPFL, Suíça, diretor do Blue Brain Project e fundador dos periódicos Frontiers de acesso livre

"Um livro intelectualmente fascinante, com ideias sedutoras sobre a questão mais importante referente ao futuro de todos nós."

— Andrew Scott, doutor, professor de economia da London Business School e autor de *The 100-Year Life*

# Tempo de Vida

Tempo de Vida

# Tempo de Vida

## Por que Envelhecemos — E Por que Não Precisamos

David A. Sinclair PhD
com Matthew D. LaPlante

ALTA CULT
EDITORA
Rio de janeiro, 2021

**Tempo de Vida - Por que envelhecemos — e por que não precisamos**
Copyright © 2021 da Starlin Alta Editora e Consultoria Eireli. ISBN: 978-85-5081-507-7

*Translated from original Lifespan: the revolutionary science of why we age — and why we don't have to. Copyright © 2019 by David A. Sinclair, PhD. ISBN 9782019007196. This translation is published and sold by permission of Atria Books an imprint of Simon & Schuster, Inc., the owner of all rights to publish and sell the same. PORTUGUESE language edition published by Starlin Alta Editora e Consultoria Eireli, Copyright ©2021 by Starlin Alta Editora e Consultoria Eireli.*

Todos os direitos estão reservados e protegidos por Lei. Nenhuma parte deste livro, sem autorização prévia por escrito da editora, poderá ser reproduzida ou transmitida. A violação dos Direitos Autorais é crime estabelecido na Lei nº 9.610/98 e com punição de acordo com o artigo 184 do Código Penal.

A editora não se responsabiliza pelo conteúdo da obra, formulada exclusivamente pelo(s) autor(es).

**Marcas Registradas:** Todos os termos mencionados e reconhecidos como Marca Registrada e/ou Comercial são de responsabilidade de seus proprietários. A editora informa não estar associada a nenhum produto e/ou fornecedor apresentado no livro.

Impresso no Brasil — 1ª Edição, 2021 — Edição revisada conforme o Acordo Ortográfico da Língua Portuguesa de 2009.

| **Produção Editorial** | **Produtor Editorial** | **Marketing Editorial** | **Editor de Aquisição** |
|---|---|---|---|
| Editora Alta Books | Illysabelle Trajano | Livia Carvalho | José Rugeri |
|  |  | marketing@altabooks.com.br | j.rugeri@altabooks.com.br |
| **Gerência Editorial** |  | **Coordenação de Eventos** |  |
| Anderson Vieira |  | Viviane Paiva |  |
| **Gerência Comercial** |  | eventos@altabooks.com.br |  |
| Daniele Fonseca |  |  |  |
| **Equipe Editorial** |  | **Equipe de Design** | **Equipe Comercial** |
| Ian Verçosa | Thales Silva | Larissa Lima | Daiana Costa |
| Luana Goulart | Thiê Alves | Marcelli Ferreira | Daniel Leal |
| Maria de Lourdes Borges |  | Paulo Gomes | Kaique Luiz |
| Raquel Porto |  |  | Tairone Oliveira |
| Rodrigo Dutra |  |  | Vanessa Leite |
| **Tradução** | **Revisão Gramatical** | **Revisão Técnica** | **Diagramação** |
| Carol Suiter | Eveline Vieira Machado | Leandro Ricardo Ferraz | Lucia Quaresma |
|  | Fernanda Lutfi | Mestre em Ciências Biomédicas pela FHO — Fundação Hermínio Ometto |  |
| **Copidesque** |  |  |  |
| Carolina Gaio |  |  |  |

Publique seu livro com a Alta Books. Para mais informações envie um e-mail para autoria@altabooks.com.br
Obra disponível para venda corporativa e/ou personalizada. Para mais informações, fale com projetos@altabooks.com.br

**Erratas e arquivos de apoio:** No site da editora relatamos, com a devida correção, qualquer erro encontrado em nossos livros, bem como disponibilizamos arquivos de apoio se aplicáveis à obra em questão.

Acesse o site **www.altabooks.com.br** e procure pelo título do livro desejado para ter acesso às erratas, aos arquivos de apoio e/ou a outros conteúdos aplicáveis à obra.

**Suporte Técnico:** A obra é comercializada na forma em que está, sem direito a suporte técnico ou orientação pessoal/exclusiva ao leitor.

A editora não se responsabiliza pela manutenção, atualização e idioma dos sites referidos pelos autores nesta obra.

**Ouvidoria:** ouvidoria@altabooks.com.br

---

Dados Internacionais de Catalogação na Publicação (CIP) de acordo com ISBD

S616t    Sinclair, David A.
           Tempo de Vida: por que envelhecemos — E por que não precisamos / David A. Sinclair ; traduzido por Carol Suiter. - Rio de Janeiro, RJ : Alta Books, 2021.
           416 p. ; 16cm x 23cm.

           ISBN: 978-85-5081-507-7

           1. Autoajuda. 2. Poder. I. Suiter, Carol. II. Título.

2020-3120                         CDD 158.1
                               CDU 159.947

Elaborado por Vagner Rodolfo da Silva - CRB-8/9410

---

ALTA BOOKS EDITORA
Rua Viúva Cláudio, 291 — Bairro Industrial do Jacaré
CEP: 20.970-031 — Rio de Janeiro (RJ)
Tels.: (21) 3278-8069 / 3278-8419
www.altabooks.com.br — altabooks@altabooks.com.br
www.facebook.com/altabooks — www.instagram.com/altabooks

ASSOCIADO CBL Câmara Brasileira do Livro

*Para minha avó, Vera,*
*que me ensinou a ver o mundo da maneira que ele pode ser.*

*Para minha mãe, Diana,*
*que se importava mais com seus filhos do que com ela mesma.*

*Para minha esposa, Sandra, minha rocha.*

*E para meus tataranetos;*
*estou ansioso para conhecê-los.*

*Agradecimentos*

## DAVID

Não sei como expressar meu amor e gratidão à minha esposa, Sandra Luikenhuis, que está ao meu lado há duas décadas e tolerou a redação e a reescrita deste livro por 10 anos. Aos meus filhos, Alex, Natalie e Benjamin: Eu não poderia ter pedido filhos melhores.

Escrever um livro requer considerável afinidade entre os envolvidos no processo criativo. Sou grato a Matthew LaPlante por sua amizade, senso de humor e capacidade e sabedoria de transformar centenas de discussões e dezenas de diagramas no quadro branco em um texto coerente. Matt e eu tivemos a sorte de ter trabalhado com Caity Delphia, ilustradora magistral e legítima deste livro, que corajosamente aceitou o desafio de transformar nossas palavras e ideias em impressionantes obras de arte — e conseguiu. Todos os dias sou grato pelo companheirismo de Susan DeStefano, minha assistente nos últimos 14 anos que mantém minha vida e nossos laboratórios funcionando sem problemas; ela merece uma página inteira de agradecimento por sua capacidade de lidar com tudo o que lhe é passado.

Sou grato a Luis Rajman e Karolina Chwalek, que ajudam a administrar o laboratório de pesquisa em Boston, e Lindsay Wu, que administra nosso laboratório igual em Sydney. Tenho a sorte de trabalhar com uma equipe tão dedicada, inteligente e prática. Bruce Yankner, meu codiretor no Glenn Center for Aging Research de Harvard, tem sido um colaborador e colega maravilhoso.

Meus profundos e sinceros agradecimentos a Celeste Fine, John Maas e Laurie Bernstein, meus agentes; a Sarah Pelz, nossa editora, por sua edição cuidadosa e hábil; a Melanie Iglesias Pérez e Lisa Sciamba; a Lynn Anderson pela edição; e a todos os funcionários da Simon & Schuster que acreditaram neste livro. Agradecemos a Laura Tucker por iniciar essa jornada há uma década; à equipe de relações públicas: Carrie Cook, Sandi Mendelson, Rob Mohr e Nicholas Platt. Matt e eu somos muito gratos a todos que leram e fizeram sugestões para melhorar o texto, especialmente Stephen Dark, que coeditou o glossário e as notas finais, Mark Jones, Sandra Luikenhuis, Mehmood Kahn, John Kempler, Lise Kempler, Tristan Edwards, Emile Dariel Liathovetski (the RockCellos), Dave Deamer, Terri Sinclair, Andrew Sinclair e Nick Sinclair. Agradeço a Brigitte Lacombe, fotógrafa mestra, pelas fotos matadoras (Instagram @brigittelacombe).

Obrigado a todas as equipes que trabalham incansavelmente para tornar este mundo um lugar melhor, incluindo e em ordem de incorporação, CohBar, Vium, InsideTracker, MetroBiotech, Arc Bio, Liberty Biosecurity, Dovetail Genomics, Life Biosciences, Continuum Biosciences, Jumpstart Fertility, Senolytic Therapeutics, Animal Biosciences, Spotlight Therapeutics, Selphagy Therapeutics e Iduna Therapeutics.

Quando escolhi ser cientista, pensei que a maior recompensa seria descobrir coisas, mas na verdade são os amigos que você faz ao longo da vida, aqueles que o defendem quando os tempos são difíceis. Por isso, sou grato pela amizade e pelos sábios conselhos de Nir Barzilai, Rafael de Cabo, Stephen Helfand, Edward Schulak, Jason Anderson, Todd Dickinson, Raj Apte, Anthony Sauve, David Livingston, Peter Elliott, Darren Higgins, Mark Boguski, Carlos Bustamante, Tristan Edwards, Lindsay Wu, Bruce Ksander e Meredith Gregory Ksander, Zhigang He, Michelle Berman, Pinchas "Hassy" Cohen, Mark Tatar, Alice Park, Sri Devi Narasimhan, James Watson, David Ewing Duncan, Joseph Maroon, John Henry, Duncan Purvis, Li-Huei Tsai, Christoph Westphal, Rich Aldrich, Michelle Dipp, Bracken Darrell, Charles de Portes, Stuart Gibson, Adam Neumann, Adi Neumann, Ari Emanuel, Vonda Shannon, Joel e Cathy Sohn, Alejandro Quiroz Zarate, Mathilde Thomas, Bertrand Thomas, Joseph Vercauteren, Nicholas Wade, Karen Weintraub, Jay Mitchell, Marcia Haigis, Amy Wagers, Yang Shi, Raul Mostoslavsky, Tom Rando, Jennifer Cermak, Phil Lambert, Bruce Szczepankiewicz, Ekat Peheva, Matt Easterday, Rob Mohr, Kyle

Meetze, Joanna Schulak, Ricardo Godinez, Pablo Costa, Andreas Pfenning, Fernando Fontove, Abraham Solis, Jaques Estaban, Carlos Sermeño e toda a equipe da C3 Peter Buchthal, Mark Tatar, Dean Ornish, Margaret Morris, Peter Smith, David Le Couteur, Thomas Watson, Kyle Landry, Meredith Carpenter, Steven Simpson, Mark Sumich, Adam Hanft, David Chin, Jim Cole, Ed Green, Phil Lambert, Shally Bhasin, Lawrence Gozlan, Daniel Kraft, Mark Hyman, Marc Hodosh, Felipe Sierra, Michael Sistenic, Bob Kain, David Coomber, Ken Rideout, Bob Bass, Tim Bass, John Monsky, Jose Morey, Michael Bonkowski, David Gold, Matt Westfall, Julia Dimon, Richard Hersey, Joe Hockey, Bjarke Ingels, Margo McInnes, Joe Rogan, Mhairi Anderson, Lon Augustenborg, Mike Harris, Sean Riley, Greg Keeley, Ari Patrinos, Andy, Henny, Ian, Josh, e a todas as outras pessoas especiais que serviram e arriscaram suas vidas para tornar o mundo um lugar melhor. A todos com quem trabalhei ao longo dos anos: obrigado pelo incentivo e pela inspiração para continuar trabalhando neste livro. Sou profundamente grato às pessoas que se dedicaram a ser meus mentores: minha avó, Vera; meu pai, Andrew; minha mãe, Diana; meus tios, Barry e Anne Webb; meus orientadores de doutorado, Ian Dawes, Richard Dickinson e Jeff Kornfeld; meu orientador de pós-doutorado, Lenny Guarente; meus orientadores de Harvard, Peter Howley, George Church e Cliff Tabin, e todos que defenderam e apoiaram nossa pesquisa.

Meu laboratório e sua pesquisa não seriam possíveis sem o apoio de doações da Helen Hay Whitney Foundation, uma bolsa de pós-graduação australiana, dos US National Institutes of Health, National Health and Medical Research Council da Austrália, Mark Collins, Leonard Judson e Kevin Lee, da Glenn Foundation for Medical Research, American Federation for Aging, Caudalie, Hood Foundation, Leukemia and Lymphoma Society, Lawrence Ellison Medical Foundation, Hank e Elenor Rasnow, Vincent Giampapa e Edward Schulak. Sou muito grato às centenas de doadores, grandes e pequenos, que contribuíram para a pesquisa do nosso laboratório.

E, finalmente, não sei como expressar minha gratidão pela visão, pela sabedoria e pela bondade de Paul Glenn, cujo financiamento da pesquisa do envelhecimento mudará o mundo.

## MATTHEW

Embora eu valorize minha parceria profissional com David, aprecio nossa amizade e sou muito grato por tê-lo em minha vida. Também aprecio profundamente Sandra, Alex, Natalie e Ben Sinclair, que sempre me trataram como família quando eu estava em Boston, e Susan DeStefano, que sempre me cumprimentou com um abraço em Harvard. Estou em dívida com os pesquisadores do laboratório de David, com os líderes e os funcionários das empresas nas quais ele está envolvido por sua gentileza e paciência durante minhas visitas. Eu não teria conhecido nenhuma dessas pessoas incríveis se não fosse pela minha maravilhosa agente, Trena Keating. Acima de tudo, sou grato à minha esposa, Heidi, e à nossa filha, Mia, que me apoiaram durante a escrita simultânea de dois livros.

# Sobre os Autores

**DAVID A. SINCLAIR** é um dos cientistas e empreendedores mais famosos do mundo, conhecido por pesquisar a fundo o envelhecimento e reverter seus efeitos. É professor titular de genética do Blavatnik Institute, da Harvard Medical School; codiretor do Paul F. Glenn Center for the Biology of Aging Research, de Harvard; professor adjunto e chefe do Aging Labs, da University of New South Wales, de Sydney, Austrália; e professor honorário da University of Sydney. Sua pesquisa é apresentada regularmente em impressos, podcasts, livros e programas de televisão, incluindo o *60 Minutes*, o especial de Barbara Walters, *NOVA*, e o *Through the Wormhole*, de Morgan Freeman. É reconhecido por sua pesquisa de genes e moléculas que atrasam o envelhecimento, incluindo os genes da sirtuína, resveratrol e precursores de NAD. Já publicou mais de 170 artigos científicos, é coinventor de mais de 50 patentes e fundou 14 empresas de biotecnologia nos campos de pesquisa do envelhecimento, vacinas, diabetes, fertilidade, câncer e biodefesa. Atua como coeditor-chefe da revista científica *Aging*, trabalha com agências de defesa nacionais e a NASA. Recebeu 35 prêmios, inclusive como um dos principais cientistas da Austrália antes dos 45 anos, recebendo a Australian Medical Research Medal, o NIH Director's Pioneer Award e está nas listas da revista *Time*: "100 pessoas mais influentes no mundo em 2014" e "50 pessoas mais importantes na área da saúde em 2018". Em 2018, recebeu o título de oficial da Order of Australia por seu trabalho em medicina e segurança nacional.

**MATTHEW D. LAPLANTE** é professor associado de redação jornalística da Utah State University. Alguns de seus trabalhos como jornalista, apresentador de rádio, autor e coautor podem ser encontrados em www.mdlaplante.com.

# Sumário

| | |
|---|---|
| Introdução: A Prece de uma Avó | xix |
| **PARTE I: O QUE NÓS SABEMOS (O PASSADO)** | 1 |
| 1. Viva Primordium | 3 |
| 2. A Pianista Demente | 29 |
| 3. A Epidemia de Cegueira | 67 |
| **PARTE II: O QUE ESTAMOS APRENDENDO (O PRESENTE)** | 87 |
| 4. A Longevidade Hoje | 89 |
| 5. Um Remédio Melhor para Engolir | 119 |
| 6. Grandes Passos a Frente | 151 |
| 7. A Era da Inovação | 179 |
| **PARTE III: PARA ONDE ESTAMOS INDO (O FUTURO)** | 213 |
| 8. A Forma das Coisas no Futuro | 215 |
| 9. Um Caminho à Frente | 263 |
| Conclusão | 295 |
| Notas | 313 |
| David Sinclair | 365 |
| Escala das Coisas | 367 |
| Personalidades | 369 |
| Glossário | 373 |

**SAVANA.** No maravilhoso mundo selvagem do clã Garigal, cachoeiras e estuários de água salgada correm através de escarpas de arenito ancestrais, sob as sombras das copas chamuscadas das umbilas, angóforas e eucaliptos, que aves kookaburras, currawongs e marsupiais wallabies chamam de lar.

# Introdução
## A Prece de uma Avó

**EU CRESCI PERTO DA MATA. EM MEU IMAGINÁRIO, MEU QUINTAL** era como o Bosque dos 100 Acres. Literalmente, era muito maior que isso. Fui até onde meus jovens olhos podiam ver, e nunca me cansei de explorá-lo. Eu caminhava e caminhava, parando para estudar os pássaros, os insetos, os répteis. Separava coisas, esfregava a terra entre meus dedos, ouvia os sons da natureza e tentava conectá-los às suas fontes.

E eu brincava. Fiz espadas de madeira e fortes de pedras. Escalei árvores, balancei em galhos, pendurei as pernas sobre precipícios íngremes e pulei de coisas que provavelmente não deveria ter pulado. Me imaginava como um astronauta em um planeta distante, fingia ser caçador em um safári, e levantava minha voz para os animais como se fossem o público de uma ópera.

"Coooeey!", eu gritava, algo como "venha cá" na língua do povo Garigal, os primeiros habitantes.

Obviamente, eu não era único em nada disso. Havia muitos garotos dos subúrbios ao norte de Sydney que compartilhavam meu amor pela aventura, exploração e imaginação. Esperamos isso das crianças. Nós *queremos* que elas brinquem assim.

Até, é claro, estarem "muito velhas" para esse tipo de coisa. Então, queremos que frequentem a escola. Depois, queremos que arrumem um trabalho. Encontrem um par. Economizem. Comprem uma casa.

Porque, você sabe, o tempo passa.

Minha avó foi a primeira pessoa a me dizer que não precisava ser assim. Ou, melhor, ela não me disse nada, mas me mostrou.

Ela cresceu na Hungria, onde passava os verões da Boêmia nadando nas águas frias do lago Balaton e caminhando nas montanhas de sua costa norte, em um resort que era frequentado por atores, pintores e poetas. Nos meses de inverno, ajudava a administrar um hotel em Buda Hills antes de ser dominado pelos nazistas e convertido no comando central da *Schutzstaffel* ou "SS".

Uma década depois da guerra, nos primeiros dias da ocupação soviética, os comunistas começaram a fechar as fronteiras. Na tentativa de atravessar para Áustria ilegalmente, sua mãe foi pega, presa e sentenciada a dois anos de prisão, e morreu pouco depois. Durante a Revolução Húngara, em 1956, minha avó escreveu e distribuiu boletins anticomunistas nas ruas de Budapeste. Depois de a Revolução ser contida, os soviéticos começaram a prender dezenas de milhares de dissidentes e ela fugiu para a Austrália com seu filho, meu pai, argumentando que era o mais longe possível da Europa.

Ela nunca mais pisou na Europa, mas trouxe um pouco da Boêmia consigo. Disseram-me que ela foi uma das primeiras mulheres a usar biquíni na Austrália e foi expulsa de Bondi Beach por causa disso. Ela viveu alguns anos na Nova Guiné — que ainda hoje é um dos lugares mais hostis do planeta — sozinha.

Embora sua ascendência fosse judia asquenaze e tenha tido educação luterana, minha avó era uma pessoa laica. Nossa oração equivalente ao Pai-Nosso era o poema do escritor inglês Alan Alexander Milne *Now We Are Six*, que termina assim:

*Mas agora eu tenho seis anos,*

*eu sou um tanto quanto esperto.*

*Então acho que vou fazer seis agora*

*para todo o sempre.*

Ela sempre lia esse poema para meu irmão e para mim. Seis, ela nos dizia, era a melhor idade e fez o possível para viver a vida com o espírito e a admiração de uma criança daquela idade.

Mesmo quando éramos muito jovens, minha avó não queria que a chamássemos de "avó". Ela também não gostava do termo húngaro, "nagymama", ou de qualquer outra palavra carinhosa, como "bubbie", "vó" ou "nana".

Para nós, crianças, e para todos os outros, ela era simplesmente Vera.

Vera me ensinou a dirigir, desviar e trocar de faixa, "dançando" com qualquer música que estivesse tocando no rádio do carro. Ela me disse para aproveitar minha juventude, para saborear a sensação de ser jovem. Os adultos, ela dizia, sempre arruinavam as coisas. Não cresça, ela pedia. Nunca deixe de ser criança.

Quando ela estava com seus 60, 70 anos, ainda era o que chamamos de "jovem de coração", bebendo vinho com amigos e familiares, comendo boa comida, contando grandes histórias, ajudando os pobres, doentes e menos afortunados, fingindo reger sinfonias, rindo tarde da noite. De acordo com o padrão de qualquer pessoa, essa é a marca de uma "vida bem vivida".

Mas, sim, o tempo estava passando.

Por volta de seus 80 anos, Vera era só uma lembrança de seu antigo eu, e sua última década de vida foi difícil de acompanhar. Ela estava frágil e doente. Ainda tinha sabedoria suficiente para insistir que eu me casasse com Sandra, minha noiva, mas a essa altura a música já não lhe dava mais alegria e ela mal levantava da cadeira; o entusiasmo que a definira se foi.

No fim, ela perdeu a esperança. "É assim que as coisas acontecem", disse ela.

Morreu aos 92 anos. E, da maneira como fomos ensinados a pensar nessas coisas, teve uma vida longa e boa. Mas, quanto mais refletia sobre isso, acreditava que a pessoa que ela *realmente* fora estava morta há muitos anos naquele momento.

Envelhecer pode parecer um evento distante, mas cada um de nós experimentará o fim da vida. Depois de inspirarmos pela última vez, nossas células gritarão por oxigênio, toxinas se acumularão, energia química se esgotará e estruturas celulares se desintegrarão. Alguns minutos depois, toda educação, sabedoria e lembranças que apreciamos, e todo nosso futuro em potencial, serão irreversivelmente apagados.

Aprendi isso em primeira mão quando minha mãe, Diana, faleceu. Meu pai, meu irmão e eu estávamos lá. Felizmente, foi uma morte rápida causada por um acúmulo de líquido no pulmão que ainda funcionava. Estávamos rindo juntos do discurso que escrevi durante a viagem dos Estados Unidos para a Austrália e, de repente, ela estava se contorcendo na cama, aspirando ar que não satisfazia a demanda de oxigênio de seu corpo, olhando para nós com desespero em seus olhos.

Inclinei-me e sussurrei em seu ouvido que ela era a melhor mãe que eu poderia ter desejado. Em alguns minutos, seus neurônios estavam morrendo, apagando não apenas a memória das minhas palavras finais, mas todas as suas memórias. Sei que algumas pessoas morrem em paz, mas não foi assim com minha mãe. Em pouco tempo, ela se transformou da pessoa que me criou em um aglomerado de células que se contorcia e sufocava, lutando pelos últimos sinais de energia criados no nível atômico de seu ser.

Tudo o que eu conseguia pensar era: "Ninguém lhe diz como é morrer. Por que ninguém lhe diz?"

Poucas pessoas estudaram a morte tão intimamente quanto Claude Lanzmann, cineasta que produziu um documentário sobre o Holocausto. E sua análise — sua advertência, na verdade — é assustadora. "Toda morte é violenta", disse ele em 2010. "Não existe morte natural, ao contrário do quadro que gostamos de pintar sobre o pai que morre em silêncio durante o sono, cercado por seus entes queridos. Não acredito nisso."[1]

Mesmo que não reconheçam sua violência, as crianças conhecem a tragédia da morte surpreendentemente cedo em suas vidas. Aos 4 ou 5 anos, elas sabem que a morte acontece e é irreversível.[2] É um pensamento chocante para elas, um pesadelo real.

**UMA "VIDA LONGA E BOA".** Minha avó, "Vera", abrigou judeus durante a Segunda Guerra Mundial, morou na primitiva Nova Guiné e foi expulsa de Bondi Beach por usar biquíni. O fim de sua vida foi difícil de acompanhar. "É assim que as coisas acontecem", disse ela. Mas a pessoa que ela realmente fora estava morta há muitos anos naquele momento.

A princípio, a maioria das crianças imagina que certos grupos são inatingíveis pela morte: pais, professores e elas mesmas; um pensamento tranquilizador. No entanto, entre os 5 e 7 anos, todas descobrem a universalidade da morte. Todo membro da família vai morrer. Todo animal de estimação. Toda planta. Tudo o que amam. Elas, inclusive. Ainda me lembro de quando entendi isso. Também me lembro muito bem quando Alex, meu filho mais velho, entendeu.

"Pai, nem *sempre* você estará presente?"

"Infelizmente, não", respondi.

Alex chorou por alguns dias, depois parou e nunca mais me perguntou sobre isso. Eu também não toquei mais no assunto.

Não demora muito para que o pensamento trágico seja bem enterrado nas profundezas do nosso subconsciente. Quando perguntadas se elas se preocupam com a morte, as crianças tendem a dizer que não pensam sobre o assunto. Se perguntadas sobre o que pensam, dizem que não é uma preocupação, porque ocorrerá apenas em um futuro remoto, quando envelhecerem.

Essa é uma visão que muitos de nós mantemos até os 50 anos. A morte é muito triste e paralisante para ser prolongada a cada dia. Muitas vezes, percebemos tarde demais. Quando acontece, e não estamos preparados, é devastador.

Para Robin Marantz Henig, colunista do *New York Times*, a "dura verdade" sobre a mortalidade chegou tarde em sua vida, depois que ela se tornou avó. "Apesar de todos os momentos maravilhosos que você pode ter a sorte de compartilhar e aproveitar", escreveu, "a vida de seu neto será uma longa sequência de aniversários que você não estará vivo para ver".[3]

É preciso coragem para pensar na mortalidade dos entes queridos antes que aconteça. É preciso ainda mais coragem para refletir sobre a própria mortalidade.

Foi o comediante e ator Robin Williams quem primeiro exigiu essa coragem de mim através de seu personagem John Keating, o professor e herói do filme *Sociedade dos Poetas Mortos*, que desafia seus alunos adolescentes a encarar os rostos dos garotos mortos há muito tempo em uma foto antiga.[4]

# INTRODUÇÃO

"Eles não são tão diferentes de vocês, são?" Keating dizia. "Invencíveis, como vocês se sentem. Seus olhos estão cheios de esperança. Mas veja, senhores, esses meninos agora estão fertilizando narcisos."

Keating incentiva os meninos a se aproximarem para ouvir uma mensagem do túmulo. De pé, atrás deles, em voz baixa e fantasmagórica, sussurra: "*Carpe. Carpe diem*. Aproveitem o dia, meninos. Tornem suas vidas extraordinárias."

Essa cena me impactou profundamente. É provável que eu não tivesse tido a motivação de me tornar professor de Harvard se não fosse pelo filme. Aos 20 anos, finalmente ouvi alguém dizer o que minha avó havia me ensinado desde cedo: Faça sua parte para tornar a humanidade melhor. Não desperdice um só momento. Aproveite sua juventude; conserve-a pelo tempo que puder. Lute por isso. Lute por isso. Nunca pare de lutar por isso.

Em vez de lutar pela juventude, lutamos pela vida. Mais especificamente, lutamos contra a morte.

Como espécie, estamos vivendo mais tempo do que nunca, mas não muito melhor. De forma alguma. Ao longo do século passado, adicionamos mais tempo, mas não mais vida — nem mesmo uma vida digna de ser vivida.[5]

E, assim, a maioria de nós quando imagina viver até os 100 anos ainda pensa: "Deus me livre", porque vimos como são as décadas finais e, para muitos, não é algo bonito de se ver. Respiradores e muitos remédios. Quadris fraturados e fraldas geriátricas. Quimioterapia e radiação. Incessantes cirurgias. E as contas do hospital; meu Deus, as contas do hospital.

Estamos morrendo lenta e dolorosamente. As pessoas nos países ricos passam uma década ou mais sofrendo de doença após doença no fim de suas vidas. Achamos que isso é normal. À medida que a expectativa de vida continua a aumentar nos países mais pobres, esse será o destino de bilhões de pessoas. Ao obtermos êxito em prolongar a vida, houve o efeito de "tornar a mortalidade uma experiência médica",[6] observou o médico-cirurgião Atul Gawande.

Mas e se não tiver que ser assim? E se pudéssemos permanecer jovens por mais tempo? Não apenas por mais anos, mas por décadas. E se esses anos finais não parecessem tão terrivelmente diferentes dos anos anteriores? E se, salvando a nós mesmos, também pudéssemos salvar o mundo?

Talvez nunca mais tenhamos 6 anos, mas que tal 26 ou 36 anos?

E se pudéssemos brincar como crianças, mais profundamente, sem nos preocupar *tão cedo em começar* com a vida adulta? E se todas as coisas que precisamos encurtar na adolescência não precisassem ser tão resumidas? E se não estivéssemos tão estressados aos 20 anos? E se não estivéssemos nos sentindo na meia-idade aos 30 e 40 anos? E se aos 50 anos quiséssemos nos reinventar e não conseguíssemos pensar em uma única razão pela qual não deveríamos? E se aos 60, não estivéssemos preocupados em deixar um legado, mas *começar* um?

E se não tivéssemos que nos preocupar com o tempo? E se eu lhe dissesse que em breve — muito em breve, na verdade — não contaremos o tempo?

Bem, é isso que estou lhe dizendo.

Sou um afortunado, pois, após 30 anos pesquisando fatos sobre a biologia humana, me encontro em uma posição única. Se me visitasse em Boston, me encontraria em meu laboratório na Harvard Medical School, onde sou professor do Departamento de Genética e codiretor do Paul F. Glenn Center for the Biological Mechanisms of Aging. Também administro um laboratório complementar em minha *alma mater*, a Universidade de New South Wales, em Sydney. Em meus laboratórios, equipes brilhantes de estudantes e doutores aceleraram e reverteram o envelhecimento em organismos-modelo e foram responsáveis pelas pesquisas mais citadas no campo, publicadas nas principais revistas do mundo. Também sou cofundador da *Aging*, que dá espaço para outros cientistas publicarem suas pesquisas sobre uma das questões mais desafiadoras e empolgantes do nosso tempo, e cofundador da Academy for Health and Lifespan Research, um seleto grupo de 20 pesquisadores em envelhecimento de todo o mundo.

Na tentativa de fazer uso prático de minhas descobertas, ajudei a abrir várias empresas de biotecnologia e fui conselheiro do corpo científico de várias outras. Essas empresas trabalham com centenas de acadêmicos de renome em áreas científicas, desde a origem da vida, da genômica até a farmacêutica.[7] É claro que estou ciente das descobertas de meus laboratórios muito antes de se tornarem públicas, mas, através dessas associações, também estou ciente de muitas outras antes do tempo, às vezes, uma década antes. As próximas páginas servirão como seu passe para os bastidores e seu lugar na primeira fila.

Tendo recebido o equivalente a um título de cavaleiro na Austrália e assumido o papel de embaixador, informei por muito tempo líderes políticos e empresários do mundo sobre como nossa compreensão do envelhecimento está mudando, e o que isso significa para a humanidade daqui para frente.[8]

Apliquei muitas de minhas descobertas científicas à minha vida e também à de muitos familiares, amigos e colegas. Os resultados — que, note, são completamente experimentais — são animadores. Tenho 50 anos e me sinto como uma criança. Minha esposa e meus filhos lhe dirão que me comporto como uma.

Isso inclui ser um *stickybeak*, termo australiano para quem é excessivamente curioso, talvez por causa dos pássaros currawongs, que furavam as tampas de papel-alumínio das garrafas de vidro entregues em casa e bebiam o leite delas. Meus amigos do ensino médio ainda gostam de me provocar sobre como, sempre que apareciam na casa dos meus pais, me encontravam desmontando algo: o casulo de uma mariposa de estimação, o abrigo de folha da teia de aranha, um computador antigo, as ferramentas do meu pai, um carro. Eu me tornei mestre nisso. Só que não era muito bom em juntar essas coisas de volta.

Eu não me conformava em *não* saber como algo funcionava ou de onde vinha. Ainda não consigo, mas pelo menos agora sou pago por isso.

A minha casa da infância ficava no alto de uma montanha rochosa. Abaixo, estava o rio que corre para a Baía de Sidney. Arthur Phillip, o primeiro governador de Nova Gales do Sul, explorou esses vales em abril de 1788, apenas alguns meses depois que ele e sua primeira frota de fuzileiros navais, prisioneiros e suas famílias estabeleceram uma colônia às margens do que ele chamou de "a melhor e mais extensa enseada do Universo". A pessoa responsável por ele estar lá foi o botânico Sir Joseph Banks, que 18 anos antes navegara pela costa australiana com o capitão James Cook em sua "viagem ao redor do mundo".[9]

Depois de retornar a Londres com centenas de espécimes de plantas para impressionar seus colegas, Banks fez lobby com o rei George III para iniciar uma colônia penal britânica no continente, o melhor local para o qual, ele argumentou, não por acaso, seria uma baía chamada "Botany" em "Cape Banks".[10] Os colonos da primeira frota logo descobriram que Botany Bay, apesar do excelente nome, não tinha fonte de água, então, navegaram até a Baía de Sidney e encontraram uma das maiores "rias" do mundo, uma região altamente ramificada, com uma hidrovia profunda formada quando o sistema do Rio Hawkesbury foi inundado pelo aumento do nível do mar após a última era glacial.

Aos 10 anos, eu já havia descoberto, através da exploração, que o rio no meu quintal descia para Middle Harbor, uma ramificação da Baía de Sydney. Mas não aguentava mais não saber onde ele nascia, precisava saber como era o *começo* de um rio.

Eu segui rio acima, saí na primeira bifurcação e, logo depois, entrei e saí de vários subúrbios. Ao anoitecer, eu estava a quilômetros de casa, além da última montanha no horizonte. Tive que pedir a um estranho para me deixar ligar para minha mãe e implorar para ela me buscar. Algumas vezes depois tentei investigar rio acima, mas nunca cheguei nem perto da fonte. Como Juan Ponce de León, o explorador espanhol da Flórida, conhecido por sua jornada apócrifa pela fonte da juventude, eu falhei.[11]

Desde que me lembro, queria entender por que envelhecemos. Mas encontrar a fonte de um processo biológico complexo é como procurar a nascente de um rio: não é fácil.

Em minha busca, segui pela esquerda e pela direita, e houve dias em que pensei em desistir, mas perseverei. Ao longo do caminho, vi muitos afluentes, mas também descobri o que poderia ser a nascente. Nas próximas páginas, apresentarei uma nova ideia sobre por que o envelhecimento evoluiu e como ele se encaixa no que chamo de Teoria da Informação do Envelhecimento. Também mostrarei por que vejo o envelhecimento como uma doença — uma doença bem comum — que não apenas pode, mas *deve* ser tratada de forma agressiva. Essa é a Parte I.

Na Parte II, apresentarei os passos que podem ser dados agora, e novas terapias em desenvolvimento que podem retardar, interromper e até reverter o envelhecimento, pôr fim em como o conhecemos.

E sim, reconheço plenamente as implicações das palavras "pôr fim ao envelhecimento como o conhecemos"; portanto, na Parte III, mostrarei os muitos futuros possíveis que essas ações podem criar e proporei um caminho para olharmos em frente, por um mundo no qual a maneira como podemos alcançar um tempo de vida aumentado seja através de uma *expectativa de vida* cada vez maior, a parte de nossas vidas que viveremos sem doenças ou incapacidades.

Muitas pessoas dirão que é um conto de fadas — mais próximo das obras de H. G. Wells do que de C. R. Darwin. Muitas delas são bastante inteligentes. São pessoas que entendem muito bem a biologia humana e que eu respeito.

Essas mesmas pessoas dirão que nosso estilo de vida moderno nos amaldiçoou com a redução do tempo de vida. Elas dirão que é improvável que você chegue aos 100 anos, e que seus filhos provavelmente também não chegarão lá. Dirão que destrincharam a ciência e fizeram projeções, e com certeza não é provável que seus netos cheguem aos 100 anos também. E elas dirão que, se você *chegar* aos 100 anos, é provável que não será saudável e definitivamente não irá durar por muito tempo. Se elas chegarem a admitir que as pessoas podem viver mais, afirmarão que é a pior coisa para este planeta. Os seres humanos são os inimigos!

Eles têm boas evidências para tudo isso — de fato, toda a história humana.

Claro, pouco a pouco, milênio a milênio, acrescentamos anos à vida humana *média*, dirão eles. A maioria de nós não chegava aos 40, então, chegamos. A maioria de nós não chegava aos 50, então, chegamos. A maioria de nós não chegava aos 60, e chegamos.[12] De modo geral, esses aumentos na expectativa de vida ocorreram à medida que mais pessoas tiveram acesso a fontes estáveis de alimentos e água potável. E, em grande parte, a média foi empurrada para cima a partir da base; as mortes durante a infância caíram e a expectativa de vida aumentou. Essa é a matemática simples da mortalidade humana.

Mas, embora a *média* continuasse subindo, o *limite* não acompanhava. Desde que registramos a história, conhecemos pessoas que atingiram seu centésimo ano e que poderiam ter vivido alguns anos além dessa marca. Mas muito poucas chegam aos 110 anos. Quase ninguém chega aos 115 anos.

Nosso planeta já abrigou mais de 100 bilhões de seres humanos até agora. Sabemos apenas de uma pessoa, Jeanne Calment, da França, que viveu supostamente após os 120 anos. A maioria dos cientistas acredita que ela morreu em 1997, aos 122 anos, embora seja possível também que sua filha tenha ficado em seu lugar para evitar o pagamento de impostos.[13] Se ela realmente chegou ou não a essa idade, não importa; outros poderão ultrapassá-la, mas a maioria de nós, 99,98% para ser mais preciso, estará morta antes dos 100 anos.

Portanto, certamente faz sentido quando as pessoas dizem que podemos continuar diminuindo a média, mas não é possível mexer no limite. Eles dizem que é fácil prolongar o tempo de vida máximo de ratos ou cães, mas nós, seres humanos, somos diferentes. Nós simplesmente já vivemos por mais tempo.

Eles estão errados.

Há também uma diferença entre prolongar a vida e prolongar a vitalidade. Somos capazes de ambos, mas simplesmente manter pessoas vivas — décadas depois de suas vidas serem marcadas pela dor, por doenças, fragilidade e imobilidade — não é nenhuma virtude.

A vitalidade prolongada — que significa não apenas mais anos de vida, mas anos mais ativos, saudáveis e felizes — está chegando. Está chegando mais cedo do que a maioria das pessoas imagina. Quando as crianças que nascem hoje atingirem a meia-idade, Jeanne Calment pode nem estar na lista das 100 pessoas mais velhas de todos os tempos. E, na virada do século seguinte, pode-se dizer que uma pessoa que tem 122 anos no dia de sua morte viveu uma vida completa, embora não particularmente longa. Cento e vinte anos pode não ser um limite, mas uma expectativa, tanto que nem chamaremos de longevidade; simplesmente a chamaremos de "vida" e olharemos para trás com pesar para o tempo de nossa história em que não era assim.

Qual é o limite máximo? Eu não acho que exista um. Muitos de meus colegas concordam.[14] Não existe nenhuma lei biológica que diga que temos de envelhecer.[15] Quem diz o contrário não sabe do que está falando. Provavelmente, ainda estamos muito longe de um mundo em que a morte é uma raridade, mas não estamos longe de adiá-la mais.

Tudo isso, de fato, é inevitável. O tempo de vida saudável prolongado está à vista. Sim, toda a história da humanidade sugere o contrário. Mas a ciência do prolongamento do tempo de vida neste século, em particular, diz que os becos sem saída anteriores foram guias ruins.

É preciso um pensamento radical para começar a abordar o que isso significa para nossa espécie. Nada, nos nossos bilhões de anos de evolução, nos preparou para isso, e é por esse motivo que é tão fácil e até irresistível acreditar que simplesmente não pode ser feito.

Mas é o que as pessoas pensavam também sobre o voo humano, até o momento em que alguém o fez.

Hoje, os irmãos Wright estão de volta à oficina, tendo êxito em voar com seus planadores pelas dunas de areia de Kitty Hawk. O mundo está prestes a mudar.

E, assim, como nos dias que antecederam 17 de dezembro de 1903, grande parte da humanidade está alheia. Simplesmente não havia um contexto com o qual construir a ideia de voo controlado e motorizado naquela época, portanto, a ideia era fantasiosa, mágica, tema de ficção especulativa.[16]

Então: decolagem. E nada foi como antes de novo.

Estamos em outro ponto de inflexão histórica. O que até então parecia mágico se tornará real. É um tempo em que a humanidade redefinirá o que é possível; um tempo de acabar com o inevitável.

De fato, é um momento em que redefiniremos o que significa ser humano, pois esse não é apenas o começo de uma revolução, é o começo de uma evolução.

# PARTE I

# O QUE NÓS SABEMOS

(O PASSADO)

U m

# Viva Primordium

**IMAGINE UM PLANETA DO TAMANHO DO NOSSO, DISTANTE DE SUA ESTRELA**, orbitando seu eixo um pouco mais rápido, de modo que um dia dure 20 horas. Ele é coberto por um oceano raso de água salgada e não tem continentes — apenas algumas cadeias esporádicas de ilhas basálticas aparecendo acima da linha d'água. Sua atmosfera não tem a mesma mistura de gases do nosso planeta. Uma manta úmida e tóxica de nitrogênio, metano e dióxido de carbono envolve o planeta.

Não há oxigênio. Não há vida.

Porque esse planeta, semelhante ao nosso planeta há 4 bilhões de anos, é fatalmente um lugar inóspito. Quente e vulcânico. Elétrico. Desordenado.

Mas isso está prestes a mudar. A água está se acumulando ao lado das fontes hidrotermais que desordenam uma das ilhas maiores. Moléculas orgânicas cobrem todas as superfícies, após terem viajado nas costas de meteoritos e cometas. Assentadas sobre rocha vulcânica seca, essas moléculas permanecerão apenas moléculas, mas, quando dissolvidas em lagos de água quente, através de ciclos de umedecimento e secagem nas bordas dessas piscinas, ocorre uma química especial.[1] À medida que os ácidos nucleicos se concentram, eles se transformam em polímeros, da mesma forma que os cristais de sal se formam quando uma poça à beira-mar evapora. Essas são as primeiras moléculas de RNA do mundo, os precursores do DNA. Quando a poça é preenchida novamente, o material genético primitivo fica encapsulado por ácidos graxos formando bolhas microscópicas — são as primeiras membranas celulares.[2]

Não demora muito, uma semana talvez, até que as poças rasas sejam cobertas com uma espuma amarela com trilhões de pequenas células precursoras cheias de cadeias curtas de ácidos nucleicos, que hoje chamamos de genes.

A maioria das protocélulas é reciclada, mas algumas sobrevivem e começam a desenvolver vias metabólicas primitivas, até que finalmente o RNA começa a copiar a si mesmo. Esse ponto marca a origem da vida. Agora que a vida se formou — como bolhas de ácidos graxos preenchidas com material genético —, elas começam a competir por domínio. Simplesmente não há recursos suficientes para voltar atrás. Que vença o melhor.

Dia após dia, as microscópicas e frágeis formas de vida começam a evoluir para formas mais avançadas, espalhando-se por rios e lagos.

Junto vem uma nova ameaça: um longo período de seca. O nível dos lagos cobertos de espuma caiu alguns metros durante a seca, mas no período das chuvas voltam a ficar cheios. Entretanto, nesse ano, graças à atividade vulcânica intensa do outro lado do planeta, as chuvas anuais não caíram como de costume, e as nuvens passaram longe. Os lagos secaram completamente.

O que restou foi uma crosta grossa e amarela que cobriu os leitos dos lagos. Não é um ecossistema definido somente pelo aumento e pela diminuição anual das águas, mas por uma luta brutal pela sobrevivência. E mais do que isso: é uma luta pelo futuro — pois os organismos que sobreviverem serão os progenitores de todos os seres vivos que surgirão: arqueas, bactérias, fungos, plantas e animais.

Dentro dessa massa agonizante de células, em cada pequeno pedaço com o mínimo de nutrientes e umidade, cada um fazendo o que for possível para responder ao chamado primordial de se reproduzir, existe uma única espécie. Vamos chamá-la de *Magna superstes*. Quer dizer "grande sobrevivente", em latim.

*M. superstes* não é muito diferente dos outros organismos comuns, mas tem uma vantagem distinta: desenvolveu um mecanismo genético de sobrevivência.

Haverá etapas evolutivas muito mais complicadas em eras futuras, mudanças tão extremas que ramificações inteiras da vida surgirão. Essas mudanças — produtos de mutações, inserções, rearranjos de genes e transferência horizontal de genes de uma espécie para outra – criarão organismos com simetria bilateral, visão estereoscópica e até consciência.

A princípio, esse primeiro passo evolutivo parece bastante simples. É um circuito. Um circuito genético.

O circuito começa com o gene A, um zelador que impede a reprodução das células quando os tempos são desfavoráveis. Isso é fundamental, porque, no início dos tempos na Terra, era *sempre* hostil. O circuito também possui um gene B, que codifica uma proteína "silenciadora". Essa proteína desliga o gene A quando os tempos são favoráveis, então, a célula pode fazer cópias de si mesma quando, e somente quando, ela e seus descendentes têm chances de sobreviver.

Os genes em si não são originais. Todas as vidas naquele lago têm esses dois genes, mas o que torna o *M. superstes* único é o fato de o gene B silenciador ter mutado para ter uma segunda função: ajudar a reparar o DNA. Quando o DNA da célula se danifica, a proteína silenciadora codificada pelo gene B se move do gene A para ajudar no reparo do DNA, ativando o gene A. Isso cessa temporariamente toda a reprodução até que o reparo do DNA esteja completo.

Isso faz sentido, pois, enquanto o DNA está danificado, reprodução é a última coisa que um organismo deveria estar fazendo. Em futuros organismos multicelulares, por exemplo, as células que não conseguem pausar para recuperar seu DNA têm grandes chances de perder material genético. Isso ocorre porque o DNA é separado antes da divisão celular de apenas um local de reparo, arrastando o resto do DNA com ele. Se o DNA está comprometido, parte de um cromossomo será perdida ou duplicada. As células provavelmente morrerão ou se multiplicarão incontrolavelmente em um tumor.

Com um novo tipo de silenciador genético que também repara o DNA, o *M. superstes* tem uma vantagem. Ele hiberna quando seu DNA está danificado e depois desperta. Ele superprioriza a sobrevivência.

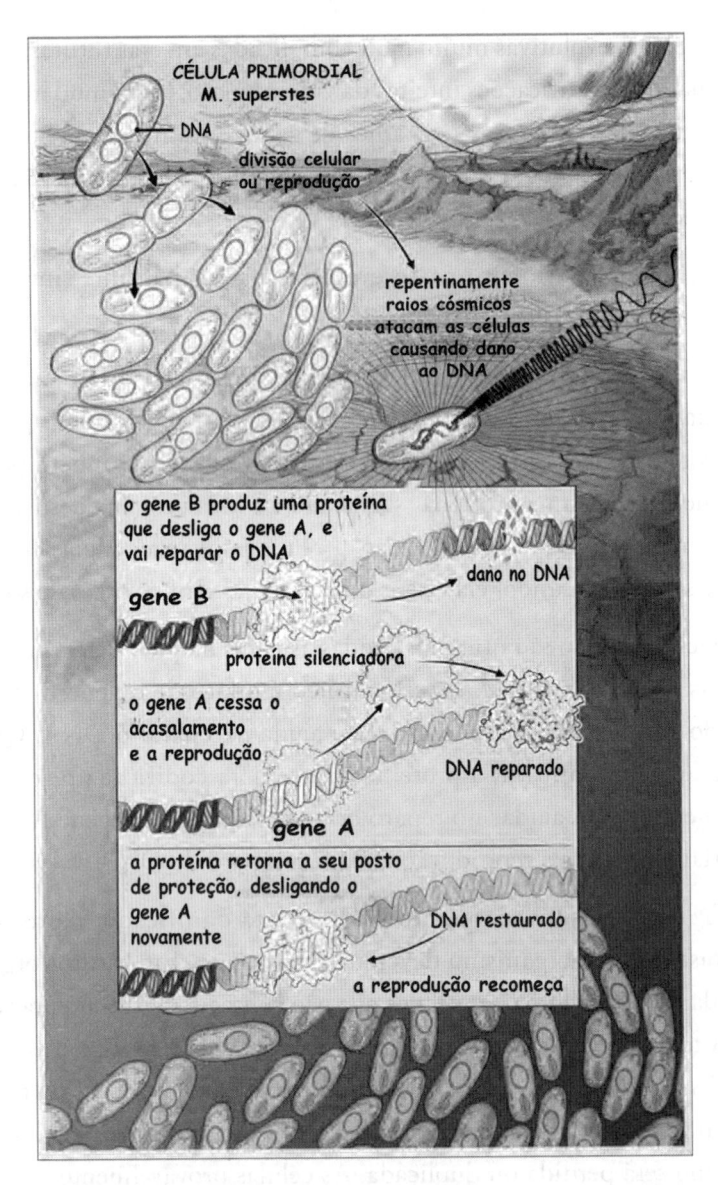

**A EVOLUÇÃO DO ENVELHECIMENTO.** Um circuito genético de 4 bilhões de anos nas primeiras formas de vida desativava a reprodução enquanto o DNA estava sendo reparado, proporcionando uma vantagem para a sobrevivência. O gene A desativa a reprodução e o gene B produz uma proteína que desativa o gene A quando é seguro se reproduzir. No entanto, quando o DNA se danifica, a proteína produzida pelo gene B entra em cena para reparar o DNA. Como resultado, o gene A é ativado para interromper a reprodução até que o reparo esteja completo. Nós herdamos uma versão avançada desse circuito de sobrevivência.

E isso é benéfico, pois agora vem mais um ataque à vida. Poderosos raios cósmicos de uma erupção solar distante estão atingindo a Terra, destruindo o DNA de todos os microrganismos nos lagos agonizantes. Um grande número deles continua se dividindo como se nada tivesse acontecido, sem saber que seus genomas foram danificados e essa reprodução os matará. Quantidades desiguais de DNA são compartilhadas entre as células-mãe e filha, fazendo com que ambas funcionem de forma irregular. Em última análise, o esforço é inútil. Todas as células morrerão e não restará nada.

Isto é, nada, apenas o *M. superstes*. Pois, enquanto os raios causam estragos, o *M. superstes* faz algo incomum: graças ao movimento da proteína B longe do gene A para ajudar a reparar os danos do DNA, o gene A liga e as células param quase tudo o que estão fazendo, transformando sua energia limitada para consertar o DNA que foi danificado. Em virtude de seu desafio ao ancestral instinto de se reproduzir, o *M. superstes* sobreviveu.

Quando o último período de seca acabar e os lagos se reencherem, o *M. superstes* despertará. *Agora,* ele poderá se reproduzir, e faz isso continuamente. Multiplicando-se. Deslocando-se para novos biomas. Evoluindo. Criando geração após geração de novos descendentes.

Eles são nossos Adão e Eva.

Como Adão e Eva, não sabemos se alguma vez o *M. superstes* existiu de fato. Mas minha pesquisa nos últimos 25 anos sugere que todas as coisas vivas que vemos ao nosso redor hoje são produto desse grande sobrevivente, ou pelo menos um organismo primitivo muito parecido com ele. O registro fóssil em nossos genes é um longo caminho para provar que todos os seres vivos que compartilham este planeta conosco ainda carregam esse antigo circuito de sobrevivência genética, quase na mesma forma básica. Está presente em todas as plantas. Está presente em todos os fungos. Está presente em todo animal.

Está em nós.

Desconfio que esse circuito genético é conservado porque é uma solução simples e elegante para os desafios deste mundo por vezes brutal por vezes generoso que garante melhor a sobrevivência dos organismos que os carregam. É, em essência, um kit de sobrevivência primordial que desvia a energia para a área de maior necessidade, reparando o que existe nos momentos em que as tensões do mundo estão conspirando para causar estragos no genoma, enquanto permite a reprodução apenas quando prevalecem os tempos mais favoráveis.

E é tão simples e tão forte que não só garantirá a continuação da vida existente no planeta, mas possibilitará que o circuito de sobrevivência da Terra seja transmitido de pai para filho, mutando e melhorando continuamente. Ajudando a vida a continuar por bilhões de anos, não importando o que o cosmos tenha trazido. E, em muitos casos, permitindo que as vidas dos indivíduos continuem por muito mais tempo do que eles realmente precisavam.

O corpo humano, embora longe de ser perfeito e ainda em evolução, carrega uma versão avançada do circuito de sobrevivência que lhe permite durar décadas após o período de reprodução. Embora seja interessante especular por que nosso longo tempo de vida evoluiu pela primeira vez — a necessidade de os anciões ensinarem a tribo é uma teoria atraente —, dado o caos que existe em escala molecular, é uma maravilha sobrevivermos 30 segundos após o período reprodutivo, e ainda atingir 80 anos com certa frequência.

Mas nós conseguimos. Surpreendentemente conseguimos. Milagrosamente conseguimos. Pois somos a origem de uma linhagem muito longa de grandes sobreviventes. Portanto, somos grandes sobreviventes.

Entretanto, existe uma relação de troca. Porque esse circuito dentro de nós, o descendente de uma série de mutações em nossos ancestrais mais distantes, é também a razão pela qual envelhecemos.

E, sim, o artigo definido do singular está correto: é *a* razão.

## Existe uma Razão para Tudo

Se você se surpreende com a noção de que existe uma única causa para o envelhecimento, não está sozinho. Se você ainda não pensou em por que envelhecemos, isso também é perfeitamente normal. Muitos biólogos também não pensaram muito sobre isso. Mesmo os geriatras, médicos especializados em envelhecimento, geralmente não se perguntam por que envelhecemos — eles simplesmente procuram tratar os sintomas.

Essa não é uma miopia específica do envelhecimento. Recentemente, no fim da década de 1960, o combate ao câncer foi uma luta contra seus sintomas. Não havia um consenso sobre o que gerava o câncer, então, os médicos removiam tumores da melhor maneira possível e passavam muito tempo dizendo aos pacientes para colocar seus assuntos em ordem. O câncer era "exatamente como é", pois é o que dizemos quando não conseguimos explicar algo.

Então, na década de 1970 foram descobertos, pelos biólogos moleculares Peter Vogt e Peter Duesberg, os genes que causavam o câncer, quando mutados. Os oncogenes, como são chamados, mudaram todo o paradigma da pesquisa sobre o câncer. Os pesquisadores da indústria farmacêutica agora tinham objetivos a seguir: as proteínas indutoras de tumor, codificadas por genes, como por exemplo, *BRAF*, *HER2* e *BCR-ABL*. Ao criar substâncias químicas que bloqueiam especificamente as proteínas geradoras de tumores, poderíamos finalmente começar a nos afastar do uso de radiação e de agentes quimioterápicos tóxicos para atacar o câncer em sua fonte genética, deixando as células normais intocadas. Certamente não conseguimos curar todos os tipos de câncer desde então, mas não acreditamos que isso seja impossível de ser feito.

De fato, há um otimismo crescente entre os pesquisadores. E essa esperança estava no centro do que foi, sem dúvidas, a parte mais memorável no discurso do presidente Barack Obama sobre o *State of the Union* em 2016.

"Para os entes queridos que todos perdemos, para a família que ainda podemos salvar, vamos fazer dos EUA o país que cura o câncer de uma vez por todas", disse Obama no Congresso e pediu um "tiro certeiro no câncer". Quando ele colocou o vice-presidente Joe Biden — cujo filho, Beau, morrera de câncer no cérebro um ano antes — à frente dessa tarefa, até os opositores mais ferrenhos do partido democrata tiveram dificuldade em conter as lágrimas.

Com o passar das semanas, muitos especialistas em câncer observaram que levaria muito mais tempo do que o fim do mandato Obama–Biden para acabar com o câncer. No entanto, somente poucos desses especialistas afirmaram que não poderia ser feito. E isso porque, em apenas algumas décadas, mudamos completamente a maneira como pensamos sobre o câncer. Não nos submetemos mais à sua inevitabilidade como parte da condição humana.

Um dos avanços mais promissores da década passada foi a terapia de controle imunológico ou simplesmente "imunoterapia". As células T do sistema imunológico patrulham continuamente nosso corpo, procurando células nocivas para identificar e eliminar antes que elas possam se transformar em um tumor. Se não fosse pelas células T, todos nós desenvolveríamos câncer aos 20 anos. Mas células cancerígenas trapaceiras desenvolveram maneiras de enganar as células T detectoras de câncer, para que pudessem continuar se multiplicando livremente. As imunoterapias mais recentes e eficazes se ligam a proteínas na superfície das células cancerígenas. É o equivalente a tirar a capa de invisibilidade das células cancerígenas para que as células T possam reconhecê-las e eliminá-las. Embora menos de 10% dos pacientes com câncer se beneficiem, atualmente, da imunoterapia, esse número deve aumentar graças às centenas de estudos em andamento.

Continuamos atacando uma doença que uma vez aceitamos como destino, investindo bilhões de dólares em pesquisas a cada ano, e o esforço está valendo a pena. As taxas de sobrevivência de cânceres letais estão aumentando drasticamente. Graças a uma combinação do inibidor de BRAF e imunoterapia, a sobrevivência de metástases cerebrais do melanoma, um dos tipos mais mortais de câncer, aumentou 91% desde 2011. Entre 1991 e 2016, as mortes por câncer nos Estados Unidos caíram 27% e continuam a cair.[3] Essa é uma vitória medida em milhões de vidas salvas.

Hoje, a pesquisa sobre envelhecimento está em um estágio semelhante ao da pesquisa sobre câncer na década de 1960. Temos um entendimento sólido de como é o envelhecimento e o que ele faz conosco, e um acordo emergente sobre sua causa e o que o mantém distante. Pelo que parece, o envelhecimento não será tão difícil de tratar, muito mais fácil do que curar o câncer.

Até a segunda metade do século XX, era geralmente aceito que os organismos envelheciam e morriam "pelo bem da espécie" — uma ideia que remonta a Aristóteles, se não é ainda mais antiga. Essa ideia parece bastante intuitiva. É a explicação dada pela maioria das pessoas em conversas informais.[4] Mas está completamente errada. Nós não morremos para abrir caminho para as gerações futuras.

Na década de 1950, o conceito de "seleção de grupo" na evolução estava saindo de moda, levando três biólogos da evolução, J. B. S. Haldane, Peter B. Medawar e George C. Williams, a propor algumas ideias importantes sobre o motivo de envelhecermos. No que diz respeito à longevidade, eles concordaram, os indivíduos cuidam de si mesmos. Impulsionados por seus genes egoístas, eles pressionam e tentam se reproduzir pelo máximo de tempo e o mais rápido que podem, desde que isso não os mate. (Em alguns casos, no entanto, eles pressionam demais, como meu bisavô, Miklós Vitéz, roteirista húngaro, provou à sua noiva 45 anos mais jovem em sua noite de núpcias.)

Se nossos genes não querem morrer, por que não vivemos para sempre? O trio de biólogos argumentou que experimentamos o envelhecimento porque as forças da seleção natural necessárias para construir um corpo robusto podem ser fortes quando temos 18 anos, mas diminuem rapidamente quando atingimos os 40, porque provavelmente já replicamos nossos genes egoístas de forma suficiente para garantir a sobrevivência deles. Por fim, as forças da seleção natural atingem zero. Os genes conseguem seguir em frente. Nós não.

Medawar, que tinha inclinação para as Letras, expôs uma teoria sutil chamada "pleiotropia antagônica". Simplificando, a teoria afirma que os genes que nos ajudam a reproduzir quando jovens não apenas se tornam menos úteis à medida que envelhecemos, mas podem realmente nos prejudicar no processo.

Vinte anos depois, Thomas Kirkwood, da Newcastle University, formulou a questão de por que envelhecemos apesar dos recursos disponíveis para o organismo. Conhecida como a "Teoria da Soma Descartável", baseia-se no fato de que sempre há recursos limitados disponíveis para as espécies — energia, nutrientes, água. Portanto, elas evoluem para um ponto que se situa em algum lugar entre dois estilos de vida muito diferentes: reproduzem-se rapidamente e morrem jovens, ou reproduzem-se lentamente e mantêm seu *soma*, ou corpo. Kirkwood argumentou que os organismos não podem procriar rapidamente *e* manter um corpo forte e saudável — simplesmente não há energia suficiente para fazer as duas coisas simultaneamente. Em outras palavras, na história da vida, qualquer linha de criatura com uma mutação que a levasse a viver rapidamente e tentasse morrer velha logo ficou sem recursos e, portanto, foi excluída do pool genético.

A teoria de Kirkwood é mais bem ilustrada por exemplos fictícios, mas potencialmente reais. Imagine que você seja um pequeno roedor que provavelmente será caçado por uma ave de rapina. Por esse motivo, precisará transmitir seu material genético rapidamente, assim como seus pais e os pais deles. As combinações de genes que teriam proporcionado um corpo mais duradouro não foram enriquecidas em sua espécie porque seus ancestrais provavelmente não escaparam de ser caçados por muito tempo (e você também não o fará).

Agora, imagine que você seja uma ave de rapina no topo da cadeia alimentar. Por esse motivo, seus genes — na verdade, os genes de seus ancestrais — se beneficiaram da construção de um corpo robusto e duradouro, capaz de se reproduzir por décadas. Por isso, eles podiam se dar ao luxo de ter apenas dois filhotes por ano.

A hipótese de Kirkwood explica por que um camundongo vive 3 anos, enquanto algumas aves podem viver até 100.[5] Também explica de maneira bastante elegante por que o lagarto camaleão americano, *Anolis carolinensis*, está evoluindo para ter uma vida mais longa enquanto falamos, tendo habitado por algumas décadas remotas ilhas japonesas sem predadores naturais.[6]

Essas teorias se encaixam nas observações e são geralmente bem-aceitas. Indivíduos não vivem para sempre, pois a seleção natural não opta pela imortalidade em um mundo no qual um plano corporal funciona perfeitamente bem para transmitir os genes egoístas de um corpo. E, como todas as espécies têm recursos limitados, elas evoluíram para alocar a energia disponível para a reprodução ou a longevidade, mas não para ambas. Isso foi tão verdadeiro para o *M. superstes* como foi e ainda é para todas as espécies que já viveram neste planeta.

Todas, exceto uma: o *Homo sapiens*.

Tirando vantagem de seu cérebro, relativamente grande, e uma civilização próspera superando a infeliz troca que a evolução lhe deu — membros fracos, sensibilidade ao frio, mau olfato e olhos que só enxergam bem à luz do dia e no espectro visível — essa espécie altamente incomum continua inovando. Já forneceu a si mesma uma abundância de comida, nutrientes e água, reduzindo as mortes por predação, exposição, doenças infecciosas e guerras. Todos eram fatores limitantes para a evolução de uma vida mais longa. Retirando tais fatores, alguns milhões de anos de evolução podem dobrar seu tempo de vida, aproximando-a da expectativa de vida de algumas outras espécies no topo de suas linhagens. Mas não terá que esperar tanto, nem perto disso. Porque essa espécie está trabalhando diligentemente para inventar medicamentos e tecnologias para lhe proporcionar a robustez de uma vida muito mais longa, superando literalmente o que a evolução falhou em fornecer.

## MODO DE CRISE

Wilbur e Orville Wright nunca poderiam ter construído uma máquina voadora sem um conhecimento do fluxo de ar, da pressão negativa e de um túnel de vento. Os Estados Unidos também não poderiam ter colocado homens na Lua sem um entendimento de metalurgia, combustão líquida, computadores e certo nível de confiança de que a Lua não é feita de queijo.[7]

Da mesma forma, se queremos fazer um progresso real no esforço de aliviar o sofrimento que advém do envelhecimento, é necessária uma explicação unificada para o motivo de envelhecermos, não apenas no nível evolutivo, mas no nível fundamental.

No entanto, explicar o envelhecimento em um nível fundamental não é tarefa simples. Terá de satisfazer todas as leis conhecidas da Física e todas as regras da Química, e ser consistente com séculos de observações biológicas. Terá de abranger o mundo menos compreendido entre o tamanho de uma molécula e o tamanho de um grão de areia,[8] e deverá explicar simultaneamente o funcionamento das máquinas vivas mais simples e complexas que já existiram.

Portanto, não é de surpreender que nunca tenha existido uma teoria unificada sobre o envelhecimento, pelo menos, não uma que se sustente — embora não tenha sido por falta de tentativa.

Uma hipótese, proposta de forma independente por Peter Medawar e Leo Szilard, foi que o envelhecimento é causado por danos ao DNA resultando em perda de informações genéticas. Ao contrário de Medawar, que sempre foi biólogo e construiu uma carreira vencedora do Prêmio Nobel em imunologia, Szilard estudou biologia de maneira indireta. O polímata e inventor nascido em Budapeste teve uma vida nômade sem emprego fixo ou endereço permanente, preferindo passar o tempo com colegas que satisfaziam suas curiosidades mentais sobre as grandes questões que a humanidade enfrentava. No início de sua carreira, ele foi um físico nuclear pioneiro e fundador-colaborador do Projeto Manhattan, que inaugurou a era da guerra atômica. Horrorizado pelas inúmeras vidas que seu trabalho ajudou a exterminar, ele voltou sua mente torturada para tornar a vida mais longa.[9]

A ideia de que o acúmulo de mutação causa envelhecimento foi adotada por cientistas e pelo público nas décadas de 1950 e 1960, em uma época em que os efeitos da radiação no DNA humano estavam na mente de muitas pessoas. Mas, embora saibamos com muita certeza que a radiação pode causar todo tipo de problema em nossas células, ela causa apenas um subconjunto de sinais e sintomas que observamos durante o envelhecimento,[10] portanto, não pode servir como uma teoria universal.

Em 1963, o biólogo britânico Leslie Orgel entrou em campo com sua "Hipótese catástrofe-erro", que postulou que os erros cometidos durante o processo de cópia do DNA levam a mutações nos genes, incluindo os necessários para fabricar o mecanismo de proteínas que copia o DNA. O processo interrompe cada vez mais esses mesmos processos, multiplicando-se até que o genoma de uma pessoa seja incorretamente copiado ao esquecimento.[11]

Na mesma época em que Szilard estava concentrado na radiação, Denham Harman, químico da Shell Oil, também estava pensando atomicamente, embora de uma maneira diferente. Depois de tirar um tempo para terminar a faculdade de Medicina, na Universidade de Stanford, criou a "Teoria dos Radicais Livres do Envelhecimento", que culpa o envelhecimento por elétrons não emparelhados que circulam pelas células, danificando o DNA pela oxidação, especialmente nas mitocôndrias, porque é aí que a maioria dos radicais livres é gerada.[12] Harman passou a maior parte de sua vida testando a teoria.

Tive o prazer de conhecer a família Harman em 2013. Sua esposa me contou que o professor Harman tomou altas doses de ácido alfa-lipoico durante grande parte de sua vida para anular os radicais livres. Considerando que ele trabalhou incansavelmente em sua pesquisa até os 90 anos, suponho que, no mínimo, mal não tenha feito.

Nas décadas de 1970 e 1980, Harman e centenas de outros pesquisadores testaram se os antioxidantes prolongariam a vida de animais.

Os resultados gerais foram decepcionantes. Embora Harman tenha tido algum sucesso em prolongar a vida média de roedores, assim como adicionar o hidroxitolueno butilado, nenhum mostrou aumento *máximo* da vida. Em outras palavras, um grupo de animais em estudo pode viver algumas semanas a mais, em média, mas nenhum deles estava estabelecendo recordes para a longevidade individual. Desde então, a ciência demonstrou que os efeitos positivos à saúde alcançáveis com uma dieta rica em antioxidantes são provavelmente causados mais pelo estímulo das defesas naturais do corpo contra o envelhecimento, incluindo aumentar a produção de enzimas do corpo que eliminam radicais livres, mas não como resultado da própria atividade antioxidante.

Se antigos hábitos são difíceis de eliminar, a ideia dos radicais livres é campeã. A teoria foi derrubada por cientistas do meu campo de estudo há mais de uma década, e ainda é amplamente perpetuada pelas indústrias farmacêutica e de bebidas, que abastecem uma indústria global de US$3 bilhões.[13] Com toda essa publicidade, não é de surpreender que mais de 60% dos consumidores norte-americanos ainda procurem por alimentos e bebidas que tenham boas fontes de antioxidantes.[14]

Os radicais livres causam mutações. Obviamente causam. Você pode encontrar mutações em abundância, sobretudo em células expostas[15] e nos genomas mitocondriais de idosos. O declínio mitocondrial é certamente uma característica do envelhecimento e pode levar à disfunção dos órgãos. Mas as mutações sozinhas, especialmente as do genoma nuclear, conflitam com uma quantidade cada vez maior de evidências em contrário.

Arlan Richardson e Holly Van Remmen passaram cerca de uma década na Universidade do Texas, em San Antonio, testando se o aumento de radicais livres causa danos ou mutações em ratos, levando ao envelhecimento; isso não aconteceu.[16] Em meu laboratório, e em outros, foi comprovado de modo bem simples a restauração da função das mitocôndrias em camundongos idosos, indicando que grande parte do envelhecimento não se deve a mutações no DNA mitocondrial, pelo menos até uma idade avançada.[17]

Embora a discussão sobre o papel das mutações nucleares no DNA do envelhecimento continue, há um fato que contradiz todas essas teorias, um que é difícil de refutar.

Ironicamente, foi Szilard, em 1960, quem iniciou o fim de sua própria teoria, ao descobrir como clonar uma célula humana.[18] A clonagem nos dá a resposta sobre se as mutações causam ou não o envelhecimento. Se as células antigas realmente tivessem perdido informações genéticas cruciais e essa fosse a causa do envelhecimento, não poderíamos clonar novos animais a partir de indivíduos mais velhos. Os clones nasceriam velhos.

É um equívoco pensar que os animais clonados envelhecem prematuramente. Essa ideia tem sido amplamente perpetuada na mídia, e até o site do National Institutes of Health afirma isso.[19] Sim, é verdade que Dolly, a primeira ovelha clonada, criada por Keith Campbell e Ian Wilmut no Instituto Roslin da Universidade de Edimburgo, viveu apenas metade da vida normal e morreu de uma doença pulmonar progressiva. Mas uma extensa análise de seus restos mortais não mostrou sinais de envelhecimento precoce.[20] Enquanto isso, a lista de espécies animais que têm sido clonadas e comprovadamente têm uma vida normal e saudável agora inclui cabras, ovelhas, ratos e vacas.[21]

Devido ao fato de a transferência nuclear funcionar na clonagem, podemos dizer com alto grau de confiança que o envelhecimento não é causado por mutações no DNA nuclear. Claro, é possível que algumas células do corpo não sofram mutações, e essas são as que acabam produzindo clones de sucesso, mas isso parece altamente improvável. A explicação mais simples é que os animais idosos mantêm toda a informação genética necessária para gerar um animal totalmente novo e saudável, e que as mutações não são a principal causa do envelhecimento.²²

Certamente, não é uma desonra para esses pesquisadores brilhantes que suas teorias não tenham resistido ao teste do tempo. Isso é o que acontece com a ciência em geral, e talvez com tudo, cedo ou tarde. Em *A Estrutura das Revoluções Científicas*, Thomas Kuhn observou que a descoberta científica nunca é completa; passa por estágios previsíveis de evolução. Quando uma teoria consegue explicar observações anteriormente inexplicáveis sobre o mundo, torna-se uma ferramenta que os cientistas podem usar para descobrir ainda mais.

No entanto, é inevitável que novas descobertas levem a novas questões que não são inteiramente respondidas pela teoria, e essas perguntas gerem mais perguntas. Logo, o modelo entra em modo de crise e começa a flutuar à medida que os cientistas procuram ajustá-lo, o menos possível, para dar conta daquilo que não conseguem explicar.

O modo de crise é sempre um momento fascinante na ciência, mas não é para os fracos de coração, conforme dúvidas sobre os pontos de vista das gerações anteriores continuam a crescer contra os protestos da velha guarda. Mas o caos é finalmente substituído por uma mudança de paradigma, na qual um novo consenso emerge e pode explicar mais do que o modelo anterior.

Foi o que aconteceu cerca de uma década atrás, à medida que ideias de liderar cientistas no campo do envelhecimento começaram a se unir em torno de um novo modelo — um que sugeria que a razão pela qual tantas pessoas brilhantes haviam lutado para identificar uma única causa do envelhecimento foi que não havia uma.

Nessa visão mais sutil, o envelhecimento e as doenças que o acompanham são o resultado de várias "características" do envelhecimento:

- Instabilidade genômica causada por dano ao DNA;
- Atrito das proteções cromossômicas, os telômeros;
- Alterações no epigenoma que controla quais genes devem funcionar ou não;
- Perda de manutenção saudável de proteínas, conhecida como proteostase;

- Detecção desregulada de nutrientes causada por alterações metabólicas;
- Disfunção mitocondrial;
- Acumulação de células senescentes semelhantes a zumbis contaminando células saudáveis;
- Esgotamento de células-tronco;
- Esgotamento intercelular alterado e produção de moléculas inflamatórias.

Os pesquisadores começaram a concordar com cautela: desvie dessas características e você será capaz de retardar o envelhecimento. Retardando o envelhecimento, pode prevenir doenças. Prevenindo doenças, pode afastar a morte.

Veja as células-tronco, que têm o potencial de se transformar em muitos outros tipos de células: se podemos impedir que essas células indiferenciadas se cansem, elas podem continuar a gerar todas as células diferenciadas necessárias para curar tecidos danificados e combater todos os tipos de doenças.

Ao mesmo tempo, estamos melhorando as taxas de aceitação de transplante de medula óssea, que são a forma mais comum de terapia com células-tronco, e usando células-tronco para o tratamento de artrite, diabetes tipo 1, perda de visão e doenças neurodegenerativas como Alzheimer e Parkinson. Essas intervenções baseadas em células-tronco estão adicionando anos à vida das pessoas.

Veja as células senescentes, por exemplo, que atingiram o fim de sua capacidade de divisão, mas que se recusam a morrer, continuando a emanar sinais de pânico que contaminam células circundantes: se pudermos matar as células senescentes ou impedi-las de se acumular, será possível manter nossos tecidos muito mais saudáveis por mais tempo.

O mesmo pode ser dito sobre o combate à perda de telômeros, ao declínio de proteostase e todas as outras características. Essas podem ser ultrapassadas uma a uma, um pouco de cada vez, de maneiras que nos ajudem a prolongar a saúde humana.

Nos últimos 25 anos, os pesquisadores aumentaram seus esforços em ultrapassar cada uma dessas características. É de amplo consenso que essa seria a melhor maneira de aliviar as dores e os sofrimentos daqueles que estão envelhecendo.

Há poucas dúvidas de que a lista de características, embora incompleta, inclua o início de um manual tático bem robusto para uma vida mais longa e saudável. Intervenções destinadas a diminuir a velocidade de qualquer uma dessas características pode adicionar alguns anos de bem-estar a nossas vidas. Se pudermos abordar todas elas, a recompensa poderá aumentar muito o tempo de vida *médio*.

E quanto a ultrapassar o limite de vida *máximo*? Ultrapassar essas características pode não ser suficiente.

Mas a ciência está avançando rápido, mais rápido agora do que nunca, graças ao acúmulo de séculos de conhecimento, robôs que analisam dezenas de milhares de possíveis medicamentos por dia, máquinas de sequenciamento que leem milhões de genes por dia e o poder computacional que processa trilhões de bytes de dados em velocidades que seriam inimagináveis há uma década. As teorias sobre o envelhecimento, que foram lentamente esquecidas por décadas, são agora um pouco mais fáceis de ser testadas e refutadas.

Embora esteja no começo, uma nova mudança de pensamento está em andamento. Novamente nos encontramos em um período de caos — ainda bastante confiantes de que as características marcantes são indicadores precisos do envelhecimento e de seus inúmeros sintomas, mas incapaz de explicar por que essas características ocorrem em primeiro lugar.

Está na hora de responder a essas antigas perguntas.

Agora, encontrar uma explicação universal para qualquer coisa — ainda mais se tratando de algo tão complexo quanto o envelhecimento — não acontece da noite para o dia. As teorias que procuram explicar o envelhecimento não devem apenas desafiar a análise científica, mas fornecer uma explicação racional para cada um dos pilares do envelhecimento. Há hipóteses universais que parecem fornecer uma razão para a senescência celular, mas não existe uma explicação para a exaustão das células-tronco, por exemplo.

No entanto, acredito que essas respostas existam — causas para o envelhecimento além das características apresentadas. Sim, uma *única* razão pela qual envelhecemos.

Pura e simplesmente, o envelhecimento é uma perda de informação.

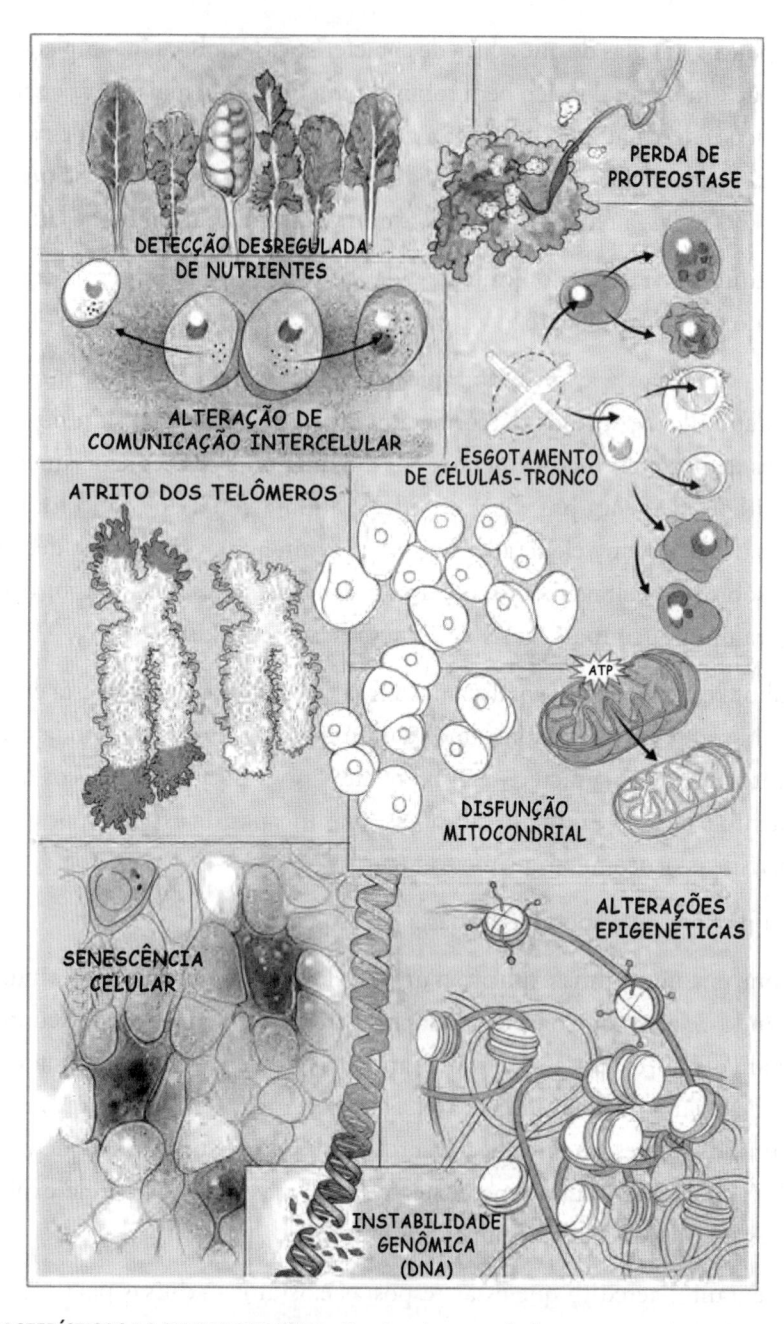

**AS CARACTERÍSTICAS DO ENVELHECIMENTO.** Os cientistas estabeleceram oito ou nove características do envelhecimento. Resolva um desses problemas e você poderá retardá-lo. Ultrapasse todos e poderá não envelhecer.

Você pode reconhecer que a perda de informações foi uma grande parte das ideias que Szilard e Medawar adotaram independentemente, mas que são equivocadas porque se concentraram na perda de informação *genética*.

Mas existem dois tipos de informação em biologia, e são codificadas de modo inteiramente diferente. O primeiro tipo de informação — o tipo que meus estimados antecessores estudavam — é *digital*. A informação digital, como você provavelmente deve saber, é baseada em um conjunto finito de valores possíveis — nesse caso, não na base 2 ou binária, codificada como 0 e 1, mas do tipo quaternário ou base 4, codificada como adenina, timina, citosina e guanina, e os nucleotídeos A, T, C, G do DNA.

Como o DNA é digital, é uma maneira confiável de armazenar e copiar informações. De fato, ele pode ser copiado repetidamente com alta precisão; em princípio, não é diferente da informação digital armazenada na memória do computador ou em um DVD.

O DNA também é forte. Quando trabalhei em um laboratório, fiquei chocado ao ver como essa "molécula da vida" poderia sobreviver por horas em água fervente e emocionado por ter sido recuperada de neandertais de pelo menos 40 mil anos.[23] As vantagens do armazenamento digital explicam por que as cadeias de ácidos nucleicos permaneceram na molécula de armazenamento biológico essencial nos últimos 4 bilhões de anos.

O outro tipo de informação no corpo é a *analógica*.

Não ouvimos muito sobre informação analógica no corpo. Em parte, porque é mais recente para a ciência e também porque raramente é descrita em termos de informação, mesmo assim foi descrita pela primeira vez quando geneticistas notaram estranhos efeitos não genéticos nas plantas que estavam criando.

Hoje, informações analógicas são mais comumente referidas como *epigenoma*, significando traços herdados que não são transmitidos geneticamente.

O termo *epigenética* foi cunhado pela primeira vez em 1942 por Conrad H. Waddington, um biólogo britânico do desenvolvimento, enquanto trabalhava na Universidade de Cambridge. Na última década, o significado da palavra epigenética tem se expandido para outras áreas da biologia que têm menos a ver com hereditariedade — incluindo desenvolvimento embrionário, redes de troca de genes e alterações químicas nas proteínas que envolvem o DNA — para desgosto dos geneticistas ortodoxos em meu departamento na Harvard Medical School.

Da mesma forma que a informação genética é armazenada como DNA, a informação epigenética é armazenada em uma estrutura chamada cromatina. O DNA nas células não está desorganizado, ele fica envolvido em torno de pequenas esferas de proteína chamadas histonas. Essas "miçangas" se agrupam para formar curvas, como quando você arruma sua mangueira de jardim na calçada em uma pilha. Se você fosse brincar de cabo de guerra usando as duas extremidades de um cromossomo, acabaria com uma cadeia de DNA de quase 2 metros de comprimento pontuada por milhares de proteínas histonas. Se pudesse, de alguma forma, conectar uma extremidade do DNA a uma tomada e fizesse com que as histonas piscassem, algumas células poderiam ser usadas como luzes de Natal.

Em espécies simples, como o ancestral *M. superstes* e os fungos atuais, o armazenamento e a transferência de informação epigenética são importantes para a sobrevivência. Para as formas de vida complexas é essencial. Por vida complexa, quero dizer qualquer coisa composta por mais de duas células: fungos, águas-vivas, vermes, drosófilas e, claro, mamíferos, como nós. Informação epigenética é o que orquestra a montagem de um recém-nascido humano composto por 26 bilhões de células a partir de um único óvulo fertilizado e o que permite que as células geneticamente idênticas em nossos corpos assumam milhares de diferentes modalidades.[24]

Se o genoma fosse um computador, o epigenoma seria o software. Instrui as células recém-divididas sobre que tipo de células elas devem ser e o que devem continuar sendo, às vezes por décadas, como no caso dos neurônios individuais e de certas células imunológicas.

É por isso que um neurônio um dia não se comporta como uma célula da pele e uma divisão de células renais não dá origem a duas células hepáticas. Sem informação epigenética, as células perderiam rapidamente sua identidade e as novas células perderiam sua identidade também. Se isso acontecesse, tecidos e órgãos acabariam tornando-se cada vez menos funcionais até que falhassem.

Nas lagoas quentes da Terra primordial, um sistema químico digital era a melhor maneira de armazenar dados genéticos a longo prazo. Mas um armazenamento de dados também era necessário para registrar e responder às condições ambientais, e foi mais bem armazenado no formato analógico. Os dados analógicos são superiores para esse trabalho porque podem ser trocados com relativa facilidade sempre que o ambiente dentro ou fora da célula exige, e podem armazenar um número quase ilimitado de valores possíveis, mesmo em resposta a condições que nunca foram encontradas antes.[25]

O número ilimitado de valores possíveis é o motivo pelo qual muitos audiófilos ainda preferem os ricos sons dos sistemas de armazenamento analógico. Apesar de os dispositivos analógicos terem suas vantagens, eles têm uma grande desvantagem. Na verdade, é por isso que passamos do analógico para o digital. Ao contrário do digital, as informações analógicas degradam-se com o tempo — vítimas das forças conspiratórias dos campos magnéticos, gravidade, raios cósmicos e oxigênio. Ainda pior, as informações são perdidas à medida que são copiadas.

Ninguém ficou mais perturbado com o problema da perda de informação do que Claude Shannon, engenheiro elétrico do Massachusetts Institute of Technology (MIT) em Boston. Tendo sobrevivido à Segunda Guerra Mundial, Shannon soube em primeira mão como a introdução de "ruído" nas transmissões de rádio analógicas pode custar vidas. Depois da guerra, ele escreveu um artigo científico curto, mas profundo, chamado *Teoria Matemática da Comunicação*, sobre como preservar as informações, que muitos consideram o fundamento da Teoria da Informação. Se houve um artigo que nos impulsionou para o mundo digital sem fio em que vivemos, foi esse.[26]

A principal intenção de Shannon, obviamente, era melhorar a robustez das comunicações eletrônicas e de rádio entre dois pontos. Seu trabalho pode vir a ser ainda mais importante do que isso; porque suas descobertas sobre como preservar e restaurar informações, acredito, podem ser aplicadas ao envelhecimento.

Não desanime com a minha afirmação de que somos o equivalente biológico de um obsoleto aparelho de DVD. É realmente uma boa notícia. Se Szilard estivesse certo sobre as mutações que causam o envelhecimento, não seríamos capazes de resolvê-lo facilmente, porque quando as informações são perdidas sem um backup, são perdidas para sempre. Pergunte a quem tentou reproduzir ou restaurar o conteúdo de um DVD danificado: o que se foi, foi.

Porém, geralmente podemos recuperar informações de um DVD *riscado*. E, se eu estiver correto, o mesmo tipo de processo será necessário para reverter o envelhecimento.

Como a clonagem prova perfeitamente, nossas células mantêm as informações digitais da juventude mesmo quando estamos velhos. Para nos tornar jovens de novo, só precisamos um pouco de polimento para remover os arranhões.

Eu acredito que isso seja possível.

## Um Tempo para Cada Objetivo

A Teoria da Informação do Envelhecimento começa com o circuito de sobrevivência primordial que herdamos de nossos ancestrais distantes.

Com o tempo, como se pode esperar, o circuito evoluiu. Os mamíferos, por exemplo, não têm somente um par de genes que cria o circuito de sobrevivência, mas alguns que inicialmente apareceram no *M. superstes*. Os cientistas descobriram mais de duas dúzias deles em nosso genoma. Grande parte dos meus colegas os chamam de "genes da longevidade" porque demonstraram a capacidade de estender as expectativas de vida média e máxima em muitos organismos. Mas esses genes não apenas prolongam a vida, eles a tornam mais saudável, e por isso também podem ser considerados "genes da vitalidade".

Juntos, esses genes formam uma rede de vigilância dentro de nossos corpos, comunicando-se entre as células e entre os órgãos por meio de liberação de proteínas e produtos químicos na corrente sanguínea, monitorando e respondendo ao que comemos, o quanto nos exercitamos e a que hora do dia fazemos isso. Eles nos sinalizam para desacelerarmos quando as coisas ficam desfavoráveis, e nos orientam para acelerarmos e nos reproduzirmos rapidamente quando estão favoráveis.

E agora que sabemos que esses genes estão lá e para que servem, a descoberta científica nos dá a oportunidade de explorar e tirar proveito deles, imaginar seu potencial e forçá-los a trabalhar por nós de maneiras diferentes. Usando moléculas, naturais e originais, usando tecnologia simples e complexa, usando a sabedoria nova e antiga, podemos ler, virá-los do avesso e mudá-los por completo.

Os genes da longevidade em que trabalho são chamados de "sirtuínas", em homenagem à levedura *SIR2*, a primeira a ser descoberta. Existem sete sirtuínas nos mamíferos, *SIRT1* a *SIRT7*, e são produzidas por quase todas as células do corpo humano. Quando iniciei minha pesquisa, elas mal estavam no radar científico. Agora, essa família de genes está na vanguarda da pesquisa médica e desenvolvimento de medicamentos.

Descendente do gene B de *M. superstes*, as sirtuínas são enzimas que removem o acetil das histonas e outras proteínas e, ao fazer isso, mudam a embalagem do DNA, desligando e ligando os genes quando necessário. Esses reguladores epigenéticos críticos ficam no topo dos sistemas de controle celular, regulando nossa reprodução e reparo de DNA. Após alguns bilhões de anos de avanço desde a época das leveduras, eles evoluíram para controlar nossa saúde, nossa forma física e nossa própria sobrevivência. Também evoluíram para exigir uma molécula chamada nicotinamida adenina dinucleotídeo ou NAD. Como veremos mais adiante, a perda de NAD à medida que envelhecemos e o declínio resultante na atividade da sirtuína são considerados dois dos principais motivos para que nossos corpos desenvolvem doenças quando somos idosos, mas não quando somos jovens.

Trocando reprodução por reparo, as sirtuínas ordenam que nossos corpos "apertem o cinto" em tempos de estresse e nos protegem contra as principais doenças do envelhecimento: diabetes e doenças cardiovasculares, Alzheimer e osteoporose, e até o câncer. Silenciam a inflamação crônica e hiperativa que levam a doenças como aterosclerose, distúrbios metabólicos, colite ulcerosa, artrite e asma. Elas previnem a morte celular e aumentam as mitocôndrias, as reservas de energia da célula. Elas vão para a batalha contra a perda de massa muscular, osteoporose e degeneração macular. Em estudos com ratos, ativar as sirtuínas pode melhorar o reparo do DNA, aumentar a memória e a resistência, e ajudar os ratos a ficarem magros, independentemente do que comem. Não são palpites malucos quanto ao seu poder; cientistas estabeleceram tudo isso em estudos revisados por pares, publicados em periódicos como *Nature, Cell* e *Science*.

E, em grande parte, como as sirtuínas fazem tudo isso com base em um programa bastante simples — o maravilhoso gene B no circuito de sobrevivência —, elas estão se tornando mais passíveis de manipulação do que muitos outros genes da longevidade. Elas são, ao que parece, um dos primeiros dominós na magnífica máquina da vida de Rube Goldberg, a chave para a compreensão de como nosso material genético se protege em tempos de adversidade, permitindo que a vida persista e prospere por bilhões de anos.

As sirtuínas não são os únicos genes da longevidade. Dois outros conjuntos de genes muito bem estudados desempenham papéis semelhantes, que também foram comprovadamente manipulados para que possam oferecer vidas mais longas e saudáveis.

Um deles é chamado de rapamicina, ou TOR, um complexo de proteínas que regula o crescimento e o metabolismo. Como as sirtuínas, os cientistas descobriram o TOR, chamado mTOR nos mamíferos, em todos os organismos que procuraram. Como nas sirtuínas, a atividade do mTOR é primorosamente regulada por nutrientes. E, como as sirtuínas, o mTOR pode sinalizar células em estresse para diminuir o ritmo e melhorar a sobrevivência, impulsionando essas atividades como reparo do DNA, reduzindo a contaminação causada por células senescentes e, talvez sua função mais importante, digerir proteínas antigas.[27]

Quando tudo está bem, o TOR é um condutor do crescimento celular. Ele detecta a quantidade de aminoácidos que está disponível e determina quanta proteína é criada em resposta. Mas, quando inibido, força as células a diminuírem a atividade, dividindo-se menos e reutilizando componentes celulares antigos para manterem energia e prolongarem a sobrevivência — mais ou menos como ir ao ferro-velho para encontrar peças para consertar um carro velho em vez de comprar um novo, um processo chamado autofagia. Quando nossos ancestrais não tiveram sucesso em abater um mamute e tiveram que sobreviver com poucas rações de proteína, foi o desligamento do mTOR que lhes permitiu sobreviver.

Outra opção é uma enzima de controle metabólico conhecida como AMPK, que evoluiu para responder a baixos níveis de energia. Também tem sido altamente conservada entre as espécies e, como com as sirtuínas e o TOR, aprendemos muito sobre como controlá-la.

Todos esses sistemas de defesa são ativados em resposta ao estresse biológico. É claro que algumas tensões são simplesmente grandes demais para serem superadas — pise em um caracol, e seus dias acabaram. Trauma agudo e infecções incontroláveis matam um organismo sem *envelhecê-lo*. Às vezes, o estresse dentro de uma célula, como uma infinidade de quebras de DNA, é demais para lidar. Mesmo se a célula é capaz de reparar as quebras a curto prazo sem deixar mutações, há perda de informação no nível epigenético.

Veja um ponto importante: existem muitos estressores que ativam os genes da longevidade sem danificar a célula, incluindo certos tipos de exercício, jejum intermitente, dieta pobre em proteínas e exposição ao calor e ao frio (discuto isso no Capítulo 4). Isso se chama hormese.[28] A hormese geralmente é benéfica para o organismo, especialmente quando pode ser induzida sem causar danos permanentes. Quando a hormese ocorre, tudo está bem. E, de fato, tudo está *ótimo*, porque o pouco estresse que ocorre quando os genes são ativados faz o resto do sistema ficar confortável, conservar para sobreviver um pouco mais. Esse é o começo da longevidade.

Complementando essas abordagens estão as moléculas que imitam a hormese. Medicamentos em desenvolvimento e pelo menos dois remédios no mercado podem ativar as defesas do corpo sem causar *nenhum* dano. É como fazer uma pegadinha com o Pentágono. As tropas e o corpo de engenheiros do exército são enviados, mas não há guerra. Dessa forma, podemos imitar os benefícios do exercício e jejum intermitente com uma única pílula (discuto isso no Capítulo 5).

Nossa capacidade de controlar todas essas vias genéticas transformará profundamente a medicina e nosso cotidiano. De fato, mudará a maneira como definimos nossa espécie.

E, sim, sei que parece estranho. Deixe-me explicar o porquê.

## Dois

# A Pianista Demente

**EM 15 DE ABRIL DE 2003, JORNAIS, PROGRAMAS DE TELEVISÃO E SITES**, em todo o mundo, anunciavam a manchete: o mapeamento do genoma humano estava completo.

Havia apenas um pequeno problema: não estava completo ainda. De fato, havia enormes lacunas na sequenciação.

Não foi um caso da grande mídia anunciando coisas fora de proporção. Revistas científicas altamente respeitadas, como *Science* e *Nature*, contaram praticamente a mesma história. Também não foi um caso de cientistas exagerando sua pesquisa. A verdade é simplesmente que, na época, a maioria dos pesquisadores envolvidos no projeto de 13 anos, e de US$1 bilhão, concordou que havia chegado o mais perto possível — dada a tecnologia da época — de identificar cada um dos 3 bilhões de pares de bases em nosso DNA.

As partes do genoma que estavam faltando, geralmente seções sobrepostas de nucleotídeos repetitivos, simplesmente não foram consideradas importantes. Essas eram áreas do código da vida que antes eram ridicularizadas como "DNA impuro" e que agora são um pouco mais respeitadas, mas ainda consideradas como "sem codificação". Do ponto de vista das melhores mentes da ciência da época, essas regiões eram pouco mais do que fantasmas dos genomas passados, principalmente remanescentes de vírus inertes que haviam se integrado ao genoma centenas de milhares de anos atrás. Pensou-se que o que nos faz ser quem somos fora amplamente identificado, e nós tínhamos o que era necessário para impulsionar nossa compreensão do que nos torna humanos.

No entanto, segundo algumas estimativas, a matéria escura genética é responsável por 69% do genoma total[1] e, mesmo nas regiões geralmente consideradas como "codificadas", alguns cientistas acreditam que até 10% ainda precisam ser decodificadas, incluindo regiões que afetam o envelhecimento.[2]

No relativamente curto período de tempo desde 2003, descobrimos que, dentro da famosa dupla hélice, havia sequências que não eram apenas não mapeadas, mas essenciais para nossas vidas. De fato, muitas milhares de sequências não foram detectadas porque os algoritmos originais para detectar genes foram escritos para desconsiderar qualquer gene com menos de 300 pares de bases. De fato, os genes podem ter até 21 pares de bases e hoje estamos descobrindo centenas deles em todo o genoma.

Esses genes comunicam às nossas células para criar proteínas específicas, e essas proteínas são os alicerces dos processos e das características que constituem a biologia humana e as experiências vividas. E, à medida que nos aproximamos da identificação de uma sequência completa do nosso DNA, chegamos mais perto de ter um "mapa" dos genes que controlam muito de nossa existência.

Mesmo depois de termos um código completo, há algo que ainda não conseguimos encontrar.

Não conseguimos encontrar um gene do envelhecimento.

Encontramos genes que afetam os *sintomas* do envelhecimento. Encontramos genes de longevidade que controlam as defesas do corpo contra o envelhecimento e, portanto, oferecem um caminho para retardá-lo por meio de intervenções naturais, farmacêuticas e tecnológicas. Mas, diferentemente dos oncogenes, descobertos na década de 1970 e que nos deram um bom alvo para a batalha contra o câncer, não identificamos um gene singular que cause o envelhecimento. E não vamos encontrar.

Porque nossos genes não evoluíram para *causar* envelhecimento.

## A Levedura do Paraíso

A minha jornada para formular a Teoria da Informação do Envelhecimento foi longa. E, em grande parte, isso se deve ao trabalho de um cientista que o fez no anonimato, mas que ajudou a preparar o terreno para muitas das pesquisas de longevidade que estão sendo feitas hoje em todo o mundo.

Seu nome era Robert Mortimer, e se havia um adjetivo que se destacava mais do que qualquer outro sobre ele depois que faleceu seria "gentil".

"Visionário" era outro. "Brilhante", "curioso" e "trabalhador" também. Mas há muito me inspiro no exemplo que Mortimer deu a seus colegas cientistas. Mortimer, que morreu em 2007, desempenhou um papel tremendamente importante em elevar a *Saccharomyces cerevisiae*, aparentemente humilde e unicelular com ávido apetite (seu nome significa "amante do açúcar"), para seu devido lugar como um dos mais importantes organismos de pesquisa do mundo.

Mortimer coletou milhares de cepas de leveduras mutantes em seu laboratório, muitas desenvolvidas na Universidade da Califórnia, em Berkeley. Ele poderia ter cobrado por sua pesquisa, e cobrado os milhares de cientistas que atendeu através do Yeast Genetic Stock Center. Mas qualquer pessoa, de graduados sem recursos a professores titulares das instituições de pesquisa mais bem financiadas do mundo, podia navegar pelo catálogo do centro de pesquisa, solicitar qualquer cepa e recebê-la prontamente pelo custo da postagem.[3]

E, por ele ter tornado tudo tão fácil e barato, a pesquisa de leveduras prosperou.

Quando Mortimer começou a trabalhar em *S. cerevisiae*, ao lado de seu colega biólogo John Johnston[4] na década de 1950, quase ninguém se interessava por leveduras. Para a maioria, não parecia que poderíamos aprender muito sobre nossa complexa natureza estudando um pequeno fungo. Foi um esforço para convencer a comunidade científica de que a levedura poderia ser útil para algo mais do que assar pão e na produção de cervejas e vinhos.

O que Mortimer e Johnston reconheceram, que muitos outros começaram a perceber nos anos seguintes, foi que essas pequenas células de levedura não são tão diferentes de nós. Por seu tamanho, composição genética e bioquímica, elas são complexas e, portanto, são um modelo adequado para entender os processos biológicos que sustentam a vida e controlam sua expectativa em grandes organismos complexos como nós. Se você é cético quanto ao fato de uma célula de levedura nos dizer algo sobre câncer, Alzheimer, doenças raras ou envelhecimento, saiba que 5 prêmios Nobel de fisiologia ou medicina foram concedidos por estudos genéticos em leveduras, incluindo o de 2009 por descobrir como neutralizam o encurtamento dos telômeros, uma das características do envelhecimento.[5]

O trabalho de Mortimer e Johnston — em particular, um produtivo artigo em 1959 que demonstrou que as células de levedura de mãe e filha podem ter vida útil diferente — prepararia o cenário para uma mudança arrasadora no mundo, na forma como vemos os limites da vida. Quando Mortimer morreu, em 2007, havia cerca de 10 mil pesquisadores de leveduras em todo o mundo.

Sim, os seres humanos estão separados da levedura por 1 bilhão de anos de evolução, mas temos muito em comum. A *S. cerevisiae* compartilha cerca de 70% de nossos genes, e sua função não é tão diferente. Como muitos seres humanos, as células de levedura sempre fazem uma de duas coisas: se alimentar ou se reproduzir. Estão com fome ou excitadas. À medida que envelhecem, como os humanos, diminuem a velocidade e se tornam maiores, arredondadas e menos férteis. Mas, enquanto os humanos passam por esse processo ao longo de décadas, as células de levedura o vivenciam em uma semana. Isso as torna um bom começo para entender o envelhecimento.

De fato, o potencial de uma humilde levedura nos dizer muito sobre nós mesmos — e fazê-lo muito rapidamente em relação a outros organismos de pesquisa — foi em grande parte a razão pela qual decidi começar minha carreira estudando a *S. cerevisiae*. Elas também têm aroma de pão fresco.

Conheci Mortimer em Viena, em 1992, quando eu tinha 20 e poucos anos, e participava da International Yeast Conference — sim, isso existe — com meus dois orientadores do doutorado, Ian Dawes, um australiano que não segue regras, da Universidade de New South Wales,[6] e Richard Dickinson, um britânico que as segue, da Universidade deCardiff, País de Gales.

Mortimer estava em Viena para discutir um momento científico importante: o sequenciamento do genoma da levedura. Eu estava lá para me inspirar. E fui inspirado.[7] Se tinha alguma dúvida sobre minha decisão de dedicar os primeiros anos da minha carreira científica a um fungo unicelular, todas elas desapareceram quando fiquei cara a cara com pessoas que estavam construindo um grande conhecimento em um campo que quase não existia há algumas décadas.

Foi logo após essa conferência que um dos principais cientistas do mundo no estudo de leveduras, Leonard Guarente, do Massachussetts Insittute of Technology (MIT), foi à Sydney de férias para visitar Ian Dawes. Guarente e eu acabamos juntos em um jantar, e fiz questão de me sentar em frente a ele.

Eu era então um estudante de doutorado usando leveduras para entender uma condição herdada chamada Leucinose (MSUD). Como você imagina pelo nome, não é algo que pessoas educadas discutam durante o jantar. Guarente, no entanto, me envolveu em uma discussão científica com uma curiosidade e entusiasmo que eram encantadores. A conversa logo se voltou para seu mais recente projeto — ele começara a estudar o envelhecimento em leveduras nos últimos meses —, um trabalho que tinha suas raízes no mapeamento genético que Mortimer havia concluído em meados da década de 1970.

Ali estava. Eu queria entender o envelhecimento e sabia alguma coisa sobre inflar uma célula de levedura com um microscópio e um micromanipulador. Essas eram habilidades essenciais para descobrir por que a levedura envelhece. Naquela noite, Guarente e eu concordamos em uma coisa: se não resolvêssemos o problema do envelhecimento em leveduras, não teríamos chance em humanos.

Eu não *queria* apenas trabalhar com ele. Eu *tinha* que trabalhar com ele.

Dawes escreveu para ele dizendo que eu estava interessado em entrar no laboratório e que era "hábil no banco".

"Será um prazer trabalhar com David", respondeu semanas depois, como provavelmente fez com tantos outros candidatos entusiasmados. "Mas ele tem que vir com seu financiamento." Posteriormente, soube que ele ficou empolgado apenas porque pensara que eu era o *outro* aluno que conhecera no jantar.

Eu tinha um pé na porta, mas minhas chances eram pequenas. Na época, os estrangeiros não eram considerados para prestigiados prêmios de pós-doutorado nos EUA, mas insisti em ser entrevistado e pagar por um voo para Boston. Fui entrevistado por um gigante no campo das células-tronco, Douglas Melton, para uma bolsa da Helen Hay Whitney Foundation, que apoia pesquisa de estudantes biomédicos de pós-doutorado desde 1947. Depois de esperar na fila do lado de fora do escritório com os outros quatro candidatos, tive minha chance. Esse foi o meu momento. Não me lembro de estar nervoso. Achei que provavelmente não receberia o prêmio de qualquer maneira. Então, fui para isso.

Contei a Melton sobre minha busca por entender o envelhecimento e encontrar "genes que dão vida", e esbocei em seu quadro branco como os genes funcionam e o que eu faria nos próximos três anos com o dinheiro. Para mostrar minha gratidão, dei a ele uma garrafa de vinho tinto, trazida da Austrália.

Depois, duas coisas ficaram claras. Um, não traga vinho para uma entrevista, pois pode ser visto como suborno. E, dois, Melton deve ter gostado do que eu disse e como disse, porque voltei para casa, consegui a bolsa e em seguida peguei um avião de volta para Boston. Foi, sem dúvida, o encontro mais transformador da minha vida.[8]

Na época da minha chegada, em 1995, eu esperava desenvolver nossa compreensão do envelhecimento estudando a síndrome de Werner, uma doença terrível que ocorre em menos de 1 em 100 mil nascidos vivos, com sintomas que incluem perda de força corporal, rugas, cabelos grisalhos, perda de cabelo, catarata, osteoporose, problemas cardíacos e muitos outros sinais indicadores de envelhecimento — mas não entre as pessoas de 70 ou 80 anos, e sim entre aquelas na faixa de 30 a 40 anos. A expectativa de vida de alguém com síndrome de Werner é de 46 anos.

Porém, duas semanas após minha chegada aos Estados Unidos, uma equipe de pesquisa da Universidade de Washington, chefiada pelo sábio e solidário "avô" da pesquisa sobre envelhecimento, George Martin, anunciou que havia encontrado o gene que, quando mutado, causava a síndrome de Werner.[9] Estava em baixa na época e foi "aprofundado", mas a descoberta me permitiu dar um primeiro passo maior em direção ao meu objetivo final. De fato, tornou-se a chave para a formulação da Teoria da Informação do Envelhecimento.

Após o gene de Werner, conhecido como WRN, ser identificado em humanos, o próximo passo era testar se o gene semelhante na levedura tinha a mesma função. No caso, poderíamos usá-la para determinar a causa da síndrome de Werner e talvez nos ajudar a entender melhor o envelhecimento em geral. Entrei no escritório de Guarente para lhe dizer que agora estudava a síndrome de Werner em levedura e era assim que resolveríamos o envelhecimento.

Em leveduras, o equivalente do gene WRN é o Supressor de Crescimento Lento 1 ou *SGS1*. Suspeita-se que o gene codifique um tipo de enzima chamada DNA helicase, que desembaraça os fios emaranhados do DNA antes que eles se quebrem. As helicases são muito importantes nas sequências repetitivas de DNA que são particularmente propensas a emaranhamentos e quebras. A funcionalidade das proteínas como as codificadas pelo gene Werner é, portanto, vital, pois mais da metade do nosso genoma é de fato repetitiva.

Por meio da troca de genes nos quais as células são induzidas a coletar pedaços extras de DNA, trocamos o gene funcional por uma versão mutante. Na verdade, estávamos testando se a síndrome de Werner se desenvolvia na levedura.

Após a troca, o tempo de vida das células de levedura foi reduzida pela metade. Normalmente, isso não seria novidade. Muitos eventos não relacionados ao envelhecimento — como ser comido por um ácaro, secar uma uva ou ser colocado no forno — podem reduzir a vida útil das células de levedura. E aqui nós mexemos com o DNA, que poderia dar um curto-circuito nas células em mil maneiras diferentes causando sua morte prematura.

Mas essas células não estavam *apenas* morrendo, elas morriam após um declínio acelerado de sua saúde e função. À medida que os mutantes se tornaram mais velhos, diminuíram a velocidade no ciclo celular. Eles ficaram maiores. Os genes masculino e feminino do tipo "acasalamento" (descendentes do gene A) foram ativados ao mesmo tempo, portanto, eram estéreis e não podiam se reproduzir. Todas eram características conhecidas do envelhecimento em leveduras. E isso estava acontecendo mais rapidamente nos mutantes que criamos. Certamente parecia uma versão da levedura de Werner.

Usando tintas especiais, colorimos o DNA de azul e usamos vermelho para o nucléolo, que fica dentro do núcleo de todas as células eucarióticas. Aquilo facilitou verificar ao microscópio o que estava acontecendo em um nível celular.

E era fascinante.

O nucléolo é uma parte do núcleo em que o DNA ribossômico, ou rDNA, reside. O rDNA é copiado no RNA ribossômico, usado por enzimas ribossômicas para juntar aminoácidos para formar cada nova proteína.

Nas células envelhecidas *SGS1*, o nucléolo parecia ter explodido. Em vez de um único crescente vermelho nadando em um oceano azul, o nucléolo estava espalhado em meia dúzia de pequenas ilhas. Foi trágico e bonito. A imagem, que apareceria mais tarde na edição de agosto de 1997 da prestigiada revista *Science*, ainda está no meu escritório.

O que aconteceu depois foi encantador e esclarecedor. Em resposta ao dano, como os ratos fazem ao ouvir o chamado do flautista, a proteína chamada Sir2 — a primeira sirtuína conhecida, codificada pelo gene *SIR2*[10] e descendente do gene B — se afastou dos genes que controlam a fertilidade e entrou no nucléolo.

Era uma visão bonita para mim, mas um problema para a levedura. Sir2 tem um trabalho importante: é um fator epigenético, uma enzima que fica nos genes, agrupa o DNA e os mantém em silêncio. No nível molecular, o Sir2 consegue isso através de sua atividade enzimática, certificando-se de que os produtos químicos chamados acetilos não se acumulem nas histonas e afrouxem a embalagem do DNA.

Quando as sirtuínas deixaram os genes de acasalamento — os descendentes do gene A que controlavam a fertilidade e a reprodução —, as células mutantes ativaram os genes masculino e feminino, fazendo com que perdessem sua identidade sexual, assim como nas células antigas normais, mas muito antes.

A princípio, não entendi por que o nucléolo estava explodindo, muito menos por que as sirtuínas estavam se movendo em sua direção à medida que as células envelheciam. Sofri com a questão por semanas.

Então, numa noite após um longo dia no laboratório, acordei com uma ideia.

Aconteceu no espaço entre o delírio por privação do sono e os sonhos profundos. Fragmentos de um conceito. Algumas palavras se misturaram. Uma imagem confusa de alguma coisa. Isso foi suficiente, no entanto, para me acordar e tirar da cama.

Peguei meu caderno e fui para a cozinha. Ali, debruçado sobre a mesa, nas primeiras horas da manhã de 28 de outubro de 1996, comecei a escrever.

> Teoria da senescência replicativa em leveduras e outros organismos

Escrevi por cerca de uma hora, anotando ideias, desenhando, rabiscando gráficos, formulando novas equações.[11] As observações científicas que antes não faziam sentido estavam se encaixando em um quadro maior. Escrevi que o DNA danificado causa instabilidade no genoma, que distrai a proteína Sir2 e altera o epigenoma, fazendo com que as células percam sua identidade e se tornem estéreis enquanto corrigem o dano. Eram os arranhões analógicos nos DVDs digitais. As alterações epigenéticas causam envelhecimento.

Imaginei que havia um processo singular que controlasse todos eles. Não é um número incontável de alterações ou doenças celulares separadas. Nem mesmo um conjunto de características que poderiam ser tratadas uma de cada vez. Havia algo maior, e mais singular, que tudo isso.

Essa foi a base para a compreensão do circuito de sobrevivência e seu papel no envelhecimento.

No dia seguinte, mostrei minhas anotações a Guarente. Eu estava animado; parecia a maior ideia que já tivera. Mas também estava nervoso; com medo de que ele encontrasse um furo na minha lógica e a destruísse. Em vez disso, ele olhou em silêncio, fez algumas perguntas e me enviou ao trabalho com cinco palavras.

"Eu gostei disso", respondeu ele. "Vá provar."

## O RECITAL

Para entender a Teoria da Informação do Envelhecimento, precisamos fazer outra visita ao epigenoma, a parte da célula que as sirtuínas ajudam a controlar.

De perto, o epigenoma é mais complexo e maravilhoso do que qualquer coisa que nós humanos inventamos. Consiste em filamentos de DNA envolvidos em proteínas denominadas histonas, que são ligadas a loops maiores chamados cromatina, que são ligadas a loops ainda maiores, chamados cromossomos.

As sirtuínas instruem as proteínas que enrolam as histonas a ligarem firmemente o DNA, enquanto deixam outras regiões se agitarem. Dessa maneira, alguns genes permanecem silenciosos, enquanto outros podem ser acessados por fatores de transcrição de ligação ao DNA que ativam os genes.[12] Dizem que os genes acessíveis estão em "eucromatina", enquanto os genes silenciosos estão em "heterocromatina". Ao remover os marcadores químicos nas histonas, as sirtuínas ajudam a impedir que os fatores de transcrição se liguem aos genes, convertendo a eucromatina em heterocromatina.

Cada uma de nossas células tem o mesmo DNA, claro, então o que diferencia uma célula nervosa de uma célula da pele é o epigenoma, o termo coletivo para os sistemas de controle e estruturas celulares que informam à célula quais genes devem ser ativados e quais devem ser desligados. E, muito mais que nossos genes, é o que realmente controla grande parte de nossas vidas.

Uma das melhores maneiras de visualizar isso é pensar em nosso genoma como um piano de cauda.[13] Cada gene é uma tecla. Cada tecla produz uma nota. E de instrumento para instrumento, dependendo do fabricante, dos materiais e das circunstâncias da fabricação, cada uma será um pouco diferente, mesmo que seja reproduzida exatamente da mesma maneira. Esses são nossos genes. Temos cerca de 20 mil deles, mais ou menos alguns milhares.[14]

Cada tecla também pode ser tocada *pianissimo* (muito suave) ou *forte* (com intensidade). As notas podem ser tocadas em *staccato* (com curta duração) ou em *allegretto* (bem rápido). Para os pianistas experientes, há centenas de maneiras de tocar cada tecla — individualmente e ao mesmo tempo, em acordes e combinações — que criam músicas que conhecemos como jazz, ragtime, rock, reggae, valsa, ou qualquer que seja.

O pianista que faz isso acontecer é o epigenoma. Revelando nosso DNA ou o agrupando em firmes pacotes de proteínas, sinalizando os genes com marcadores químicos chamados metilos e acetilos compostos de carbono, oxigênio e hidrogênio, o epigenoma usa nosso genoma para fazer a música de nossas vidas.

Sim, às vezes, o tamanho, a forma e a condição de um piano ditam o que um pianista pode fazer. É difícil fazer um concerto com 18 teclas de um piano de brinquedo, e é muito difícil fazer uma boa música com um instrumento que não é afinado há 50 anos. Da mesma forma, o genoma dita o que o epigenoma pode fazer. Uma lagarta não pode se tornar um ser humano, mas pode se transformar numa borboleta em virtude de mudanças na expressão epigenética que ocorre durante a metamorfose, apesar de seu genoma nunca mudar. Da mesma forma, o filho de dois pais de uma longa linhagem de pessoas com cabelos pretos e olhos castanhos não terá cabelos loiros e olhos azuis, mas cutias gêmeas no laboratório podem ficar marrons ou douradas, dependendo de quanto o gene *Agouti* está ativado durante gestação por influências ambientais sobre o epigenoma, como o ácido fólico, vitamina B12, genisteína da soja ou toxina bisfenol A.[15]

Da mesma forma, entre gêmeos humanos monozigóticos, as forças epigenéticas podem conduzir duas pessoas com o mesmo genoma em direções muito diferentes. Podem até causar o envelhecimento de forma diferente. Você vê isso em fotografias dos rostos de fumantes e não fumantes gêmeos; seu DNA ainda é praticamente o mesmo, mas os fumantes têm bolsas maiores sob os olhos, mandíbulas mais profundas abaixo do queixo e mais rugas ao redor dos olhos e bocas. Eles não são mais velhos, mas claramente envelhecem mais rápido. Estudos em gêmeos idênticos colocam as influências genéticas em longevidade entre 10 e 25%, o que, por qualquer estimativa, é surpreendentemente baixo.[16]

Nosso DNA não é nosso destino.

Agora, imagine que você esteja em uma sala de concertos. Uma competente pianista está sentada a um majestoso e reluzente Steinway. O concerto começa. A música é linda, de tirar o fôlego. Tudo está perfeito.

Mas, então, alguns minutos depois, a pianista deixa passar uma tecla. A primeira vez que isso acontece, é quase imperceptível — um Ré extra, talvez, em um acorde que não precisava dessa nota. Inserida em tantas notas perfeitamente tocadas, oculta entre um acorde impecável e uma melodia perfeita, não há nada com que se preocupar. Mas alguns minutos depois, isso acontece novamente. E, então, com frequência crescente, de novo e de novo e de novo.

É importante lembrar que não há nada errado com o piano, e a pianista está tocando a maioria das notas determinadas pelo compositor, mas também toca algumas notas extras. Inicialmente, é apenas irritante. Com o tempo, fica inquietante. Por fim, arruína o concerto. De fato, assumiríamos que há algo errado com a pianista. Alguém pode até subir ao palco para ter certeza de que ela está bem.

O ruído epigenético causa o mesmo caos, devido, em grande parte, aos insultos que perturbam a célula, como o DNA quebrado, ocorrido no circuito de sobrevivência de *M. superstes* e nas antigas células de levedura que perderam sua fertilidade. E é por isso que, segundo a Teoria da Informação do Envelhecimento, envelhecemos. É por isso que nosso cabelo fica grisalho. Nossa pele se enruga. Nossas articulações começam a doer. Além disso, é por isso que ocorre o envelhecimento de todos os aspectos, da exaustão das células-tronco e senescência celular à disfunção mitocondrial e rápido encurtamento dos telômeros.

Reconheço que é uma teoria ousada. E a força de uma teoria é baseada em quão bem ela prediz os resultados de experimentos rigorosos, muitas vezes milhões deles, o número de fenômenos que pode explicar e sua simplicidade. A teoria era simples e explicava muito. Como bons cientistas, o que nos restou fazer foi tentar o nosso melhor para refutá-la e ver quanto tempo ela sobreviveria.

Para começar, Guarente e eu tivemos que ficar de olho em algum DNA de levedura.

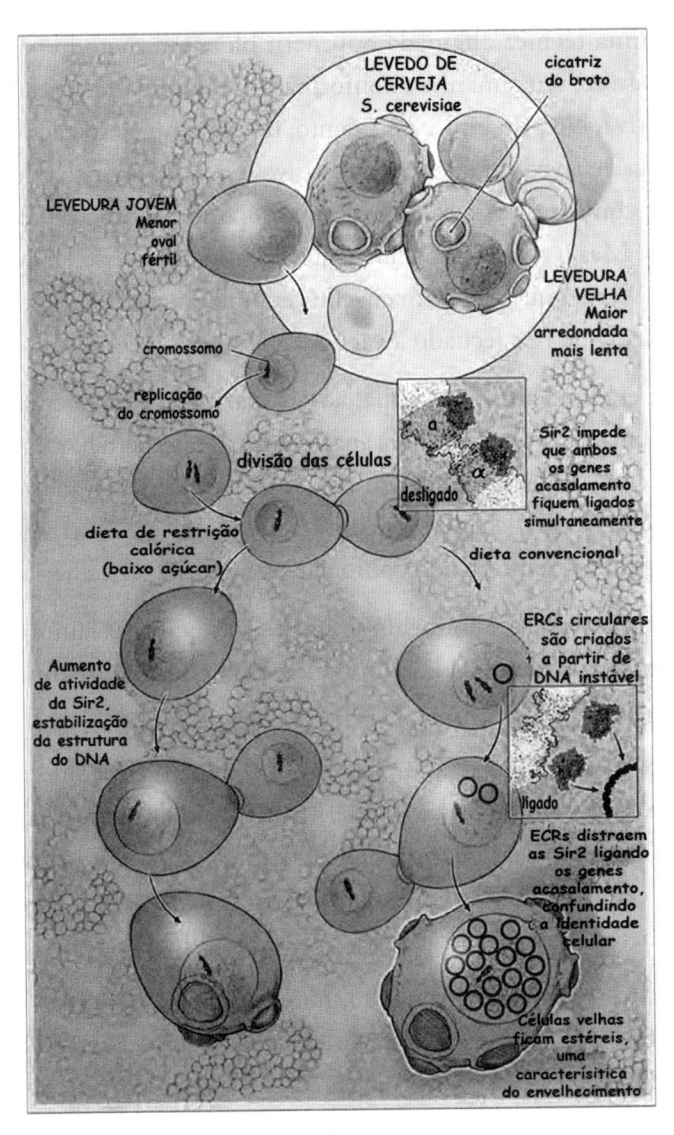

**LIÇÕES DAS LEVEDURAS SOBRE POR QUE ENVELHECEMOS.** Em células jovens de levedura, masculinas e femininas, as "informações de acasalamento" (gene A) são mantidas na posição "desligada" pela enzima Sir2, a primeira sirtuína (codificada por um descendente do gene B). O repetitivo DNA ribossômico (rDNA) é instável e formam-se círculos tóxicos de DNA que se recombinam e se acumulam em níveis tóxicos nas células antigas, matando-as. Em resposta aos círculos de DNA e à instabilidade percebida, a Sir2 se afasta dos silenciosos genes do tipo acasalamento para ajudar a estabilizar o genoma. Os genes masculino e feminino mudam causando infertilidade, a principal característica do envelhecimento na levedura.

Usamos uma técnica chamada Southern blot, um método para separar o DNA com base em seu tamanho e conformação, e iluminá-lo com uma sonda de DNA radioativa. No primeiro experimento, notamos algo espetacular. O rDNA de uma célula de levedura que se torna visível por uma mancha de Southern é compactado, como um carretel, com alguns loops quase imperceptíveis de DNA emaranhado. Mas o rDNA das células que criamos em nosso laboratório — os mutantes de Werner que pareciam envelhecer rapidamente — abria loucamente, como um pacote de fios fechado a vácuo e que foi rasgado.

O rDNA era um caos. O genoma, ao que parecia, se fragmentava. O DNA estava recombinando e amplificando, aparecendo na Southern blot como manchas escuras e círculos finos, dependendo de como estavam enrolados e retorcidos. Chamamos esses loops de círculos de DNA ribossômico extracromossômico ou ERCs, e estavam se acumulando conforme os mutantes envelheciam.

Se, de fato, tivéssemos induzido o envelhecimento, veríamos esse mesmo padrão emergir nas células de levedura que envelheciam normalmente.

Não contamos a idade de uma célula de levedura com velas de aniversário, pois elas não duram tanto tempo. Seu envelhecimento é medido pelo número de vezes que uma célula mãe se divide. Na maioria dos casos, uma célula de levedura atinge cerca de 25 divisões antes de morrer. Isso, no entanto, torna a obtenção de células velhas de levedura uma tarefa desafiadora. Porque, quando uma célula média expira, é cercada por $2^{25}$, ou 33 milhões, de seus descendentes.

Demorou uma semana de trabalho, muitas noites sem dormir e um monte de bebidas com cafeína para coletar células velhas o suficiente. No dia seguinte, quando desenvolvi o filme para visualizar o rDNA, o que vi me surpreendeu.[17]

Como as mutantes, as células normais foram embaladas com ERCs.

Isso foi um momento "Eureca!" Não é prova — um bom cientista nunca tem prova de nada —, mas a primeira confirmação substancial de uma teoria, a base sobre a qual eu e outros construiríamos mais descobertas nos próximos anos.

O primeiro teste foi verificar se, colocando um ERC em células de levedura muito jovens — e desenvolvendo um truque genético para isso —, os ERCs se multiplicariam e distrairiam as sirtuínas, e as células de levedura envelheceriam prematuramente, ficariam estéreis e morreriam jovens — e foi isso que aconteceu. Publicamos esse trabalho em dezembro de 1997 na revista científica *Cell*, e as notícias surgiram em todo o mundo: "Cientistas descobriram a causa do envelhecimento."

Foi aí que Matt Kaeberlein, na época, doutorando, chegou ao laboratório. Seu primeiro experimento foi inserir uma cópia extra de SIR2 no genoma das células de levedura para estabilizar o genoma e retardar o envelhecimento. Quando foram adicionados os SIR2, os ERCs foram impedidos, e ele observou um aumento de 30% no tempo de vida das células, como esperávamos. Nossa hipótese parecia resistir à análise: a causa fundamental ao montante da esterilidade e do envelhecimento em leveduras era a instabilidade inerente ao genoma.

O que emergiu desses resultados iniciais e outra década de reflexão e sondagem de células de mamíferos foi uma maneira nova de entender o envelhecimento, uma teoria da informação que reconciliaria fatores díspares do envelhecimento em um modelo universal de vida e morte. Parecia com isto:

Juventude → dano no DNA → instabilidade do genoma → interrupção do embalamento do DNA e regulação de genes (epigenoma) → perda da identidade celular → senescência celular → doença → morte.

As implicações foram profundas: se pudéssemos intervir em algum desses passos, poderíamos ajudar as pessoas a viver mais.

Mas e se pudéssemos intervir em todos eles? Poderíamos parar de envelhecer?

As teorias devem ser testadas e testadas e testadas um pouco mais, não apenas por um cientista, mas por muitos. E, para esse fim, tive a sorte de ter sido colocado em uma equipe de pesquisa que incluía alguns dos cientistas mais brilhantes e perspicazes do mundo. Como Lenny Guarente, nosso mentor incansável. E também Brian Kennedy, que iniciou o projeto de envelhecimento de leveduras no laboratório de Lenny e, desde então, desempenhou um papel tremendamente importante na compreensão de doenças prematuras do envelhecimento e no impacto de genes e moléculas que aumentam a saúde e a longevidade dos organismos-modelo.

Monica Gotta e Susan Gasser, da Universidade de Geneva, são agora duas das pesquisadoras mais influentes no campo da regulação de genes; Shin-ichiro Imai, hoje professor da Universidade de Washington, descobriu que as sirtuínas são enzimas que utilizam o NAD e agora pesquisa como o corpo controla as sirtuínas; Kevin Mills, que dirige um laboratório no Maine, tornou-se cofundador e diretor científico da Cyteir Therapeutics, que desenvolve novas maneiras de combater o câncer e doenças autoimunes; Nicanor Austriaco, que iniciou o projeto com Brian, agora é professor de biologia e teologia no Providence College, uma ótima combinação; Tod Smeal, diretor científico de biologia do câncer da empresa farmacêutica global Eli Lilly; David Lombard, que agora é pesquisador no campo do envelhecimento na Universidade de Michigan; Matt Kaeberlein, professor da Universidade de Washington, que está testando moléculas na longevidade de cães; David McNabb, cujo laboratório da Universidade do Arkansas fez descobertas importantes e vitais sobre patógenos fúngicos; Bradley Johnson, especialista em envelhecimento humano e câncer na Universidade da Pensilvânia; e Mala Murthy, uma proeminente neurocientista atualmente em Princeton.

Por diversas vezes tenho sido grandemente privilegiado na questão daqueles que trabalham à minha volta. E isso nunca foi tão verdadeiro quanto no laboratório de Guarente no MIT. Era um time dos sonhos, e muitas vezes me senti rebaixado pelas pessoas com quem estava.

Quando comecei minha carreira nesse campo, sonhava em publicar apenas um estudo em um periódico de primeira linha. Durante esses anos, nosso grupo publicava um a cada poucos meses.

Nós demonstramos que a redistribuição de Sir2 para o nucléolo é uma resposta a inúmeras quebras de DNA, que acontecem como resultado da multiplicação e da inserção de ERCs no genoma ou da união entre eles para formar ERCs grandes. Quando o Sir2 se move para combater a instabilidade do DNA, causa esterilidade em células de levedura inchadas e velhas. Esse foi o primeiro passo do circuito de sobrevivência, embora na época não tivéssemos ideia de que era tão antigo e tão essencial para nossa própria existência como descobrimos.

Dissemos ao mundo que poderíamos dar à levedura uma síndrome do tipo Werner, causando nucléolos explodidos.[18] Descrevemos como os mutantes de

*SGS1*, que equiparamos à mutação da síndrome de Werner, acumulavam ERCs mais rapidamente, levando ao envelhecimento prematuro e à redução do tempo de vida.[19] Demonstrando que, se você adicionar um ERC às células jovens, elas envelhecem prematuramente, teríamos evidências cruciais de que os ERCs não acontecem durante o envelhecimento, mas o causam. Quebrando artificialmente o DNA na célula e observando a resposta celular, mostramos por que as sirtuínas se movem — para ajudar no reparo do DNA.[20] Esse foi o segundo passo do circuito de sobrevivência.[21] O dano no DNA que deu origem aos ERCs estava distraindo o Sir2 dos genes do tipo acasalamento, fazendo com que se tornassem estéreis, típico do envelhecimento da levedura.

Era o ruído epigenômico em sua forma mais pura.

Levou mais 20 anos para descobrir se isso era relevante para organismos mais complexos que as leveduras. Nós, mamíferos, temos sete genes de sirtuína, que desenvolveram uma variedade de funções complexas. Três deles, *SIRT1*, *SIRT6* e *SIRT7*, são críticos para o controle do epigenoma e reparo do DNA. Os outros, *SIRT3*, *SIRT4* e *SIRT5*, residem nas mitocôndrias, onde controlam o metabolismo energético, enquanto o *SIRT2* gira em torno do citoplasma, onde controla a divisão celular e a produção de óvulos saudáveis.

Havia muitas pistas ao longo do caminho. Stephen Helfand, da Universidade de Brown, mostrou que a adição de cópias do gene dSir2 às drosófilas suprime o ruído epigenético e prolonga seu tempo de vida. Descobrimos que o SIRT1 em mamíferos se move de genes silenciosos para reparar o DNA quebrado em células humanas e de ratos.[22] Mas a extensão em que o circuito de sobrevivência é conservado entre leveduras e humanos não foi conhecida até 2017, quando a equipe de Eva Bober, do Max Planck Institute for Heart and Lung, em Bad Nauheim, Alemanha, relatou que as sirtuínas estabilizam o rDNA humano.[23] Então, em 2018, Katrin Chua, de Stanford, descobriu que, ao estabilizar o rDNA humano, as sirtuínas impedem a senescência celular — a função antienvelhecimento que encontramos para as sirtuínas em leveduras 20 anos antes.[24]

Essa foi uma revelação surpreendente: mais de um bilhão de anos de separação entre a levedura e nós e, em essência, o circuito não havia mudado.

Porém, quando essas descobertas apareceram, estava claro para mim que o ruído epigenômico era um provável catalisador do envelhecimento humano. Duas décadas de pesquisa já estavam nos levando nessa direção.[25]

Em 1999, mudei-me do MIT para o outro lado do rio, para a Harvard Medical School, onde montei um laboratório sobre pesquisa do envelhecimento. Lá, esperava responder a uma pergunta que cada vez mais ocupava meus pensamentos.

Notei que as células de levedura alimentadas com quantidades menores de açúcar não apenas viviam mais, mas seu rDNA era excepcionalmente compacto, atrasando significativamente o inevitável acúmulo de ERC, o número catastrófico de quebras de DNA, a explosão nucleolar, a esterilidade e a morte.

Por que isso estava acontecendo?

## O CIRCUITO DE SOBREVIVÊNCIA TEM IDADE

Nosso DNA vive sob ataque. Em média, cada um de nossos 46 cromossomos é danificado toda vez que uma célula copia seu DNA, totalizando mais de 2 trilhões de rupturas diárias em nossos corpos. E essas são apenas as quebras decorrentes da replicação. Outras são causadas por radiação natural, produtos químicos do ambiente, raios-X e tomografias aos quais estamos sujeitos.

Se não tivéssemos como reparar nosso DNA, não duraríamos muito. É por isso que, nos primórdios, os ancestrais de todos os seres vivos do planeta evoluíram para detectar danos no DNA, retardar o crescimento celular e desviar a energia para o reparo do DNA — o que chamo de circuito de sobrevivência.

Desde a pesquisa com as leveduras, as evidências de que elas não são tão diferentes de nós continuam a aumentar. Em 2003, Michael McBurney, da Universidade de Ottawa, no Canadá, descobriu que embriões de ratos manipulados para não produzir uma das 7 enzimas da sirtuína, SIRT1, não duravam até o 14º dia de desenvolvimento — cerca de ⅔ do período de gestação de um rato.[26] Entre os motivos, a equipe relatou na revista científica *Cancer Cell* que havia uma capacidade prejudicada de responder e reparar danos no DNA.[27] Em 2006,

Frederick Alt, Katrin Chua e Raul Mostovslavsky, de Harvard, mostraram que os ratos projetados para não ter SIRT6 sofreram os sinais típicos de envelhecimento mais rápido, com uma expectativa de vida reduzida.[28] Quando os cientistas incapacitaram a célula de criar essa proteína vital, ela não pôde reparar quebras de DNA de fita dupla, como mostramos na levedura em 1999.

Se você é cético, e deve ser, pode supor que esses ratos mutantes SIRT possam estar doentes e, portanto, ter a vida mais curta. Mas adicionar mais cópias dos genes sirtuína *SIRT1* e *SIRT6* faz exatamente o oposto: aumenta a saúde e prolonga o tempo de vida dos ratos, assim como a adição de cópias extras do gene *SIR2* fez na levedura.[29] O crédito por essas descobertas vai para dois dos meus colegas, Shin-ichiro Imai, meu ex-companheiro de bar no laboratório de Guarente, e Haim Cohen, de meu primeiro pós-doutorado em Harvard.

Em leveduras, mostramos que as quebras de DNA fazem com que as sirtuínas se realoquem longe dos genes silenciosos do tipo acasalamento, fazendo com que as células velhas se tornem estéreis. Era um sistema simples, e nós descobrimos isso em alguns anos.

Mas o circuito de sobrevivência está causando envelhecimento em mamíferos? Que partes do sistema sobreviveram aos bilhões de anos e quais são específicas das leveduras? Essas questões estão na vanguarda do conhecimento humano agora, mas as respostas estão começando a se revelar.

O que estou sugerindo é que o gene *SIR2* na levedura e os genes *SIRT* nos mamíferos são todos descendentes do gene B, o silenciador original em *M. superstes*.[30] Seu trabalho original era silenciar o gene que controlava a reprodução.

Nos mamíferos, as sirtuínas assumiram vários novos papéis, não apenas como controladores da fertilidade (que ainda são). Elas removem acetilos de centenas de proteínas na célula: histonas, sim, mas também proteínas que controlam a divisão celular, a sobrevivência celular, o reparo do DNA, a inflamação, o metabolismo da glicose, as mitocôndrias e muitas outras funções.

Eu penso em sirtuínas como diretores coordenando equipes em um desastre multifacetado, enviando uma variedade de grupos especializados de emergência para tratar da estabilidade do DNA, reparar o DNA, capacidade de sobrevivência celular, metabolismo e comunicação célula a célula. De certa forma, é como o centro de comando para os milhares de trabalhadores de serviços públicos que se deslocaram para Louisiana e Mississipi após o furacão Katrina em 2005. A maioria dos trabalhadores não era proveniente do Golfo do México, mas eles vieram, fizeram o possível para consertar o que estava danificado e depois foram para casa. Alguns trabalharam nas comunidades devastadas por tempestades durante alguns dias e outros ao longo de algumas semanas antes de retornarem à vida normal. E, para a maioria, não foi a primeira nem a última vez que fizeram algo assim; sempre que há um desastre em massa que afeta as empresas de serviços públicos, eles entram em cena para ajudar.

Quando estão em casa, essas pessoas cuidam de assuntos típicos: pagar contas, cortar grama, jogar futebol, o que for. Mas, quando estão fora, impedindo que lugares como o Golfo do México virem um caos — o que seria desastroso para o resto da pátria — muitas dessas coisas precisam ser suspensas.

Quando as sirtuínas mudam suas prioridades típicas para se envolverem no reparo do DNA, sua função epigenética cessa um pouco. Então, quando o dano é reparado e elas voltam para a base, continuam fazendo o de sempre: controlar genes e garantir que a célula retenha sua identidade e função ideal.

Mas o que acontece quando há uma emergência após outra para cuidar? Furacão após furacão? Terremoto após terremoto? As equipes de reparo ficam muito longe de casa. O trabalho que normalmente fazem se acumula. As contas vencem e, em seguida, o pessoal da cobrança começa a ligar. A grama cresce muito e logo o presidente da associação do bairro está enviando mensagens antipáticas. O time de futebol fica sem treinador e volta para a segunda divisão. E, acima de tudo, uma das coisas mais importantes que elas fazem em casa — a reprodução — não é realizada. Essa forma de hormese, o circuito de sobrevivência original, funciona bem para manter os organismos vivos a curto prazo. Mas, diferentemente das moléculas de longevidade que simplesmente imitam a hormese, ajustando sirtuínas, mTOR ou AMPK, enviando tropas em emergências falsas, essas emergências reais criam danos com risco de vida.

O que poderia causar tantas emergências? Lesão no DNA. E o que a causa? Bem, com o tempo, a *vida*. Produtos químicos tóxicos. Radiação. Até a duplicação normal de DNA. Acreditamos que essas são as causas do envelhecimento, mas há uma mudança sutil, porém vital, que precisamos fazer nesse modo de pensar. Não é que as sirtuínas estejam sobrecarregadas, embora provavelmente estejam quando você tem insolação ou faz um raio-X; o que acontece todos os dias é que as sirtuínas e seus colegas de trabalho que controlam o epigenoma nem sempre conseguem voltar às suas estações gênicas originais após serem chamados. É como se alguns socorristas que foram ajudar com os danos causados pelo Katrina no Golfo do México tivessem perdido seu endereço residencial. Em seguida, o desastre ocorre várias vezes e eles devem ser realocados.

*Onde quer que* os fatores epigenéticos deixem o genoma para tratar de danos, os genes, que deviam estar desligados, ligam, e vice-versa. *Onde quer que* repousem no genoma, eles fazem o mesmo, alterando o epigenoma de maneiras que nunca planejamos quando nascemos.

As células perdem sua identidade e funcionam mal. O caos se instala. O caos materializa-se como o envelhecimento. Esse é o ruído epigenético que está no coração de nossa teoria unificada.

Como o gene *SIR2* desativa os genes? O *SIR2* codifica para uma proteína especializada chamada histona desacetilase, ou HDAC, que enzimaticamente corta os marcadores químicos acetil das histonas, que, como você deve se lembrar, faz com que o DNA se agrupe, impedindo que seja transcrito para o RNA.

Quando a enzima Sir2 está presente nos genes do tipo acasalamento, eles permanecem silenciosos e a célula continua a se acasalar e reproduzir. Mas, quando ocorre uma quebra de DNA, o Sir2 é recrutado para remover os marcadores de acetil das histonas. Isso agrupa as histonas para impedir que o DNA desgastado seja devolvido e ajuda a recrutar outras proteínas de reparo. Uma vez concluído o reparo do DNA, a maioria das proteínas Sir2 volta aos genes do tipo acasalamento para silenciá-los e restaurar a fertilidade, isso é, a menos que haja outra emergência, como a instabilidade maciça do genoma que ocorre quando os ERCs se acumulam nos nucléolos das células antigas de levedura.

Para que o circuito de sobrevivência funcione e cause envelhecimento, Sir2 e outros reguladores epigenéticos devem ocorrer em "quantidades limitantes". Em outras palavras, a célula não produz proteína Sir2 suficiente para silenciar os genes do tipo acasalamento *e* reparar o DNA danificado; eles têm que transportar Sir2, conforme necessário. É por isso que adicionar uma cópia do gene *SIR2* prolonga o tempo de vida e atrasa a infertilidade: as células têm Sir2 suficiente para reparar as quebras de DNA *e* silenciar os genes do tipo acasalamento.[31]

Nos últimos bilhões de anos, milhões de células de leveduras mudaram espontaneamente para produzir mais Sir2, mas elas desapareceram, pois não tinham vantagem sobre outras células de levedura. Viver por 28 divisões não tinha nenhuma vantagem sobre aqueles que viveram por 24 e, porque a Sir2 consome energia, ter mais proteína pode até ter sido uma desvantagem. No laboratório, no entanto, não notamos nenhuma desvantagem porque as leveduras receberam mais açúcar do que podiam ingerir. Adicionando cópias extras do gene SIR2, demos às células de levedura o que a evolução falhou em fornecer.

Se a teoria da informação estiver correta — que o envelhecimento é causado por excesso de trabalho dos sinalizadores epigenéticos que respondem a danos celulares —, não importa muito *onde* o dano ocorre. O importante é que *está* sendo danificado e que as sirtuínas estão correndo por todo o lugar para resolver esse dano, deixando suas responsabilidades típicas e, às vezes, retornando para outros lugares ao longo do genoma onde estão silenciando genes que não deveriam ser silenciados. É o equivalente celular de distrair o pianista celular.

Para provar isso, precisávamos danificar um pouco do DNA do rato.

Não é difícil deteriorar o DNA. Você pode fazer isso com cisalhamento mecânico, quimioterapia e raios-X.

Mas precisávamos fazer com precisão, de uma maneira que não criasse mutações ou regiões de impacto que afetassem qualquer função celular. Em essência, precisávamos atacar as terras desertas do genoma. Para tanto, temos em nossas mãos um gene semelhante ao Cas9, a ferramenta de edição de genes CRISPR da bactéria que corta o DNA em locais precisos.

A enzima que escolhemos para nossos experimentos vem de um mofo viscoso amarelo chamado *Physarum polycephalum*, que literalmente significa "Lodo de muitas cabeças". A maioria dos cientistas acredita que esse gene, o I-*Ppo*I, é um parasita que serve apenas para se copiar. Quando corta o genoma do mofo viscoso, é inserida outra cópia de I-*Ppo*I. É o molde de um gene egoísta.

Isso em um mofo em seu habitat natural, mas, quando o I-*Ppo*I se encontra em uma célula de camundongo, não possui o maquinário do mofo para copiar a si mesmo. Assim, flutua e corta o DNA em alguns lugares do genoma do rato e não há cópia. Em vez disso, a célula não tem problema em colar as cadeias de DNA de novo, sem deixar mutações, que é exatamente o que estávamos procurando para envolver o circuito de sobrevivência e distrair as sirtuínas. Genes de edição de DNA como Cas9 e I-*Ppo*I são presentes da natureza para a ciência.

Para criar um rato e testar a teoria, inserimos I-*Ppo*I na molécula circular de DNA plasmídeo, junto com os elementos de DNA necessários para controlar o gene, e em seguida inserimos esse DNA no genoma de uma linha de células-tronco embrionárias de ratos que cultivávamos em pratos plásticos no laboratório. Depois, injetamos o produto geneticamente modificado de células-tronco em um embrião de 90 células chamado blastocisto, implantado no útero de um rato fêmea e esperamos cerca de 20 dias por um bebê rato nascer.

Tudo parece complicado, mas não é. Com um pouco de treinamento, um universitário faz isso. Hoje, existe uma facilidade tão grande que se pode encomendar um rato por catálogo ou pagar uma empresa para seguir as especificações.

Os ratos bebês nasceram normais, como esperado, visto que a enzima de corte foi desligada nessa fase. Nós os chamamos carinhosamente "ratos ICE"; ICE significa "Alterações Indutíveis no Epigenoma". A parte "induzível" da sigla é vital — porque não há nada diferente sobre esses ratos até alimentá-los com uma baixa dose de tamoxifeno. É um bloqueador de estrogênio normalmente usado para tratar câncer em humanos, mas, nesse caso, projetamos o rato para que o tamoxifeno se transformasse no gene I-*Ppo*I. A enzima trabalhará, cortando o genoma e sobrecarregando levemente o circuito de sobrevivência, sem matar nenhuma célula. E, como o tamoxifeno tem uma meia-vida de apenas alguns dias, removê-lo da comida dos ratos desligaria o corte.

Os ratos podiam morrer, ter tumores ou tudo podia ter corrido perfeitamente bem, como se tivessem feito uma radiografia dentária. Ninguém nunca havia feito isso antes em um rato, então, não sabíamos. Mas, se nossa hipótese sobre instabilidade epigenética e envelhecimento fosse correta, o tamoxifeno funcionaria como a poção que Fred e George Weasley usaram para ficar velhos em *Harry Potter e o Cálice de Fogo*.

E funcionou. Como mágica, funcionou.

Durante o tratamento, os ratos estavam bem, alheios ao corte no DNA e a distração da sirtuína. Mas, alguns meses depois, recebi uma ligação de uma pós-doutoranda que cuidava dos animais de nosso laboratório durante uma viagem que fiz ao meu laboratório na Austrália.

"Um dos ratos está muito doente", disse ela. "Acho que precisamos anotar isso."

Pedi que me mandasse uma foto do rato sobre o qual ela estava falando.

Quando a foto apareceu no meu telefone, não pude deixar de rir. "Isso não é um rato doente", respondi. "É um rato *idoso*." "David", disse ela, "acho que você está enganado. Diz aqui que é a irmã dos outros ratos na gaiola, e eles são perfeitamente normais".

Sua confusão era compreensível. Aos 16 meses, um rato de laboratório comum ainda tem uma espessa camada de pelo, uma cauda robusta, uma figura musculosa, orelhas joviais e olhos claros. Um rato ICE acionado por tamoxifeno na mesma idade tem pelos grisalhos e finos, coluna vertebral dobrada, orelhas finas como papel e olhos turvos.

Lembre-se, não fizemos nada para mudar o genoma. Simplesmente quebramos o DNA dos ratos em lugares onde não havia genes e forçamos a célula a colar ou "ligá-los" novamente. Só para ter certeza, depois quebramos o DNA em outros lugares também, com os mesmos resultados. Essas interrupções induziram uma resposta da sirtuína. Quando esses restauradores começaram a trabalhar, a ausência de seus deveres normais e a presença em outras partes do genoma alteraram as maneiras como muitos genes estavam sendo expressos no momento errado.

**ANÁLISE DO RATO ICE PARA VERIFICAR SE A CAUSA DO ENVELHECIMENTO PODE SER A PERDA DE INFORMAÇÃO.** Um gene de um molde de lodo que codifica uma enzima que corta o DNA em determinado lugar foi inserido em uma célula-tronco e injetado em um embrião para gerar o rato ICE. Acionar o gene do mofo cortou o DNA e distraiu as sirtuínas, causando o envelhecimento do rato.

Essas descobertas foram alinhadas às descobertas feitas por Trey Ideker e Kang Zhang, na UC San Diego, e Steve Horvath, na UCLA. O nome de Steve pegou, e atualmente é homônimo de Horvath Clock — uma maneira precisa de estimar a idade biológica de alguém medindo milhares de características epigenéticas no DNA, chamadas metilação. Normalmente pensamos no envelhecimento como algo que começa a acontecer conosco na meia-idade, porque é quando começamos a ver mudanças significativas em nossos corpos. Mas o relógio de Horvath começa a girar no momento em que nascemos. Os ratos têm um relógio epigenético também. Os ratos ICE eram mais velhos que seus irmãos? Sim, eram cerca de 50% mais velhos.

Nós encontramos a chave mestra do relógio da vida.

Em outra maneira de pensar, nós arranhamos o DVD da vida 50% mais rápido do que normalmente é arranhado. O código digital que é, e foi, o projeto básico para nossos ratos era o mesmo de sempre. Mas a máquina analógica criada para ler esse código foi capaz de capturar apenas alguns bits e partes dos dados.

Aqui está o ponto principal: podemos envelhecer ratos sem afetar nenhuma das causas mais comuns de envelhecimento. Não fizemos suas células sofrerem mutações, não tocamos em seus telômeros nem mexemos nas mitocôndrias. Não esgotamos diretamente suas células-tronco. No entanto, os ratos ICE estavam sofrendo de perda de massa corporal, de mitocôndrias e de força muscular, além de um aumento da catarata, artrite, demência, perda óssea e fragilidade.

Todos os sintomas do envelhecimento — que levam os ratos, como os humanos, ao precipício da morte — eram causados não por mutação, mas pelas mudanças epigenéticas que surgem como resultado dos sinais de dano no DNA.

Não causamos aos ratos todas essas doenças. Causamos o envelhecimento.

E, se você pode causar algo, pode reverter.

## Frutos da Mesma Árvore

Como mãos retorcidas de zumbis gigantes se libertando do solo rochoso, os pinheiros bristlecones ancestrais em White Mountains, na Califórnia, projetam silhuetas assustadoras na relva orvalhada da manhã.

A mais antiga dessas árvores está aqui desde antes das pirâmides do Egito serem construídas, antes da construção de Stonehenge e do último mamute deixar nosso mundo. Elas compartilharam este planeta com Moisés, Jesus, Muhammad e o primeiro Buda. Estando pouco mais de 3km acima do nível do mar, adicionando frações de um milímetro de crescimento a seus troncos torcidos a cada ano, desafiando tempestades de raios e secas, são a síntese da perseverança.

É fácil ficar maravilhado com esses seres notáveis e ancestrais. É fácil ficar deslumbrado por seu domínio e imponência. É fácil simplesmente contemplá-los com admiração. Mas há outra maneira de ver esses patriarcas antediluvianos — uma maneira mais difícil, mas pela qual devemos ver todos os seres vivos neste planeta: como nossos professores.

Afinal, os bristlecones são nossos primos eucarióticos. Cerca de metade dos seus genes são nossos parentes próximos

No entanto, eles não envelhecem.

Aliás, adicionam anos a suas vidas — milhares deles marcados por anéis quase microscópicos escondidos em seu denso cerne, que também registram em tamanho, forma e composição química de eventos climáticos ocorridos há tempos, como quando a erupção de Krakatoa enviou uma nuvem de cinzas em todo o mundo em 1883, deixando um anel de crescimento impreciso entre 1884 e 1885, apenas um centímetro no anel externo da casca que marca nosso tempo atual.[32]

No entanto, mesmo ao longo de muitos milhares de anos, suas células parecem não ter sofrido nenhum declínio na função. Os cientistas chamam isso de "senescência insignificante". Quando uma equipe do Institute of Forest Genetics procurou sinais de envelhecimento celular — estudando os bristlecones de 23 a 4.713 anos — voltou de mãos vazias. Entre árvores jovens e velhas, segundo seus estudos de 2001, não houve diferenças relevantes nos sistemas de transporte químico, na taxa de crescimento de brotações, na qualidade do pólen que produziram, no tamanho de suas sementes ou na maneira como essas sementes germinaram.[33]

Os pesquisadores também procuraram por mutações deletérias — do tipo que muitos cientistas na época esperavam ser a principal causa do envelhecimento. Não encontraram nenhuma.[34] Eu suponho que, se procurassem por mudanças epigenéticas, voltariam de mãos vazias da mesma forma.

Os bristlecones são discrepantes no mundo biológico, mas não são únicos em seu desafio no envelhecimento. O pólipo de água doce, conhecido como *Hydra vulgaris*, também evoluiu para resistir à senescência. Sob condições certas, esses minúsculos cnidários demonstraram uma notável recusa em envelhecer. Na natureza, vivem poucos meses, sujeitos aos poderes da predação, da doença e da dessecação. Mas em laboratórios ao redor do mundo eles foram mantidos vivos por mais de 40 anos — sem sinais de que parariam por aí — e os indicadores de saúde não diferem muito entre os muito jovens e os muito velhos.

Algumas espécies de água-viva se regeneram completamente a partir de partes do corpo de adultos, ganhando o apelido de "gelatinas imortais". Atualmente, sabe-se que apenas a elegante medusa-da-lua *Aurelia aurita* da costa oeste dos EUA, que mede alguns centímetros, e a *Turritopsis dohrnii*, do Mediterrâneo, se regeneram, mas tenho a impressão que a maioria das medusas faz isso. Só precisamos procurar. Se você separar um desses incríveis animais em células únicas, elas se agitarão até formar grupos que se juntam de volta em um organismo completo, como o ciborgue T-1000 em *O Exterminador do Futuro 2*, provavelmente resetando seu relógio do envelhecimento.

Claro, nós, humanos, não queremos ser despedaçados em células únicas para sermos imortais. Que utilidade há em ser remontado ou duplicado se você não tem lembranças da sua vida atual? Nós talvez possamos reencarnar.

O que importa é o que esses equivalentes biológicos de Benjamin Button, de F. Scott Fitzgerald, com o envelhecimento inverso, ensinam-nos que a idade celular pode ser redefinida completamente, algo que estou convencido de que poderemos fazer um dia sem perder nossa sabedoria, nossas memórias ou nossas almas.

Embora não seja imortal, o tubarão da Groenlândia *Somniosus microcephalus* ainda é um animal impressionante e muito mais próximo de nós. Do tamanho de um tubarão branco, ele não atinge a maturidade sexual até os 150 anos de idade. Pesquisadores acreditam que o Oceano Ártico poderia abrigar tubarões da Groenlândia que nasceram antes de Colombo se perder no Novo Mundo. A datação por radiocarbono estimou que um indivíduo pode ter vivido mais de 510 anos, pelo menos até que um foi capturado por cientistas para que pudessem medir sua idade. Se as células desse tubarão foram submetidas ao envelhecimento é uma questão científica aberta; poucos biólogos sequer viram um *S. microcephalus* até os últimos anos. Pelo menos, esse vertebrado longevo sofre o processo de envelhecimento muito, muito devagar.

Evolutivamente falando, todas essas formas de vida estão mais próximas de nós do que a levedura. Pense no que aprendemos sobre o envelhecimento humano com um minúsculo fungo. Mas é certamente perdoável considerar as distâncias entre pinheiros, hidrozoários, peixes cartilaginosos e mamíferos, como nós, na enorme árvore da vida e dizer: "Não, essas coisas são muito diferentes."

Que tal outro mamífero? Um sangue quente, produtor de leite, um primo que dá à luz?

Em 2007, caçadores aborígenes do Alasca capturaram uma baleia-da-Groenlândia, na qual, quando aberta, encontraram a ponta de um arpão em sua gordura. Historiadores descobriram que a arma foi fabricada no fim dos anos 1800, e eles estimaram a idade da baleia em cerca de 130 anos. Essa descoberta despertou um novo interesse científico na *Balaena mysticetus* e pesquisas posteriores, empregando um método de determinação da idade que mede os níveis de ácido aspártico nas lentes oculares de uma baleia, estimaram que uma baleia-da-Groenlândia tinha 211 anos quando foi morta por baleeiros nativos.

Que as baleias-da-Groenlândia foram selecionadas para uma excepcional longevidade não surpreende. Elas têm poucos predadores e podem construir um corpo de vida longa e se reproduzir lentamente. É provável que mantenham seu programa de sobrevivência em alerta, reparando as células enquanto mantêm o epigenoma estável, garantindo a sinfonia das células por séculos.

Essas espécies podem nos ensinar a viver mais saudáveis, por mais tempo?

Em termos de aparência e habitat, pinheiros, águas-vivas e baleias são diferentes dos humanos. Mas, de outras formas, somos semelhantes. Pense nas baleias-da--Groenlândia. Como nós, são complexas, sociais, comunicativas e conscientes. Compartilhamos 12.787 genes, incluindo variantes interessantes do gene como *FOXO3*, ou *DAF-16*, que foi identificado como um gene de longevidade em lombrigas pela pesquisadora Cynthia Kenion, da Universidade da Califórnia, São Francisco. Ela descobriu que era essencial para os defeitos no caminho da insulina para duplicar a vida útil. Desempenhando um papel integral no circuito de sobrevivência, o DAF-16 codifica uma pequena proteína do fator de transcrição que se prende à sequência de DNA TTGTTTAC e trabalha com sirtuínas para aumentar a sobrevivência celular em tempos desfavoráveis.[35]

Nos mamíferos, há quatro genes DAF-16: *FOXO1*, *FOXO3*, *FOXO4* e *FOXO6*. Se suspeita que nós, cientistas, complicamos as coisas, você está certo, mas não nesse caso. Os genes da mesma "família de genes" têm nomes diferentes porque foram nomeados antes de as sequências de DNA serem decifradas. É parecido com a situação comum em que as pessoas têm seu genoma analisado e descobrem que têm um irmão do outro lado da cidade.[36] *DAF-16* é um acrônimo para *dauer larvae*. Em alemão, "dauer" significa "duradouro", e é realmente relevante para essa história. Acontece que os vermes tornam-se *dauer* quando estão famintos ou sobrecarregados, baixando o metabolismo até os tempos melhorarem. Mutações que ativam o *DAF-16* prolongam o tempo de vida ativando o programa de defesa dos vermes, mesmo quando os tempos são favoráveis.

Encontrei o FOXO/DAF-16 pela primeira vez em leveduras, onde é conhecido como *MSN2*, que significa "supressor de cópias múltiplas do regulador epigenético *SNF1* (AMPK)". Como o DAF-16, o trabalho do *MSN2* é ativar os genes da levedura que afastam as células da morte, gerando resistência ao estresse.[37] Descobrimos que, quando as calorias são restritas, o *MSN2* prolonga a vida útil da levedura ativando genes que reciclam o NAD, dando às sirtuínas um reforço.[38]

Muitas vezes, escondida na maneira abstrata que os cientistas falam sobre ciência, há vários temas repetidos: sensores de baixa energia (SNF1/AMPK), fatores de transcrição (MSN2/DAF-16/FOXO), NAD e sirtuínas, resistência ao estresse e longevidade. Isso não é coincidência — são todas as partes principais do circuito de sobrevivência ancestral.

Mas e os genes nos seres humanos? Certas variantes chamadas *FOXO3* foram encontradas em comunidades humanas nas quais se sabe que as pessoas desfrutam de tempo de vida e saúde equivalentes, como as pessoas da bacia do Rio Vermelho na China.[39] Essas variantes *FOXO3* provavelmente ativam as defesas do corpo contra doenças e envelhecimento, não apenas quando os tempos são difíceis, mas durante toda a vida. Se você tivesse seu genoma analisado, poderia verificar se tem alguma das variações conhecidas de *FOXO3* associadas à longevidade.[40] Por exemplo, ter um C em vez de uma variante T na posição rs2764264 está associado a uma vida mais longa. Dois de nossos filhos, Alex e Natalie, herdaram dois Cs nessa posição, um de Sandra e outro de mim; com todos os outros genes sendo iguais e contanto que não tenham estilos de vida ruins, devem ter maiores chances de atingir a idade de 95 anos que eu, com meu um C e um T, e muito mais que alguém com dois Ts.

Vale a pena fazer uma pausa para considerar o quão notável é encontrarmos essencialmente os mesmos genes da longevidade em todos os organismos do planeta: árvores, leveduras, vermes, baleias e seres humanos. Todas as criaturas vivas vêm do mesmo lugar no primórdio. Quando olhamos através de um microscópio, todos somos feitos da mesma coisa. Todos compartilhamos o circuito de sobrevivência, uma rede celular protetora que nos ajuda quando os tempos estão desfavoráveis. Essa mesma rede é a nossa ruína. Tipos graves de dano, como quebra dos filamentos de DNA, não podem ser evitados. Eles sobrecarregam o circuito e mudam a identidade celular. Estamos todos sujeitos ao ruído epigenético que deve, segundo a Teoria da Informação do Envelhecimento, causar envelhecimento.

No entanto, diferentes organismos envelhecem a taxas diferentes. E, às vezes, parece que não envelhecem. O que permite que uma baleia mantenha o circuito de sobrevivência sem interromper a sinfonia epigenética? Se as habilidades do pianista são perdidas, como é possível que uma água-viva restaure sua habilidade?

São as perguntas que têm orientado meus pensamentos, já que considerei para onde nossa pesquisa está indo. O que pode parecer ideias fantasiosas, ou conceitos retirados da ficção científica, está firmemente enraizado na pesquisa. Além disso, são apoiados pelo conhecimento de que alguns de nossos parentes próximos descobriram uma solução alternativa para o envelhecimento.

E, se eles podem, nós também podemos.

## A Paisagem de Nossas Vidas

Antes que a maioria das pessoas pudesse conceber a ideia de mapear nosso genoma, ter tecnologia para mapear todo o epigenoma de uma célula e entender como ela agrupa o DNA para ativar e desativar os genes, o biólogo do desenvolvimento Conrad Waddington já estava pensando mais profundamente.

Em 1957, o professor de genética da Universidade de Edimburgo estava tentando entender como um embrião inicial poderia ser transformado de uma coleção de células não diferenciadas — cada uma exatamente como a próxima e com o mesmo DNA — em milhares de diferentes tipos de células no corpo humano. Talvez não por coincidência, as ponderações de Waddington surgiram nos primeiros anos da revolução digital, ao mesmo tempo em que Grace Hopper, a mãe da programação de computadores, estava lançando as bases para a primeira linguagem de computador amplamente utilizada, o COBOL. Em essência, o que Waddington estava verificando era como as células, todas rodando no mesmo código, poderiam produzir programas diferentes.

Havia mais do que genética em jogo: um programa que controlava o código.

Waddington concebeu uma "paisagem epigenética", um mapa tridimensional em relevo que representa o mundo dinâmico em que nossos genes existem. Mais de meio século depois, a paisagem de Waddington continua sendo uma metáfora útil para entender por que envelhecemos.

No mapa de Waddington, uma célula-tronco embrionária é representada por uma bola de gude no topo de um pico de montanha. Durante o desenvolvimento embrionário, a bola desce a colina e repousa em uma das centenas de diferentes vales, cada um representando um tipo de célula diferente possível no corpo. Isso é chamado de "diferenciação". O epigenoma guia as bolinhas de gude, mas também age como gravidade após o repouso das células, garantindo que elas não voltem a subir a ladeira ou pulem para outro vale.

O local de descanso final é conhecido como "destino" da célula. Pensávamos que era uma via de mão única, um caminho irreversível, mas não há destino na biologia. Na última década, aprendemos que as bolas de gude na paisagem de Waddington não são fixas; tendem a se movimentar ao longo do tempo.

No nível molecular, o que realmente está acontecendo enquanto a esfera desce a ladeira é que diferentes genes estão sendo ligados e desligados, guiados por fatores de transcrição, sirtuínas e outras enzimas, como DNA metiltransferases (DNMTs) e histona metiltransferases (HMTs), que marcam o DNA e embrulham proteínas com marcadores químicos que instruem a célula e seus descendentes a se comportarem de certa maneira.

O que não é avaliado, mesmo nos círculos científicos, é a importância da estabilidade dessas informações para nossa saúde a longo prazo. Veja bem, a epigenética foi, por muito tempo, da competência de cientistas que estudam os primórdios da vida, não de pessoas como eu, que estudam o outro lado.

Depois que uma bola de gude se instala na paisagem de Waddington, tende a permanecer lá. Se tudo for bem com a fertilização, o embrião torna-se um feto, então um bebê, uma criança, um adolescente, um adulto. As coisas costumam correr bem em nossa juventude. Mas o tempo passa.

Toda vez que há um ajuste radical no epigenoma, digamos, após danos no DNA pelo sol ou por raio-X, as esferas são empurradas — como um terremoto que altera um pouco o mapa. Com o tempo, com repetidos terremotos e erosão das montanhas, as bolinhas de gude são levadas pelos lados da encosta, em direção a um novo vale. A identidade da célula se altera. Uma célula da pele começa a se comportar de maneira diferente, ativando genes que foram desligados no útero e que deveriam permanecer assim. Agora, temos 90% de uma célula da pele e 10% de outros tipos de células, tudo misturado, com propriedades de neurônios e células renais. A célula fica inapta na função de ser célula epitelial, como produzir cabelo, manter a pele macia e se restabelecer quando lesionada.

Em meu laboratório, dizemos que a célula se *ex-diferenciou*.

Cada célula sucumbe ao ruído epigenético. O tecido celular, constituído por milhares de células, torna-se uma mistura, um caos, um conjunto heterogêneo.

Como você deve se lembrar, o epigenoma é inerentemente instável porque é uma informação *analógica*, com base em um número infinito de valores possíveis, portanto, é difícil impedir o acúmulo de ruído e quase impossível duplicar sem perda de informações. Os terremotos são um fato da vida. A paisagem está sempre mudando.

Se o epigenoma tivesse evoluído para ser digital, e não analógico, as paredes do vale teriam 160km de altura e seriam verticais, e a gravidade seria tão forte que as bolinhas de gude nunca poderiam pular para um novo vale. As células nunca perderiam sua identidade. Se fôssemos construídos dessa maneira, poderíamos ser saudáveis por milhares de anos, talvez mais.

Mas não somos construídos assim. A evolução molda os genomas e os epigenomas apenas o suficiente para garantir a sobrevivência, assegurar a substituição e, se tivermos sorte, um pouco mais — mas não a imortalidade. Portanto, as paredes de nosso vale são levemente inclinadas e a gravidade não é tão forte. Uma baleia que vive 200 anos provavelmente desenvolveu muros mais íngremes do vale e suas células mantêm sua identidade pelo dobro do tempo da nossa. No entanto, nem as baleias vivem para sempre.

Acredito que a culpa esteja no *M. superstes* e no circuito de sobrevivência. O embaralhamento repetido de sirtuínas e outros fatores epigenéticos, longe dos genes para os locais de reparo do DNA e de volta, embora útil a curto prazo, é o que nos leva a envelhecer. Com o tempo, os genes equivocados aparecem na hora e nos lugares errados.

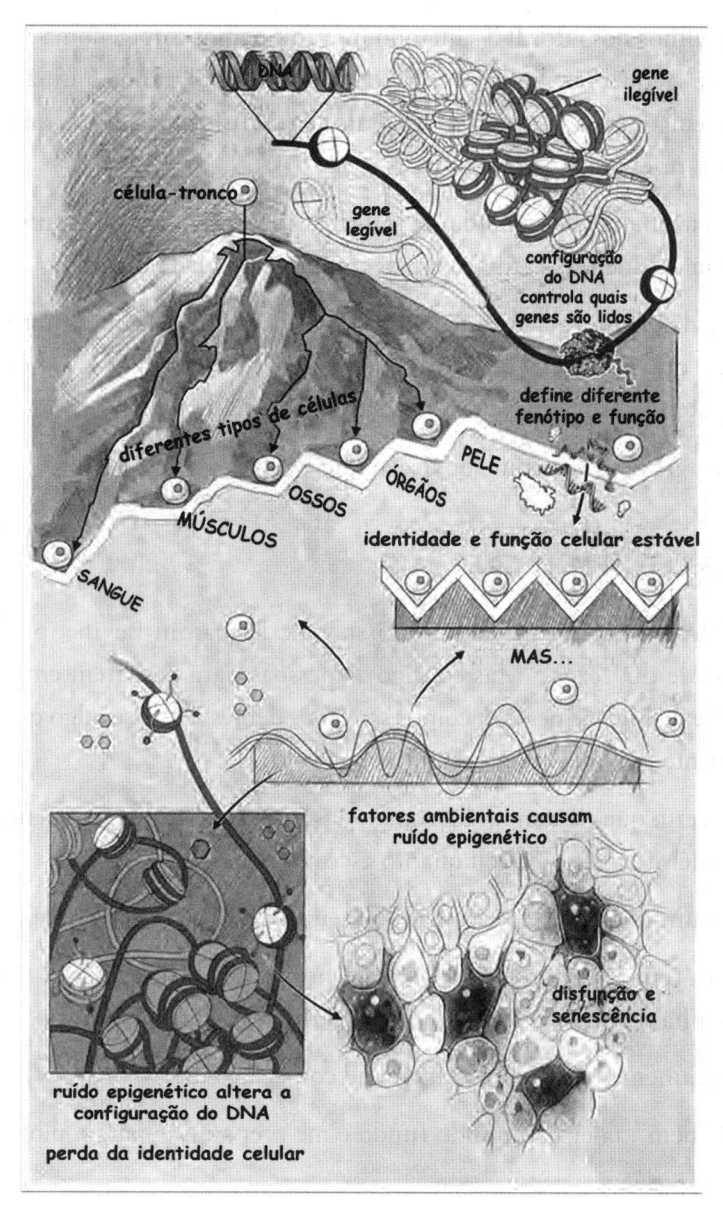

**MUDANÇAS NA PAISAGEM DE NOSSAS VIDAS.** A paisagem de Waddington é uma metáfora para a identidade das células. Células embrionárias, descritas como bolinhas de gude, rolam ladeira abaixo e repousam no lugar correto. À medida que envelhecemos, ameaças à sobrevivência, como o DNA danificado, ativam o circuito de sobrevivência e reativam o epigenoma. Com o tempo, as células se movem em direção a vales adjacentes e perdem sua identidade original, transformando-se em células senescentes semelhantes a zumbis em tecidos antigos.

Como vimos nos ratos ICE, quando interrompemos o epigenoma forçando-o a lidar com as quebras de DNA, introduzimos ruído, levando a uma erosão da paisagem epigenética. Os corpos dos ratos se transformaram em quimeras de células mal orientadas e defeituosas.

Isso é envelhecer. Essa perda de informação é o que leva cada um de nós a um mundo de doenças cardíacas, câncer, dor, fragilidade e morte.

Se a perda de informações analógicas é a única razão pela qual envelhecemos, existe algo que possamos fazer sobre isso? Podemos estabilizar as bolinhas de gude, mantendo as paredes do vale altas e a gravidade forte?

Sim. Eu posso dizer com convicção que existe.

## A Reversão Tem Idade

O exercício regular "é um compromisso", diz Benjamin Levine, professor da Universidade do Texas. "Mas eu digo às pessoas para pensarem em exercícios como parte da higiene pessoal, como escovar os dentes. Deve ser algo que fazemos normalmente para nos manter saudáveis."[41]

Estou certo que ele tem razão. A maioria das pessoas se exercitaria muito mais se ir à academia fosse tão fácil quanto escovar os dentes.

Talvez um dia seja. Experiências no meu laboratório indicam que é possível.

"David, temos um problema", disse o pós-doutorando Michael Bonkowski numa manhã no outono em 2017, assim que cheguei ao laboratório.

Isso raramente é uma boa maneira de começar o dia.

"Tudo bem", falei, respirando fundo e me preparando para o pior.

"O que foi?"

"Os ratos", disse Bonkowski. "Eles não querem parar de correr."

Os ratos sobre os quais ele estava falando tinham 20 meses. Isso é aproximadamente o equivalente a uma pessoa de 65 anos. Estávamos alimentando-os com uma molécula destinada a aumentar os níveis de NAD, que acreditávamos que também aumentaria a atividade das sirtuínas. Se os ratos estivessem desenvolvendo um vício em corrida, isso seria um ótimo sinal.

"Mas como isso pode ser um problema?" perguntei. "Que ótima notícia!"

"Bem", disse Michael, "*seria* se não tivessem quebrado nossa esteira."

Como se viu, o programa de rastreamento de esteira foi criado para gravar um rato correndo por apenas 3km. Quando os ratos idosos chegam a esse ponto, a esteira desliga. "Vamos ter que recomeçar o experimento", disse Bonkowski.

Demorou um pouco para eu absorver isso.

Mil metros é uma boa e longa corrida para um rato. Dois mil metros — cinco vezes ao redor de uma pista de corrida padrão — seriam uma corrida substancial para um rato *jovem*.

Mas há uma razão pela qual o programa foi definido para 3km. Os ratos simplesmente não correm tanto. No entanto, esses ratos idosos estavam correndo ultramaratonas.

Por quê? Uma de nossas principais conclusões, em um estudo publicado em 2018,[42] foi que, quando tratadas com uma molécula estimuladora de NAD que ativava a enzima SIRT1, as células endoteliais dos ratos idosos, que revestem os vasos sanguíneos, estavam abrindo caminho para áreas do músculo que não estavam obtendo muito fluxo sanguíneo. Novos vasos sanguíneos minúsculos, capilares, foram formados, fornecendo oxigênio necessário, removendo o ácido lático e metabólitos tóxicos dos músculos, e revertendo uma das causas mais significativas de fragilidade em ratos e seres humanos. Foi assim que esses ratos idosos de repente se tornaram maratonistas tão poderosos.

Como as sirtuínas foram ativadas, os epigenomas dos ratos estavam ficando mais estáveis. As paredes do vale estavam ficando mais altas. A gravidade estava ficando mais forte. E as bolinhas de gude de Waddington estavam sendo empurradas de volta para onde pertenciam. O revestimento dos capilares estava respondendo como se os ratos fossem exercitados. Foi um exercício mimético, o primeiro de seu tipo, e um sinal claro de que alguns aspectos da idade são passíveis de ser *revertidos*.

Ainda não sabemos tudo sobre por que isso acontece. Não sabemos que tipo de molécula funcionará melhor para ativar as sirtuínas ou em que doses. Centenas de diferentes precursores de NAD foram sintetizados e existem ensaios clínicos em andamento para responder a essa pergunta e muitas outras.

Mas isso não significa que precisamos esperar para aproveitar tudo o que aprendemos sobre o envolvimento do circuito de sobrevivência epigenético e vidas mais longas e saudáveis. Não precisamos esperar para tirar proveito da Teoria da Informação do Envelhecimento.

Existem medidas que podemos tomar agora para vivermos mais e mais saudáveis. Há coisas que podemos fazer para diminuir, parar e até reverter os aspectos do envelhecimento.

Mas, antes de falarmos sobre as medidas que podemos tomar para combater o envelhecimento, antes que eu possa explicar as intervenções apoiadas pela ciência que têm o maior compromisso em mudar fundamentalmente a maneira como pensamos em envelhecer, e antes mesmo de começarmos a falar sobre os tratamentos e as terapias que serão revolucionárias para nossa espécie, precisamos responder a uma pergunta muito importante:

Deveríamos?

# Três

## A Epidemia de Cegueira

**ERA 10 DE MAIO DE 2010 E LONDRES ESTAVA AGITADA.** O CHELSEA FUTEBOL CLUBE TINHA vencido seu 4º campeonato nacional ao devastar o Wigan Athletic, por 8 a 0, no último dia de jogo da Premier League. Enquanto isso, Gordon Brown anunciou que deixaria o cargo de primeiro-ministro em resposta a um resultado parlamentar desastroso para o partido trabalhista, que havia perdido mais de 90 cadeiras nas eleições gerais da semana anterior.

Com os olhos do mundo esportivo inglês em uma parte de Londres e a atenção do universo político britânico em outra, os acontecimentos no Carlton House Terrace foram desperdiçados por todos, exceto pelos observadores mais atentos do presidente, conselho e companheiros da Royal Society of London for Improving Natural Knowledge.

Mais conhecida simplesmente como Royal Society, a organização científica nacional mais antiga do mundo foi criada em 1660 para promover e disseminar a "nova ciência" por grandes pensadores da época, como Sir Francis Bacon, difusor do Iluminismo de "prolongamento da vida".[1] De acordo com sua rica história, a sociedade realiza eventos científicos anuais desde então. Os destaques incluem palestras de Sir Isaac Newton sobre gravidade, Charles Babbage em seu computador mecânico e Sir Joseph Banks, que acabara de voltar da Austrália com uma recompensa de mais de mil plantas preservadas, inéditas para a ciência.

Ainda hoje, em um mundo pós-Iluminismo, a maioria dos eventos da sociedade é fascinante, senão o mundo está mudando. Mas a reunião de dois dias que começou na primavera de 2010 foi nada menos que isso, pois reunido naquela segunda e terça-feira havia um grupo heterogêneo de pesquisadores que se encontrou para discutir uma importante "nova ciência".

O encontro foi convocado pela geneticista Dame Linda Partridge, pela pioneira da bioanalítica Janet Thornton e pela neurocientista molecular Gillian Bates, especialistas em suas áreas. A lista de participantes não foi menos impressionante. Cynthia Kenyon falou sobre seu trabalho de referência em uma única mutação no gene receptor IGF-1 que dobrou o tempo de vida de nematelmintos ativando o DAF-16[2] — trabalho que Partridge julgou uma aberração específica de vermes,[3] mas logo fez pesquisadores importantes confrontarem crenças antigas de que o envelhecimento poderia ser controlado por um único gene. Thomas Nyström, da Universidade de Gothenburg, relatou a descoberta de que o Sir2 não só é vital para a estabilidade genômica e epigenômica de leveduras, mas também impede que proteínas oxidadas sejam transmitidas às células-filhas.

Brian Kennedy, ex-aluno de Guarente que estava prestes a assumir a presidência do Buck Institute for Research on Aging, explicou como os caminhos genéticos conservados de maneira semelhante em diversas espécies desempenhariam papéis similares no envelhecimento de mamíferos. Andrzej Bartke, da Universidade Southern Illinois, ex-orientador de doutorado de Michael "Marathon Mouse" Bonkowski, palestrou sobre como os ratos-anões podem viver até o dobro de tempo dos ratos normais, um recorde. A bióloga molecular, María Blasco, explicou como as células mais velhas de mamíferos têm mais probabilidade do que as células jovens de perder sua identidade e se tornar cancerígenas. E o geneticista Nir Barzilai falou de variantes genéticas em humanos de vida longa e sua crença de que todas as doenças relacionadas ao envelhecimento podem ser bastante prevenidas e a vida humana pode ser consideravelmente prolongada com uma intervenção farmacêutica relativamente fácil.

Ao longo desses dois dias, 19 cientistas apresentadores das melhores instituições de pesquisa do mundo avançaram em direção a um consenso provocador e iniciaram a construção de um caso convincente que desafiará a sabedoria convencional sobre saúde e doença humana. Resumindo a reunião para a sociedade posteriormente, o biogerontologista David Gems escreveria que os avanços em nossa compreensão da senescência organizada estão levando a uma conclusão singular momentânea: que o envelhecimento não é uma parte inevitável da vida, mas um "processo de doença com um amplo espectro de consequências patológicas".[4] Dessa maneira, câncer, doenças cardíacas, Alzheimer e outras condições que comumente associamos ao envelhecimento não são necessariamente doenças, mas sintomas de algo maior.

Ou, de forma mais simples e talvez ainda mais sedutora: o envelhecimento em si é uma doença.

## A Lei da Mortalidade Humana

Se a ideia de que o envelhecimento é uma doença lhe parece estranha, você não está sozinho. Médicos e pesquisadores evitam dizer isso há tempos. Já nos disseram que o envelhecimento é simplesmente o processo de ficar velho. E envelhecer há muito tempo é visto como uma parte inevitável da vida.

Afinal, vemos o envelhecimento em quase tudo ao nosso redor e, em particular, nas coisas ao nosso redor que se parecem conosco. Vacas e porcos em nossas fazendas envelhecem. Cães e gatos em nossas casas também. Pássaros no céu. Peixes no mar. Árvores na floresta. Células em nossas placas de Petri. Sempre termina da mesma maneira: do pó ao pó.

A conexão entre morte e envelhecimento é tão forte que a inevitabilidade da primeira governa como definimos o segundo. Quando as sociedades europeias passaram a registrar atestados de óbito públicos nos anos 1600, o envelhecimento era uma causa respeitada de morte. Descrições como "decrepitude" ou "fraqueza devido à velhice" eram explicações comumente aceitas para a morte. Mas, de acordo com o demógrafo inglês do século XVII John Graunt, que escreveu *Natural and Political Observations Mentioned in a Following Index, and Made upon the Bills of Mortality*, o mesmo aconteceu com "medo", "pesar" e "vômito".

À medida que avançamos no tempo, deixamos de culpar a morte na velhice. Ninguém morre mais por "envelhecer". No século passado, a comunidade médica ocidental passou a acreditar não apenas que há uma causa mais imediata de morte do que o envelhecimento, mas que é imperativo identificar essa causa. Nas últimas décadas, de fato, ficamos bastante preocupados com isso.

A *Classificação Internacional de Doenças* (CID) da Organização Mundial da Saúde — uma lista de doenças, sintomas e causas externas de lesões — foi lançada em 1893, com 161 títulos. Hoje, existem mais de 14 mil e, na maioria dos lugares em que os registros de morte são mantidos, médicos e autoridades de saúde pública usam esses códigos para registrar causas imediatas e subjacentes de incapacidade e morte.[5] Isso, por sua vez, ajuda líderes médicos e formuladores de políticas de todo o mundo a tomar decisões sobre saúde pública. Em termos gerais, quanto mais frequentemente uma causa aparece em um atestado de óbito, mais atenção a sociedade dá para combatê-la. É por isso que doenças cardíacas, diabetes tipo 2 e demência são os principais focos de pesquisa e atendimento médico intervencionista, enquanto o envelhecimento não é, mesmo que seja a maior causa de todas essas doenças.

A idade, *às vezes,* é considerada um fator subjacente no fim da vida de alguém, mas os médicos nunca a citam como uma razão imediata para a morte. Aqueles que correm o risco de aumentar a ira dos burocratas, que tendem a enviar o certificado de volta ao médico para obter mais informações. Pior ainda, é provável que sejam ridicularizados por seus colegas. David Gems, vice-diretor do Institute of Healthy Ageing na University College London e o mesmo homem que escreveu o relatório da reunião da Royal Society sobre "a nova ciência do envelhecimento", disse ao Medical Daily em 2015 que "a ideia de que as pessoas morrem de envelhecimento puro, sem patologia, é loucura".[6]

Mas isso é um erro. Separar o envelhecimento da doença ofusca a verdade sobre como chegamos ao fim de nossas vidas: embora seja certamente importante saber por que alguém caiu de um penhasco, é igualmente importante saber o que levou essa pessoa ao precipício em primeiro lugar.

O envelhecimento nos leva ao precipício. Dê a qualquer um de nós 100 anos ou mais, e todos iremos para lá.

Em 1825, o atuário britânico Benjamin Gompertz, um sábio membro da Royal Society, explicou esse limite ascendente com a "Lei da Mortalidade Humana", essencialmente uma descrição matemática do envelhecimento. Ele escreveu: "É possível que a morte seja consequência de duas causas geralmente coexistentes: uma é a chance, sem disposição prévia para a morte ou a deterioração; outra é uma deterioração ou incapacidade crescente de suportar a destruição."[7]

A primeira parte da lei diz que há um relógio interno que se esgota aleatoriamente, como a chance de um copo em um restaurante quebrar; uma reação de primeira ordem, semelhante à deterioração radioativa, com alguns copos durando muito mais que a maioria. A segunda parte diz que, com o tempo, devido a um processo descontrolado e desconhecido, os seres humanos experimentam um aumento exponencial em sua probabilidade de morte. Somando esses dois componentes, Gompertz poderia prever com precisão as mortes devido ao envelhecimento: o número de pessoas vivas após 50 diminui vertiginosamente, mas há uma extremidade no final em que algumas pessoas "sortudas" permanecem vivas além do que é esperado. Essas equações fizeram com que seus parentes, Sir Moses Montefiore e Nathan Mayer Rothschild, proprietários da Alliance Insurance Company, tivessem muito dinheiro.

O que Gompertz não poderia saber, mas teria apreciado, é que a maioria dos organismos obedece à sua lei: moscas, lombrigas, ratos e até células de levedura. Para os organismos maiores, não sabemos exatamente o que são os dois relógios, mas sabemos nas células de levedura: o relógio *chance* é a formação de um círculo de rDNA e o relógio exponencial é a replicação e o aumento *exponencial* no número de círculos de rDNA, com o movimento resultante de Sir2 para longe dos genes silenciosos do tipo acasalamento que causam esterilidade.[8]

Os seres humanos são mais complicados; mas, no século XIX, as taxas de mortalidade britânicas ficaram passíveis de uma modelagem matemática simples, pois cada vez mais evitavam mortes não relacionadas ao envelhecimento: parto, acidentes e infecções. Isso revelou cada vez mais a incidência subjacente e exponencial de morte devido a relógios internos como sendo a mesma de sempre. Naquela época, a probabilidade de morrer dobrava a cada 8 anos, uma equação que deixava bem pouco espaço para sobreviventes após os 100 anos.

Esse limite se mantém verdadeiro desde então, mesmo quando a expectativa de vida média global aumentou 20 anos entre 1960 e hoje.[9] Isso ocorre porque toda essa duplicação se soma rapidamente. Portanto, embora a maioria das pessoas que vive em países desenvolvidos agora possa se sentir confiante de que chegará aos 80, hoje as chances de qualquer um de nós atingir um século são de apenas 3 em 100. Chegar a 115 é uma proposta de 1 em 100 milhões. E alcançar 130 é uma improbabilidade matemática da mais alta ordem.

Pelo menos neste momento.

## A Brisa Mortal

Em meados da década de 1990, quando eu fazia meu doutorado na Universidade da Austrália de New South Wales, minha mãe, Diana, descobriu um tumor do tamanho de uma laranja em seu pulmão esquerdo.

Como foi fumante, eu suspeitava que isso aconteceria. Essa era uma das coisas que discutimos mais do que qualquer outra. Quando eu era criança, costumava roubar seus cigarros e escondê-los. Isso a enfurecia. O fato de ela não atender aos meus pedidos para deixar de fumar me enfurecia também.

"Eu vivi uma boa vida. O resto é um bônus", ela dizia para mim, aos 40 anos.

"Você sabe como tem sorte de ter nascido? Você está jogando sua vida fora! Eu não irei visitá-la no hospital quando tiver câncer", dizia a ela.

Quando o câncer finalmente chegou, cerca de uma década depois, eu não estava com raiva. A tragédia tem um jeito de vencer a raiva. Fui ao hospital, determinado a resolver qualquer problema.

Minha mãe foi responsável por suas ações, mas também foi vítima de uma indústria sem escrúpulos. Só o tabaco não mata pessoas; é a combinação de tabaco, genética e tempo que leva à morte. Ela foi diagnosticada com câncer aos 50 anos. São 21 anos antes do primeiro diagnóstico em um paciente médio com câncer de pulmão. Também é a idade que tenho agora.

De certa forma, minha mãe teve a infelicidade de desenvolver câncer em idade jovem. Depois de ter suas costas abertas, fileiras de costelas cortadas da coluna vertebral, e as principais artérias redirecionadas, ela viveu o resto de sua vida com apenas um pulmão, o que certamente afetou sua qualidade de vida e garantiu que tivesse apenas alguns anos de *boa* vida restante.

No campo da genética, minha mãe também foi infeliz. Todos na minha família, da minha avó ao meu filho mais novo, tiveram seus genes analisados por uma das empresas que oferecem esses serviços. Quando minha mãe fez a análise dela, descobriu, apesar de ter câncer, que havia herdado uma mutação no gene SERPINA1, que está implicada em doença pulmonar obstrutiva crônica ou enfisema. Isso significava que o relógio estava correndo ainda mais rápido. Depois que o pulmão esquerdo foi removido, o pulmão direito era o único fornecedor de oxigênio, mas a deficiência de SERPINA1 significava que os glóbulos brancos atacavam o pulmão restante, destruindo o tecido como se fosse um invasor. Por fim, o pulmão cedeu.[10]

Em outra maneira de pensar, porém, minha mãe teve *muita sorte* — ela teve seu momento de aproximação de Deus que muitos fumantes precisam ter na batalha contra as forças tremendamente poderosas do vício a tempo de se salvar, e ela passou mais duas décadas neste planeta. Viajou pelo mundo, visitando 18 países diferentes, conheceu seus netos, e me viu dar uma palestra do TED Talk na Sydney Opera House. Por isso, certamente devemos creditar os médicos que removeram seu pulmão canceroso, mas também devemos reconhecer o impacto positivo de sua idade. Afinal, uma das melhores maneiras de prever se alguém sobreviverá a uma doença é ver quantos anos a pessoa tem quando foi diagnosticada, e minha mãe era relativamente bastante jovem.

Isso é fundamental. Sabemos que fumar acelera o relógio do envelhecimento e aumenta a probabilidade de você morrer em relação a um não fumante — 15 anos antes, em média. Então, lutamos com campanhas de saúde pública, ações coletivas, impostos sobre produtos com tabaco e legislação. Sabemos que o câncer aumenta a probabilidade de a pessoa morrer e lutamos com pesquisas de bilhões de dólares destinadas a acabar com ele de uma vez por todas.

Sabemos que o envelhecimento também aumenta a probabilidade de morrer, mas o aceitamos como parte da vida.

Também vale a pena notar que, mesmo antes de minha mãe ser diagnosticada — mesmo antes de as células cancerígenas nos pulmões começarem a sair de controle —, ela já estava envelhecendo. E, claro, ela não era a única. Sabemos que o processo de envelhecimento começa muito antes de percebermos. E com as infelizes exceções daqueles cujas vidas são tiradas pelo início precoce de uma doença hereditária, ou de um patógeno mortal, a maioria das pessoas começa a experimentar pelo menos alguns dos efeitos do envelhecimento muito antes de serem afetadas pelo acúmulo de doenças que comumente associamos ao envelhecimento. No nível molecular, isso começa a acontecer em um momento de nossas vidas em que muitos de nós ainda parecem e se sentem jovens. Meninas que passam pela puberdade mais cedo que o normal, por exemplo, têm um relógio epigenético acelerado. Nessa idade, não podemos ouvir os erros da pianista do concerto.[11] Mas eles estão lá, mesmo na adolescência.

Nos nossos 40 e 50 anos, nem sempre pensamos em como é envelhecer. Quando falo sobre minha pesquisa, levo um "traje etário" e peço a um jovem que o use. Um colar cervical reduz a mobilidade no pescoço, jaquetas revestidas com chumbo em todo o corpo simulam músculos fracos, tampões para os ouvidos reduzem a audição e óculos de esqui simulam a catarata. Após alguns minutos andando com o traje, o sujeito fica aliviado ao tirá-lo, e felizmente pode fazê-lo.

"Imagine usá-lo por uma década", digo.

Para se colocar em uma mentalidade de idoso, faça este experimento. Com sua mão não dominante, escreva seu nome, endereço e telefone enquanto circula o pé oposto no sentido anti-horário. É um modo grosseiro de mostrar como é.

Funções diferentes atingem o pico em momentos diferentes para pessoas diferentes, mas a aptidão física, em geral, começa a diminuir nos 20 e 30 anos. Homens que realizam corridas de média distância, por exemplo, são mais rápidos por volta dos 25 anos, por mais que treinem depois disso. As melhores maratonistas do sexo feminino podem se manter competitivas dos 20 aos 30 anos, mas seus tempos começam a aumentar rapidamente após os 40 anos. Ocasionalmente, atletas excepcionalmente em forma — como o quarterback da National Football League, Tom Brady, a zagueira da National Women's Soccer League, Christie Pearce, o defensor da Major League Baseball, Ichiro Suzuki, e a lenda do tênis, Martina Navratilova — demonstram que os atletas profissionais podem permanecer competitivos aos 40 anos, mas quase nenhum permanece nos níveis mais altos desses ou da maioria dos outros esportes profissionais muito depois dos 40 anos. Mesmo alguém tão resiliente quanto Navratilova, que alcançou o auge quando tinha entre 20 e 30 anos.

Existem testes simples para determinar quantos anos você tem biologicamente. O número de flexões feitas é um bom indicador. Se tem mais de 45 anos e faz mais de 20, está indo bem. Outro teste de idade é o teste de sentar-levantar (SRT). Sente-se no chão, descalço, com as pernas cruzadas. Incline-se para a frente rapidamente e veja se consegue levantar-se de uma só vez. Um jovem consegue. Uma pessoa de meia-idade normalmente precisa sair com uma das mãos. Uma pessoa idosa geralmente precisa ficar de joelhos. Um estudo com pessoas de 51 a 80 anos constatou que 157 das 159 pessoas que faleceram em 75 meses haviam recebido pontuações baixas no SRT.

Mudanças físicas acontecem em todos. A pele enruga. O cabelo fica grisalho. As articulações doem. Gememos quando nos levantamos. Perdemos resistência, não apenas para doenças, mas para todos os inchaços e contusões da vida.

Felizmente, uma fratura de quadril para um adolescente é rara, e quase todos se recuperam. Aos 50 anos, essa lesão pode alterar sua vida, mas geralmente não é fatal. Não demora muito, porém, para que o fator de risco de pessoas que sofrem com o quadril quebrado se torne assustadoramente alto. Alguns relatos mostram que até metade das pessoas com mais de 65 anos que sofrem com fratura no quadril morrerão em 6 meses.[12] E aquelas que sobrevivem muitas vezes vivem o resto de suas vidas sofrendo e com a mobilidade limitada. Aos 88 anos, minha avó, Vera, tropeçou em um tapete dobrado e quebrou a parte superior do fêmur. Durante a cirurgia para reparar os danos, seu coração parou na mesa de operações. Embora tenha sobrevivido, seu cérebro foi privado de oxigênio. Ela nunca mais voltou a andar e morreu alguns anos depois.

As feridas também cicatrizam mais lentamente — um fenômeno estudado cientificamente durante a Primeira Guerra Mundial pelo biofísico francês Pierre Lecomte du Noüy, que observou uma diferença na taxa de cura entre soldados feridos jovens e mais velhos. Vemos isso com ainda mais alívio quando observamos as diferenças nas maneiras como crianças e idosos se curam de feridas. Quando uma criança corta o pé, uma ferida não infectada se regenera rapidamente. O único remédio que a maioria delas precisa quando se machuca é um beijo, um curativo e a garantia de que tudo ficará bem. Para uma pessoa idosa, uma lesão no pé não é apenas dolorosa, mas perigosa. Para diabéticos mais velhos, em particular, uma pequena ferida pode ser mortal: a taxa de mortalidade de 5 anos por úlcera no pé em diabéticos é superior a 50%. É mais alta que as taxas de mortalidade por muitos tipos de câncer.[13]

Os ferimentos crônicos nos pés, a propósito, não são raros; nós só não ouvimos falar sobre eles. Quase sempre começam com irritações benignas nas solas cada vez mais dormentes e frágeis — mas nem sempre. Meu amigo David Armstrong, da Universidade do Sul da Califórnia, um defensor apaixonado da prevenção de lesões nos pés de diabéticos, costuma contar a história de um de seus pacientes que ficou com uma unha presa no pé por quatro dias. O paciente só percebeu porque se perguntou de onde vinha o som de batidas no chão.

Pequenas e grandes feridas diabéticas nos pés raramente cicatrizam. Podem parecer como se alguém tivesse um descaroçador de maçã nas plantas dos dois pés. O corpo não possui fluxo sanguíneo suficiente nem capacidade de regeneração celular, e as bactérias prosperam nesse ambiente úmido e carnudo. No momento, 40 milhões de pessoas, acamadas e esperando a morte, estão vivendo esse pesadelo. Não há quase nada que possa ser feito, exceto cortar os tecidos mortos e moribundos, depois cortar um pouco mais e depois mais. A partir daí, sem a mobilidade vertical, o tormento é seu companheiro e felizmente a morte está próxima. Somente nos Estados Unidos, a cada ano, 82 mil idosos têm um membro amputado. São dez a cada hora. Toda essa dor, todo esse custo, provém de lesões iniciais relativamente pequenas: feridas nos pés.

Quanto mais velhos ficamos, mais fácil uma lesão ou uma doença nos leva à morte. Somos empurrados cada vez mais para o precipício até que baste um vento suave para nos derrubar. Essa é a própria definição de fragilidade.

Se a hepatite, a doença renal ou o melanoma fizessem o tipo de coisa que o envelhecimento faz, os colocaríamos em uma lista das doenças mais mortais do mundo. Em vez disso, os cientistas chamam o que acontece conosco de "perda de resiliência", e geralmente a aceitamos como parte da condição humana.

Não há nada mais perigoso do que a idade. No entanto, concedemos seu poder sobre nós e viramos nossa luta por uma saúde melhor em outras direções.

## Medicina Recorrente

Existem três grandes hospitais a poucos minutos a pé do meu consultório. O Brigham and Women's Hospital, o Beth Israel Deaconess Medical Center e o Boston Children's Hospital concentram-se em diferentes públicos de pacientes e especialidades médicas, mas todos estão configurados da mesma maneira.

Se déssemos um passeio no saguão de Brigham and Women's e seguíssemos até a placa do elevador, teríamos uma noção dessa paisagem médica quase universal. No primeiro andar é o tratamento de feridas. No segundo: ortopedia. No terceiro: ginecologia e obstetrícia. No quarto: atendimento pulmonar.

No Boston Children's, as diferentes especialidades médicas são separadas, embora sejam rotuladas de uma maneira mais adequada aos jovens pacientes desse incrível hospital. Siga as indicações com barquinhos até a psiquiatria. As flores o levarão ao centro de fibrose cística. O peixe leva você à imunologia.

E agora o Beth Israel. Este caminho para o centro de oncologia. Aquele caminho para a dermatologia. Por aqui, doenças infecciosas.

Os centros de pesquisa que cercam esses três hospitais são criados da mesma maneira. Em um laboratório, há pesquisadores trabalhando para curar o câncer. Em outro, lutando contra o diabetes. Em um terceiro, trabalhando em doenças cardíacas. Claro, há geriatras, mas quase sempre cuidam dos doentes 30 anos tarde demais. Eles tratam os idosos, não o envelhecimento. Não é de admirar que poucos médicos hoje optem por se especializar nessa área da medicina.

Há uma razão pela qual hospitais e instituições de pesquisa são organizados assim. Nossa cultura médica moderna foi construída para resolver os problemas médicos um por um — uma segregação que se deve em grande parte à nossa obsessão por classificar as patologias específicas que levam à morte.

Não havia nada de errado com essa configuração quando foi criada, há centenas de anos. E, em geral, ainda funciona. Mas ela ignora que interromper a progressão de uma doença não torna menos provável que uma pessoa morra por outra. Às vezes, o tratamento para uma doença agrava outra. A quimioterapia pode curar alguns tipos de câncer, por exemplo, mas também torna o corpo das pessoas mais suscetíveis a outras formas de câncer. E, como aprendemos no caso da minha avó, Vera, algo aparentemente rotineiro como a cirurgia ortopédica pode tornar os pacientes mais suscetíveis à insuficiência cardíaca.

Como os riscos são altos para os pacientes tratados nesses locais, muitas pessoas não reconhecem que uma batalha vencida em qualquer uma dessas frentes não fará diferença contra a Lei da Mortalidade Humana. Sobreviver ao câncer ou a doenças cardíacas não aumenta substancialmente o tempo de vida humana, apenas diminui as chances de morrer de câncer ou doença cardíaca.

A maneira como os médicos tratam as doenças hoje "é simples", escreveu S. Jay Olshansky, demógrafo da Universidade de Illinois. "Assim que uma doença aparecer, ataque-a como se nada mais existisse; derrote a doença e, quando conseguir, leve o paciente porta afora até que ele enfrente o próximo desafio; então, derrote-o. Repita até falhar."[14]

Os Estados Unidos gastam centenas de bilhões de dólares a cada ano combatendo doenças cardiovasculares.[15] Mas, se pudéssemos parar todas as doenças cardiovasculares, todos os casos de uma só vez, não adicionaríamos muitos anos ao tempo de vida médio; o ganho seria de apenas 1,5 ano. O mesmo vale para o câncer; interromper todas as formas desse flagelo nos daria em média apenas 2,1 anos a mais, porque todas as outras causas de morte ainda aumentam exponencialmente. Afinal, ainda estamos envelhecendo.

Envelhecer nos estágios finais não é uma caminhada pela mata, onde um pouco de descanso, água, uma barrinha nutricional e meias limpas o conduzem ao pôr do sol. É mais um impulso sobre um grupo cada vez maior de obstáculos. Um desses obstáculos o fará cair. E, uma vez que você tenha caído, ao se levantar, as chances de cair novamente continuarão aumentando. Afaste um obstáculo e o caminho a seguir não será menos precário. É por isso que as soluções atuais, focadas na cura de doenças individuais, são muito caras e ineficazes quando se trata de fazer grandes avanços no prolongamento da nossa saúde. O que precisamos são de medicamentos que derrubem *todos* os obstáculos.

Graças às estatinas, cirurgias de bypass triplo, desfibriladores, transplantes e outras intervenções médicas, nosso coração permanece vivo por mais tempo do que nunca. Mas não fomos tão atentos aos outros órgãos, incluindo o mais importante de todos: o cérebro. O resultado é que muitos de nós estão passando mais anos sofrendo de doenças relacionadas ao cérebro, como demência.

Eileen Crimmins, que estuda saúde, mortalidade e envelhecimento em geral na Universidade do Sul da Califórnia, observou que, embora o tempo de vida médio nos EUA tenha aumentado nas últimas décadas, não é saudável. "Reduzimos mais a mortalidade do que evitamos a morbidade", escreveu em 2015.[16]

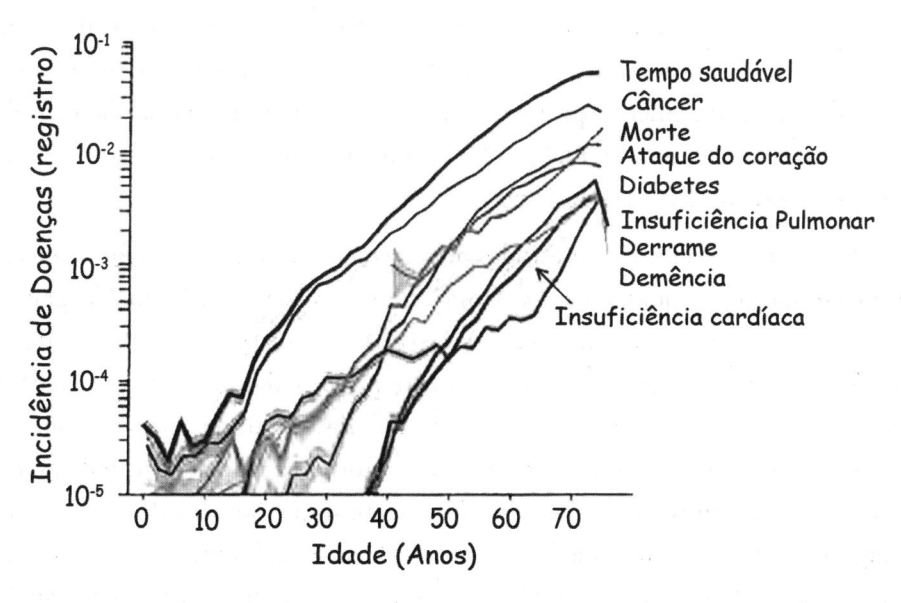

**POR QUE TRATAR UMA DOENÇA DE CADA VEZ TEM POUCO IMPACTO NO TEMPO DE VIDA.** O gráfico mostra um aumento exponencial da doença a cada ano após os 20 anos. É difícil avaliar gráficos exponenciais. Se eu o desenhasse com um eixo Y linear, teria dois andares. O que isso significa é que sua chance de desenvolver uma doença letal aumenta em mil vezes entre as idades de 20 e 70, portanto, prevenir uma doença faz pouca diferença no tempo de vida.

Fonte: Adaptado de A. Zenin, Y. Tsepilov, S. Sharapov, *et alii*, "Identification of 12 Genetic Loci Associated with Human Healthspan", *Communications Biology* 2 (janeiro de 2019).

O problema combinado de mortalidade e morbidade precoces é tão predominante que há uma estatística: ano de vida perdido ajustado por incapacidade, ou DALY (Disability-adjusted life year), que mede os anos de vida perdidos por morte prematura e saúde deficiente. O DALY russo é o mais alto da Europa, com 25 anos perdidos de vida saudável por pessoa. Em Israel, são 10 impressionantes anos. Nos Estados Unidos, o número é de tristes 23 anos.[17]

A idade média da morte pode variar bastante ao longo do tempo, e é afetada por muitos fatores, incluindo a prevalência de obesidade, sedentarismo e overdose de drogas. Da mesma forma, a própria ideia de problemas de saúde é subjetiva e medida de maneira diferente de um lugar para outro, e os pesquisadores estão divididos sobre se o DALY está aumentando ou diminuindo nos Estados Unidos. Mas mesmo as avaliações mais otimistas sugerem que os números têm sido amplamente estáticos nos últimos anos. Para mim, isso por si só é uma acusação do sistema norte-americano; como outros países avançados, deveríamos estar fazendo um tremendo progresso para reduzir o DALY e outras medidas de morbidade; no entanto, na melhor das hipóteses, parece que estamos à deriva. Precisamos de uma nova abordagem.

Porém, não são necessários estudos nem estatísticas para saber o que acontece. Está à nossa volta e, quanto mais velhos ficamos, mais se torna óbvio. Chegamos aos 50 e percebemos que parecemos nossos pais, com cabelos grisalhos e rugas. Chegamos aos 65 anos e, se ainda não enfrentamos alguma forma de doença ou incapacidade, nos consideramos afortunados. Se ainda estamos com 80 anos, é quase certo que combater uma doença tornou a vida mais difícil, menos confortável e menos alegre. Um estudo descobriu que homens de 85 anos são diagnosticados com uma média de quatro doenças diferentes, com mulheres dessa idade sofrendo de cinco. Doença cardíaca e câncer. Artrite e Alzheimer. Doença renal e diabetes. A maioria dos pacientes tem várias doenças adicionais não diagnosticadas, incluindo hipertensão, doença cardíaca isquêmica, fibrilação atrial e demência.[18] Sim, são doenças diferentes com patologias diferentes, estudadas em diferentes edifícios dos National Institutes of Health e diferentes departamentos das universidades.

Mas o envelhecimento é um fator de risco para todos eles.

De fato, é *o* fator de risco. Na verdade, em comparação, pouco importa. Os últimos anos da vida de minha mãe servem como um bom exemplo. Como quase todo mundo, reconheci que fumar aumentaria as chances de ela desenvolver câncer de pulmão. Eu também sabia o porquê: a fumaça do cigarro contém um produto químico chamado benzo(a)pireno, que se liga à guanina no DNA, induz quebras da fita dupla e causa mutações. O processo de reparo também causa variação epigenética e alterações metabólicas que fazem crescer células cancerígenas, em um processo que chamamos de *tumorigenese*.[19]

A combinação de alterações genéticas e epigenéticas induzidas por anos de exposição à fumaça do cigarro aumenta em cinco vezes as chances de desenvolver câncer de pulmão.

É um grande aumento. E por causa disso — e dos custos devastadores da saúde associados ao tratamento do câncer — a maioria dos países do mundo patrocina programas de antitabagismo e também coloca avisos de saúde nas embalagens de cigarros, alguns com imagens coloridas horríveis de tumores e extremidades enegrecidas. A maioria aprovou leis contra certos tipos de publicidade de tabaco e procurou diminuir o consumo através de impostos punitivos.[20]

Tudo isso para evitar um aumento de cinco vezes em alguns tipos de câncer. E, tendo visto minha mãe sofrer com esse tipo de câncer, serei o primeiro a dizer que vale totalmente a pena. Do ponto de vista econômico e emocional, são bons investimentos.

Mas considere o seguinte: embora o tabagismo aumente cinco vezes o risco de desenvolver câncer, ter 50 anos aumenta o risco de câncer em cem vezes. Aos 70 anos, é mil vezes maior.[21]

Essas chances crescentes também se aplicam a doenças cardíacas, diabetes, demência. A lista é longa. No entanto, não existe um país no mundo que tenha comprometido recursos significativos para ajudar seus cidadãos a combaterem o envelhecimento. Em um mundo em que parecemos concordar com muito pouco, a sensação de que "é assim que acontece" é quase universal.

## UMA LUTA GLORIOSA

O envelhecimento resulta em declínio físico.

Limita a qualidade de vida.

E tem uma patologia específica.

O envelhecimento faz tudo isso e, ao fazê-lo, cumpre todas as categorias do que chamamos de doença, exceto uma: afeta mais da metade da população.

De acordo com o *The Merck Manual of Geriatrics* [Manual Merck de Geriatria, em tradução livre], um mal que afeta menos da metade da população é uma doença. Mas o envelhecimento, claro, afeta a todos. Portanto, o manual chama o envelhecimento de "declínio inevitável e irreversível da função dos órgãos que ocorre ao longo do tempo, mesmo na ausência de lesões, doenças, riscos ambientais ou más escolhas de estilo de vida".

Você pode imaginar alguém dizendo que o câncer é inevitável e irreversível? Ou diabetes? Ou gangrena?

Eu posso. Porque costumávamos dizer isso.

Todos são naturais, mas isso não os torna inevitáveis e irreversíveis, e com certeza nem aceitáveis. O manual está errado sobre o envelhecimento.

Mas estar errado nunca impediu o senso comum de impactar negativamente as políticas públicas. E, como o envelhecimento não é uma doença pela definição comumente aceita, ele não se encaixa muito bem no sistema que construímos para financiar pesquisas médicas, desenvolvimento de medicamentos e reembolsos de gastos médicos pelas seguradoras. Palavras importam.

As definições são importantes. O enquadramento é importante. E as palavras, as definições e o enquadramento que usamos para descrever o envelhecimento têm tudo a ver com inevitabilidade. Não jogamos a toalha antes do início da luta, jogamos antes que soubéssemos que havia uma luta a ser enfrentada.

Mas *há* uma luta. Global e gloriosa. E, eu acho, que pode ser vencida.

Não há uma boa razão para dizer que algo que acontece com 49,9% da população é uma doença, enquanto algo que acontece com 50,1% não é. Na verdade, é a maneira reversa de abordar os problemas do sistema de medicamentos que instalamos em hospitais e centros de pesquisa em todo o mundo.

Por que escolheríamos focar os problemas que afetam pequenos grupos se pudéssemos resolver o que afeta a todos — especialmente se, ao fazê-lo, pudéssemos impactar significativamente todos os outros problemas menores?

Nós podemos.

Eu acredito que o envelhecimento é uma doença. Acredito que é tratável, que podemos tratá-lo ao longo da vida. E, ao fazer isso, acredito que tudo o que sabemos sobre a saúde humana será fundamentalmente alterado.

Se você ainda não está convencido de que o envelhecimento é uma doença, quero lhe contar um segredo. Tenho uma janela para o futuro. Em 2028, um cientista descobrirá o vírus LINE-1. Acontece que estamos todos infectados com ele. Nós o recebemos de nossos pais. Acontece que o vírus LINE-1 é responsável pela maioria das outras doenças principais: diabetes, doenças cardíacas, câncer, demência. Ele causa um distúrbio crônico lento e horrível, e todos os seres humanos acabam sucumbindo a ele, mesmo que tenham uma infecção de baixo grau. Por sorte, o mundo gasta bilhões de dólares para encontrar uma cura. Em 2033, uma empresa conseguirá fabricar uma vacina que evita infecções por LINE-1. As novas gerações que são vacinadas ao nascer viverão 50 anos a mais que seus pais — acontece que esse é o nosso tempo de vida *natural* e não tínhamos ideia. As novas gerações de humanos saudáveis terão compaixão das gerações anteriores, que aceitaram cegamente que o declínio físico aos 50 anos era natural e uma vida de 80 anos era uma vida bem vivida.

Claro, essa é uma história de ficção científica que acabei de inventar, mas pode ser mais verdadeira do que você pensa.

Estudos recentes sugeriram que os genes egoístas que todos nós carregamos em nosso genoma, na verdade chamados de elementos LINE-1, replicam e causam estragos celulares à medida que envelhecemos, acelerando nossa morte física. Discutiremos sobre eles em detalhes mais tarde, mas, por enquanto, é a ideia em que quero me concentrar, pois levanta questões importantes: Importa se o LINE-1 vem de seus pais diretamente ou através de um vírus? Você gostaria de erradicar o LINE-1 da humanidade ou deixá-lo crescer em seus filhos e infligir doenças horríveis a eles? Você diria que o LINE-1 causa ou não uma doença?

Se não, é simplesmente porque mais da metade de todas as pessoas o carregam?

Seja um vírus, um elemento egoísta do DNA, ou a composição de nossas células que causa esses problemas, qual é a diferença? O resultado é o mesmo.

A crença de que o envelhecimento é um processo *natural* está profundamente enraizada. Portanto, mesmo que eu tenha convencido você de que o envelhecimento deve ser considerado uma doença, façamos outro experimento mental.

Imagine que todo mundo em nosso planeta vive até 150 anos em boa saúde. Sua família, no entanto, não. Você fica enrugado, com cabelos grisalhos, diabético e frágil aos 80 anos. Ao ver essas pobres e infelizes almas nesse pobre e infeliz estado de existência, que médico não diagnosticaria sua família com uma doença, daria seu nome a ela e publicaria fotos horríveis de você com tarjas pretas nos olhos em revistas médicas? As comunidades arrecadariam dinheiro para entender e encontrar uma cura para a herança miserável de sua família.

Foi exatamente isso que aconteceu quando o médico alemão Otto Werner descreveu pela primeira vez uma condição que faz com que as pessoas pareçam e se sintam com 80 anos quando estão na casa dos 40 anos. É a síndrome de Werner, a doença que eu estava estudando quando cheguei ao MIT nos anos 1990. Ninguém disse que eu estava estudando algo que é inevitável ou irreversível. Ninguém disse que era loucura chamar a síndrome de Werner de doença ou trabalhar para encontrar uma terapia inovadora. Ninguém me disse, nem aos pacientes de Werner, que "é assim que as coisas acontecem".

À nossa frente está a doença mais mortal e onerosa do planeta, uma doença na qual quase ninguém está trabalhando. É como se o planeta estivesse adormecido.

Se seu primeiro pensamento for "mas não quero viver além dos 90 anos", deixe-me garantir: Não quero que você viva mais um ano além do que deseja.

Mas, antes de tomar sua decisão, vamos fazer um experimento final.

Imagine que um funcionário da prefeitura encontrou um erro na sua certidão de nascimento. Acontece que você tem 92 anos.

"Você receberá uma nova pelo correio", diz o funcionário. Tenha um bom dia.

Você se sente diferente agora que tem 92 anos? Nada mais mudou em sua vida, apenas os números em sua identificação. De repente você quer se matar?

Claro que não. Quando nos mantemos saudáveis e vibrantes, desde que nos sintamos jovens, física e mentalmente, nossa idade não importa. Isso é verdade, se você tem 32, 52 ou 92 anos. A maioria dos adultos de meia-idade e mais velhos nos Estados Unidos relata sentir-se 10 a 20 anos mais jovens que a idade que tem, porque ainda se sente saudável. E sentir-se mais jovem do que sua idade prevê menor mortalidade e melhores habilidades cognitivas mais tarde na vida.[22] É um ciclo virtuoso, desde que você continue pedalando.

Mas não importa como se sente nesse momento da sua vida, mesmo com uma perspectiva positiva e um estilo de vida saudável, você tem uma doença. E ela irá alcançá-lo, cedo ou tarde, a menos que algo seja feito.

Reconheço que chamar o envelhecimento de doença é uma mudança radical da visão geral de saúde e bem-estar, que estabeleceu uma série de intervenções médicas que abordam as várias causas de morte. Essa estrutura evoluiu, no entanto, em grande parte porque não entendemos as causas do envelhecimento. Até muito recentemente, a melhor coisa que tínhamos era uma lista das características do envelhecimento. A Teoria da Informação do Envelhecimento pode mudar isso.

Não há nada de errado em usar as características para orientar intervenções. Provavelmente, podemos ter um impacto positivo na vida das pessoas abordando cada uma delas. É possível que intervenções destinadas a retardar a deterioração dos telômeros melhorem o bem-estar das pessoas a longo prazo. Manter a proteostase, impedir a desregulação da detecção de nutrientes, impedir a disfunção mitocondrial, interromper a senescência, rejuvenescer as células-tronco e diminuir a inflamação podem ser formas de retardar o inevitável. Na verdade, trabalho com estudantes, pós-doutorandos e empresas de todo o mundo que estão desenvolvendo soluções para cada uma dessas características e espero continuar.[23] Devemos fazer o que for possível para aliviar o sofrimento.

Mas ainda estamos construindo nove barragens em nove afluentes.

Ao se unirem para enfrentar a "nova ciência do envelhecimento", como os participantes da reunião da Royal Society denominaram essa luta em sua reunião de 2010, um número crescente de cientistas está começando a reconhecer a possibilidade e o potencial inerentes à sua subida.

Juntos, podemos construir uma única barragem — na fonte. Não basta intervir somente quando as coisas dão errado, nem apenas desacelerar as coisas. Podemos eliminar completamente os sintomas do envelhecimento.

Essa doença é tratável.

**Parte II**

# O Que Estamos Aprendendo

(O Presente)

## Quatro

# A Longevidade Hoje

**TODOS OS DIAS ACORDO COM A CAIXA DE MENSAGEM CHEIA DE E-MAILS DE PESSOAS DO** mundo todo. A maré baixa e sobe, mas sempre vira uma inundação repentina após novas pesquisas anunciadas por minha equipe ou outros.

"O que devo tomar?", perguntam.

"Você pode me dizer o que preciso fazer para ser admitido em um dos testes com humanos?", imploram.

"Você pode prolongar o tempo de vida do hamster da minha filha?" — não estou brincando.

Algumas são mais tristes que outras. Recentemente, um homem escreveu para oferecer uma contribuição para meu laboratório em homenagem à sua mãe, que faleceu depois de sofrer terrivelmente por muitos anos de doenças relacionadas ao envelhecimento. "Sinto-me compelido a ajudar, mesmo que em pequena escala, para impedir que isso aconteça com outra pessoa", escreveu ele. No dia seguinte, uma mulher cujo pai havia sido diagnosticado com Alzheimer escreveu para perguntar se havia alguma maneira de fazê-lo entrar em um estudo. "Eu faria qualquer coisa, o levaria a qualquer lugar, gastaria até o último centavo que tiver", implorou. "Ele é a única família que eu tenho e não posso suportar a ideia do que está prestes a acontecer com ele."

Há uma grande razão de esperança no horizonte não tão distante, mas aqueles que lutam contra os estragos do envelhecimento *agora* precisam fazê-lo em um mundo em que a maioria dos médicos nunca pensou em saber *por que* envelhecemos, quanto mais como *tratá-lo*.

Algumas das terapias médicas e tecnologias que prolongam a vida discutidas neste livro já existem. Outras estão a alguns anos de distância. E há mais para discutir, daqui a uma década ou mais; nós chegaremos a essas também.

Entretanto, mesmo sem acesso a essa tecnologia em desenvolvimento, independentemente de quem é, onde mora, quantos anos tem e quanto ganha, você pode mobilizar seus genes de longevidade, iniciando *agora mesmo*.

É o que as pessoas fazem há séculos — sem nem mesmo saberem — em lugares centenários como Okinawa, Japão; Nicoya, Costa Rica; e Sardenha, Itália. Você deve reconhecer que são alguns dos lugares que o escritor Dan Buettner apresentou ao mundo como Zonas Azuis em meados dos anos 2000. Desde então, o foco principal daqueles que buscam aplicar lições desses e de outros pontos conhecidos de longevidade tem sido o que os moradores da Zona Azul comem. Por fim, isso resultou na purificação das "dietas de longevidade", baseadas nas semelhanças dos alimentos consumidos em locais onde há muitos centenários. E esse conselho se resume em grande parte a comer mais vegetais, legumes e grãos integrais, e consumir menos carne, laticínios e açúcar.

E não é um lugar ruim para começar — é um *ótimo* ponto de partida. Há uma discordância generalizada, mesmo entre os melhores nutricionistas do mundo, sobre o que constitui a "melhor" dieta para o *H. sapiens*. Provavelmente, porque não há uma melhor dieta; somos todos diferentes para que nossas dietas também sejam sutis e, às vezes, substancialmente diferentes. Mas também somos todos semelhantes o suficiente para que haja alguns pontos muito amplos em comum: mais vegetais e menos carne; alimentos frescos versus alimentos processados. Todos nós sabemos essas coisas, embora aplicá-las possa ser um desafio.

Muitas pessoas não estão dispostas a enfrentar esse desafio porque sempre pensamos no envelhecimento como uma parte inevitável da vida. Pode acontecer um pouco mais cedo para alguns e um pouco mais tarde para outros, mas sempre nos disseram que chega para todos.

É o que costumávamos dizer sobre pneumonia, gripe, tuberculose e condições gastrointestinais também. Em 1900, essas quatro doenças foram responsáveis por cerca de *metade* das mortes nos Estados Unidos e, se conseguisse viver o suficiente, poderia ter quase certeza de que uma delas acabaria com você.

Hoje, as mortes entre pessoas que sofrem de tuberculose e condições gastrointestinais são extremamente raras. E pneumonia e gripe reivindicam menos de 10% de vidas tiradas por essas condições há pouco mais de um século — com a maioria dessas mortes agora entre indivíduos enfraquecidos pelo envelhecimento.

O que mudou? De certa forma, foi a concepção. Avanços na medicina, inovações tecnológicas e melhores informações para orientar nossas decisões sobre o estilo de vida resultaram em um mundo em que não precisávamos aceitar a ideia de que essas doenças eram "do jeito que as coisas acontecem".

Também não temos que aceitar o envelhecimento assim.

Mas, mesmo entre aqueles que terão acesso mais imediato a medicamentos e tecnologias que surgirão para oferecer vidas mais longas e saudáveis nas próximas décadas, alcançar um tempo de vida e saúde ideais não será tão fácil.

*Sempre* haverá boas e más escolhas, e isso começa com o que colocamos em nosso organismo.

E o que deixamos de colocar.

## Vá, Rápido

Depois de 25 anos pesquisando o envelhecimento e tendo lido milhares de artigos científicos, se há um conselho que posso dar, uma maneira infalível de permanecer saudável por mais tempo, uma coisa que você pode fazer para maximizar seu tempo de vida agora é o seguinte: coma com uma frequência menor.

Claramente, isso não é nada revolucionário. Desde Hipócrates, médico da Grécia antiga, os médicos têm defendido os benefícios de limitar o que comemos, não apenas rejeitando o pecado mortal da gula, como o monge cristão Evagrius Ponticus aconselhou no século IV, mas através do "ascetismo intencional".

Não é desnutrição. Não é passar fome. Esses não são caminhos para mais anos, muito menos anos melhores. Mas o jejum — permitindo que nossos corpos existam em estado de carência mais frequentemente do que a maioria de nós permite em nosso mundo privilegiado de abundância — é inquestionavelmente bom para nossa saúde e longevidade.

Hipócrates sabia disso. Ponticus também. O mesmo aconteceu com Luigi Cornaro, um nobre veneziano do século XV que poderia e provavelmente deveria ser considerado o pai do livro de autoajuda.

Filho de um administrador de estalagem, Cornaro fez fortuna como empresário e gastava com vinho e mulheres. Por volta de seus 30 anos, estava exausto da comida, bebida e sexo — pobre rapaz — e resolveu se limitar. O registro histórico é um pouco vago sobre os detalhes de sua vida sexual após essa decisão fatídica,[1] mas sua dieta e hábitos etílicos foram bem documentados: não ingeria mais do que 350g de alimento e bebia duas taças de vinho por dia.

"Acostumei-me ao hábito de nunca satisfazer totalmente o meu apetite, comendo ou bebendo", escreveu Cornaro em *First Discourse on the Temperate Life* [Primeiro Discurso Sobre a Vida Moderada, em tradução livre], "sempre deixando a mesa antes de ficar completamente satisfeito".[2]

Os discursos de Cornaro sobre os benefícios de *la vita sobria* poderiam ter caído na obscuridade se ele não fornecesse provas pessoais tão convincentes que seus conselhos tivessem mérito: ele publicou sua orientação quando tinha 80 anos e saúde excepcional, nada menos que isso, e morreu em 1566, com quase (e algumas fontes dizem mais de) 100 anos.

Nos últimos tempos, o professor Alexandre Guéniot, presidente da Paris Medical Academy logo após a virada do século XX, era famoso por seguir uma dieta restrita. Seus contemporâneos zombavam dele — naquele tempo, não havia ciência para sustentar suas suspeitas de que a fome fazia bem à saúde, só um palpite —, mas ele sobreviveu a todos e sucumbiu aos 102 anos.

As primeiras explorações científicas modernas dos efeitos de uma dieta restrita começaram nos últimos dias da Primeira Guerra Mundial. Foi quando os colaboradores bioquímicos Lafayette Mendel e Thomas Osborne — a dupla que descobriu a vitamina A — descobriram, juntamente com a pesquisadora Edna Ferry, que ratazanas fêmeas cujo crescimento foi atrofiado devido à falta de alimento no início da vida viveram muito mais do que aquelas com alimento abundante.[3]

Pegando essas evidências em 1935, o agora famoso professor Clive McCay da Universidade de Cornell, demonstrou que ratazanas alimentadas com uma dieta contendo 20% de celulose indigestível — papelão, essencialmente — tiveram uma vida significativamente mais longa do que aquelas que foram alimentadas com uma dieta típica de laboratório. Estudos realizados durante os próximos 80 anos demonstraram repetidamente que a restrição calórica sem desnutrição, ou RC, leva à longevidade todos os tipos de formas de vida. Centenas de estudos com ratos foram realizados desde então para testar os efeitos das calorias na saúde e no tempo de vida, principalmente em ratos machos.

Reduzir calorias funciona até em leveduras. Notei isso pela primeira vez no fim dos anos 1990. As células alimentadas com doses mais baixas de glicose viviam mais e seu DNA era excepcionalmente compacto, atrasando significativamente o inevitável acúmulo de ERC, explosão nucleolar e esterilidade.

Se isso só acontecesse em leveduras, seria apenas interessante. Mas por sabermos que os roedores também viviam mais quando a comida era restrita — e mais tarde descobrimos que também era o caso das drosófilas[4] — ficou evidente que esse programa genético era muito antigo, talvez quase tão antigo quanto a vida em si.

Em estudos com animais, a chave para se engajar no programa de sirtuína parece ser manter as coisas no fio da navalha por meio da restrição de calorias — apenas comida suficiente para funcionar de maneira saudável e nada mais. Isso faz sentido. Envolve o circuito de sobrevivência, dizendo aos genes da longevidade para fazer o que têm feito desde os primórdios: aumentar as defesas celulares, manter os organismos vivos em tempos de adversidade, afastar doenças e a deterioração, minimizar as alterações epigenéticas e retardar o envelhecimento.

Mas, por razões óbvias, testar em seres humanos em um ambiente científico controlado provou ser um desafio. Infelizmente, não é difícil encontrar casos em que os seres humanos tenham ficado sem comida, mas esses períodos geralmente são momentos em que a insegurança alimentar resulta em desnutrição, e seria um desafio manter um grupo de humanos em perigo por longos períodos de tempo necessários para um abrangente estudo controlado.

Já na década de 1970, houve estudos sugerindo que a restrição calórica a longo prazo ajuda os humanos a viver vidas mais longas e saudáveis também.

Em 1978, na ilha de Okinawa, famosa pelo grande número de centenários, o pesquisador de bioenergética Yasuo Kagawa descobriu que o número total de calorias consumidas por crianças em idade escolar era menos de ⅔ do que no Japão continental. Os okinawanos adultos também eram mais magros, consumindo cerca de 20% menos calorias. Kagawa observou que não apenas as vidas dos okinawanos eram mais longas, mas também sua saúde — com muito menos doença vascular cerebral, malignidade e doença cardíaca.[5]

No início dos anos 1990, o experimento de pesquisa Biosfera 2 forneceu outra evidência. Durante dois anos, de 1991 a 1993, oito pessoas moraram em uma cúpula ecológica fechada de 12.000m² no sul do Arizona, onde se esperava que dependessem dos alimentos ali cultivados. Porém, eles não tinham mãos boas para plantar, e os alimentos que cultivavam eram insuficientes para uma dieta típica. A falta de alimento não era ruim o suficiente para resultar em desnutrição, mas significava que os membros da equipe estavam frequentemente com fome.

Um dos prisioneiros (leia-se "sujeito de pesquisa") era Roy Walford, um pesquisador da Califórnia cujos estudos sobre prolongar a vida em ratos ainda são leitura obrigatória para cientistas do envelhecimento. Não tenho motivos para suspeitar que Walford sabotou as hortas, mas a coincidência foi bastante fortuita para sua pesquisa; isso lhe deu a oportunidade de testar suas descobertas feitas com ratos em seres humanos. Por terem sido monitorados clinicamente a fundo antes, durante e depois de dois anos no interior da cúpula, os participantes deram a Walford e outros pesquisadores uma oportunidade única de observar os inúmeros efeitos biológicos da restrição calórica. De maneira reveladora, as mudanças bioquímicas que eles viram em seus corpos espelhavam de perto as que Walford havia visto em ratos com restrição calórica de longa duração, como diminuição da massa corporal (15 a 20%), pressão arterial (25%), nível de açúcar no sangue (21%) e níveis de colesterol (30%), entre outros.[6]

Nos últimos anos, começaram os estudos formais em humanos, mas era difícil conseguir voluntários para reduzir a ingestão de alimentos e mantê-la por longos períodos. Como escreveram minhas colegas Leonie Heilbronn e Eric Ravussin em *The American Journal of Clinical Nutrition* em 2003: "A ausência de informações sobre os efeitos de dietas restritas em calorias e de boa qualidade em humanos não obesos reflete as dificuldades da condução de estudos de longo prazo em um ambiente propício à superalimentação. Tais estudos em pessoas de vida livre também levantam questões éticas e metodológicas."[7] Em um relatório publicado na *The Journals of Gerontology* em 2017, uma equipe de pesquisa da Universidade de Duke descreveu como procurava limitar 145 adultos a uma dieta de 25% menos calorias do que o recomendado para um estilo de vida saudável. Sendo pessoas, a restrição calórica real alcançada foi, em média, de cerca de 12% em 2 anos. No entanto, isso bastou para os cientistas verem uma melhora significativa na saúde e uma desaceleração do envelhecimento biológico com base nas alterações dos biomarcadores sanguíneos.[8]

Hoje, muitas pessoas adotaram um estilo de vida que permite uma ingestão calórica reduzida; cerca de uma década atrás, antes do recente renascimento do jejum, algumas delas visitaram meu laboratório em Harvard.

"Não é difícil?", perguntei a Meredith Averill e seu marido, Paul McGlothin, na época, membros da CR Society International que defendem a restrição calórica, se limitando a cerca de 75% das calorias recomendadas pelos médicos e, às vezes, menos. "Vocês não sentem fome o tempo todo?"

"Claro, no começo", disse McGlothin. "Acostuma. Nos sentimos ótimos!"

No almoço daquele dia, McGlothin comeu papinha orgânica para bebê e engoliu algo que me pareceu mingau de laranja. Também notei que usavam gola alta. Não era inverno e a maioria das pessoas no meu laboratório fica confortável de camiseta. Mas, com tão pouca gordura no corpo, precisavam de calor extra. Então, no fim dos anos 1960, McGlothin não mostrou sinais de que sua dieta podia atrasá-lo. Ele era CEO de uma empresa de marketing bem-sucedida e ex-campeão de xadrez do Estado de Nova York. Não parecia muito mais jovem do que sua idade real; em grande parte, suspeito que a falta de gordura tenha acentuado as rugas, mas sua bioquímica sanguínea sugeriu outra coisa. Em seu aniversário de 70 anos, seus indicadores de saúde, desde a pressão arterial, colesterol LDL à frequência cardíaca em repouso e acuidade visual, eram equivalentes aos de uma pessoa muito mais jovem.[9] De fato, eles eram similares aos indicadores observados em ratos longevos com restrição calórica.

É verdade que o que sabemos sobre o impacto da restrição calórica ao longo da vida nos seres humanos se resume a estudos de curto prazo e experiências sem comprovação científica. Mas um de nossos parentes próximos nos ofereceu insights sobre os benefícios longitudinais desse estilo de vida.

Desde os anos 1980, um estudo de longo prazo sobre restrição calórica em macacos rhesus — nossos primos genéticos próximos — produziu resultados bem atraentes. Antes do estudo, o tempo de vida máxima conhecido para *qualquer* macaco rhesus era de 40 anos. Porém, dos 20 macacos do estudo que viviam com dietas restritas a calorias, seis atingiram essa idade, o que equivale aproximadamente a atingir 120 em humanos.

Para atingir essa marca, os macacos não precisaram viver com uma dieta restrita em calorias por toda a vida. Alguns dos sujeitos do teste foram iniciados com uma dieta de redução de 30% quando eram macacos de meia idade.[10]

A RC trabalha para prolongar o tempo de vida dos ratos, mesmo quando iniciada aos 19 meses de idade, o equivalente a um ser humano de 60 a 65 anos, mas, quanto mais cedo os ratos iniciam a RC, maior a extensão da vida.[11] O que esses e outros estudos com animais nos dizem é que é difícil "envelhecer" os benefícios da restrição de calorias na longevidade, mas provavelmente é melhor começar mais cedo do que tarde, talvez depois dos 40 anos, quando as coisas realmente começam a ir ladeira abaixo, molecularmente falando.

Isso não faz da dieta de RC um bom plano para todos. De fato, mesmo Rozalyn Anderson, minha ex-estagiária que hoje é uma famosa professora da Universidade de Wisconsin e pesquisadora líder do estudo rhesus, diz que uma dieta com redução de calorias de 30% para os seres humanos, a longo prazo, representa em sua mente uma "dieta maluca".[12]

Certamente não é maluco para todos, sobretudo considerando que a restrição calórica não foi demonstrada apenas para prolongar a vida, mas também para prevenir doenças cardíacas, diabetes, derrame e câncer. Não é apenas um plano de longevidade; é um plano de vitalidade.

No entanto, é uma ideia difícil para muitos. É preciso muita força de vontade para evitar a geladeira em casa ou os lanches no trabalho. Há um ditado no meu campo: se a restrição calórica não faz você viver mais, certamente fará com que se sinta assim.

Mas tudo bem, porque as pesquisas reiteram que muitos dos benefícios de uma vida de restrição de calorias rígida e intransigente podem ser obtidos de outra maneira. De fato, esse caminho pode ser ainda *melhor*.

## A Tabela Periódica

Para garantir uma resposta genética à falta de comida, a fome não precisa ser o *status quo*. Afinal, após nos acostumarmos ao estresse, não é mais tão estressante.

O jejum intermitente, ou JI — comer porções normais de alimentos, mas com episódios periódicos sem refeições —, é retratado como uma inovação em saúde. Mas muito antes de meu amigo Valter Longo, da Universidade da Califórnia, em Los Angeles, começar a divulgar os benefícios do JI, os cientistas estudavam os efeitos da restrição periódica de calorias por quase um século.

Em 1946, os pesquisadores da Universidade de Chicago, Anton Carlson e Frederick Hoelzel, submeteram ratos a restrições alimentares periódicas e descobriram, quando o faziam, que aqueles que passavam fome a cada três dias viviam 15 a 20% a mais do que seus primos em uma dieta habitual.[13]

Na época, acreditava-se que o jejum proporcionava ao corpo um "descanso".[14] Isso é exatamente o oposto do que sabemos agora sobre o que acontece no nível celular quando submetemos nosso corpo ao estresse de ficar sem comida. De qualquer maneira, o trabalho de Carlson e Hoelzel forneceu informações valiosas sobre os resultados a longo prazo da restrição irregular de calorias.

Não está claro se os dois aplicaram o que aprenderam em suas próprias vidas, mas ambos viveram uma vida relativamente longa para sua época. Carlson morreu aos 81 anos. Hoelzel chegou aos 74 anos, apesar de ter se submetido ao longo dos anos a experimentos que incluíam engolir cascalho, contas de vidro e esferas de rolamento para estudar quanto tempo levaria para que esses objetos passassem por seu sistema digestivo. E as pessoas dizem que eu sou louco.

Hoje, estudos em humanos confirmam que a restrição calórica ocasional melhora a saúde, mesmo que os períodos de jejum sejam pontuais.

Em um desses estudos, os participantes fizeram uma dieta normal na maioria das vezes, mas optaram por uma dieta restrita, consistindo de sopa de legumes, barras energéticas e suplementos durante cinco dias por mês. Ao longo de apenas três meses, aqueles que mantiveram a dieta que "imita o jejum" perderam peso, reduziram a gordura corporal e também reduziram a pressão sanguínea. Talvez o mais importante, no entanto, é que os participantes tiveram níveis mais baixos de um hormônio produzido principalmente no fígado chamado fator de crescimento semelhante à insulina 1 ou IGF-1. Mutações no IGF-1 e no gene receptor do IGF-1 estão associadas a taxas mais baixas de morte e doença, e são encontradas em abundância em mulheres cujas famílias tendem a viver além dos 100 anos.[15]

Os níveis de IGF-1 estão intimamente ligados à longevidade. O impacto é tão forte que, em alguns casos, pode ser usado para prever, com grande precisão, quanto tempo alguém viverá, de acordo com Nir Barzilai e Yousin Suh, que pesquisam o envelhecimento na Albert Einstein College of Medicine na Yeshiva University em Nova York.

Barzilai e Suh são geneticistas cuja pesquisa se concentra em centenários que chegaram aos 100 anos, e além, sem sofrerem de doenças relacionadas à idade. Essa população única é um grupo de estudo vital, porque seus membros fornecem um modelo para envelhecer da maneira que muitas pessoas dizem que desejam — não aceitando que anos de vida adicionais precisem vir com anos adicionais de sofrimento.

Quando encontramos grupos dessas pessoas, vemos que em alguns casos, na verdade, não importa o que elas colocam em seus organismos. Elas carregam variantes genéticas que parecem colocá-las em um estado de jejum, não importa o que comam. Como qualquer pessoa que já conheceu um centenário pode atestar, não é preciso uma vida inteira tomando decisões 100% saudáveis para chegar aos 100 anos. Quando a equipe de Barzilai estudou quase 500 judeus asquenazes com mais de 95 anos, eles viram muitos praticantes do mesmo tipo de comportamento que os médicos há muito tempo nos dizem para evitar: comer frituras, fumar, ficar sentado e beber além da conta. Barzilai certa vez perguntou a uma participante centenária da pesquisa por que ela não ouvira seus médicos ao longo dos anos, quando eles a aconselharam com veemência a parar com seu hábito de fumar ao longo da vida. "Eu tive quatro médicos me dizendo que fumar me mataria", disse ela com um sorriso irônico, "e bem, todos os quatro estão mortos agora, não estão?"

Algumas pessoas são vencedoras na loteria genética. O resto de nós tem algum trabalho extra a fazer, mas a boa notícia é que o epigenoma é maleável. Como não é digital, é mais fácil de impactar. Podemos controlar o comportamento desse elemento analógico de nossa biologia pela maneira como vivemos nossas vidas.

O importante não é apenas *o que* comemos, mas *o modo* como comemos. Acontece que há uma forte correlação entre o comportamento do jejum e a longevidade nas Zonas Azuis, como Icária, na Grécia, "a ilha onde as pessoas se esquecem de morrer", na qual ⅓ da população vive mais de 90 anos. Quase todos os moradores mais velhos são discípulos fiéis da igreja ortodoxa grega e seguem um calendário religioso que exige jejum mais da metade do ano.[16] Em muitos dias, isso significa que não há carne, laticínios ou ovos e, às vezes, também sem vinho ou azeite de oliva — para alguns gregos, isso é tudo. Além disso, muitos gregos observam períodos de jejum total antes da Comunhão.[17]

Outros pontos da longevidade, como o condado de Bama, no sul da China, são lugares onde as pessoas têm acesso a alimentos bons e saudáveis, mas optam por renunciar a isso por longos períodos todos os dias.[18] Muitos dos centenários da região passaram a vida evitando a refeição da manhã. Eles geralmente fazem sua primeira refeição leve do dia por volta do meio-dia e depois compartilham uma refeição maior com suas famílias ao anoitecer. Dessa forma, normalmente passam 16 horas ou mais por dia sem comer.

Quando investigamos lugares como esse e procuramos aplicar pesquisas sobre o jejum em nossas vidas, descobrimos que existem várias maneiras de restringir as calorias que são sustentáveis, e muitas assumem a forma do que passou a ser conhecido como jejum periódico — sem ficar com fome o tempo todo, mas usando a fome algumas vezes para mobilizar nosso circuito de sobrevivência.

Com o tempo, algumas dessas maneiras de limitar os alimentos serão mais eficazes do que outras. Um método popular é pular o café da manhã e almoçar tarde (dieta 16:8). Outro é comer 75% menos calorias durante dois dias por semana (dieta 5:2). Se você é um pouco mais aventureiro, pode tentar pular as refeições alguns dias por semana (Eat-Stop-Eat) ou, como o especialista em saúde Peter Attia faz, passar fome por uma semana todo mês. As permutações desses vários modelos para prolongar a vida e a saúde estão sendo trabalhados em animais e também em pessoas. Os estudos de curto prazo estão sendo promissores. Suspeito que a pesquisa de longo prazo também será. Enquanto isso, entretanto, quase qualquer jejum periódico que não resulte em desnutrição provavelmente colocará seus genes de longevidade em ação de maneiras que resultarão em uma vida mais longa e saudável.

Não é preciso dinheiro para se alimentar dessa maneira. Aliás, economiza-se dinheiro. Além disso, as pessoas que não estão acostumadas a se desapegar sempre que querem podem estar em melhor condição de ter sucesso passando alguns dias por mês com muito menos comida.

No entanto, pelo menos neste momento da evolução de nossos costumes em torno da comida, para muitas pessoas, *nenhuma* forma de jejum tem chance de sucesso.

Tentei a restrição calórica. Não consegui. Sentir fome não é divertido, e comer é prazeroso. Tenho feito jejuns periódicos — pulando uma ou duas refeições —, mas confesso que não é intencional. Eu simplesmente esqueço de comer.

Até agora, falamos apenas sobre mobilizar o circuito de sobrevivência, limitando quanto comemos, mas *o que* comemos também é importante.

## AMINO CERTO

Morreríamos rapidamente sem aminoácidos, os compostos orgânicos que servem como blocos de construção para todas as proteínas do corpo humano. Sem eles — e em particular os nove aminoácidos essenciais que nosso corpo não pode produzir por si só —, nossas células não conseguem reunir as enzimas vitais necessárias para a vida.

A carne contém todos os nove aminoácidos essenciais. É uma energia fácil, mas que tem um custo. Na verdade, muitos custos. Porque não importa como você se sente sobre a moral da questão, a carne é assassinato — em nossos corpos. Então, podemos simplesmente evitar as proteínas? Por ironia, a proteína é o que nos sacia. É assim com os ratos. O mesmo vale para gafanhotos que precisam de nutrientes, e é por isso que eles comem um ao outro.[19] Parece que a vida animal não pode limitar facilmente a proteína na dieta sem algumas dores da fome.

Não há muito debate sobre as desvantagens do consumo de proteína animal. Estudos após estudos demonstram que dietas fortemente baseadas em proteínas animais estão associadas a alta mortalidade cardiovascular e risco de câncer. Carnes vermelhas processadas são ruins. Salsicha, linguiça, presunto e bacon podem ser deliciosos, mas são ingloriamente cancerígenos, de acordo com centenas de estudos que demonstraram uma ligação entre esses alimentos e o câncer colorretal, pancreático e de próstata.[20] A carne vermelha também contém carnitina, que as bactérias intestinais convertem em N-óxido de trimetilamina, ou TMAO, um produto químico suspeito de causar doenças cardíacas.

Isso não significa que um pouco de carne vermelha o matará — a dieta dos caçadores é uma mistura de plantas repletas de fibras e nutrientes, misturadas com um pouco de carne vermelha e peixes com moderação[21]—, mas, se você estiver interessado em ter uma vida longa e saudável, sua dieta provavelmente precisa parecer muito mais com o almoço do coelho do que com o jantar do leão. Quando substituímos a proteína animal por mais proteína vegetal, estudos mostraram que a mortalidade por todas as causas cai significativamente.[22]

Do ponto de vista energético, a boa notícia é que não há um único aminoácido que não possa ser obtido consumindo fontes de proteína à base de plantas. A má notícia é que, diferentemente da maioria das carnes, peso por peso, qualquer planta geralmente fornece quantidades limitadas de aminoácidos.

De uma perspectiva da vitalidade, porém, são ótimas notícias. Pois um corpo que está com falta de aminoácidos em geral, ou qualquer aminoácido isolado específico, é um corpo sob o mesmo tipo de estresse que envolve nossos circuitos de sobrevivência.

Você deve se lembrar de que, quando a enzima mTOR é inibida, ela força as células a gastar menos energia ao se dividir e mais energia no processo de autofagia, que recicla as proteínas danificadas e mal entrelaçadas. Esse ato de baixar o gasto energético acaba sendo bom para a vitalidade prolongada em todos os organismos que estudamos. O que estamos aprendendo é que o mTOR não é afetado apenas pela restrição calórica.[23] Se você deseja impedir o mTOR de ser ativado demais ou com muita frequência, limitar a ingestão de aminoácidos é uma boa maneira de começar; portanto, inibir esse gene específico da longevidade é realmente tão simples quanto limitar a ingestão de carne e laticínios.

Está cada vez mais claro que os aminoácidos essenciais não são iguais.

Rafael de Cabo, do National Institutes of Health, Richard Miller, da Universidade de Michigan, e Jay Mitchell, da Harvard Medical School, descobriram ao longo dos anos que alimentar ratos com uma dieta com baixos níveis de aminoácido metionina funciona particularmente bem para ativar suas defesas corporais, proteger os órgãos da hipóxia durante a cirurgia e aumentar o tempo de vida saudável em 20%.[24] Um de meus ex-alunos, Dudley Lamming, que agora dirige um laboratório na Universidade de Wisconsin, demonstrou que a restrição de metionina faz com que ratos obesos eliminem a maior parte de sua gordura, e rápido. Mesmo quando os ratos, que Lamming chamou de "sedentários", continuavam a comer o quanto queriam e evitavam o exercício, eles ainda perdiam cerca de 70% de sua gordura em um mês, enquanto também diminuíam seus níveis de glicose no sangue.²⁵

Não podemos viver sem metionina, mas podemos fazer um trabalho melhor restringindo a quantidade que colocamos em nossos corpos. Há muita metionina na carne bovina, cordeiro, aves, porco e ovos, enquanto as proteínas vegetais tendem a conter baixos níveis desse aminoácido — suficientes para manter a luz acesa, mas não para permitir a complacência biológica estabelecida.

O mesmo vale para a arginina e os três aminoácidos de cadeia ramificada, leucina, isoleucina e valina, que podem ativar o mTOR. Os baixos níveis desses aminoácidos se relacionam ao aumento do tempo de vida,²⁶ e estudos em humanos mostraram que um consumo reduzido de aminoácidos de cadeia ramificada melhora os marcadores da saúde metabólica.²⁷

Não podemos viver sem eles, mas a maioria de nós definitivamente pode ficar com menos e podemos fazer isso diminuindo o consumo de alimentos que muitas pessoas consideram "boas proteínas animais", frango, peixe e ovos — sobretudo quando esses alimentos não estão sendo usados para se recuperar de estresse físico ou lesões.

Tudo isso parece contraditório; afinal, os aminoácidos são frequentemente considerados úteis. E eles podem ser. A leucina, por exemplo, é conhecida por aumentar os músculos, razão pela qual é encontrada em grandes quantidades nas bebidas proteicas que os fisiculturistas costumam beber antes, durante e após os treinos. Mas essa construção muscular está surgindo em parte porque a leucina está ativando o mTOR, o que basicamente diz para seu corpo: "Os tempos agora são favoráveis, vamos desativar o circuito de sobrevivência."²⁸ No entanto, a longo prazo, as bebidas proteicas podem estar impedindo que a via do mTOR ofereça seus benefícios de longevidade. Estudos em que a leucina é completamente eliminada da dieta de um camundongo demonstraram que apenas uma semana sem esse aminoácido em particular reduz significativamente os níveis de glicose no sangue, um marcador-chave da melhoria da saúde.²⁹ Portanto, é necessário um pouco de leucina, claro, mas um pouco ajuda muito.

Todas essas descobertas explicam por que os vegetarianos têm taxas mais baixas de doenças cardiovasculares e câncer do que os que comem carne.[30] A redução de aminoácidos — e, portanto, a inibição do mTOR — não é a única coisa em jogo nessa equação. O baixo teor calórico, o aumento de polifenóis e o sentimento de superioridade sobre os outros seres humanos também são úteis. Todos esses, exceto o último, são explicações válidas para o motivo pelo qual os vegetarianos vivem mais e permanecem mais saudáveis.

Mesmo se seguirmos uma dieta pobre em proteínas e rica em vegetais, poderemos viver mais, mas não maximizaremos nosso tempo de vida, porque colocar nosso corpo em adversidade nutricional não acionará ao máximo nossos genes da longevidade. Também precisamos induzir adversidades físicas. Se isso não acontecer, perderemos uma oportunidade para acionar ainda mais nossos circuitos de sobrevivência. Como um belo carro esportivo guiado por apenas um quarteirão nas manhãs de domingo, nossos genes da longevidade serão tragicamente subutilizados.

Com tanta potência sob o capô, só precisamos ligar o motor e tirar da garagem para dar uma volta.

## Transpire

Há uma razão pela qual, durante séculos, o exercício tem sido a prescrição essencial para a vitalidade. Mas esse motivo não é o que a maioria das pessoas — ou mesmo muitos médicos — pensa.

Nos quase 400 anos desde que o médico inglês, William Harvey, descobriu que o sangue flui pelo corpo em uma intrincada rede de dutos, os médicos pensavam que o exercício melhora a saúde movendo o sangue através do sistema circulatório mais rapidamente, eliminando o acúmulo de placas nas artérias.

Não é assim que funciona.

Sim, o exercício melhora o fluxo sanguíneo. Sim, melhora a saúde do pulmão e do coração. Sim, nos ajuda a ter músculos maiores e mais fortes. Mais do que tudo — e, de fato, o que é responsável por muito disso — é uma coisa simples que acontece em uma escala muito menor: a escala celular.

Quando os pesquisadores estudaram os telômeros nas células sanguíneas de milhares de adultos com todos os tipos de hábitos de exercício diferentes, eles viram uma correlação impressionante: aqueles que se exercitavam mais tinham telômeros mais longos. E, de acordo com um estudo financiado pelo Centers for Disease Control and Prevention e publicado em 2017, indivíduos que se exercitam mais — o equivalente a, pelo menos, meia hora de jogging (caminhada rápida) cinco dias por semana — têm telômeros que parecem ser quase uma década mais jovens do que aqueles que vivem uma vida mais sedentária.[31] Mas por que o exercício atrasaria a erosão dos telômeros?

Se você pensar sobre como nossos genes da longevidade funcionam — empregando os circuitos de sobrevivência ancestrais —, tudo isso faz sentido. Limitar a ingestão de alimentos e reduzir a carga pesada de aminoácidos na maioria das dietas não é a única maneira de ativar genes de longevidade que ordenam que nossas células mudem para o modo de sobrevivência. Exercício, por definição, é a aplicação de estresse no nosso corpo. Aumenta os níveis de NAD, que, por sua vez, ativa a rede de sobrevivência que aumenta a produção de energia e força os músculos a transportar oxigênio extra para os vasos capilares. Os reguladores de longevidade AMPK, mTOR e sirtuínas são todos modulados na direção certa pelo exercício, independentemente da ingestão calórica, construindo novos vasos sanguíneos, melhorando a saúde do coração e dos pulmões, fortalecendo as pessoas e, sim, ampliando os telômeros. As SIRT1 e SIRT6, por exemplo, ajudam a estender os telômeros e os envolvem para que sejam protegidos contra a degradação. Não é a ausência de comida ou qualquer nutriente específico que coloca esses genes em ação; pelo contrário, é o programa de hormese governado pelo circuito de sobrevivência, o tipo leve de adversidade que acorda e mobiliza as defesas celulares sem causar muito dano.

Realmente não há maneira de resolver isso. Todos nós precisamos nos esforçar, especialmente à medida que envelhecemos, mas apenas 10% das pessoas com mais de 65 anos o fazem.[32] A boa notícia é que não precisamos nos exercitar por horas a fio. Um estudo recente descobriu que aqueles que corriam seis a oito quilômetros por semana — para a maioria das pessoas, é uma quantidade de exercício que pode ser feita em menos de 15 minutos por dia — reduzem a chance de morte por ataque do coração em 45% e a mortalidade geral em 30%.[33] É um efeito enorme.

Os pesquisadores avaliaram os registros médicos de mais de 55 mil pessoas e cruzaram esses documentos com atestados de óbito emitidos ao longo de 15 anos. Entre 3.413 mortes, eles não ficaram particularmente surpresos ao ver que aqueles que disseram a seus médicos que eram corredores, tinham muito menos probabilidade de morrer de doença cardíaca. Mesmo quando os pesquisadores enfatizaram a obesidade e o tabagismo, os corredores tinham menos probabilidade de morrer durante os anos observados. O grande choque foi que os benefícios para a saúde eram notavelmente semelhantes, não importando o quanto as pessoas tivessem corrido. Mesmo cerca de dez minutos de exercício moderado por dia adicionava anos às suas vidas.

No entanto, há uma diferença entre caminhada de lazer e corrida rápida. Para mobilizar completamente nossos genes da longevidade, a intensidade importa. Os pesquisadores da Mayo Clinic que estudaram os efeitos de diferentes tipos de exercício em diferentes faixas etárias descobriram que, embora muitas formas de exercício tenham efeitos positivos na saúde, é o treinamento intervalado de alta intensidade (HIIT) — o tipo que aumenta muito as taxas respiratórias e do batimento cardíaco — que mobiliza o maior número de genes promotores de saúde e mais deles em praticantes mais velhos.[34]

Você saberá que está fazendo uma atividade vigorosa quando for desafiadora. Sua respiração deve ser profunda e rápida, de 70% a 85% da frequência cardíaca máxima. Você deve suar e dizer poucas palavras sem parar para respirar. Essa é a resposta hipóxica e é ótima para induzir estresse na ativação das defesas do seu corpo contra o envelhecimento sem causar danos permanentes.[35]

Ainda estamos trabalhando para entender o que todos os genes da longevidade fazem, mas uma coisa está clara: muitos ativados pelo exercício são responsáveis pelos benefícios à saúde, como estender telômeros, desenvolver novos microvasos que fornecem oxigênio às células e aumentar a atividade das mitocôndrias, que queimam oxigênio para produzir energia química. Sabemos há muito tempo que essas atividades corporais caem à medida que envelhecemos. O que também sabemos agora é que os genes mais afetados pelo estresse induzido pelo exercício levam essas atividades aos níveis associados à juventude. Em outras palavras: o exercício ativa os genes para nos tornar jovens de novo no nível celular.

Muitas vezes me perguntam: "Posso comer o que quero e me livrar das calorias extras correndo?" Minha resposta é "Improvável". Ao dar aos ratos uma dieta hipercalórica e fazer com que queimem energia, a extensão do tempo de vida é mínima.

O mesmo vale para uma dieta de RC. Se você se alimenta, mas com poucas calorias, alguns benefícios à saúde são perdidos. É necessário sentir fome para que a RC funcione, pois ela ajuda a ativar os genes no cérebro que liberam os hormônios da longevidade, pelo menos de acordo com um estudo recente de Dongsheng Cai, na Albert Einstein College of Medicine.[36]

Uma combinação de jejum e exercício prolongaria seu tempo de vida? Com certeza. Se você consegue fazer as duas coisas, parabéns, está no caminho certo.

Mas há muito mais que pode ser feito.

## A Frente Fria

Antes de chegar a Boston, aos 20 anos, vivi na Austrália. Culturalmente, correu tudo bem. Em uma semana, descobri quais mercados comercializavam o Vegemite, uma pasta escura feita com leveduras que alguns dirão ser necessária uma programação epigenética bastante significativa quando criança para desfrutar como adulto. Demorou um pouco mais para encontrar os melhores lugares para tortas de carne, Violet Crumble, Tim Tams e Musk Sticks, mas finalmente descobri como obter todos esses sabores de casa também. E não demorou muito para que eu parasse de me importar com o pessoal dos Estados Unidos que parece ter dificuldade em diferenciar sotaques australianos e britânicos. (Não é tão difícil; o sotaque australiano é muito mais sensual.)

A parte mais difícil foi o frio.

Quando menino, pensei que eu sabia o que era frio. Quando a temperatura em Observatory Hill, estação meteorológica oficial de Sydney por mais de um século, *quase* gelou (na verdade não ficou *abaixo* de zero na história moderna), *aquilo* era frio.

Boston era um mundo totalmente diferente. Bastante gélido

Investi em casacos, blusas e roupas íntimas longas, e passava muito tempo dentro de casa. Como muitos colegas de pós-doutorado, trabalhava a noite toda. Eu estava comprometido com meu trabalho, mas a verdade é que parte do motivo para não ir para casa, em muitas noites, era que eu não queria sair.

Hoje, eu gostaria de ter adotado uma abordagem diferente. Gostaria de ter dito a mim mesmo para resistir. Dar um passeio no frio intenso. Mergulhar meus pés no rio Charles no meio de janeiro. Porque, como se vê, expor seu corpo a temperaturas menos confortáveis é outra maneira muito eficaz de ativar seus genes da longevidade.

Quando o mundo nos tira da zona termoneutra — a pequena faixa de temperaturas que não exige que nosso corpo se esforce para se aquecer ou se refrescar —, todo tipo de coisa acontece. Nossos padrões de respiração mudam. O fluxo sanguíneo para a pele e através dela — o maior órgão do corpo — muda. Nossos batimentos cardíacos se aceleram ou desaceleram. Essas reações têm um "porquê". Todas elas têm raízes genéticas que remontam à luta de *M. superestes* pela sobrevivência, bilhões de milhões de anos atrás.

A homeostase, a tendência dos seres vivos em buscar um equilíbrio estável, é um princípio biológico universal. Na verdade, é a força que guia o circuito de sobrevivência. Assim, nós a vemos em todo lugar, sobretudo na extremidade baixa do termômetro.

À medida que os cientistas voltam cada vez mais a atenção para os impactos da ingestão reduzida de alimentos no corpo humano, rapidamente fica claro que a restrição calórica tem o efeito de reduzir a temperatura corporal central. Não ficou claro a princípio se isso contribuía para a vitalidade prolongada ou era simplesmente um subproduto de todas as mudanças que aconteciam nos corpos dos organismos expostos a esse tipo específico de estresse.

**O FRIO ATIVA OS GENES DA LONGEVIDADE.** O frio ativa as sirtuínas, que por sua vez ativam a gordura marrom protetora nas costas e nos ombros. Imagem: O autor, que passou por "crioterapia" no MIT, em 1999.

Em 2006, porém, uma equipe do Scripps Research Institute projetou geneticamente alguns ratos de laboratório para viverem suas vidas por um período em ambiente mais frio que o normal — uma façanha que eles conseguiram ao pregar uma peça no termostato biológico. A equipe inseriu cópias do gene UCP2 do rato no hipotálamo das cobaias, que regula a pele, as glândulas sudoríparas e os vasos sanguíneos. As mitocôndrias em curto-circuito do UCP2 no hipotálamo produziam menos energia, porém mais calor. Isso, por sua vez, fez com que os ratos esfriassem cerca de meio grau Celsius. O resultado foi uma vida 20% mais longa para os ratos fêmeas, o equivalente a cerca de mais 7 anos humanos saudáveis, enquanto os ratos machos tiveram uma extensão de 12%.[37]

O gene envolvido, que possui um análogo humano, não era apenas uma peça do complexo maquinário que levou o hipotálamo a pensar que os corpos dos ratos eram mais quentes do que a temperatura real. Ele também esteve conectado inúmeras vezes à longevidade. Cinco anos antes, uma equipe conjunta de pesquisadores do Centro Médico Beth Israel Deaconess e da Harvard Medical School mostrou que os ratos envelhecem mais rapidamente quando o gene UCP2 é anulado.[38] E, em 2005, Stephen Helfand e sua equipe, então no Centro de Saúde da Universidade de Connecticut, demonstraram que a regulação positiva direcionada de um gene análogo poderia prolongar a vida útil das moscas da fruta em 28% nas fêmeas e 11% nos machos.[39] Portanto, em 2017, a conexão entre o gene UCP2 e o envelhecimento completou um círculo, graças a pesquisadores da Universidade de Laval, em Quebec: não apenas o UCP2 poderia fazer com que os ratos "ficassem frios", demonstrou a equipe canadense, mas as temperaturas mais frias também poderiam mudar a maneira como o gene operava, por meio de sua capacidade de acelerar o tecido adiposo marrom.[40]

Também conhecida como "gordura marrom", acreditava-se que essa substância rica em mitocôndrias existia apenas em bebês. Agora sabemos que é encontrada em adultos, embora a quantidade diminua à medida que envelhecemos. Com o tempo, torna-se cada vez mais difícil encontrar; ela se mistura com a gordura branca e se espalha ainda mais desigualmente pelo corpo. Fica em diferentes áreas de pessoas distintas, às vezes no abdômen, outras na parte superior das costas. Isso torna a pesquisa em humanos um pouco desafiadora: geralmente é necessário um exame PET scan — que requer a injeção de glicose radioativa — para localizá-la. Estudos com roedores, no entanto, forneceram informações significativas sobre a correlação entre gordura marrom e longevidade.

Um estudo Ames com ratos anões geneticamente modificados, por exemplo, demonstrou que a função da gordura marrom é aprimorada nesses animais notavelmente longevos.[41] Outros estudos mostraram que animais com abundante gordura marrom ou submetidos a tremores de frio três horas por dia têm muito mais sirtuína mitocondrial que aumenta o UCP, SIRT3, e experimentam taxas significativamente reduzidas de diabetes, obesidade e doença de Alzheimer.[42]

É por isso que precisamos aprender mais sobre como substituir quimicamente a termogênese do tecido adiposo marrom.[43] Produtos químicos chamados desacopladores mitocondriais podem imitar os efeitos do UCP2, permitindo que os prótons vazem através das membranas mitocondriais. É como perfurar orifícios na barragem de uma usina hidrelétrica. O resultado não é o frio, mas o calor como um subproduto do curto-circuito mitocondrial.

O desacoplador mitocondrial de aroma doce chamado 2,4-dinitrofenol (DNP) foi usado na fabricação de explosivos na Primeira Guerra Mundial, e logo ficou claro que os funcionários expostos ao produto químico estavam perdendo peso rapidamente, um deles inclusive morreu por superexposição.[44] Em 1933, os médicos Windsor Cutting e Maurice Tainter, da Stanford University School of Medicine, resumiram uma série de artigos mostrando que o DNP aumenta acentuadamente a taxa metabólica.[45] Nesse mesmo ano, apesar dos avisos de Tainter e Cutting sobre "certos perigos em potencial", 20 empresas começaram a vendê-lo nos Estados Unidos, assim como outras na Grã-Bretanha, França, Suécia, Itália e Austrália.

Funcionou bem — muito bem, na verdade.

Apenas um ano depois, falando na Associação Americana de Saúde Pública, Tainter disse: "O interesse e o entusiasmo por este produto foram tão grandes que seu amplo uso se tornou motivo de preocupação para a saúde pública. A quantidade total da droga que está sendo usada é surpreendente."

Momentos depois, soltou uma bomba: "Ano passado, as Stanford Clinics forneceram... mais de 1,2 milhão de cápsulas de dinitrofenol com 0,1g cada."[46]

Mais de 1 milhão de cápsulas? Em uma universidade? Em um ano? É surpreendente. E isso foi em 1933, quando a Califórnia tinha ⅛ da população atual. Três quilos por pessoa por semana foram supostamente perdidos. O público ficou aliviado — algo deu certo finalmente. A obesidade seria passado.

Mas a parte metabólica não durou muito. As pessoas começaram a morrer de overdose e outros efeitos colaterais apareceram a longo prazo. O DNP foi declarado "extremamente perigoso e não adequado ao consumo humano" na Lei Federal de Alimentos, Drogas e Cosméticos dos EUA, de 1938. Curiosamente, a legislação foi redigida pelo senador Royal Copeland, um médico homeopata que, apenas alguns dias antes de sua morte, firmou proteções para suplementos naturais que hoje alimentam uma indústria amplamente não regulamentada, com receita de US$122 bilhões.

A lei proibiu, com razão, uma substância perigosa, mas frustrou as esperanças de que a obesidade fosse uma coisa do passado.[47] Curiosamente, o DNP continuou sendo prescrito aos soldados russos durante a Segunda Guerra Mundial para mantê-los aquecidos,[48] e hoje algumas pessoas sem escrúpulos o vendem na internet, mas fazem isso por sua conta e risco. Em 2018, Bernard Rebelo foi condenado a sete anos de prisão pela morte de uma mulher a quem ele vendeu o DNP. Nos Estados Unidos, houve 62 mortes documentadas desde 1918, embora provavelmente tenha havido muito mais do que isso.[49]

Uma coisa é clara: DNP é extremamente perigoso. Comer menos em cada refeição, mover-se mais e se concentrar em alimentos à base de vegetais são opções muito mais seguras.

Outra coisa que você pode tentar é ativar as mitocôndrias em sua gordura marrom passando um pouco de frio. A melhor maneira de fazer isso pode ser a mais simples — uma caminhada rápida só de camiseta em um dia de inverno em uma cidade como Boston será suficiente. O exercício no frio, em particular, parece turbinar a criação de tecido adiposo marrom.[50] Deixar uma janela aberta durante a noite ou não usar um cobertor pesado enquanto você dorme também pode ajudar.

Isso não passou despercebido pelo setor de saúde e bem-estar. Sentir frio está na moda agora. A crioterapia — alguns minutos em uma caixa super-resfriada a -110°C — é um método cada vez mais popular de induzir esse tipo de estresse em nosso corpo, embora a pesquisa ainda esteja longe de ser conclusiva.[51] Isso não me impediu de aceitar um convite de Joe Rogan, o magnata da mídia e comediante, para ir com ele a um spa de crioterapia. Três minutos de cueca em temperaturas de Marte podem ter ativado minha gordura marrom e todos os grandes benefícios à saúde que acompanham isso. No mínimo, me deixou revigorado e agradecido por estar vivo.

Como na maioria das coisas na vida, provavelmente é melhor mudar seu estilo de vida quando se é jovem, porque produzir a gordura marrom fica mais difícil à medida que envelhecemos. Se você optar por se expor ao frio, a moderação será fundamental. Semelhante ao jejum, os maiores benefícios provavelmente virão para aqueles que se aproximam, mas não ultrapassam, o limite. A hipotermia não é boa para a nossa saúde. Nem o congelamento. Mas arrepios, dentes batendo e braços trêmulos não são condições perigosas — são simplesmente sinais de que você não está em Sydney ou no Brasil. E, quando experimentamos essas condições com frequência suficiente, nossos genes da longevidade sofrem o estresse necessário para solicitar mais gordura saudável.

O que acontece do outro lado do termostato? A imagem é um pouco menos clara, mas temos algumas pistas promissoras da nossa amiga *S. cerevisiae*. Sabemos, no trabalho em meu laboratório, que elevar a temperatura da levedura — de 30°C para 37°C, logo abaixo dos limites do que esses organismos unicelulares podem aguentar — ativa o gene *PNC1* e aumenta a produção de NAD, então, suas proteínas Sir2 podem trabalhar muito mais. O que é fascinante não é tanto o fato de essas células estressadas pela temperatura viverem 30% mais, mas o mecanismo era o mesmo que o provocado pela restrição calórica.

O calor também é bom para os corpos humanos? Possivelmente, mas não da mesma maneira. Por sermos animais de sangue quente, nossas enzimas não desenvolveram tolerância a grandes mudanças de temperatura. Você não pode aumentar a temperatura corporal e esperar viver mais. Mas, como minha esposa do norte da Alemanha, Sandra, gosta de ressaltar, há muitos benefícios em expor sua pele e pulmões a altas temperaturas, pelo menos temporariamente.

Continuando uma tradição romana, muitos europeus do norte e leste frequentam a "sauna" por relaxamento e saúde. Os finlandeses são os mais dedicados, com a maioria dos homens relatando usá-la uma vez por semana, o ano todo. Sandra me diz que é pronunciado "ZOU-na" e não "sau-na" e que todos os lares deveriam ter. Eu fico com sau-na para não parecer rebelde, mas, quando se trata de reformar a casa, Sandra pode estar pensando em algo.

Um estudo de 2018 realizado em Helsinque descobriu que a "função física, vitalidade, interação social e saúde geral eram significativamente melhores entre os usuários de sauna do que os não usuários", embora os pesquisadores estivessem corretos ao observar que parte do efeito pode ser devido ao fato de que aqueles que estão doentes ou deficientes não vão à sauna.[52]

Um estudo mais convincente acompanhou um grupo de mais de 2.300 homens de meia-idade do leste da Finlândia por mais de 20 anos.[53] Aqueles que usavam a sauna com frequência — até sete vezes por semana — tiveram duas vezes menos doenças cardíacas, ataques cardíacos fatais e eventos de mortalidade de todo tipo em relação aos que iam uma vez.

Nenhum dos estudos da sauna se aprofundou o suficiente para nos dizer por que a exposição temporária ao calor pode ser tão boa para nós. Se a levedura é um guia, o NAMPT, o gene em nosso corpo que recicla o NAD, pode estar em ação. O NAMPT é ativado por vários gatilhos de adversidade, incluindo jejum e exercício, o que aumenta a NAD, de modo que as sirtuínas podem trabalhar duro para nos tornar mais saudáveis.[54] Nunca testamos se o NAMPT é ativado pelo calor, mas isso seria algo a se fazer. De qualquer maneira, uma coisa é clara: não adianta gastar toda a vida na zona termoneutra. Os nossos genes não evoluíram para uma vida de conforto. Um pouco de estresse para induzir a hormese de vez em quando provavelmente faz muita diferença.

Mas lidar com as adversidades biológicas é uma coisa, e dano genético esmagador é outra.

## Não Estrague a Paisagem

Um pouco de adversidade ou estresse celular é bom para o nosso epigenoma, porque estimula nossos genes da longevidade. Ativa o AMPK, diminui o mTOR, aumenta os níveis de NAD e ativa as sirtuínas — as equipes de resposta a desastres — para acompanhar o desgaste normal causado pela vida no planeta Terra.

Mas "normal" é a palavra certa, porque, quando se trata de envelhecimento, "normal" já é ruim o suficiente. Quando nossas sirtuínas precisam responder a muitos desastres — especialmente aqueles que causam quebras de DNA de fita dupla — esses sinalizadores epigenéticos são forçados a deixar seus postos e seguir para outros lugares no genoma em que ocorreram essas quebras. Às vezes, eles voltam para casa, outras não.

Não podemos evitar todos os danos no DNA — nem queremos, porque é essencial para a função do sistema imunológico e até para consolidar nossas memórias[55] —, mas queremos evitar danos extras.

E há muito dano extra por aí.

Cigarros, para começar. Não há muitos vícios legais por aí que são piores para seu epigenoma do que a mistura mortal de milhares de fumantes químicos colocada em seus corpos todos os dias. Há uma razão pela qual os fumantes parecem envelhecer mais rápido: eles envelhecem mais rápido. O dano ao DNA resultante do fumo mantém as equipes de reparo do DNA trabalhando horas extras, e provavelmente o resultado é a instabilidade epigenética que causa o envelhecimento. Provavelmente eu não serei a primeira pessoa que lhe dirá isso, porém vale a pena repetir: fumar não é uma atividade privada e sem vítimas. Os níveis de aminas aromáticas que danificam o DNA na fumaça do cigarro são cerca de 50 a 60 vezes mais altas no fumo passivo do que no fumo ativo.[56] Se você fuma, vale a pena tentar parar.

Não fuma? Isso é ótimo, mas, mesmo sem fumaça, há fogo. Em grande parte do mundo desenvolvido — e cada vez mais no mundo em desenvolvimento — estamos praticamente imersos em produtos químicos que danificam o DNA. Em alguns lugares — cidades com muitas pessoas e muitos carros, especialmente — o simples ato de respirar é suficiente para causar danos extras ao seu

DNA. Mas também seria prudente desconfiar dos PCBs e de outros produtos químicos encontrados em plásticos, incluindo garrafas e embalagens de alimentos (fast food).[57] (Evite micro-ondas, pois libera ainda mais PCBs.) A exposição a corantes azo, como o amarelo anilina, que é usado em tudo, desde fogos de artifício até tinta amarela em impressoras domésticas, também pode danificar nosso DNA.[58] E os organohalogenados — compostos que contêm átomos de halogênio substituídos e são usados em solventes, desengordurantes, pesticidas e fluidos hidráulicos — também podem causar estragos em nossos genomas.

Ninguém em sã consciência iria ingerir de propósito solventes, desengordurantes, pesticidas e fluido hidráulico, claro, mas há muitos danos em algumas das coisas que comemos e bebemos por querer. Sabemos há mais de meio século que os compostos N-nitroso estão presentes em alimentos tratados com nitrito de sódio, incluindo algumas cervejas, a maioria das carnes curadas, em especial o bacon cozido. Desde então, aprendemos que esses compostos são cancerígenos potentes.[59] O que também chegamos a entender é que o câncer é apenas o começo de nossas aflições tratadas com nitrato, pois os compostos nitrosos também podem causar a quebra do DNA,[60] enviando essas sirtuínas sobrecarregadas de volta ao trabalho.

Então há radiação. Qualquer fonte de radiação natural ou humana, como luz UV, raios X, raios gama e radônio em residências (que é a segunda causa mais frequente de câncer de pulmão, além de fumar)[61] pode causar danos adicionais ao DNA, exigindo a convocação de uma equipe epigenética de correção. Como viajo muito de avião a trabalho, penso bastante nisso — toda vez que passo pela segurança, na verdade. A maioria das pesquisas sobre as versões atuais dos scanners de aeroportos sugere que eles provavelmente não causam um grande dano ao nosso DNA, mas houve pouca atenção em seu impacto a longo prazo no nosso epigenoma e no processo de envelhecimento. Ninguém jamais testou a aparência de um rato dois anos depois de ter sido repetidamente exposto a esses dispositivos. Os ratos ICE nos dizem que o cromossomo é necessário para acelerar o envelhecimento. Estou ciente de que a exposição à radiação dos scanners de ondas milimétricas é menor que a dos scanners anteriores. Os atendentes de segurança que usam a máquina informam aos viajantes que a exposição é "igual à do voo". Mas, com milhões de milhas aéreas voando, por que eu vou potencializar o dano? Sempre que possível, entro na fila de check-in antecipado ou peço para ser revistado.

Se tudo isso faz com que você sinta que é impossível evitar completamente as quebras de DNA e as consequências epigenéticas dessas quebras, bem, é verdade. O ato natural e necessário de replicar o DNA causa rupturas no DNA, trilhões delas por todo o corpo todos os dias. Não se pode evitar partículas de radônio ou raios cósmicos, a menos que a pessoa viva em uma caixa de chumbo no fundo do oceano. E mesmo se você se mudasse para uma ilha deserta, os peixes que comeria provavelmente conteriam mercúrio, PCBs, PBDEs, dioxinas e pesticidas clorados, os quais podem danificar seu DNA.[62] Em nosso mundo moderno, mesmo com o estilo de vida mais "natural" que você pode seguir, esse tipo de dano ao DNA é inevitável.

Não importa quantos anos você tem, mesmo que seja adolescente, isso já está acontecendo no seu corpo.[63] O dano ao DNA acelerou seu relógio, com implicações em todas as fases da vida. Embriões e bebês experimentam o envelhecimento. O que dizer, então, das pessoas com 60, 70 e 80 anos? E aqueles indivíduos que já são frágeis e não podem restringir suas calorias, correr ou fazer anjos de neve no auge do inverno? É tarde demais para eles?

Ainda não.

Mas se *todos* vivermos vidas mais longas e saudáveis — independentemente da quantidade de variação epigenética e envelhecimento que experimentamos neste momento — talvez precisemos de uma ajuda adicional.

# Cinco

# Um Remédio Melhor para Engolir

**O SONHO DE ESTENDER A VIDA HUMANA NÃO COMEÇOU NO INÍCIO DO** século XXI, assim como o sonho do voo humano não teve início no começo do século XX. Nada começa com ciência; tudo começa com histórias.

De Gilgamesh, o rei sumério, que dizem ter reinado sobre Uruk por 126 anos, a Matusalém, o patriarca nas escrituras hebraicas, que se diz ter vivido 969 anos, as histórias sagradas testemunham nosso profundo fascínio pela longevidade. Exceto os mitos e as parábolas, porém, tínhamos poucas evidências científicas de alguém que estendeu sua vida muito além da marca de um século.

Tínhamos pouca esperança de fazê-lo sem uma compreensão profunda de como a vida funcionava. Apesar de imperfeito, esse era o conhecimento que alguns de meus colegas e eu acreditávamos que finalmente possuíamos.

Até que em 1665, quando o "Leonardo da Inglaterra", Robert Hooke, publicou *Micrographia* [Microfagia, em tradução livre], no qual relatou ter observado células da casca da cortiça. Essa descoberta nos lançou na era moderna da biologia. Mas séculos se passaram antes que tivéssemos alguma pista sobre como as células funcionam em escala molecular. Esse conhecimento só pôde vir da combinação de uma série de grandes saltos em microscopia, química, física, genética, nanoengenharia e poder de computação.

Para entender como o envelhecimento ocorre, precisamos entrar no mundo subnanocelular, chegar até a célula, perfurar a membrana externa e viajar para o núcleo. A partir daí, vamos para a escala de aminoácidos e DNA. Nesse tamanho, fica óbvio porque não vivemos para sempre.

Até entendermos a vida em nanoescala, por que vivemos era um mistério. O brilhante físico teórico austríaco Erwin Schrödinger, o homem que desenvolveu a física quântica (e sim, esse famoso experimento envolvendo um gato morto e vivo) ficou confuso ao tentar explicar a vida. Em 1944, ele levantou as mãos e declarou que a matéria viva "provavelmente envolverá 'outras leis da física' até então desconhecidas."[1] Foi o melhor que ele pôde fazer na época.

Mas as coisas mudaram rapidamente nas próximas décadas. E, hoje, a resposta ao livro de Schrödinger de 1944, *O Que é Vida?*, se não foi totalmente esclarecida, certamente está perto de ser.

Acontece que não é necessária uma nova lei para explicar a vida. Na nanoescala, é um conjunto ordenado de reações químicas, concentrando e reunindo átomos que nunca se reuniriam, ou separando moléculas que nunca se desintegrariam. A vida faz isso usando Pac-Men proteicos chamados enzimas compostas de espirais e camadas de cadeias de aminoácidos.

As enzimas tornam a vida possível, tirando proveito de movimentos moleculares fortuitos. A cada segundo que você está vivo, milhares de moléculas de glicose são capturadas em cada um de seus trilhões de células por uma enzima chamada glicoquinase, que funde moléculas de glicose em átomos de fósforo, marcando-as para a produção de energia. A maior parte da energia criada é usada por um complexo de RNA e proteína multicomponente chamado ribossomo, cujo trabalho principal é capturar aminoácidos e fundi-los com outros aminoácidos para gerar novas proteínas.

Esse tipo de conversa faz seus olhos brilharem? Você não está sozinho e é compreensível. Nós, professores, prestamos um grande desserviço à sociedade tornando a ciência muito chata. Livros didáticos e trabalhos científicos descrevem a biologia como um mundo estático e bidimensional. Os produtos químicos são desenhados como pauzinhos, as vias bioquímicas são flechas, o DNA é uma linha, um gene é um retângulo e as enzimas são ovais, desenhadas milhares de vezes maiores em relação à célula do que realmente são.

Mas, depois que você entende como as células realmente funcionam, elas são muito surpreendentes. O problema de transmitir essa maravilha na sala de aula é que as células existem em quatro dimensões e movimentam-se com velocidades e escalas que os seres humanos não conseguem perceber ou mesmo conceber. Para nós, o segundo e o milímetro são divisões curtas de tempo e espaço, mas para uma enzima com cerca de 10 nanômetros de diâmetro e vibrando a cada quadrilionésimo de segundo, um milímetro é do tamanho de um continente e um segundo é mais do que um ano.[2]

Considere a catalase, uma enzima onipresente de tamanho normal que pode quebrar e desintoxicar 10 mil moléculas de peróxido de hidrogênio por segundo. Um milhão delas poderia caber dentro de uma bactéria de *E. coli*, um milhão que caberia na cabeça de um alfinete.[3] Esses números não são apenas difíceis de imaginar, eles são inconcebíveis.

Em cada célula há um total de 75 mil enzimas como a catalase,[4] todas jogadas juntas, brincando em um mar levemente salgado. Na nanoescala, a água é gelatinosa e os eventos moleculares são mais violentos do que um furacão de categoria 5, com moléculas reunidas em velocidades que perceberíamos como milhares de quilômetros por hora. As reações enzimáticas são eventos de uma em mil, mas na escala nano os eventos de um em mil podem ocorrer milhares de vezes por segundo, o suficiente para sustentar a vida.

Se parece caótico, é, mas *precisamos* desse caos. Sem ele, as moléculas que devem se unir para sustentar a vida não se encontrariam nem se fundiriam. A enzima sirtuína humana chamada SIRT1 serve como um bom exemplo. Soquetes vibratórios precisos na SIRT1 se prendem simultaneamente a uma molécula NAD e à proteína da qual deseja extrair os acetilos, como uma histona ou FOXO3. As duas moléculas capturadas se unem imediatamente, pouco antes de a SIRT1 separá-las de uma maneira diferente, produzindo vitamina $B_3$ e adenina ribose acetilada como resíduos que são reciclados de volta ao NAD.

Mais importante é o fato de que a proteína-alvo foi retirada do grupo químico acetil que a mantinha sob controle. Agora, a histona pode embalar o DNA com mais força para silenciar os genes e o FOXO3 teve suas algemas removidas, permitindo que ativasse um programa de defesa de genes protetores.

Se o caos terminasse e nossas enzimas parassem subitamente de fazer o que fazem, estaríamos todos mortos em segundos. Sem energia e defesas celulares, não pode haver vida. *M. superstes* nunca teriam emergido da espuma e seus descendentes nunca teriam sido capazes de compreender as palavras desta página.

E assim, no nível fundamental, a vida é bastante simples: existimos pela graça de uma ordem criada a partir do caos. Quando brindamos à vida, deveríamos realmente estar brindando às enzimas.

Ao estudar a vida nesse nível, também aprendemos algo bastante importante, algo que o físico vencedor do Prêmio Nobel Richard Feynman expressou de forma sucinta: "Ainda não haja nada na biologia que indique a inevitabilidade da morte, isso me sugere que não é de todo inevitável e que é apenas uma questão de tempo até que os biólogos descubram o que está nos causando o problema."[5]

É verdade: não existem leis biológicas, químicas ou físicas que digam que a vida deve terminar. Sim, o envelhecimento é um aumento da *entropia*, uma perda de informações que leva ao distúrbio, mas os seres vivos *não* são sistemas fechados. A vida pode potencialmente durar para sempre, desde que possa preservar informações biológicas críticas e absorver energia de algum lugar do Universo. Isso não significa que poderemos ser imortais amanhã — não mais do que poderíamos ter voado para a lua em 18 de dezembro de 1903. A ciência avança com pequenos e grandes passos, mas sempre um de cada vez.

Aqui está o que é notável: os primeiros passos realmente estão disponíveis para nós desde os tempos de Gilgamesh e Matusalém, e de fato desde o tempo de *M. superstes*. Nos últimos séculos, e por acaso até antes, descobrimos maneiras de modular quimicamente enzimas com moléculas que chamamos de medicamentos.

Agora que sabemos como a vida funciona e temos as ferramentas para alterá-la em níveis genético e epigenético, podemos nos basear nessa sabedoria muito antiga. E, quando se trata de estender a expectativa de vida saudável, as medidas mais fáceis de usar são os vários medicamentos que já sabemos que podem afetar o envelhecimento humano.

## O Maior Ovo de Páscoa do Mundo

Rapa Nui, uma remota ilha vulcânica a 3.700km a oeste do Chile, é comumente conhecida como Ilha de Páscoa e ainda mais conhecida pelas quase 900 cabeças de pedra gigantes que se estendem pelo perímetro da ilha. O que deveria ser bem conhecido — e talvez um dia será — é a história de como a ilha se tornou a origem da molécula de extensão do tempo de vida mais eficaz do mundo.

Em meados da década de 1960, uma equipe de cientistas viajou para a ilha. Os pesquisadores não eram arqueólogos em busca de respostas sobre as origens das estátuas, mas sim biólogos em busca de microrganismos endêmicos.

Na terra sob uma das famosas cabeças de pedra da ilha, eles descobriram uma nova actinobactéria. Esse organismo unicelular era o *Streptomyces hygroscopicus* e, quando foi isolado por um pesquisador farmacêutico, Suren Sehgal, logo ficou claro que a actinobacteria secretava um composto antifúngico. Sehgal nomeou esse composto como rapamicina, em homenagem à ilha onde foi descoberto, e começou a procurar maneiras de processá-lo como um remédio em potencial para condições fúngicas, como as do pé de atleta.[6] O composto parecia promissor para esse fim, mas, quando o laboratório de Montreal, onde Sehgal trabalhava, foi fechado em 1983, ele foi instruído a destruí-lo.

No entanto, ele não foi capaz de fazê-lo. Em vez disso, retirou alguns frascos da bactéria do laboratório e os manteve em seu freezer em casa até o fim dos anos 1980, quando convenceu seus chefes em um novo laboratório em Nova Jersey a deixá-lo continuar a estudá-la.

Não demorou muito para que os pesquisadores descobrissem que o composto era um supressor eficaz do sistema imunológico. Isso acabaria com seu potencial como antifúngico — existem muitos remédios para pé de atleta que não custam a baixa imunidade —, mas deu aos cientistas um novo atributo para estudar.

Mesmo na década de 1960, os pesquisadores sabiam que um dos motivos mais comuns para a falha de um transplante de órgão é que o corpo do paciente receptor o rejeita. A rapamicina poderia reduzir a resposta imune o suficiente para garantir que o órgão fosse aceito? De fato, poderia.

É por esse motivo que, se você for a Rapa Nui, poderá encontrar uma pequena placa no local onde foram descobertas. "Neste local", diz a placa em português, "foram obtidas em janeiro de 1965 as amostras de solo que permitiram obter a rapamicina, substância que inaugurou uma nova era para os pacientes submetidos a transplantes de órgãos".

Suspeito que uma placa maior deva ser encomendada em breve, porque a descoberta de S. *hygroscopicus* desencadeou uma quantidade enorme de pesquisas, muitas das quais ainda estão em andamento e algumas têm o potencial de prolongar a vitalidade para inúmeras pessoas. Nos últimos anos ficou claro que a rapamicina não é apenas um composto antifúngico nem apenas um supressor do sistema imunológico, é também um dos compostos de maior sucesso consistente para prolongar a vida.

Sabemos disso a partir de experimentos em diversos organismos-modelo em laboratórios ao redor do mundo. E, por mais que minha própria pesquisa tenha começado com experimentos com leveduras, grande parte do trabalho inicial realizado para entender a rapamicina foi concluída em S. *cerevisiae*. Se você colocar 2 mil células de levedura normais em uma cultura, algumas permanecerão viáveis após 6 semanas. Mas, se alimentar as células de levedura com rapamicina, em 6 semanas cerca de metade ainda estará saudável.[7] O medicamento também aumentará o número de células-filhas que as células-mãe podem produzir, estimulando a produção de NAD.

As moscas de fruta alimentadas com rapamicina vivem cerca de 5% mais tempo.[8] E pequenas doses de rapamicina administradas a ratos quando já estão nos meses finais de suas vidas normais resultam em 9 a 14% de tempo a mais, independentemente de serem machos ou fêmeas, o que se traduz em cerca de uma década de vida humana saudável.[9]

Sabemos há muito tempo que a idade avançada dos pais é um fator de risco para doenças na próxima geração. Esse é o poder da epigenética. Mas os ratos tratados com rapamicina resistem a essa tendência. Quando pesquisadores do German Center of Neurodegenerative Diseases inibiram o mTOR em ratos nascidos de pais mais velhos, o impacto negativo de ter um pai idoso desapareceu.[10]

Deseja saber o que pensam os árbitros mais importantes da ciência sobre o potencial do TOR e das moléculas que o inibem de mudar o mundo? Os três homens que descobriram o TOR em leveduras, Joseph Heitman, Michael Hall e Rao Movva, estão nas listas do Prêmio Nobel de Medicina ou Fisiologia. David Sabatini, meu colega do outro lado do rio no MIT, que identificou o mTOR, foi citado no Clarivate Citation Laureate por ter seu trabalho mencionado com mais frequência em revistas especializadas revisadas por colegas; a lista do Clarivate previu mais de 40 ganhadores do Prêmio Nobel desde 2002.[11]

Rapamicina não é uma panaceia. Os animais de vida mais longa podem não se dar tão bem quanto os de vida mais curta; demonstrou ser tóxica para os rins em altas doses por longos períodos e pode suprimir o sistema imunológico ao longo do tempo. Isso não significa que a inibição do TOR seja um beco sem saída. Pode ser seguro em doses menores ou intermitentes — que funcionaram em ratos para prolongar o tempo de vida[12] e em humanos melhoraram drasticamente as respostas imunes de idosos a uma vacina contra a gripe.[13]

Existem centenas de pesquisadores no time da inibição do TOR que trabalham em universidades e empresas de biotecnologia para identificar "rapalogs", que são compostos que atuam no TOR de maneira semelhante à rapamicina, mas têm maior especificidade e menos toxicidade.[14]

A qualidade das pessoas envolvidas nessa linha de pesquisa e desenvolvimento dificulta a aposta contra a inibição do TOR como um caminho para uma maior saúde e vitalidade humana. Mas, mesmo que os rapalogs não funcionem, há outro caminho farmacêutico para a vitalidade prolongada que já provou ser eficaz e seguro.

## Centavos por uma Vitalidade Prolongada

A *Galega officinalis* é uma flor adorável, com delicadas pétalas roxas que parecem protegidas do mundo.

Também conhecida como arruda de cabra, um nome bem infeliz, e lilás francesa, uma alcunha muito mais charmosa, tem sido usada como fitoterápico na Europa há séculos, devido a uma composição química rica em guanidina, um pequeno produto químico na urina humana que serve como um indicador do metabolismo saudável das proteínas. Na década de 1920, os médicos começaram a prescrever guanidina como uma maneira de diminuir os níveis de glicose no sangue em pacientes com diabetes.

Em 1922, o garoto de 14 anos Leonard Thompson, que estava morrendo em um hospital de Toronto, tornou-se o primeiro paciente diabético a receber uma injeção de um novo hormônio peptídico pancreático que se mostrou uma boa promessa em estudos com animais. Duas semanas depois, ele recebeu outra, e as notícias de sua melhora excepcional se espalharam rapidamente pelo mundo.

O diabetes tipo 1, que ocorre quando o pâncreas não produz hormônios suficientes para alertar o organismo sobre o açúcar, agora é amplamente tratado com insulina suplementar. Mas a luta não acabou.

A versão do tipo 2 da doença, a chamada diabetes associada à idade, ocorre quando o pâncreas é capaz de produzir insulina suficiente, mas o corpo é alheio a isso. Os 9% de adultos em todo o mundo com essa doença precisam de um medicamento que restaure a sensibilidade do corpo à insulina, para que as células absorvam e usem o açúcar que circula em sua corrente sanguínea. Isso é importante, pelo menos, por duas razões: dá descanso ao pâncreas sobrecarregado e evita picos de açúcar flutuando livremente a partir de proteínas essencialmente caramelizantes no corpo. Resultados recentes indicam que açúcar elevado no sangue também pode acelerar o relógio epigenético.

Graças a um estilo de vida cada vez mais sedentário e à abundância de açúcares e carboidratos em todas as prateleiras dos mercados do mundo, o alto nível de açúcar no sangue está causando a morte prematura de 3,8 milhões de pessoas por ano. Essas mortes não ocorrem de maneira rápida e compassiva, mas de maneiras horríveis, com cegueira, insuficiência renal, acidente vascular cerebral, feridas abertas nos pés e amputações de membros.

Como consideraram essa doença em meados da década de 1950, o farmacêutico Jan Aron e o médico Jean Sterne — ambos franceses que estariam excepcionalmente familiarizados com a planta de flores roxa tão presente em sua terra natal — decidiram investigar de novo o potencial de derivados da lilás francesa para combater o diabetes tipo 2 de modos que a insulina não conseguia.[15]

Em 1957, Sterne publicou um artigo demonstrando a eficácia da dimetil biguanida oral para tratar o diabetes tipo 2. A droga, chamada de metformina, tornou-se um dos medicamentos mais utilizados e eficazes do mundo. Está na Lista de Medicamentos Essenciais da Organização Mundial da Saúde, um catálogo das terapias mais eficazes, seguras e econômicas para as maiores condições médicas do mundo. Como genérico, custa aos pacientes menos de US$5 por mês em grande parte do mundo. Exceto por uma condição rara chamada acidose láctica, o mais comum dos efeitos colaterais é um desconforto estomacal. Muitas pessoas atenuam esse efeito colateral tomando o medicamento como comprimido revestido, com um copo de leite ou uma refeição, mas mesmo quando não funciona a sensação leve de tristeza traz um benefício colateral: tende a desencorajar comer demais.

Que lugar um medicamento para diabetes tem em uma conversa sobre prolongar a vitalidade? Talvez nenhum, exceto pelo fato de, há alguns anos, os pesquisadores terem notado um fenômeno curioso: as pessoas que tomavam metformina estavam vivendo uma vida bem mais saudável — independentemente, ao que parecia, de seu efeito sobre o diabetes.[16]

Em ratos, até mesmo uma dose muito baixa de metformina, como o laboratório de Rafael de Cabo no National Institutes of Health mostrou, aumenta o tempo de vida em quase 6%, embora alguns tenham argumentado que o efeito se deve à perda de peso.[17] De qualquer maneira, isso equivale a cinco anos extras saudáveis para os seres humanos, com ênfase no saudável — os ratos mostraram níveis reduzidos de colesterol LDL, e melhor desempenho físico.[18] Com o passar dos anos, as evidências aumentaram. Em 26 estudos com roedores tratados com metformina, 25 mostraram proteção contra o câncer.[19]

Como a rapamicina, a metformina imita os aspectos da restrição calórica. Mas, em vez de inibir o TOR, limita as reações metabólicas nas mitocôndrias, retardando o processo pelo qual nossas usinas celulares convertem macronutrientes em energia.[20] O resultado é a ativação do AMPK, uma enzima capaz de responder a baixos níveis de energia e restaurar a função das mitocôndrias. Também ativa a SIRT1, uma das proteínas favoritas do meu laboratório. Entre outros efeitos benéficos, a metformina inibe o metabolismo das células cancerígenas, aumenta a atividade mitocondrial e remove o enovelamento das proteínas.[21]

Um estudo com mais de 41 mil usuários de metformina entre 68 e 81 anos concluiu que ela reduziu a probabilidade de demência, doença cardiovascular, câncer, fragilidade e depressão, e não em pequena quantidade. Em um grupo de indivíduos já frágeis, o uso da metformina ao longo de 9 anos reduziu a demência em 4%, a depressão em 16%, as doenças cardiovasculares em 19%, a fragilidade em 24% e o câncer em 4%.[22] Em outros estudos, o poder protetor da metformina contra o câncer tem sido muito maior que isso. Embora nem todos os cânceres sejam suprimidos — os cânceres de próstata, bexiga, rim e esôfago parecem ser resistentes — mais de 25 estudos demonstraram um poderoso efeito protetor, às vezes, até um risco 40% menor, principalmente para pulmão, colorretal, pâncreas e mama.[23]

Não são só números. São pessoas cujas vidas foram melhoradas usando um medicamento único e seguro que custa menos de uma xícara de café frio.

Se tudo o que a metformina pudesse fazer fosse reduzir a incidência de câncer, ainda valeria a pena prescrevê-la amplamente. Nos EUA, o risco ao longo da vida de ser diagnosticado com câncer é superior a 40%.[24] Mas há um dividendo além da prevenção direta do câncer, um efeito colateral de viver mais que a maioria das pessoas não considera: após os 90 anos, suas chances de morrer de câncer diminuem consideravelmente.[25] É claro que as pessoas ainda vão morrer de outras condições, mas a tremenda dor e os custos associados ao câncer seriam significativamente mitigados.

O bom da metformina é que ela afeta muitas doenças. Com a ativação do AMPK, produz mais NAD e ativa sirtuínas e outras defesas contra o envelhecimento como um todo — ativando o circuito de sobrevivência dessas condições, retardando a perda de informações epigenéticas e mantendo o metabolismo sob controle, para que todos os órgãos fiquem mais jovens e saudáveis.

Muitos assumem que os efeitos de algo como a metformina levariam anos para produzir resultados no envelhecimento, mas talvez não. Um estudo pequeno de voluntários saudáveis afirmou que a idade de metilação do DNA das células sanguíneas é revertida em uma semana, apenas 10 horas após a ingestão de uma única pílula de 850mg de metformina.[26] Mas claramente é necessário mais trabalho com um número maior de indivíduos para saber com certeza se a metformina pode atrasar o relógio do envelhecimento a longo prazo.

Na maioria dos países, a metformina ainda não é prescrita como medicamento antienvelhecimento, mas, para as centenas de milhões de pessoas diabéticas no mundo todo, não é difícil de obter. Em alguns lugares, como na Tailândia, está disponível em todas as farmácias, sem receita, custando apenas alguns centavos por comprimido. No resto do mundo, mesmo se você tiver pré-diabetes, pode ser um desafio convencer um médico a prescrever a metformina. Se cuidou bem do seu corpo e mais de 93,5% da hemoglobina do seu sangue não estão irreversivelmente ligados à glicose — o que significa que é principalmente do tipo HbA1 e não HbA1c — você está sem sorte, não apenas porque a maioria dos médicos não conhece os dados que acabei de compartilhar, mas porque, mesmo sabendo, o envelhecimento ainda não é considerado uma doença.

Entre as pessoas que tomam metformina — e lideram a acusação de avaliar seus efeitos a longo prazo sobre o envelhecimento em humanos — está Nir Barzilai, médico e geneticista israelense norte-americano que, juntamente com seus colegas da Albert Einstein College of Medicine, descobriu muitas variantes genéticas da longevidade no receptor do hormônio de crescimento semelhante à insulina que controla o FOXO3, o gene do colesterol CETP e a sirtuína SIRT6, que parecem ajudar a garantir que algumas pessoas de sorte com ascendência judaica asquenaze permaneçam saudáveis além dos 100 anos.

Sim, embora os genes desempenhem um papel secundário no epigenoma, algumas pessoas são geneticamente preparadas para a longevidade em nível digital — desfrutando de vidas mais longas independentemente de como vivem, graças, em parte, às variantes de genes que estabilizam seus epigenomas, impedindo a perda de informações analógicas. Mas Barzilai não vê essas pessoas como vencedoras, e sim como indicadores — representam o potencial que a maioria de outros seres humanos tem para vidas longas e saudáveis — e gosta de frisar que, mesmo se não prolongássemos a vida a 120 anos, sabemos ser possível. "Então, para a maioria de nós, ainda há 40 bons anos na estrada."

Barzilai está liderando o processo para tornar a metformina o primeiro medicamento a ser aprovado para retardar as doenças mais comuns relacionadas à idade, abordando sua causa-raiz: o envelhecimento em si. Se Barzilai e seus colegas conseguem demonstrar que a metformina tem benefícios mensuráveis no estudo em andamento, o Targeting Aging with Metformin (TAME), a FDA dos EUA concorda em considerar o envelhecimento como uma condição tratável. Isso seria um divisor de águas, o começo do fim para um mundo em que o envelhecimento é "do jeito que é".

Barzilai acredita que esse dia está chegando. Prevê que a bênção hebraica *"Ad me'ah ve-essrim shana"* [Que você viva 120 anos], precisará de atualização em breve, pois será um desejo não para uma vida longa, mas para uma *média* maior.

## EMPILHE

Em 1999, a história da longevidade da sirtuína que descobrimos no laboratório de Lenny Guarente no MIT estava prestes a ficar ainda mais interessante.

Finalmente, descobrimos uma causa molecular do envelhecimento em células de levedura, a primeira para qualquer espécie. Ainda estávamos sentindo o brilho que os cientistas obtêm quando publicam um novo trabalho que mostra como são inteligentes. Em uma série de artigos importantes que capturaram a imaginação da comunidade científica, relatamos que a causa do envelhecimento da levedura era o movimento do Sir2 para longe dos genes do tipo acasalamento para lidar com quebras de DNA e muita instabilidade do genoma que se seguiu.[27] Mostramos que cópias extras do gene SIR2 poderiam estabilizar o rDNA e prolongar o tempo de vida. Ligamos a instabilidade genética à instabilidade epigenética e encontramos um dos primeiros genes de longevidade verdadeira do mundo — e a levedura não precisou passar fome para receber seus benefícios

Mas juntar cópias extras de um gene em um organismo unicelular é muito mais fácil do que colocar essas cópias em criaturas mais complexas. Também é muito menos eticamente complicado. É por isso que outros pesquisadores e eu entramos em uma corrida científica para encontrar maneiras de aumentar a atividade da sirtuína em mamíferos sem inserir genes extras de sirtuína.

Aqui é onde a ciência se torna uma questão de adivinhação lógica e da boa e velha sorte, porque existem mais de 100 milhões de produtos químicos conhecidos pela ciência. Por onde começar?

Felizmente, Konrad Howitz estava no caso. O bioquímico com formação em Cornell era então diretor de biologia molecular da Biomol, uma empresa da Pensilvânia que fornecia moléculas para pesquisadores de ciências da vida. Howitz procurava produtos químicos que inibissem a enzima SIRT1, para que pudessem ser vendidos para um número crescente de cientistas que estavam começando a estudá-la. No processo de avaliação de diferentes candidatos, ele encontrou dois produtos químicos que, em vez de inibir o SIRT1, o estimularam ou o "ativaram", fazendo com que funcionasse dez vezes mais rápido. Foi uma descoberta acidental, não apenas porque ele esperava encontrar inibidores, mas porque os ativadores são muito raros na natureza. De fato, são tão raros que a maioria das empresas farmacêuticas nem se incomoda em acompanhar quando um é descoberto, imaginando que deve ser um erro.

O primeiro composto ativador de SIRT1, ou STAC, foi o polifenol fisetina, que dá cor a plantas como morangos e caquis, e é conhecido por matar células senescentes. O segundo foi a molécula buteína, encontrada em inúmeras plantas com flores, além de uma planta tóxica conhecida como laca japonesa. Ambos tiveram um efeito significativo no SIRT1, embora não seja o tipo de reação acelerada que pode torná-los maduros para futuras pesquisas.

Howitz mostrou seus resultados iniciais ao fundador e diretor científico da Biomol, Robert Zipkin, um químico brilhante e empresário que possui um conhecimento enciclopédico de estruturas químicas. "Fisetina e buteína, hein?", disse Zipkin. "Você sabe como são essas duas moléculas? Elas têm uma estrutura sobreposta: dois anéis fenólicos conectados por uma ponte. Você sabe o que mais tem essa estrutura? Resveratrol."

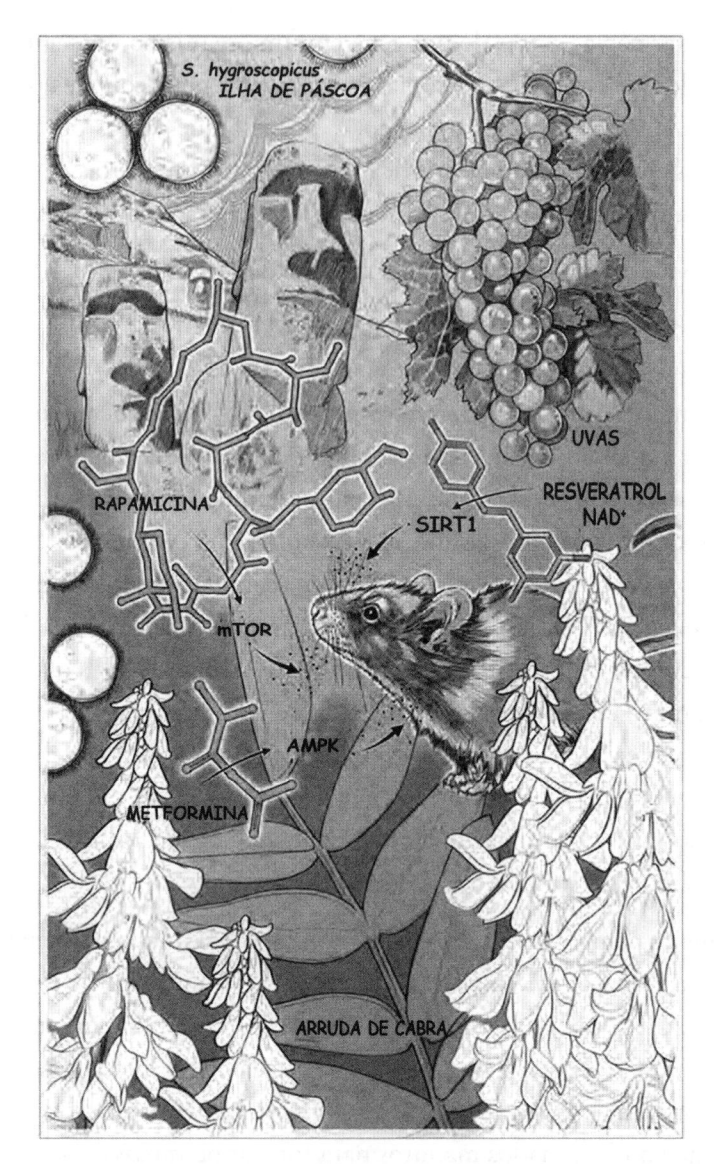

**OS TRÊS PRINCIPAIS CAMINHOS DA LONGEVIDADE, mTOR, AMPK E SIRTUÍNAS, EVOLUÍRAM PARA PROTEGER O CORPO DURANTE O TEMPO DE ADVERSIDADE AO ATIVAR MECANISMOS DE SOBREVIVÊNCIA.** Quando são ativados por dietas de baixa caloria, baixo teor de aminoácidos ou por exercício, os organismos ficam mais saudáveis, resistentes a doenças e vivem mais. Moléculas que alteram essas vias, como a rapamicina, a metformina, o resveratrol e os intensificadores de NAD, podem imitar os benefícios de dietas de baixa caloria e exercícios, e prolongar o tempo de vida de diversos organismos.

Em 2002, os antioxidantes estavam em alta. Eles podem não ter sido as panaceias antienvelhecimento e de saúde que alguns acreditavam, mas isso ainda não era conhecido. Cientistas da Karol Marcinkowski University of Medical Sciences (atual Poznan University of Medical Sciences) descobriram um dos antioxidantes, o resveratrol, uma molécula natural encontrada no vinho tinto e que muitas plantas produzem em períodos de estresse.[28] Alguns pesquisadores sugeriram que o resveratrol pode explicar o "paradoxo francês", o fato de os franceses terem taxas mais baixas de doenças cardíacas, mesmo que sua dieta seja relativamente alta em alimentos com gordura saturada, como manteiga e queijo.

O palpite de Zipkin de que o resveratrol pode ter um efeito semelhante ao da fisetina e buteína estava corretíssimo. Quando o estudei em meu laboratório em Harvard, vi que realmente superava em muito as outras duas moléculas.

Como lembrete, o envelhecimento em leveduras é frequentemente medido pelo número de vezes que uma célula-mãe se divide para produzir células-filhas. Na maioria dos casos, uma célula de levedura atinge cerca de 25 divisões antes de morrer. Como os experimentos exigiram uma semana de micromanipulação de células e exames em um microscópio, e quanto menos vezes você coloca as células na geladeira para dormir, mais as células do fermento vivem, montei um laboratório na sala de jantar da minha casa.

Ali, vi algo incrível: as leveduras alimentadas com resveratrol eram menores e cresceram mais lentamente que as não tratadas, chegando a uma média de 34 divisões antes de morrer, como se tivessem restrição calórica. O equivalente humano seria um adicional de 50 anos de vida. Também vimos aumentos na expectativa de vida máxima — no resveratrol, continuaram além dos 35 anos. Testamos o resveratrol em células de levedura sem o gene SIR2, e não houve efeito. Nós o testamos em leveduras com restrição calórica e não vimos aumento no tempo de vida, sugerindo que o mesmo caminho estava sendo ativado; era assim que a restrição calórica estava funcionando.

Parecia piada — não apenas descobrimos uma restrição de calorias mimética, algo que poderia prolongar a longevidade sem fome, mas a encontramos em uma garrafa de vinho tinto.

Howitz e eu ficamos fascinados pelo fato de o resveratrol ser produzido em maiores quantidades por uvas e outras plantas que sofrem estresse. Também sabíamos que muitas outras moléculas promotoras de saúde e seus derivados químicos são produzidos em abundância por plantas estressadas; obtemos resveratrol de uvas, aspirina da casca do salgueiro, metformina da lilás, epigalocatequina galato do chá verde, quercetina de frutas e alicina de alho. Acreditamos que isso é evidência de xenohormese, ou seja, a produção de produtos químicos por plantas estressadas para suas células hibernarem e sobreviverem. As plantas também têm circuitos de sobrevivência e evoluímos para sentir os produtos químicos que elas produzem em tempos de estresse, como um sistema de alerta precoce para avisar nossos corpos a se desativarem também.[29]

O que isso significa, se é verdade, é que quando procuramos novos medicamentos no mundo natural devemos procurar os estressados: em plantas estressadas, em fungos estressados e até mesmo nas populações estressadas de microbiomas em nossos intestinos. A teoria também é relevante para os alimentos que ingerimos; as plantas estressadas têm concentrações mais altas de moléculas xenohorméticas que podem nos ajudar a mobilizar nossos próprios circuitos de sobrevivência. Procure pelas mais coloridas porque as moléculas xenohorméticas geralmente são amarelas, vermelhas, laranja ou azuis. Um benefício adicional: elas tendem a ter um sabor melhor. Os melhores vinhos do mundo são produzidos em solo seco e exposto ao sol ou a partir de variedades sensíveis ao estresse, como Pinot Noir; como você pode imaginar, eles também contêm o maior resveratrol.[30] Os morangos mais deliciosos são aqueles que foram estressados por períodos de suprimento limitado de água. E, como qualquer pessoa que tenha cultivado vegetais folhosos pode atestar, as melhores cabeças de alface surgem quando as plantas são expostas a um golpe duplo de calor e frio.[31] Já se perguntou por que os alimentos orgânicos, que geralmente são cultivados em condições mais estressantes, podem ser melhores para você?

O resveratrol prolongou o tempo de vida das células simples de levedura, mas faria o mesmo com outros organismos? Quando meu colega pesquisador Marc Tatar, da Universidade Brown, me visitou em Boston, dei-lhe um pequeno frasco de resveratrol em pó — marcado apenas com a letra R — para experimentar em insetos de seu laboratório. Ele o levou de volta para Rhode Island, misturou-o com um pouco de pasta de leveduras e alimentou suas moscas da fruta.

Meses depois, recebi uma ligação dele. "David! O que é esse material R?"

Sob condições de laboratório, a mosca da fruta *Drosophila melanogaster* vive uma média de 40 dias. "Adicionamos uma semana às suas vidas e, às vezes, mais que isso", disse-me Tatar. "Em média, elas vivem mais de 50 dias."

Em termos humanos, são 14 anos adicionais.

No meu laboratório, as lombrigas alimentadas com resveratrol também viveram mais, um efeito que exigia o envolvimento do gene da sirtuína. E, quando demos resveratrol às células humanas em placas de cultura, elas se tornaram resistentes a danos no DNA.

Posteriormente, quando alimentamos ratos obesos de um ano com resveratrol, aconteceu um fato interessante: eles permaneceram gordos, fazendo com que Joseph Baur, atualmente professor da Universidade da Pensilvânia, concluísse que eu havia perdido mais de um ano do seu tempo, comprometendo sua carreira científica com um experimento imprudente. Mas, quando ele e Rafael de Cabo, nosso colaborador do NIH, abriram os ratos, ficaram chocados. Os animais com resveratrol pareciam idênticos aos de dieta normal, com corações, fígados, artérias e músculos saudáveis. Eles também tinham mais mitocôndrias, menos inflamação e níveis mais baixos de açúcar no sangue. Os que eles não dissecaram acabaram vivendo cerca de 20% mais que o normal.[32]

Outros pesquisadores mostraram em centenas de estudos publicados que o resveratrol protege os ratos contra dezenas de doenças, incluindo uma variedade de cânceres, doenças cardíacas, derrames e ataques cardíacos, neurodegeneração, doenças inflamatórias e cicatrização de feridas, além de tornar os ratos mais saudáveis e resilientes.[33] Em colaboração com de Cabo, descobrimos que, quando o resveratrol é combinado com o jejum intermitente, prolonga os tempos de vida médio e máximo, mesmo além do que o jejum realiza sozinho. Dos 50 ratos, um viveu mais de três anos — em termos humanos, isso equivaleria a cerca de 115 anos.[34]

O primeiro artigo sobre os efeitos do resveratrol no envelhecimento passou a ser um dos mais citados em 2006,[35] e também divulgado na mídia. Estávamos na TV, e comecei a ser reconhecido pelo público. Fugi para a pequena vila alemã chamada Burlo, onde minha esposa nasceu, e as notícias chegaram até lá. As vendas de vinho tinto aumentaram 30%. Se gosta de vinho tinto, mas precisava de uma boa desculpa para beber, você pode agradecer a Rob Zipkin.[36]

Na parede de nossa cozinha, há várias tiras cômicas. Minha favorita é um de Tom Toles. Nela, uma esposa tenta minimizar o entusiasmo do marido roliço, que ocupa quase todo o sofá.

"O estudo disse que, para obter a mesma dose que deram aos ratos, você teria que beber entre 750 e mil copos de vinho tinto por dia", diz a esposa.

"As notícias estão cada vez melhores", responde o marido.

Como se viu, o resveratrol não era muito potente nem muito solúvel no intestino humano, dois atributos que a maioria dos medicamentos precisa ter no tratamento de doenças. Apesar de suas limitações como droga, serviu como uma importante primeira prova de que uma molécula pode dar os benefícios da restrição calórica sem que o sujeito precise passar fome e iniciou uma corrida global para encontrar outras moléculas que possam atrasar o envelhecimento. Por fim, pelo menos nos círculos científicos, retardar o envelhecimento com uma droga não era mais considerado maluco.

Ao estudar o resveratrol, também aprendemos que é possível ativar sirtuínas com um produto químico. Isso provocou uma enxurrada de pesquisas sobre outros compostos ativadores da sirtuína, chamados STACs, que são muitas vezes mais potentes que o resveratrol ao estimular o circuito de sobrevivência e prolongar a expectativa de vida saudável dos animais. Eles usam nomes como SRT1720 e SRT2104, os quais prolongam a vida útil dos ratos quando administrados no fim da vida deles.[37] Hoje, existem centenas de produtos químicos que demonstram ter efeito sobre as sirtuínas que são ainda mais eficazes que os do resveratrol e alguns que já foram demonstrados em ensaios clínicos para reduzir os níveis de ácidos graxos e colesterol, e tratar a psoríase em humanos.[38]

Outro STAC é o NAD, às vezes, escrito como NAD+.[39] A vantagem do NAD sobre outros STACs é que aumenta a atividade de todas as sete sirtuínas.

O NAD foi descoberto no início do século XX como um potenciador de fermentação alcoólica. Foi sorte: se não tivesse o potencial de melhorar a maneira como fazemos as bebidas, os cientistas talvez não estivessem tão apaixonados por ele. Em vez disso, trabalharam por décadas e, em 1938, tiveram um avanço: o NAD foi capaz de curar doenças da língua negra em cães, o equivalente canino da pelagra. Descobriu-se que o NAD é um produto da vitamina niacina, cuja falta grave causa pele inflamada, diarreia, demência, feridas na pele e, finalmente, morte. E, como o NAD é usado por mais de 500 enzimas diferentes, sem o NAD estaríamos mortos em 30 segundos.

Na década de 1960, no entanto, os pesquisadores concluíram que todas as pesquisas interessantes sobre o NAD haviam sido realizadas. Nas décadas seguintes, o NAD era simplesmente um produto químico para limpeza doméstica que os estudantes adolescentes de biologia tinham que aprender — com todo o entusiasmo de um adolescente fazendo limpeza. Tudo mudou nos anos 1990, quando começamos a perceber que o NAD não estava apenas mantendo as coisas funcionando; era um regulador central de muitos dos principais processos biológicos, incluindo envelhecimento e doenças. Isso porque Shinichiro Imai e Lenny Guarente mostraram que o NAD atua como combustível para as sirtuínas. Sem NAD suficiente, as sirtuínas não funcionam com eficiência: elas não podem remover os grupos acetil das histonas, não podem silenciar os genes nem podem prolongar a vida útil. E com certeza não teríamos visto o impacto da vida útil do ativador resveratrol. Nós e outros também observamos que os níveis de NAD diminuem com a idade em todo o corpo, cérebro, sangue, músculo, células imunes, pâncreas, pele e até mesmo células endoteliais que revestem o interior dos vasos sanguíneos microscópicos.

Mas, por ser central em muitos processos celulares fundamentais, nenhum pesquisador do século XX quis testar os efeitos dos níveis aumentados de NAD. "Coisas ruins acontecerão se mexermos com o NAD", pensaram. Mas, sem manipulá-lo, eles não sabiam o que aconteceria se o fizessem.

O benefício de trabalhar com leveduras, no entanto, é que o pior cenário de qualquer experimento é um massacre de leveduras.

Havia pouco risco em aumentar o NAD na levedura. Então, foi isso que meus colegas de laboratório e eu fizemos. A maneira mais fácil era identificar os genes que produzem o NAD em leveduras. Primeiro, descobrimos um gene chamado *PNC1*, que transforma a vitamina $B_3$ em NAD. Isso nos levou a tentar aumentar a introdução de quatro cópias extras nas células de levedura, dando-lhes cinco cópias no total. Essas células de levedura viveram 50% mais que o normal, mas não se removermos o gene *SIR2*. As células estavam produzindo NAD extra e o circuito de sobrevivência da sirtuína estava sendo ativado!

Poderíamos fazer isso em humanos? Teoricamente, sim. Já temos a tecnologia em meu laboratório, usando vírus para fornecer o equivalente humano do gene *PNC1* chamado NAMPT. Porém, transformar humanos em organismos transgênicos requer mais papelada e consideravelmente mais conhecimento sobre segurança, pois os riscos são maiores do que um massacre de leveduras.

Por isso, mais uma vez, começamos a procurar moléculas seguras que alcançariam o mesmo resultado.

Charles Brenner, chefe de bioquímica da Universidade de Iowa, descobriu em 2004 que uma forma de vitamina $B_3$ denominada nicotinamida ribosídeo, ou NR, é um precursor vital do NAD. Mais tarde, descobriu que a NR, encontrada em níveis vestigiais no leite, pode prolongar a vida útil das células de levedura, aumentando o NAD e a atividade do Sir2. Antes um produto químico raro, a NR agora é vendida por tonelada a cada mês como nutracêutico.

Enquanto isso, em um caminho paralelo, os pesquisadores, inclusive nós, localizaram um produto químico chamado mononucleotídeo de nicotinamida, ou NMN, um composto produzido por nossas células e encontrado em alimentos como abacate, brócolis e couve. No corpo, a NR é convertida em NMN, que é então convertido em NAD. Dê a um animal uma bebida com NR ou NMN,[40] e os níveis de NAD em seu corpo aumentarão cerca de 25% nas próximas horas, mais ou menos como se estivesse jejuando ou se exercitando bastante.

Meu amigo do laboratório de Guarente, Shin-ichiro Imai, demonstrou em 2011 que o NMN trata o diabetes tipo 2 em ratos velhos, restaurando os níveis de NAD. Então, pesquisadores do meu laboratório em Harvard mostraram que poderíamos fazer com que as mitocôndrias de ratos velhos funcionassem como mitocôndrias de ratos jovens, após apenas uma semana de injeções de NMN.

Em 2016, meu outro laboratório na Universidade de New South Wales colaborou com Margaret Morris para demonstrar que o NMN trata uma forma de diabetes tipo 2 em ratos fêmeas obesos e seus filhotes propensos a diabetes. Em Harvard, descobrimos que o NMN podia dar a ratos velhos a resistência de ratos jovens e depois, levou à Grande Falha da Esteira dos Ratos em 2017, quando tivemos que redefinir o programa de rastreamento nos equipamentos de exercício em miniatura do nosso laboratório, porque ninguém esperava que um rato idoso, ou *qualquer* rato, pudesse correr algo em torno de três quilômetros.

Essa molécula não só transforma ratos velhos em maratonistas; usamos ratos tratados com NMN em estudos que testaram equilíbrio, coordenação, velocidade, força e memória. A diferença entre os ratos que estavam na molécula e os que não estavam foi surpreendente. Se fossem humanos, teriam sido elegíveis para descontos para idosos. O mononucleotídeo de nicotinamida transformou-os no equivalente aos participantes do reality show *American Ninja Warrior*. Outros laboratórios mostraram que o NMN pode proteger contra danos nos rins, neurodegeneração, doenças mitocondriais e uma doença hereditária chamada ataxia de Friedreich, que leva pessoas ativas de 20 anos a cadeiras de rodas.

Enquanto escrevo isso, um grupo de ratos que foram colocados no NMN no fim da vida está ficando muito velho. De fato, apenas 7 dos 40 ratos originais ainda estão vivos, mas todos são saudáveis e continuam se movendo alegremente pela gaiola. O número de ratos vivos que não receberam o NMN?

Zero.

Todos os dias me perguntam: "Qual molécula é superior: NR ou NMN?" Consideramos o NMN mais estável que a NR e observamos alguns benefícios à saúde em experimentos com ratos que não são vistos quando a NR é usada. Mas foi a NR que provou prolongar a vida útil dos ratos. O NMN ainda está sendo testado. Portanto, não há resposta definitiva, pelo menos ainda não.

Estudos em humanos com reforços do NAD estão em andamento. Até agora, não houve toxicidade. Estudos para testar sua eficácia em doenças musculares e neurológicas estão em andamento ou prestes a começar, seguidos por moléculas que aumentam o NAD, alguns anos atrás em desenvolvimento.

Mas muitas pessoas não querem esperar esses estudos, que podem levar anos. E isso nos deu pistas interessantes sobre aonde essas moléculas podem nos levar.

## Terra Fértil

Sabemos que os reforçadores do NAD são um tratamento ineficaz para várias doenças em ratos e prolongam seu tempo de vida mesmo quando administrados tardiamente. Sabemos que pesquisas emergentes sugerem fortemente que eles podem ter um efeito semelhante, se não repetitivo, na saúde humana.

Também sabemos que a maneira como se faz, em termos da paisagem epigenética, é criando o nível certo de estresse — suficiente para colocar nossos genes da longevidade em ação para suprimir mudanças epigenéticas e manter o programa jovem. Ao fazer isso, o NMN e outras moléculas de vitalidade, incluindo a metformina e a rapamicina, reduzem o acúmulo de ruído informativo que causa o envelhecimento, restaurando o programa.

Como fazem isso? Ainda estamos trabalhando para entender como o ruído epigenético é atenuado no nível molecular, mas sabemos em princípio como funciona. Quando aumentamos as proteínas silenciadoras, como as sirtuínas, elas mantêm o epigenoma jovem, mesmo com a ocorrência de danos no DNA, como as células de levedura de vida longa, com cópias extras do gene *SIR2*. De alguma forma, elas podem lidar com isso. Talvez sejam supereficientes na reparação de quebras do DNA e voltem para casa antes que se percam ou, se metade das sirtuínas se afastarem, as enzimas restantes dão conta do recado.

De qualquer forma, o aumento da atividade das sirtuínas impede que as bolinhas de gude de Waddington escapem dos vales. E mesmo que tenham começado a sair, moléculas como o NMN podem empurrá-las de volta, como uma gravidade extra. Em essência, seria a reversão da idade em algumas partes do corpo — um pequeno passo, mas mesmo assim uma inversão da idade.

A primeira pista de que isso vale para animais maiores surgiu quando um estudante do meu laboratório em Harvard entrou no meu escritório uma tarde.

"David", disse calmamente, "você tem um momento? Há algo que preciso conversar. É sobre minha mãe".

Dada a expressão em seu rosto e o tom de voz, imediatamente me preocupei que meu aluno, que vinha de outro país, me dissesse que sua mãe estava doente. Como estive a meio planeta de distância de minha mãe quando ela estava morrendo, eu sabia muito bem como era.

"Tudo o que você precisar", falei.

O aluno parecia surpreso, e percebi que ainda não havia feito a pergunta mais pertinente. "Sua mãe está bem?", perguntei.

"Sim", respondeu. "Bem, quero dizer, sim, bem no geral."

Ele me lembrou que sua mãe estava tomando NMN suplementar, como alguns de meus alunos e seus familiares. "A questão é, bem", sua voz baixou a um sussurro, "ela começou, hum… a ter ciclos de novo".

Levei alguns segundos para perceber de que ciclo ele estava falando.

À medida que as mulheres se aproximam e passam pela menopausa, o ciclo menstrual pode se tornar bastante irregular, e é por isso que um ano sem menstruar deve passar antes que a maioria dos médicos confirme que a menopausa ocorreu.

Depois, esse sangramento pode ser motivo de preocupação, pois pode ser sinal de câncer, tumores fibroides, infecções ou uma reação adversa a medicamentos.

"Ela foi a algum médico?", perguntei.

"Sim", meu aluno disse novamente. "Os médicos dizem que não há nada errado. Eles disseram que isso parece uma menstruação normal."

Eu fiquei intrigado. "Ok" respondi. "O que realmente precisamos é de mais informações. Você pode ligar para sua mãe e fazer mais algumas perguntas?"

Eu nunca vi a cor desaparecer do rosto de alguém tão rapidamente.

"Oh, David", implorou ele, "por favor, por favor, por favor, não me faça fazer mais perguntas à minha mãe sobre isso!"

Desde aquela conversa, que ocorreu no outono de 2017, conheci outras mulheres e li os relatos de outras pessoas que afirmam ter tido experiências semelhantes. Esses casos podem ser, talvez, o resultado de um efeito placebo. Mas um teste em 2018 para testar se um intensificador do NAD poderia restaurar a fertilidade de éguas velhas foi bem-sucedido, surpreendendo um veterinário supervisor cético. Pelo que sei, os equinos não sentem o efeito placebo.

Ainda assim, essas histórias e resultados clínicos podem ser aleatórios. Esses assuntos serão estudados com muito mais detalhes. Se, no entanto, éguas e mulheres puderem se tornar férteis novamente, isso derrubará completamente nossa compreensão da biologia reprodutiva.

Na escola, nossos professores nos ensinaram que as mulheres nasceram com um número definido de óvulos (talvez até 2 milhões). A maioria dos óvulos morre antes da puberdade. Quase todo o resto é liberado durante a menstruação ao longo da vida de uma mulher ou simplesmente morre ao longo do caminho, até que não haja mais. Então, nos disseram, a mulher não é mais fértil. Ponto.

Esses relatos sem comprovação científica de menstruação restaurada e equinos férteis são indicadores precoces, mas interessantes, de que os reforçadores do NAD podem restaurar ovários problemáticos ou com falhas. Também observamos que o NMN é capaz de restaurar a fertilidade de ratos fêmeas idosos que tiveram *todos* os seus óvulos mortos pela quimioterapia ou passaram pela "ratopausa". A propósito, esses resultados, apesar de terem sido realizados várias vezes e reproduzidos em dois laboratórios diferentes por pessoas diferentes, são tão controversos que quase ninguém na equipe votou a favor de publicá-los. Eu fui a exceção. Eles permanecem inéditos, por enquanto.

Para mim, está claro que nós, biólogos, estamos negligenciando alguma coisa. Algo grande.

Em 2004, Jonathan Tilly — uma figura altamente controversa na comunidade de biologia reprodutiva — alegou que as células-tronco humanas que podem dar origem a novos óvulos, no fim da vida, existem nos ovários. Por mais controversa que seja essa teoria, ela explicaria como é possível restaurar a fertilidade mesmo em ratos fêmeas idosos ou submetidos à quimioterapia.[41, 42]

Independentemente de existirem células precursoras de óvulos no ovário, não há dúvida de que estamos nos movendo com uma velocidade impressionante em direção a um mundo em que as mulheres serão capazes de reter a fertilidade por uma porção muito mais longa de suas vidas e possivelmente recuperá-la.

Tudo isso, claro, é bom para as pessoas que desejam ter filhos, mas não conseguem por inúmeras razões sociais, econômicas ou médicas. Mas o que isso tem a ver com o envelhecimento?

Para responder a essa pergunta, precisamos lembrar o que é um ovário. Como muitos de nós aprendemos na escola, não é apenas um mecanismo de liberação lenta de óvulos humanos. É um órgão — assim como nossos corações, rins ou pulmões — que tem uma função cotidiana: manter os óvulos criados durante o desenvolvimento embrionário e potencialmente ser um repositório de óvulos adicionais derivados de células precursoras mais tarde na vida.

O ovário é o primeiro órgão importante a se decompor como resultado do envelhecimento, tanto em humanos quanto em modelos animais. O que isso significa em ratos é que, em vez de esperar dois anos para atingir a "velhice", podemos começar a ver e investigar as causas e as curas do envelhecimento em cerca de 12 meses, quando as camundongas perdem a capacidade de se reproduzir.

Também devemos lembrar o que o NMN faz: aumenta o NAD, e isso aumenta a atividade da enzima SIRT2, uma forma humana de levedura Sir2 encontrada no citoplasma. Descobrimos que o SIRT2 controla o processo pelo qual um óvulo imaturo se divide, de modo que apenas uma cópia dos cromossomos da mãe permaneça, abrindo caminho para os cromossomos do pai. Sem NMN ou SIRT2 adicional em ratos velhos, seus óvulos estariam em apuros. Pares de cromossomos seriam separados em várias direções, em vez de duas. Mas, se os ratos fêmeas idosos fossem pré-tratados com NMN por algumas semanas, seus óvulos pareceriam intocados, idênticos aos de ratos jovens.[43]

Tudo isso é por que os indicadores iniciais da função ovariana restaurada nos seres humanos, por mais sem comprovação que sejam, são muito fascinantes. Se for verdade, os mecanismos que trabalham para prolongar, rejuvenescer e reverter o envelhecimento nos ovários são caminhos que podemos usar para fazer a mesma coisa em outros órgãos.

Mais uma coisa que é importante ter em mente: o NMN dificilmente é a única molécula de longevidade que se mostra promissora nessa área. A metformina já é amplamente utilizada para melhorar a ovulação em mulheres com períodos menstruais pouco frequentes ou prolongados, como resultado da síndrome dos ovários policísticos.[44] Enquanto isso, pesquisas emergentes demonstram que a inibição do alvo da rapamicina em mamíferos, ou mTOR, pode preservar a função e a fertilidade do ovário durante a quimioterapia,[45] enquanto a mesma via genética desempenha um papel importante na fertilidade masculina, com papel importante na produção e no desenvolvimento de espermatozoides.[46]

## A Vida Com Meu Pai

Na maioria das vezes, os estudos com roedores vêm muito antes dos estudos formais em humanos. Esse foi o caso dos intensificadores de NAD. Mas os primeiros indicadores de segurança e eficácia das moléculas em leveduras, vermes e roedores são tais que muitas pessoas já começaram seus próprios experimentos particulares em humanos.

Meu pai está entre eles.

Embora tenha se graduado como bioquímico, a paixão do meu pai era a computação. Ele era o cara dos computadores em um laboratório. Isso significava que passava muito tempo sentado na frente da tela e atrás dele — outra coisa que os especialistas dizem ser devastadoramente prejudicial à nossa saúde. Alguns pesquisadores até sugeriram que poderia ser tão ruim quanto fumar.

Quando minha mãe morreu, em 2014, a saúde de meu pai começou seu declínio inexorável. Ele havia se aposentado aos 67 anos e estava perto dos 70 anos, ainda bastante ativo: gostava de viajar e cuidar do jardim. Mas havia ultrapassado o limiar do diabetes tipo 2, estava perdendo a audição e seus olhos começavam a ficar ruins. Ele se cansava rápido, se repetia, vivia mal-humorado e dificilmente era uma imagem de vida cheia de energia.

Ele começou a tomar metformina para seu diabetes tipo 2 limítrofe. No ano seguinte, começou a tomar NMN.

Meu pai sempre foi cético, mas também é curiosamente insaciável e ficou fascinado com o que ouviu de mim sobre o que estava acontecendo com os ratos no laboratório. NMN não é uma substância regulamentada; está disponível como suplemento. Então, ele experimentou, começando com pequenas doses.

Mas ele sabia muito bem que existem grandes diferenças entre ratos e humanos. No começo, dizia para mim e para quem mais perguntasse: "Nada mudou. Como saberei?"

Então, o parecer que chegou cerca de seis meses depois do teste de NMN foi revelador.

"Não quero me deixar levar", disse ele, "mas algo está acontecendo."

Ele estava se sentindo menos cansado, me disse. Menos dolorido. Mais consciente mentalmente. "Estou superando meus amigos", disse ele. "Eles estão reclamando de se sentirem velhos. Eles nem podem mais fazer caminhadas comigo. Não estou mais me sentindo daquele jeito, não sinto dores. Estou melhor que pessoas muito mais jovens em exercícios de remo na academia." Enquanto isso, seu médico ficou impressionado com o fato de suas enzimas hepáticas normalizarem após 20 anos de anormalidade.

Em sua visita seguinte aos EUA, notei algo diferente, algo muito sutil. Pela primeira vez desde a morte de minha mãe, o sorriso voltou ao seu rosto.

Hoje, ele corre como um adolescente. Caminha por seis dias enfrentando vento e neve para chegar ao pico da montanha mais alta da Tasmânia. Anda de triciclo pela savana australiana. Caça cachoeiras remotas no oeste americano. Tirolesa em turnê pela floresta no norte da Alemanha. Rafting em Montana. Exploração em cavernas de gelo na Áustria.

Ele está "envelhecendo no lugar", mas raramente está num lugar só.[47]

E, por sentir falta do trabalho, assumiu uma nova carreira em uma das maiores universidades da Austrália, onde faz parte do comitê de ética que aprova estudos de pesquisa em humanos, aproveitando ao máximo seu conhecimento sobre rigor científico, prática médica e segurança de dados.

Você pode esperar esse tipo de comportamento de alguém que viveu a vida toda assim, mas ele *não* era esse cara. Papai costumava dizer que não estava ansioso para envelhecer. Ele não é extrovertido ou otimista por natureza; é mais parecido com o Bisonho, personagem do desenho *Ursinho Pooh*. Ele esperava ter dez anos decentes de aposentadoria e depois ir para um lar de idosos. O futuro estava claro. Ele viu o que tinha acontecido com sua mãe. Assistiu impotente como a saúde dela havia declinado aos 70 e 80 anos, e que ela sofreu com dor e demência na última década de sua vida.

Com tudo isso claro na mente, a ideia de viver muito mais depois dos 70 anos não era muito interessante para ele. Na verdade, foi bastante assustador. Mas ele está muito feliz com o resultado e acorda todas as manhãs com um profundo desejo de encher sua vida com novas e emocionantes experiências. Para esse fim, ele toma fielmente sua metformina e seu NMN todas as manhãs e fica nervoso quando começam a acabar. A reviravolta em sua energia, o entusiasmo pela vida e a perspectiva de envelhecer têm sido notáveis. Pode não ter relação com as moléculas que ele está tomando. Suponho que sua transformação física e mental seja a forma como algumas pessoas envelhecem, mas com certeza não foi assim para nenhum dos meus outros parentes.

Meu pai também está se perguntando o que pensar. Afinal, somos uma família de cientistas. "Não tenho certeza de que o NMN seja responsável", disse ele para mim, recentemente. Ele pensou em sua vida por um momento, depois sorriu e encolheu os ombros, "mas realmente não há outra explicação".

Recentemente, depois de visitar grande parte da costa leste dos EUA, papai estava voltando para casa na Austrália. Perguntei se ele poderia voltar para os Estados Unidos para um evento que seria realizado no mês seguinte. Eu havia sido nomeado oficial da Ordem da Austrália, uma honra concedida "por um serviço diferenciado à pesquisa médica sobre a biologia do envelhecimento, as iniciativas de biossegurança e como um defensor do estudo da ciência", e haveria uma cerimônia na Embaixada da Austrália em Washington, DC.

"Sandra diz que não é justo da minha parte pedir que você volte", disse a ele. "Daqui a apenas quatro semanas, você tem quase 80 anos, é uma longa jornada de volta e..."

"Eu adoraria ir, mas não sei se posso encaixá-lo na minha agenda", falou.

Ele cancelou algumas reuniões e encaixou a viagem, e tê-lo lá, junto com Sandra e as crianças, garantiu que fosse um dos melhores dias da minha vida. Ao olhar para papai, de pé com minha família, pensei: "É *isso* que significa uma vida mais longa — ter seus pais presentes nos momentos importantes da vida."

Enquanto estava lá, me disse mais tarde o que pensou: "Este é o sentido de uma vida mais longa, estar presente nos grandes momentos de seus filhos."

A história do revigoramento de meu pai é, óbvio, completamente sem comprovação científica. Não vou publicá-la em uma revista científica tão cedo — afinal, um placebo pode ser uma droga poderosa. Simplesmente não há como saber se a combinação de NMN e metformina é a razão pela qual ele está se sentindo melhor ou é apenas o que ele começou a sentir no momento em que decidiu, subconscientemente, que era hora de uma grande mudança em sua abordagem de vida.

Evidência convincente de que o relógio do envelhecimento é reversível virá quando forem concluídos estudos clínicos duplo-cegos em humanos, bem planejados. Até então, continuo muito orgulhoso de meu pai, um homem comum que agarrou a vida pelos chifres no fim de seus 70 anos para começar sua vida de novo — um exemplo brilhante de como pode ser a vida se não aceitarmos o envelhecimento "do jeito que é".

Ainda assim, é difícil para mim e para quem mais viu o que aconteceu com meu pai não suspeitar que algo especial possa estar acontecendo.

Também é difícil saber o que sei, ver o que vi — os resultados de experimentos e ensaios clínicos no mundo anos antes do resto do mundo descobrir sobre eles — e não acreditar que algo profundo esteja por acontecer à humanidade.

## Venha o Que Vier

Ao mobilizar mecanismos de sobrevivência de nossos corpos na ausência de adversidades reais, empurraremos nosso tempo de vida muito além do que podemos hoje? E qual será a melhor maneira de fazer isso? Poderia ser um ativador AMPK? Um inibidor de TOR? Um reforço de STAC ou NAD? Ou uma combinação deles com jejum intermitente e treino intervalado de alta intensidade? As combinações potenciais são praticamente infinitas.

Talvez a pesquisa em andamento sobre qualquer uma dessas abordagens moleculares para combater o envelhecimento forneça meia década de boa saúde adicional. Talvez uma combinação desses compostos e um estilo de vida ideal seja esse elixir. Ou, talvez, com o passar do tempo nosso entusiasmo por essas moléculas seja diminuído pelo que descobriremos a seguir.

A descoberta das moléculas que descrevi aqui pode ser creditada a muita sorte. Mas imagine o que o mundo descobrirá agora que estamos buscando, ativa e intencionalmente, moléculas que envolvem nossas defesas intrínsecas. Exércitos de químicos agora estão trabalhando para criar e analisar moléculas naturais e sintéticas que têm o potencial de serem ainda melhores em suprimir o ruído epigenômico e redefinir nossa paisagem epigenética.

Há centenas de compostos que mostraram potencial nessa área e milhares mais que estão à espera de serem pesquisados. E é muito possível que exista um produto químico ainda não descoberto, oculto em um microrganismo como *S. hygroscopicus* ou em uma flor como *G. officinalis*, que esteja apenas esperando para mostrar outra maneira de ajudar nosso corpo a ficar mais saudável por mais tempo. E são apenas produtos químicos naturais, que normalmente são muitas vezes menos eficazes do que as drogas sintéticas que inspiram. De fato, os análogos emergentes das moléculas que já descrevi estão demonstrando um grande potencial nos primeiros ensaios clínicos em humanos.

Levará algum tempo para descobrir qual dessas moléculas é melhor, quando e para quem. Mas estamos nos aproximando todos os dias. Chegará um momento em que a vitalidade significativamente prolongada estará, de fato, apenas em alguns comprimidos; existem muitas pistas promissoras, muitos pesquisadores talentosos e muita dinâmica para que aconteça.

Alguma será a "cura" para o envelhecimento? Não. O provável é que os pesquisadores continuem identificando moléculas cada vez melhores para promover a redução do ruído epigenético e o rejuvenescimento do tecido celular. Assim, ganharemos tempo para outros avanços que também levarão a uma vitalidade significativamente prolongada.

Mas digamos que isso não aconteça. Por hipótese, sem mencionar a ênfase, vamos fingir que vivemos em um mundo em que *nenhuma* dessas moléculas foi descoberta ainda e ninguém jamais pensou em lidar com o envelhecimento com um medicamento.

Isso não mudaria a inevitabilidade de vidas mais longas e saudáveis. De forma alguma. As drogas que envolvem os antigos mecanismos de sobrevivência dentro de nós são apenas uma das muitas maneiras pelas quais cientistas, engenheiros e empresários estão preparando o cenário para a mudança mais significativa na evolução de nossa espécie desde então, bem, desde sempre.

## Seis

# Grandes Passos a Frente

**À MEDIDA QUE PENSÁVAMOS NISSO, QUE ERA QUASE NUNCA, IMAGINÁVAMOS** que o envelhecimento seria algo complicado de mudar, se é que seria possível.

É claro que, em grande parte da história humana, simplesmente vimos o envelhecimento como o advento das estações; de fato, a mudança da primavera para o verão, do outono para o inverno, é uma analogia comum que usamos para descrever o movimento da infância para a juventude, da meia-idade aos nossos "anos dourados". Recentemente, descobrimos que o envelhecimento era inexorável, mas *poderíamos* lidar com algumas das doenças que o tornavam um processo menos atraente. Posteriormente, pensamos que poderíamos atacar cada uma das características e talvez pudéssemos tratar alguns dos sintomas de cada vez. Mesmo assim, parecia que seria um grande esforço.

Mas eis a questão: realmente não é.

Uma vez que você reconheça que existem reguladores universais do envelhecimento em tudo, de leveduras a vermes, ratos e seres humanos; entenda que esses reguladores podem ser alterados com uma molécula como NMN, algumas horas de exercício intenso ou menos refeições; e perceba que é tudo apenas uma doença, tudo fica mais claro:

O envelhecimento será fácil de enfrentar. Mais do que o câncer.

Sei que parece estranho. Parece loucura.

Mas o mesmo aconteceu com a ideia de microrganismos antes do cientista amador chamado Antonie van Leeuwenhoek descrever pela primeira vez o mundo dos "microanimais" que ele viu sob seu microscópio caseiro em 1671; por centenas de anos, os médicos se rebelaram contra a ideia de que precisavam lavar as mãos antes de cirurgias. Uma das principais razões pelas quais os pacientes morriam após as cirurgias, as infecções, atualmente, são o principal foco de atenção das equipes nos centros cirúrgicos. Apenas lavando as mãos antes de cirurgias, melhoramos profundamente as taxas de sobrevivência dos pacientes. Uma vez que entendemos qual era o problema, foi algo fácil de resolver.

Pelo amor de Deus, resolvemos com sabão.

A ideia de vacinas também parecia louca para a maioria das pessoas antes de o médico inglês Edward Jenner usar com sucesso o fluido que coletou de uma pústula de varíola para inocular o garoto de 8 anos James Phipps no que hoje seria um experimento antiético, mas na época provocou uma nova era na medicina imunológica. De fato, a ideia de dar a um paciente um pouco da doença, a fim de evitar muitas outras, foi vista como loucura — até potencialmente homicida — para muitas pessoas, até que Jenner a testou em 1796. Agora, sabemos que as vacinas são a intervenção médica mais eficaz na história da humanidade em termos de salvar e estender o tempo de vida. Novamente, uma vez que entendemos qual era o problema, foi algo simples de resolver.

Os sucessos dos STACs, ativadores de AMPK e inibidores de mTOR são um indicador poderoso de que estamos em uma área de nossa biologia que está acima de todas as principais doenças associadas ao envelhecimento. O fato de essas moléculas terem demonstrado prolongar o tempo de vida de praticamente todos os organismos em que foram testadas é mais uma evidência de que estamos participando de um programa antigo e poderoso para prolongar a vida.[1]

Mas há outro alvo farmacêutico que poderia aumentar nossa longevidade, atrasado em relação aos processos que acreditamos para o impacto das moléculas de longevidade, mas melhor que muitos dos sintomas do envelhecimento.

Você deve lembrar que uma das principais características do envelhecimento é o acúmulo de células senescentes, que cessaram em definitivo a reprodução.

As células humanas jovens retiradas do corpo e cultivadas em uma placa de Petri se dividem cerca de 40 a 60 vezes até que seus telômeros se tornem criticamente curtos, um ponto descoberto pelo anatomista Leonard Hayflick que agora chamamos de limite de Hayflick. Embora a enzima conhecida como telomerase possa estender os telômeros — cuja descoberta deu a Elizabeth Blackburn, Carol Greider e Jack Szostak um Prêmio Nobel em 2009 —, ela está desativada para nos proteger do câncer, exceto nas células-tronco. Em 1997, foi um achado notável que, se você colocar a telomerase em células cultivadas de pele, elas nunca iniciam a senescência.

O motivo de os telômeros curtos causarem senescência foi resolvido. Um telômero muito curto perde sua embalagem de histonas e, como um cadarço que perdeu sua ponteira, o DNA fica exposto no final do cromossomo. A célula detecta o final do DNA e pensa que é um dano. Isso funciona para tentar reparar o final do DNA, às vezes, fundindo dois extremos de cromossomos diferentes, o que leva à instabilidade do hipergenoma, à medida que os cromossomos são triturados durante a divisão celular e fundidos novamente, repetidamente, tornando-se potencialmente um câncer.

Outra solução mais segura para um telômero curto é desligar a célula. Acredito que isso aconteça ao envolver permanentemente o circuito de sobrevivência. O telômero exposto, visto como uma quebra de DNA, faz com que fatores epigenéticos, como as sirtuínas, deixem seus postos na tentativa de reparar o dano, mas não há outro final de DNA ao qual ligá-lo. Isso interrompe a replicação celular, semelhante à maneira como o DNA danificado em leveduras antigas distrai o Sir2 dos genes de acasalamento e desativa a fertilidade.

Sabe-se que o acionamento da resposta a danos no DNA e as principais alterações no epigenoma ocorrem em células senescentes humanas, e quando introduzimos ruído epigenético nas células do ICE elas senescem mais cedo que as não tratadas, então, talvez essa ideia tenha mérito. Suspeito que a senescência nas células nervosas e musculares, que não se dividem muito, resulte de um ruído epigenético que faz com que percam sua identidade e se desliguem. Essa resposta outrora benéfica, que evoluiu para ajudar as células a sobreviverem aos danos no DNA, tem um lado tenebroso: a célula em pânico permanente envia sinais para as células circundantes, causando pânico nelas também.

As células senescentes são chamadas com frequência de "células zumbis", porque, embora devessem estar mortas, se recusam a morrer. Na placa de Petri e nas seções congeladas de tecido em fatias finas, podemos manchar as células zumbis de azul porque produzem uma enzima rara chamada beta-galactosidase, e quando fazemos isso se iluminam. Quanto mais velha a célula, mais azul a enxergamos. Por exemplo, uma amostra de gordura branca é branca quando temos 20 anos, azul-claro na meia-idade e azul-escuro na velhice. E isso é assustador, porque, quando temos muitas dessas células senescentes em nossos corpos, é um sinal claro de que o envelhecimento está nos dominando.

Um pequeno número de células senescentes pode causar danos generalizados. Mesmo que parem de se dividir, continuam a liberar citocinas, pequenas proteínas que causam inflamação e atraem macrófagos, células imunes que atacam o tecido. Ser cronicamente inflamado não é saudável: basta perguntar a alguém com esclerose múltipla, doença inflamatória intestinal ou psoríase. Todas essas doenças estão associadas ao excesso de proteínas citocinas.[2] A inflamação também é uma força motriz em doenças cardíacas, diabetes e demência. É tão essencial ao desenvolvimento de doenças relacionadas à idade que os cientistas costumam se referir ao processo como "inflamidade". E as citocinas não causam apenas inflamação, elas também fazem com que outras células se tornem zumbis, como um apocalipse biológico. Quando isso acontece, podem até estimular as células circundantes a se tornarem um tumor, espalhando-se.

Já sabemos que a destruição de células senescentes em ratos proporciona uma vida mais saudável e bem mais longa. Mantém os rins funcionando melhor por mais tempo. Isso torna seus corações mais resistentes ao estresse. Suas vidas, como resultado, são 20% a 30% mais longas, de acordo com uma pesquisa liderada pelos biólogos moleculares da Mayo Clinic, Darren Baker e Jan van Deursen.[3] Em modelos animais de doença, a morte de células senescentes torna os pulmões fibrosos mais flexíveis, retarda a progressão do glaucoma e da osteoartrite, e reduz o tamanho de todos os tipos de tumores.

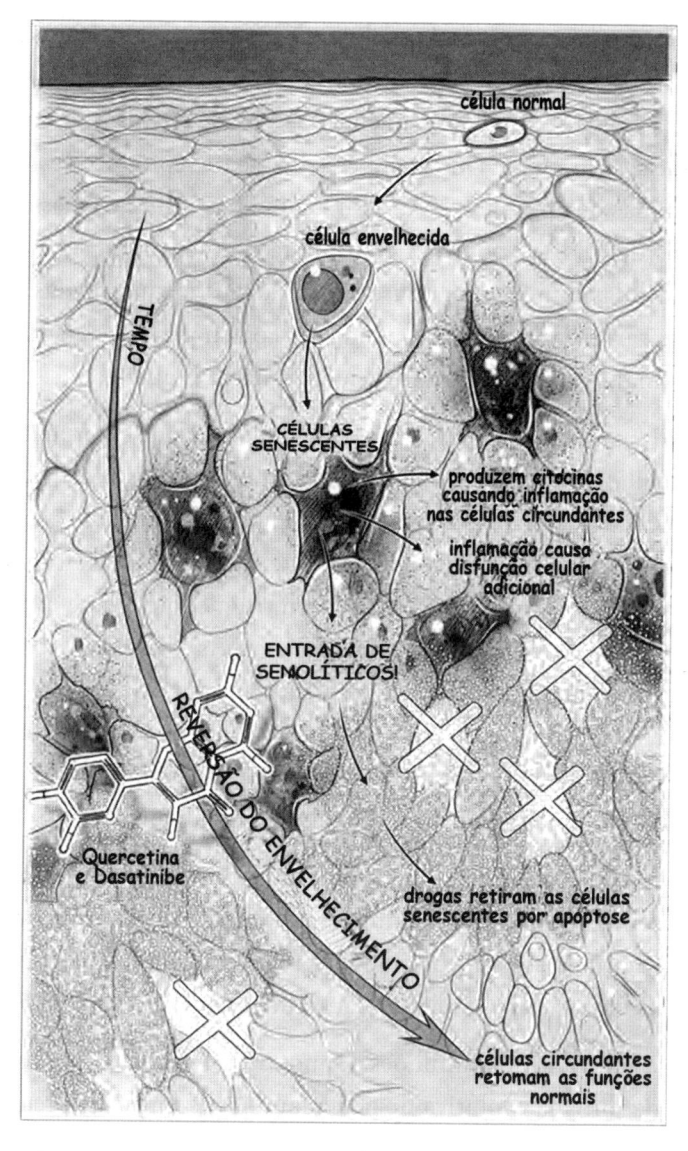

**APAGANDO AS CÉLULAS ZUMBIS SENESCENTES DE TECIDOS ANTIGOS.** Graças ao circuito de sobrevivência primordial que herdamos de nossos ancestrais, nossas células acabam perdendo suas identidades e cessam a divisão, em alguns casos permanecendo em nossos tecidos por décadas. Células zumbis secretam fatores que aceleram o câncer, a inflamação e ajudam a transformar outras células em zumbis. É difícil reverter o envelhecimento das células senescentes, então a melhor coisa a fazer é matá-las. Drogas chamadas de senolíticas estão em desenvolvimento para fazer exatamente isso, e poderiam nos rejuvenescer rápido.

Entender por que a senescência evoluiu não é só um exercício acadêmico, nos ajuda a projetar melhores maneiras de prevenir ou matar as células senescentes. A senescência celular é uma consequência de nossos circuitos de sobrevivência herdados, que evoluíram para interromper a divisão e a reprodução celular quando forem detectadas quebras de DNA. Assim como nas velhas células de levedura, se as quebras de DNA acontecem com muita frequência ou sobrecarregam o circuito, as células humanas param de se dividir e ficam sentadas em pânico, tentando reparar os danos, embaralhando seu epigenoma e secretando citocinas. É o estágio final do envelhecimento celular, e não é bonito.

Se as células zumbis são tão ruins para a saúde, por que o corpo não as mata? Por que as células senescentes podem causar problemas por décadas? Na década de 1950, o biólogo evolucionário George Williams já as estudava. Baseada em seu trabalho, a pesquisa de Judith Campisi, do Buck Institute for Research on Aging na Califórnia, propõe que a senescência é um truque inteligente para *prevenir* o câncer quando estamos na faixa dos 30 e 40 anos. As células senescentes, afinal, não se dividem, o que significa que as células com mutações não são capazes de se espalhar e formar tumores. Mas, se a senescência evoluísse para prevenir o câncer, por que acabaria *incitando-o* no tecido adjacente, sem mencionar uma série de outros sintomas relacionados ao envelhecimento?

É aqui que entra em cena a "pleiotropia antagonista": a ideia de que um mecanismo de sobrevivência que é bom para nós quando jovens é mantido através da evolução, porque isso supera qualquer problema que possa causar quando ficarmos mais velhos. Sim, a seleção natural é insensível, mas funciona.

Considere a história de 15 milhões de anos de hominídeos, os grandes símios. Na maioria da jornada evolutiva de nossa família, as forças de predação, fome, doença, mortalidade materna, infecção, eventos climáticos catastróficos e violência intraespécies significaram que bem poucos indivíduos viram mais de uma década ou duas da vida. Mesmo na era relativamente recente do gênero *Homo*, o que agora pensamos como "meia-idade" é um fenômeno novo.

Uma expectativa de vida de 50 anos ou mais não era uma realidade para a maior parte de nossa história evolutiva. Portanto, não importava se um mecanismo para retardar a propagação do câncer acabaria causando mais câncer e outras doenças, porque geralmente funcionava, desde que permitisse que as pessoas procriassem. Os tigres-dentes-de-sabre aprenderam coisas daí.

Hoje, é claro, poucas pessoas precisam se preocupar em ser caçadas por predadores. Fome e desnutrição ainda são comuns, mas a fome extrema é cada vez mais rara. Estamos cada vez melhores em combater as doenças da infância e eliminamos algumas delas quase inteiramente. O parto é um assunto cada vez mais seguro (embora também seja algo que possa ser amplamente melhorado, sobretudo nos países em desenvolvimento). O saneamento moderno resultou em tremendas melhorias nas taxas de mortalidade de doenças infecciosas. A tecnologia moderna está ajudando a nos alertar sobre catástrofes iminentes, como furacões e erupções vulcânicas. Embora o mundo pareça frequentemente um lugar perverso e violento, a taxa mundial de homicídios e o número de guerras em todo o mundo vêm diminuindo há décadas.

Portanto, vivemos mais, e a evolução não teve chance de recuperar o atraso.

Somos atormentados por células senescentes, que podem ser resíduos radioativos. Se colocar uma pequena quantidade delas sob a pele de um rato jovem, não demorará muito para que a inflamação se espalhe e o rato inteiro seja preenchido com células zumbis que causam sinais prematuros de envelhecimento.

A categoria dos produtos farmacêuticos senolíticos pode ser a assassina de zumbis de que precisamos para enfrentar o envelhecimento. Esses medicamentos de pequenas moléculas são projetados para matar especificamente células senescentes, induzindo o programa de morte que deveria ter acontecido primeiro.

Foi o que James Kirkland, da Mayo Clinic, fez. Só precisou de um tratamento rápido de duas moléculas senolíticas — a quercetina, encontrada em alcaparras, couve e cebola roxa, e o dasatinibe, um medicamento quimioterápico padrão para leucemia — para eliminar as células senescentes em ratos de laboratório e estender seu tempo de vida em 36%.[4] As implicações desse trabalho são gritantes. Se os senolíticos funcionarem, você poderá fazer um tratamento por uma semana, rejuvenescer e voltar dez anos depois para fazer outro. Enquanto isso, os mesmos medicamentos podem ser injetados em uma articulação osteoartrítica ou um olho cego, ou inalados em pulmões fibróticos e inflexíveis pela quimioterapia, para lhes dar também um aumento na reversão da idade. (A rapamicina, a molécula de longevidade da Ilha de Páscoa, é conhecida como molécula "senomórfica", pois não mata as células senescentes, mas impede que liberem moléculas inflamatórias, o que pode ser quase tão bom quanto.)[5]

Os primeiros testes com senolíticos em humanos começaram em 2018, para osteoartrite e glaucoma, que têm acúmulo de células senescentes. Levará alguns anos até termos conhecimento suficiente dos efeitos e da segurança desses medicamentos para fornecê-los a todos, mas, se funcionarem, o potencial é enorme.

Mas há uma opção, um pouco mais antiga, que poderia ser ainda melhor.

## O Guia do Mochileiro

Os genes egoístas que discutimos, os retrotranspositores LINE-1, e seus remanescentes fósseis, compõem cerca de metade do genoma humano, o que é frequentemente chamado de "DNA lixo".

É muita bagagem genética, e eles são tipos sorrateiros. Nas células jovens, esses antigos "elementos móveis de DNA", ou retrotranspositores, são impedidos pela cromatina de sair do genoma e quebrar o DNA para se reinserir em outro lugar. Nós e outros cientistas demonstramos que os genes LINE-1 são agrupados e silenciados pelas sirtuínas.[6] Mas à medida que os ratos envelhecem, e provavelmente como nós também, essas sirtuínas se espalham por todo o genoma, sendo recrutadas para reparar as quebras de DNA em outros lugares, e muitas nunca encontram o caminho de casa. Essa perda é agravada por uma queda nos níveis de NAD — a mesma coisa que vimos pela primeira vez em leveduras antigas. Sem as sirtuínas para envolver a cromatina e silenciar o DNA do transpositor, as células começam a transcrever esses vírus endógenos.

Isso é ruim. E a coisa vai piorando.

Com o tempo, à medida que os ratos envelhecem, os prisioneiros LINE-1, que antes eram silenciosos, são transformados em RNA, e o RNA é transformado em DNA, que é reinserido no genoma em outro local. Além de criar instabilidade no genoma e ruído epigenômico inflamatório, o DNA do LINE-1 vaza do núcleo para o citoplasma, onde é reconhecido como invasor. Em resposta, as células liberam ainda mais citocinas imunoestimuladoras, que causam inflamação em todo o corpo.

Uma nova pesquisa de John Sedivy, da Universidade Brown, e de Vera Gorbunova, da Universidade de Rochester, levanta a possibilidade de que uma das principais razões para os ratos mutantes *SIRT6* envelhecerem rápido é o fato de não terem onde se segurar, causando numerosas quebras de DNA e epigenoma para degradar rápido, em vez de lentamente. Evidências convincentes vieram de experimentos mostrando que os antirretrovirais, do mesmo tipo usados no combate ao HIV, dobram o tempo de vida de ratos mutantes *SIRT6*. Acontece que, conforme os níveis de NAD diminuem, as sirtuínas se tornam incapazes de silenciar o DNA do retrotranspositor. Talvez um dia sejam usados medicamentos antirretrovirais seguros ou reforçadores de NAD para manter esses genes em silêncio.[7] Não teríamos parado de envelhecer em sua fonte, mas estaríamos travando a batalha antes que a anarquia total se seguisse e o gênio que está envelhecendo se tornasse ainda mais difícil de colocar de novo na garrafa.

## Vacina Para o Futuro

Em 2018, cientistas de Stanford desenvolveram uma inoculação que reduziu as taxas de câncer de mama, pulmão e pele em ratos. Ao injetar células-tronco inativadas por radiação e adicionar uma injeção de reforço, como os humanos, contra tétano, hepatite B e coqueluche, as células-tronco levaram o sistema imunológico a atacar cânceres que seriam invisíveis a ele.[8] Outras abordagens imuno-oncológicas têm feito avanços ainda maiores. Terapias como inibidores de PD-1 e PD-L1, que expõem células cancerígenas para ser mortas, e terapias quiméricas de células T (CAR-T), que modificam as células T imunes do paciente e as reinjetam para matar as cancerígenas, estão salvando vidas de pessoas que, anos atrás, foram instruídas a voltar para casa e se preparar para o funeral. Agora, alguns desses pacientes estão tendo um novo sopro de vida.

Se podemos usar o sistema imunológico para matar células cancerígenas, é lógico que podemos fazer isso também com células senescentes. E alguns cientistas estão no caso. Judith Campisi, do Buck Institute for Research on Aging, e

Manuel Serrano, da Universidade de Barcelona, acreditam que as células senescentes, assim como as do câncer, permanecem invisíveis ao sistema imunológico, dando pequenos sinais de proteína que dizem: "Não há células zumbis aqui."

Se Campisi e Serrano estiverem certos, poderemos tirar esses sinais e dar ao sistema imunológico permissão para matar as células senescentes. Talvez, daqui a algumas décadas, um esquema típico de vacina que protege bebês contra poliomielite, sarampo, caxumba e rubéola também possa incluir uma injeção para evitar senescência quando atingirem a meia-idade.

Quando as pessoas ouvem pela primeira vez que pode ser possível uma vacina antienvelhecimento, em vez de apenas tratar seus sintomas ou retardá-lo, é comum expressarem preocupações de que estamos "brincando de Deus" ou "interferindo na Mãe Natureza". Talvez estejamos, mas se assim for não é exclusivo das pessoas envolvidas na luta contra o envelhecimento. Lutamos contra doenças de todos os tipos que Deus ou a Mãe Natureza nos deu. Fazemos isso há muito tempo e continuaremos fazendo por muito tempo ainda.

O mundo comemorou com razão a erradicação da varíola, em 1980. Quando a malária for erradicada — e acredito que acontecerá nas próximas décadas —, nossa comunidade global se alegrará mais uma vez. E, se eu pudesse oferecer ao mundo uma vacina contra o HIV, não haveria muitas pessoas — sensatas, pelo menos — que diriam que deveríamos "deixar a natureza seguir seu curso". São condições que há muito consideramos doenças, e aceito que levará algum tempo para convencer as pessoas de que o envelhecimento não é diferente.

Nesse sentido, achei esse experimento útil: imagine um Airbus A380, um superjumbo de dois andares com 600 pessoas a bordo, a caminho de Los Angeles. O avião não possui trem de pouso, apenas paraquedas. E todas as portas, exceto uma, estão emperradas; portanto, quando os passageiros evacuarem, um por um, eles ficarão espalhados pela área mais densamente povoada do país.

Ah, e mais uma coisa: os passageiros estão doentes. Muito doentes. A doença que eles têm é altamente contagiosa; começa com letargia e dor nas articulações, depois se transforma em perda de audição e visão, ossos quebradiços como xícaras de chá antigas, insuficiência cardíaca e sinais cerebrais tão gravemente interrompidos que muitas vítimas nem conseguem se lembrar quem são. Ninguém sobrevive a essa doença, e a morte é quase sempre dolorosa.

Após uma vida de serviço fiel aos EUA, você se encontra atrás da Mesa do Resolute, no salão Oval da Casa Branca. O telefone toca. O vice-diretor de doenças infecciosas do Centers for Disease Control and Prevention (CDC) diz a você que, se um dos passageiros conseguir saltar de paraquedas na área de Los Angeles, dezenas de milhares de pessoas irão pegar a doença e morrer. Cada paraquedista adicional aumentará exponencialmente o número projetado de mortos.

No momento em que você desliga, o telefone toca novamente. O secretário de Defesa diz que seis caças Raptor F-22 da Força Aérea dos EUA estão rastreando o avião enquanto ele circula pelo Oceano Pacífico. Os pilotos travaram a mira; seus mísseis estão prontos. O avião está ficando sem gasolina. O destino dos passageiros e dos Estados Unidos depende de suas ordens.

O que fazer?

É claro que esse é um "dilema do bonde", um experimento ético popularizado pela filósofa Philippa Foot, que coloca nosso dever moral de não causar danos aos outros contra nossa responsabilidade social de salvar um número maior de vidas. É também uma metáfora útil, porque a doença altamente contagiosa que os passageiros estão transportando é, como você certamente notou, nada mais que uma versão do envelhecimento de ação mais rápida.

Quando nos deparamos com a ideia de uma doença que poderia infectar e matar legiões de pessoas — ainda mais com sintomas horrendos —, poucos de nós não faríamos o apelo horrível, mas necessário, para derrubar o avião, tirando a vida de centenas de pessoas para proteger a de milhões.

Com isso em mente, considere esta pergunta: Se você sacrificasse centenas de vidas humanas para impedir que uma versão de ação rápida do envelhecimento infectasse milhões, o que estaria disposto a fazer para evitar a doença como ela realmente ocorre na vida de todos no planeta?

Não se preocupe: o que estou prestes a sugerir não custará vidas humanas. Nem mesmo uma. Mas exigiria que confrontássemos uma ideia que muitas pessoas considerariam alarmante: infectar-nos com um vírus que se movimentaria rapidamente por todas as células do nosso corpo, transformando-nos em organismos geneticamente modificados. O vírus não mataria; faria o oposto.

## Conheça a Reprogramação

Vacinas contra células senescentes, imitadores de RC e supressores de retrotranspositores são caminhos possíveis para uma vitalidade prolongada, e o trabalho já está em andamento em laboratórios e clínicas em todo o mundo. Mas e se não precisássemos disso? E se pudéssemos reiniciar o relógio do envelhecimento e impedir que as células perdessem sua identidade e se tornassem senescentes?

Sim, a solução para o envelhecimento poderia ser a reprogramação celular, uma redefinição da paisagem — o modo, por exemplo, que as águas-vivas têm demonstrado fazer usando pequenos fragmentos do corpo para regenerar pólipos que geram uma dúzia de novas águas-vivas.

Afinal, o projeto de DNA jovem está *sempre* lá, mesmo quando somos velhos. Então, como podemos fazer a célula reler o projeto original? Aqui é útil retornar à metáfora do DVD. Com o tempo, graças ao uso, e talvez ao mau uso, as informações digitais codificadas como ranhuras na camada superior de alumínio ficam obscurecidas por alguns arranhões profundos e finos, dificultando a leitura do disco no DVD player. Um DVD possui 42km de dados em espiral ao redor do disco, da borda ao centro, portanto, se o disco estiver arranhado, encontrar o início de uma música específica se torna extremamente difícil.

É a mesma situação para as células antigas, mas muito pior. O DNA em nossas células contém aproximadamente a mesma quantidade de dados de um DVD, mas em um 1,8m de DNA que é compactado em uma célula com um décimo do tamanho de um grão de poeira. Juntos, todo o DNA do nosso corpo, se colocado de ponta a ponta, teria o dobro do diâmetro do sistema solar. Porém, ao contrário de um simples DVD, o DNA em nossas células é úmido e vibra em três dimensões. E não há 50 músicas, existem mais de 20 mil. Não é de admirar que a leitura de genes se torne difícil à medida que envelhecemos; é um milagre que qualquer célula encontre os genes certos.

Existem duas maneiras de reproduzir um DVD antigo e riscado com fidelidade. Você pode comprar um DVD player melhor, com um laser mais poderoso que possa revelar os dados sob os riscos, ou pode polir o disco para expor as informações novamente, tornando o DVD tão bom quanto o novo. Ouvi dizer que um pano com pasta de dente funciona muito bem.

Restaurar a juventude em um organismo nunca será tão simples quanto polir um disco com pasta de dente, mas a primeira abordagem, colocar um DVD riscado em um novo player, é. O professor da Universidade de Oxford, John Gurdon, fez isso pela primeira vez em 1958, quando removeu os cromossomos do óvulo de um sapo e os substituiu por alguns cromossomos de um sapo adulto e obteve girinos vivos. Então, em 1996, Ian Wilmut e seus colegas na Universidade de Edimburgo substituíram os cromossomos do óvulo de uma ovelha pelos da célula da mama. O resultado foi Dolly, cujo nascimento foi recebido com um acalorado debate público sobre os supostos perigos da clonagem.

O debate ofuscou o ponto mais importante: que o DNA antigo retenha as informações necessárias para ser jovem novamente.

Esse debate acabou desde então; o mundo hoje tem outras preocupações. A clonagem é rotina para produzir animais de fazenda, cavalos de corrida e até pets. Em 2017, era possível encomendar um clone de cachorro por uma pechincha de US$40 mil — ou dois, como Barbra Streisand fez para substituir sua amada Sammie, uma Coton de Tulear de pelos cacheados.[9] O fato de Sammie ter 14 anos quando morreu e doar células — algo em torno de 75 em anos humanos — não afetou nem um pouco os clones.

As implicações dessas experiências são profundas. O que elas mostram é que o envelhecimento pode ser restabelecido. Os riscos no DVD podem ser removidos e as informações originais podem ser recuperadas. O ruído epigenômico não é uma via de mão única.

Mas como podemos restaurar o corpo sem nos tornar um clone?

Em suas publicações de 1948 sobre a preservação de informações durante a transmissão de dados, Claude Shannon forneceu uma pista valiosa.[10]

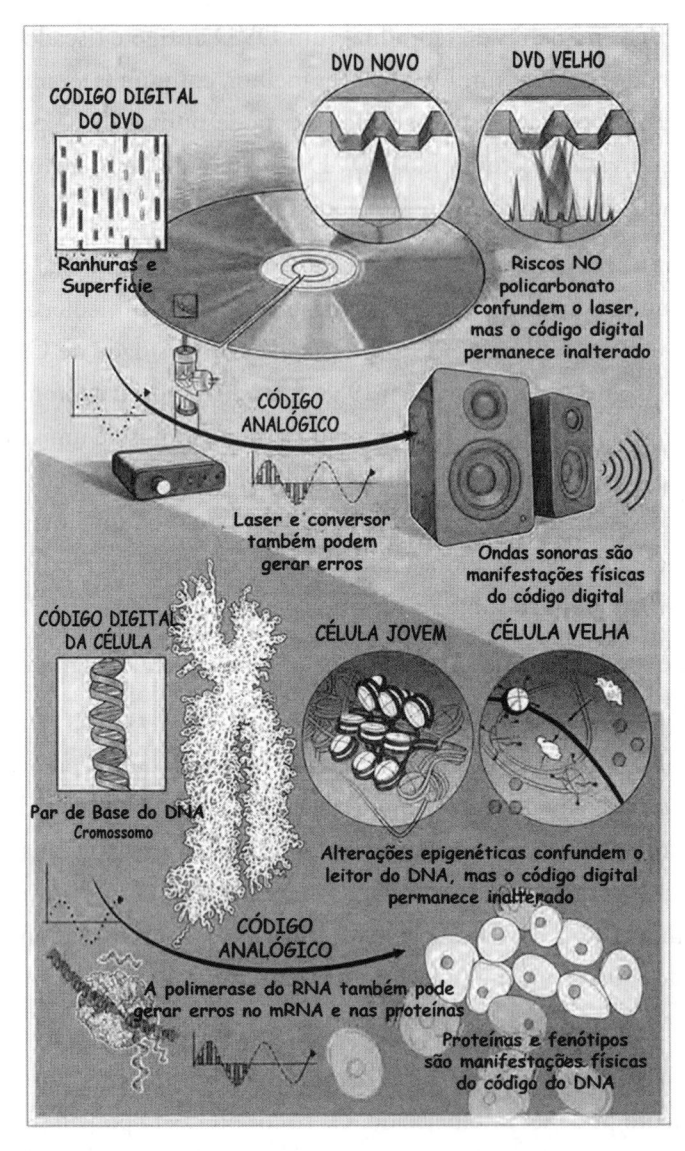

**SOMOS ANALÓGICOS, POR ISSO ENVELHECEMOS.** De acordo com a Teoria da Informação do Envelhecimento, ficamos velhos e suscetíveis a doenças porque nossas células perdem informações jovens. O DNA armazena informações digitalmente, em um formato robusto, enquanto o epigenoma as armazena em formato analógico, portanto, é propenso à introdução de "ruído" epigenético. Uma metáfora adequada é um DVD player dos anos 1990. A informação é digital; o leitor que se move é analógico. O envelhecimento é semelhante ao acúmulo de arranhões no disco, assim as informações não podem mais ser lidas corretamente. Onde está o polimento?

Em um sentido abstrato, ele propôs que a perda de informações é simplesmente um aumento na entropia, ou a incerteza de resolver uma mensagem, e forneceu equações brilhantes para apoiar suas ideias. Seu trabalho surgiu da matemática de Harry Nyquist e Ralph Hartley, outros dois engenheiros do Bell Labs que, na década de 1920, revolucionaram nossa compreensão da transmissão de informações. Suas noções de um "código ideal" foram importantes para o desenvolvimento de Shannon de sua teoria da comunicação.

Na década de 1940, Shannon ficou obcecado com as comunicações por um canal barulhento, no qual a informação é um conjunto de mensagens possíveis que precisam ser reconstruídas pelo destinatário da mensagem — o receptor.

Como Shannon mostrou brilhantemente em seu "teorema da codificação de canal ruidoso", é possível comunicar informações, desde que não exceda a capacidade do canal. Mas se os dados a excederem ou estiverem sujeitos a ruídos, o que ocorre com os dados analógicos, a melhor maneira de garantir que eles cheguem ao receptor é armazenar um conjunto de dados de backup. Dessa forma, mesmo se alguns dados primários forem perdidos, um "observador" poderá enviar esses "dados de correção" para um "dispositivo de correção" para recuperar a mensagem original. É assim que a internet funciona. Se os pacotes de dados são perdidos, eles são recuperados e reenviados momentos depois, tudo graças ao Transmission Control Protocol/Internet Protocol (TCP/IP).

Como Shannon disse, "esse observador aponta os erros na mensagem recuperada e transmite dados para o ponto de recebimento através de um 'canal de correção' para permitir que o receptor corrija os erros."

Embora pareça uma linguagem exótica de 1940, o que me ocorreu em 2014 é que "A Teoria Matemática da Comunicação" é relevante para a Teoria da Informação do Envelhecimento.

No desenho de Shannon, há três componentes que têm análogos na biologia:

- A "fonte" da informação são o óvulo e o esperma dos seus pais;
- O "transmissor" é o epigenoma, transmitindo informações analógicas através do tempo e espaço;
- O "receptor" é seu corpo no futuro.

Quando um óvulo é fertilizado, são enviadas informações epigenéticas — "sinais de rádio" biológicos. Viaja entre células em divisão e através do tempo. Se tudo correr bem, o óvulo se transforma em um bebê saudável, depois em um adolescente saudável. Mas com as sucessivas divisões celulares e a reação exagerada do circuito de sobrevivência a danos no DNA, o sinal se torna cada vez mais barulhento. O receptor, seu corpo aos 80 anos, perde a informação original.

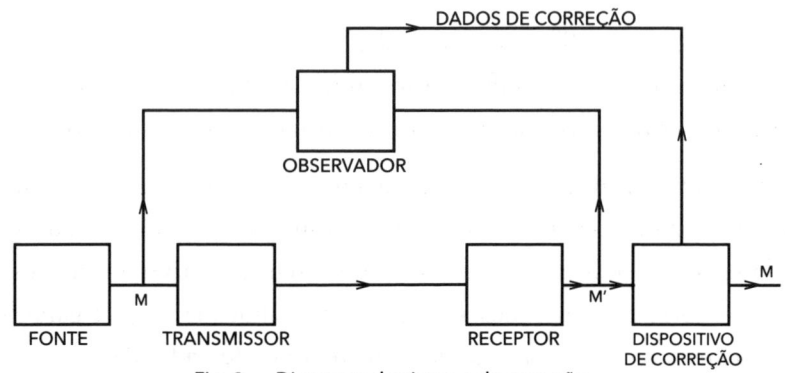

Fig. 8 — Diagrama do sistema de correção

**SOLUÇÃO DE CLAUDE SHANNON DE 1948 PARA RECUPERAR INFORMAÇÕES PERDIDAS DURANTE A TRANSMISSÃO DE DADOS LED PARA TELEFONES E INTERNET.** Pode ser a solução para o envelhecimento.

Fonte: C. E. Shannon, "A Mathematical Theory of Communication", Bell System Technical Journal 27, nº 3 (julho de 1948): 379-423 e 27, nº 4 (outubro de 1948): 623-66.

Sabemos que é possível clonar um girino ou um mamífero a partir de um adulto. Portanto, mesmo que as informações epigenéticas sejam perdidas na velhice, obscurecidas pelo ruído epigenético, há informações que dizem à célula como se recuperar. Essas informações, estabelecidas no início da vida, conseguem dizer ao corpo como ser jovem de novo — como um backup dos dados originais.

Para acabar com o envelhecimento como o conhecemos, precisamos encontrar mais três coisas que Shannon sabia que eam essenciais para um sinal ser restaurado, mesmo que obscurecido pelo barulho:

- Um "observador" que registra os dados originais;
- Os "dados de correção" originais;
- E um "dispositivo de correção" para restaurar o sinal original.

Acredito que finalmente encontramos o dispositivo de correção biológica.

Em 2006, o pesquisador japonês de células-tronco Shinya Yamanaka anunciou ao mundo que, depois de testar dezenas de combinações de genes, descobriu que um conjunto de quatro (Oct4, Klf4, Sox2 e c-Myc) induz as células adultas a se tornarem células-tronco pluripotentes ou iPSCs, células imaturas que podem se tornar qualquer outra. Esses quatro genes codificam fatores de transcrição poderosos, que controlam conjuntos inteiros de outros genes que movimentam as células na paisagem de Waddington durante o desenvolvimento embrionário. Esses genes são encontrados na maioria das espécies multicelulares, incluindo chimpanzés, macacos, cães, vacas, ratos, ratazanas, galinhas, peixes e sapos. Por sua descoberta, mostrando essencialmente que a reversão completa da idade celular era possível em uma placa de Petri, Yamanaka ganhou o Prêmio Nobel de Fisiologia ou Medicina, juntamente com John Gurdon em 2012. Agora, chamamos esses quatro genes de fatores Yamanaka.

À primeira vista, os experimentos de Yamanaka parecem um truque de laboratório. Mas as implicações são profundas, e não apenas porque ele abriu caminho para o crescimento de populações novas de células sanguíneas, tecidos e órgãos em placas que podem ser e estão sendo transplantadas em pacientes.

O que ele identificou, acredito, é o interruptor de reset responsável pelos girinos de Gurdon — o dispositivo de correção biológica.

Prevejo, e meus alunos estão demonstrando agora no laboratório, que podemos usar esses e outros interruptores não apenas para redefinir nossas células em placas de Petri, mas também para redefinir a paisagem epigenética de um corpo inteiro — para colocar as bolinhas de gude nos vales a que pertencem —, enviando sirtuínas de volta para onde elas vieram, por exemplo. As células que perderam sua identidade durante o envelhecimento podem ser levadas de volta ao seu verdadeiro eu. Esse é o polimento de DVD que estamos procurando.

Estamos progredindo a cada semana na restauração do epigenoma jovem de ratos, fornecendo fatores de reprogramação. O ritmo da descoberta é insano. Uma noite inteira de sono para mim e minha equipe é cada vez mais rara.

Na década de 1990, havia grandes preocupações sobre a segurança do fornecimento de genes aos seres humanos, mas há um número crescente de produtos aprovados para terapia genética e centenas de ensaios clínicos em andamento. Pacientes com uma mutação *RPE65* que causa cegueira, por exemplo, agora podem ser curados com uma injeção simples de um vírus seguro que infecta a retina e fornece, para sempre, o gene funcional do *RPE65*.

Prevejo que a reprogramação celular no corpo será usada primeiro para tratar doenças oculares relacionadas à idade, como glaucoma e degeneração macular (o olho é o órgão de escolha para testar terapias genéticas porque é imunologicamente isolado). Mas se a terapia é segura o suficiente para ser aplicada em todo o corpo — como sugerem os estudos de longo prazo em ratos em meu laboratório — esse pode ser o nosso futuro:

Aos 30 anos, você faz uma semana de tratamento com três injeções que introduzem um vírus adeno-associado, ou AAV, que causa uma resposta imune leve, menor que a de uma vacina contra a gripe. O vírus, que é conhecido pelos cientistas desde a década de 1960, foi modificado para não se espalhar ou causar doenças. O que essa versão teórica do vírus carregaria seria um pequeno número de genes — alguma combinação de fatores Yamanaka, talvez — e um interruptor a prova de falhas que pode ser ativado com uma molécula bem tolerada, como doxiciclina, um antibiótico que pode ser tomado como um comprimido ou, melhor ainda, que é completamente inerte.

Nada, nesse ponto, mudaria na maneira como seus genes funcionam. Mas quando começasse a ver e sentir os efeitos do envelhecimento, provavelmente em meados dos 40 anos, você receberia um mês de tratamento com doxiciclina. Com isso, os genes de reprogramação seriam ativados.

Durante o processo, você provavelmente colocaria uma gota de sangue em um biotracker doméstico ou faria uma visita ao médico para garantir que o sistema estivesse funcionando conforme o esperado. Durante o próximo mês, seu corpo passaria por um processo de rejuvenescimento quando as bolinhas de gude de Waddington fossem enviadas de volta para onde estavam quando você era jovem. Os cabelos grisalhos desapareceriam, as feridas fechariam mais rapidamente, as rugas desapareceriam e os órgãos se regenerariam. Você pensaria mais rápido, ouviria sons mais agudos e não precisaria mais de óculos para ler um cardápio. Seu corpo se sentiria jovem novamente.

Como Benjamin Button, você se sentiria com 35 anos de novo. E 30. E 25.

Mas, ao contrário de Benjamin Button, é onde você pararia. A prescrição seria descontinuada. O AAV desligaria. Os fatores Yamanaka ficariam em silêncio. Biológica, física e mentalmente, você seria algumas décadas mais jovem, mas manteria todo o seu conhecimento, sabedoria e lembranças.

Você seria jovem novamente, não apenas parecendo jovem, mas jovem de verdade, livre para passar as próximas décadas de sua vida sem as dores da meia-idade, despreocupado com as perspectivas de câncer e doenças cardíacas. Então, mais algumas décadas depois, quando os cabelos grisalhos começassem a aparecer novamente, você iniciaria outro ciclo prescrito do gatilho.

Além disso, com o ritmo em que a biotecnologia está avançando, e à medida que aprendemos a manipular os fatores que redefinem nossas células, podemos ser capazes de deixar de usar vírus e simplesmente tomar um mês de pílulas.

Parece ficção científica? Algo distante no futuro? Deixe-me ser claro: não é.

Manuel Serrano, chefe do laboratório Cellular Plasticity and Disease, do Institute for Research in Biomedicine, de Barcelona, e Juan Carlos Izpisua Belmonte, do Salk Institute for Biological Studies, de San Diego, projetaram ratos com fatores Yamanaka desde o nascimento, injetando doxiciclina. Em um estudo de 2016, quando Belmonte desencadeou os fatores Yamanaka apenas dois dias por semana durante toda a vida de uma raça de ratos com envelhecimento prematuro chamada LMNA, os ratos permaneceram jovens em comparação com seus irmãos não tratados e viveram 40% mais.[11] Ele mostrou que a pele e os rins de ratos comuns também se curam mais rapidamente.

O tratamento de Yamanaka, no entanto, era altamente tóxico. Belmonte exagerou, dando aos ratos o antibiótico por mais alguns dias e eles morreram. Serrano também demonstrou que, empurrando as bolinhas de gude para longe na paisagem, a combinação de quatro genes poderia induzir teratomas, que são tumores particularmente repugnantes, compostos de vários tipos de tecido, como cabelo, músculo ou osso. Claramente, essa tecnologia não está pronta para o horário nobre. Pelo menos, ainda não. Mas estamos nos aproximando todos os dias de poder controlar com segurança as bolinhas de gude de Waddington, garantindo que elas retornem com precisão aos vales originais e não ao topo da montanha, onde poderiam causar câncer.

Enquanto tudo isso acontecia, guiado pelo sucesso dos experimentos com ratos ICE, meu laboratório procurava maneiras de atrasar e reverter o envelhecimento epigenético. Tentamos várias abordagens diferentes: o gene Notch, Wnt, os quatro fatores Yamanaka. Alguns funcionaram um pouco, mas a maioria estava se transformando em células tumorais.

Um dia em 2016, depois de falhar por 2 anos para que as células antigas envelhecessem sem se transformar em células tumorais, o brilhante universitário Yuancheng Lu entrou no meu escritório para dizer que estava quase desistindo. Como um esforço final, sugeriu que tentaria excluir o gene do c-Myc, que era a causa provável dos teratomas, e eu o incentivei a fazer.

Ele entregou um pacote viral para os ratos, mas dessa vez com apenas três dos fatores Yamanaka, em seguida, transformou-os usando doxiciclina e esperou que todos os ratos ficassem doentes ou morressem. Nenhum deles ficou. Eles estavam muito bem. E, depois de meses de monitoramento, nenhum tumor surgiu também. Foi uma surpresa para nós dois — uma grande surpresa.

Em vez de esperar por mais um ano para ver se os ratos viveriam mais tempo, Yuancheng sugeriu usar o nervo ótico de um rato como uma forma de testar a reversão da idade e o rejuvenescimento. Eu estava cético.

"Não estou superotimista de que isso vá funcionar", disse a ele. "Nervos óticos simplesmente não se regeneram, a menos que você seja um recém-nascido."

A intrincada rede de células e fibras que transmite sinais nervosos em nossos corpos é dividida em duas partes: o sistema periférico e o central. Sabemos há muito tempo que os nervos periféricos, como os dos braços e das pernas, podem crescer de volta, embora lentamente. Mas os do sistema central, os nervos óticos e os da medula espinhal, nunca crescem de volta. Mesmo os cientistas que contrariaram a convenção, propondo novas terapias que poderiam regenerar algum aspecto do sistema central, têm sido geralmente prudentes sobre o potencial de crescimento significativo. Décadas de trabalho destinadas a reverter o glaucoma no olho e a lesão medular não tiveram quase nenhum movimento positivo.

"Você escolheu o problema mais difícil para resolver", disse a Yuancheng.

"Mas", respondeu ele, "se nós *pudéssemos* resolver esse problema..."

Havia mil maneiras de medir o impacto da reversão etária em ratos, mas, impulsionado pelo sucesso recente, decidiu "crescer ou desaparecer". Gostei disso.

"Ninguém muda o mundo sem correr riscos", disse a ele. "Vá testar."

As imagens que recebi em uma mensagem de texto, meses depois, tiraram meu fôlego, e precisei ter certeza de que o que eu estava vendo era real.

Liguei para Yuancheng no ato. "Estou vendo o que eu acho que estou vendo?"

"Talvez", disse ele. "O que você está vendo?"

"O futuro", respondi.

Yuancheng soltou um enorme suspiro de alívio. "David", disse ele, "uma hora atrás eu pensei que ia falhar".

Para os pesquisadores, a dúvida não é vício. Dúvida é a consequência muito normal e muito humana de motivação para fazer coisas audaciosas sem saber como darão certo.

Mas, naquele dia, as coisas pareciam funcionar. A imagem que Yuancheng me enviou pela primeira vez parecia uma água-viva brilhante e alaranjada; sua cabeça estava no topo, onde fica o olho do rato, com longos tentáculos descendo em direção ao cérebro. Duas semanas antes, Yuancheng e nossos colaboradores haviam espremido o nervo ótico a alguns milímetros da parte posterior do olho com pinças, fazendo com que quase todos os axônios das células nervosas, os tentáculos, voltassem ao cérebro. Eles injetaram um corante laranja florescente no olho que é absorvido pelos neurônios vivos. Então, quando Yuancheng pegou um microscópio e olhou abaixo do local do esmagamento, não havia nervos brilhantes, apenas uma massa de restos de células mortas.

A próxima foto que enviou foi um exemplo de onde o vírus de reprogramação foi ativado após a compressão. Em vez de células mortas, uma rede de tentáculos compridos e saudáveis abriu caminho para o cérebro. Foi o maior exemplo de geração de nervos da história, e Yuancheng estava apenas começando.

Ninguém esperava *realmente* que a reprogramação funcionasse tão bem.

Ratos com um mês de idade foram escolhidos para esses experimentos para nos dar a maior chance de sucesso e porque é isso que todo mundo faz. Mas Yuancheng e nossos qualificados colaboradores no laboratório do professor Zhigang He, no Children's Hospital da Harvard Medical School, agora testaram nosso método de reprogramação dos nervos óticos danificados de ratos de meia-idade com ratos de 12 meses de vida. Seus nervos também se regeneraram.

Enquanto escrevo isso, restauramos a visão em ratos velhos comuns.

A visão diminui drasticamente em um rato aos 12 meses de idade. Bruce Ksander e Meredith Gregory-Ksander, do Massachusetts Eye and Ear em Harvard, sabem disso muito bem. Há uma perda dos impulsos nervosos na retina, e os ratos velhos não mexem a cabeça com tanta frequência quando linhas em movimento são exibidas na frente deles, porque simplesmente não as veem.

"David, devo admitir", disse Bruce, "nunca esperei que esse material de reprogramação funcionasse com olhos envelhecidos normais. Eu estava apenas testando seu vírus porque você estava muito animado para experimentá-lo."

O resultado que ele vira na manhã anterior havia sido o dia mais emocionante em sua vida de pesquisa: nosso vírus de reprogramação OSK havia restaurado a visão.

Algumas semanas depois, Meredith mostrou que a reprogramação também funcionava para reverter a perda de visão causada pela pressão ocular interna, conhecida como glaucoma.

"Sabe o que descobrimos?", perguntou Bruce. "Todo mundo está trabalhando para retardar a progressão do glaucoma. Esse tratamento *restaura* a visão!"

Se as células adultas do corpo, mesmo os nervos antigos, puderem ser reprogramadas para recuperar um epigenoma jovem, as informações de ser jovem não serão *todas* perdidas. Deve haver um repositório de dados de correção, um conjunto de dados de backup, ou guias moleculares, que é retido até a idade adulta e pode ser acessado pelos fatores Yamanaka para redefinir o epigenoma usando o equivalente celular do TCP/IP.

Ainda não temos certeza de quais são esses marcadores de juventude, é provável que envolvam marcadores de metila no DNA que estimam a idade de um organismo, o chamado relógio Horvath. É provável que também envolvam outra coisa: uma proteína, um RNA ou mesmo um novo produto químico ligado ao DNA que ainda não descobrimos. Mas seja lá do que são feitos, são importantes, pois seriam os dados fundamentais de correção que as células retêm ao longo da vida que, de alguma forma, direcionam uma reinicialização.

Também precisamos encontrar o observador, aquele que registra qual é o sinal original quando somos jovens. Não pode ser apenas a metilação do DNA, porque isso não explica como as células reprogramadas sabem se concentrar em algumas das marcas de metila mais jovens e retiram as que se acumularam durante o envelhecimento, a célula equivalente aos arranhões no DVD. Talvez seja uma histona especializada, um fator de transcrição ou uma proteína que se agarra ao DNA metilado quando estamos nos desenvolvendo no útero e permanece lá por 80 anos, esperando até que um sinal saia do dispositivo de correção para restaurar as informações originais.

Na linguagem de Claude Shannon, quando o dispositivo de correção é ativado pela infecção de células com genes OSK, a célula sabe como entrar em contato com o observador e usar os dados de correção para restaurar o sinal original ao de uma célula jovem.

Fazer crescer novos nervos e restaurar a visão não bastava para Yuancheng. Quando o DNA dos neurônios danificados foi examinado, eles pareciam estar passando por um programa de envelhecimento muito rápido, que foi combatido pelos fatores de reprogramação. Os neurônios que receberam os fatores de reprogramação não envelheceram nem morreram. É uma ideia radical, mas que faz muito sentido: lesões celulares graves sobrecarregam o circuito de sobrevivência e aceleram o envelhecimento da célula, levando à morte, a menos que o relógio seja de alguma forma revertido.

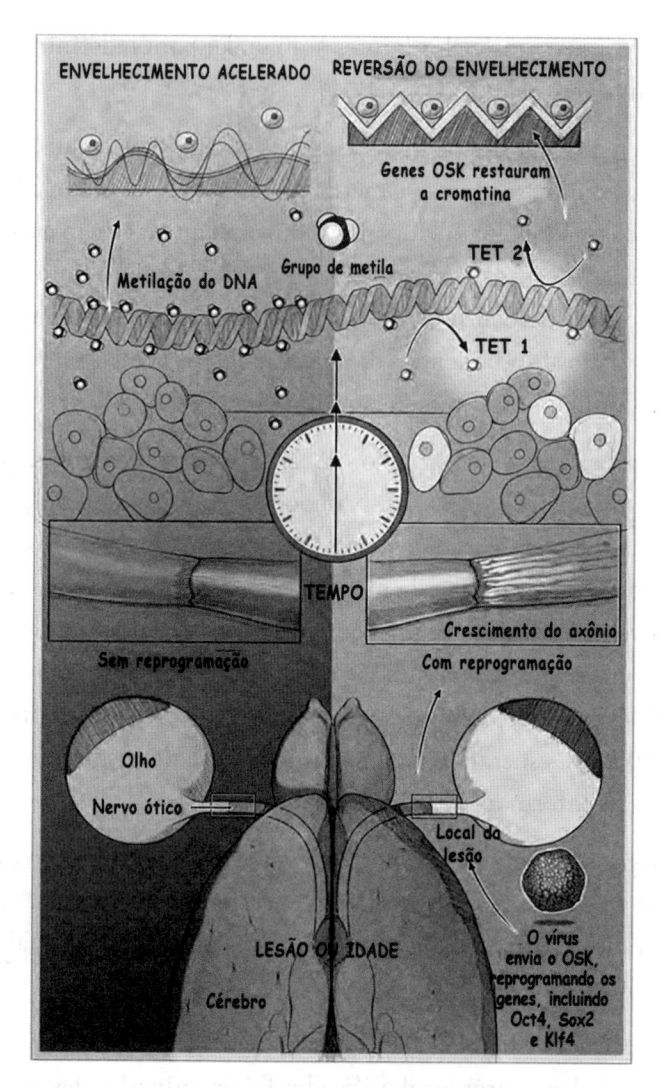

**REPROGRAMAÇÃO EPIGENÉTICA RESTAURA NERVOS ÓTICOS E REPARA A VISÃO DE RATOS IDOSOS.**
A Teoria da Informação do Envelhecimento prevê que é uma perda de informação epigenética, e não genética, na forma de mutações. Ao infectar ratos com genes de reprogramação chamados Oct4, Sox2 e Klf4, a idade das células é revertida pelas enzimas TET, que removem os marcadores certos de metila no DNA, revertendo o relógio do envelhecimento e permitindo que as células sobrevivam e cresçam como um recém-nascido. Como as enzimas sabem quais marcadores são os mais jovens é um mistério, e resolvê-lo seria o equivalente a encontrar o "observador" de Claude Shannon, a pessoa que detém a informação original.

Com essas descobertas, podemos estar à beira de entender o que faz o tempo biológico funcionar e como andar para trás. Sabemos por nossos experimentos que o dispositivo de correção de informações biológicas requer enzimas de translocação dez-onze, ou TETs, que retiram os marcadores de metila do DNA, os mesmos marcadores químicos que sinalizam a passagem do relógio de envelhecimento Horvath. Isso não é coincidência e aponta para o relógio de metilação do DNA como não apenas um indicador de idade, mas um controlador. É a diferença entre um relógio de pulso e o tempo físico.

Em seu papel como componente do dispositivo de correção, os TETs não podem simplesmente retirar todas as metilas do genoma, pois isso transformaria uma célula em uma célula-tronco primordial. Não teríamos ratos velhos que pudessem ver melhor: teríamos ratos cegos com tumores. Como os TETs sabem remover apenas as metilas mais recentes, preservando as originais, é um completo mistério.

Levará mais uma década e o trabalho de muitos outros para descobrir qual é o equivalente biológico do sistema de recuperação de informações TCP/IP. Mas seja o que for, a visão que não deveria ser restaurada está voltando e as células que não deveriam ser capazes de se regenerar estão se recuperando.

Comparado às décadas de pesquisa sobre como desacelerar o envelhecimento e as doenças relacionadas à idade em alguma porcentagem, o trabalho de reprogramação tem sido relativamente rápido e fácil. Só foi preciso uma ideia intrépida e coragem para se opor às convenções.

O futuro parece interessante, para dizer o mínimo. Se podemos consertar e regenerar as células mais difíceis em nosso corpo, não há realmente nenhuma razão para suspeitar que não possamos regenerar qualquer tipo de célula que nosso corpo precise. Sim, isso pode significar a correção de novas lesões na medula espinhal, mas também significa recuperar qualquer outro tipo de tecido danificado pela idade: do fígado ao rim, do coração ao cérebro. Nada está fora da questão.

Até agora, a combinação de três genes Yamanaka parece segura em ratos, mesmo quando ativada por um ano, mas ainda há muito trabalho a ser feito.

Existem muitas questões não respondidas: Podemos fornecer a combinação para todas as células? Algum dia causará câncer? Devemos manter os genes ligados ou desligá-los para deixar as células descansarem? Isso funcionará em alguns tecidos melhor do que em outros? Pode ser administrado em pessoas de meia-idade antes que adoeçam, da mesma forma que tomamos estatinas para controlar o colesterol e prevenir doenças cardiovasculares?

Tenho poucas dúvidas de que a reprogramação celular será a próxima fronteira na pesquisa sobre envelhecimento. Um dia, pode ser possível reprogramar as células por meio de pílulas que estimulam a atividade dos fatores OSK ou dos TETs. Pode ser mais simples do que parece. Moléculas naturais estimulam as enzimas TET, incluindo a vitamina C e o alfa-cetoglutarato, uma molécula produzida nas mitocôndrias que é estimulada pela RC e, quando administrada em vermes nematoides, estende seu tempo de vida também.

Mas, por enquanto, a melhor aposta é a terapia genética.

Por ser tão impactante, devemos começar a debater a ética dessa tecnologia agora, antes que ela chegue à nossa porta. A primeira pergunta é quem deve ter permissão para usar essa tecnologia. Alguns poucos escolhidos? Os ricos? Os muito doentes? Os médicos devem permitir que pessoas com doenças terminais experimentem o chamado uso compassivo? E as pessoas com mais de 100 anos? Ou de 80 anos? Ou de 60 anos? Quando a recompensa supera o risco?

Existe um exército de pessoas dispostas a "seguir com ousadia", voluntários de mente lúcida com seus 90 e 100 anos, cujos corpos foram danificados pela doença do envelhecimento. Posso assegurar-lhe que não faltam aqueles que, tendo olhado a estrada em talvez mais alguns anos de vida, definidos por fragilidade e dor cada vez maiores, estão prontos para arriscar por mais alguns bons anos, se não for por isso, então pela chance de dar a seus filhos, netos e bisnetos uma vida mais longa e saudável. O que eles têm a perder, afinal?

Porém, a ética da tecnologia ficará mais difícil, se a reprogramação se tornar segura o suficiente para ser usada de maneira preventiva. Em que idade deve ser administrada? Uma doença precisa aparecer antes que um ativador antibiótico de reprogramação seja prescrito? Se os médicos tradicionais se recusarem a ajudar, as pessoas irão para o exterior? Se a tecnologia pudesse reduzir significativamente os custos com saúde, ela deveria ser obrigatória?

E, se pudermos ajudar as crianças a viver vidas mais longas e saudáveis, temos a obrigação moral de fazê-lo? Se a tecnologia de reprogramação puder ajudar uma criança a reparar um olho ou a se recuperar de uma lesão na coluna, os genes devem ser fornecidos antes que ocorra um acidente, para que estejam prontos para serem ativados, talvez com um gotejamento de antibiótico na ambulância?

Se a varíola retornasse, os pais que se recusassem a vacinar seus filhos seriam párias de mais baixa ordem. Quando tratamentos seguros e eficazes estão disponíveis para uma doença infantil comum, os pais que se recusam a salvar a vida de seus filhos podem ter sua tutela substituída pela doutrina do *parens patriae* (similar ao princípio do melhor interesse da criança e do adolescente).

Todo ser humano deve ter a opção de sofrer com o envelhecimento? Ou essa escolha deve ser feita, como na maioria das decisões sobre vacinas, para o bem dos indivíduos e da humanidade? Aqueles que optarem por rejuvenescer ainda terão que pagar pelos que decidiram não o fazer? É moralmente errado não fazer, sabendo que você será um fardo prematuro para os familiares?

Hoje são questões teóricas, mas provavelmente não permanecerão teóricas por muito tempo.

No fim de 2018, o pesquisador chinês He Jiankui relatou ter ajudado a criar as primeiras crianças geneticamente modificadas do mundo — meninas gêmeas cujos nascimentos provocaram um debate nos círculos científicos sobre a ética do uso da edição de genes para criar "bebês projetados".

Os efeitos colaterais da indução de danos ao DNA em embriões e a precisão da edição de genes ainda não são bem compreendidos, razão pela qual a comunidade científica teve uma reação negativa tão violenta. Há também uma razão tácita: os cientistas temem que as tecnologias de edição de genes, se abusadas, sigam o caminho dos OGM e sejam proibidas por razões políticas ou irracionais antes que seu verdadeiro potencial possa ser realizado.

Esses medos podem ser infundados. Se as notícias das primeiras crianças geneticamente modificadas tivessem surgido nos anos 2000, isso teria desencadeado um debate global e dominado as notícias por meses. Manifestantes teriam invadido os laboratórios e presidentes teriam proibido o uso da tecnologia em embriões. Mas os tempos mudaram. Com um ciclo de notícias e política distribuídas pela internet, a história durou alguns dias; então o mundo passou para outros tópicos mais interessantes.

He Jiankui afirmou que a intenção era dar às gêmeas a capacidade de resistir ao HIV. Pode parecer admirável, mas se eu fizer as contas, o risco não valeu a pena. A chance de contrair o HIV na China é menor que uma em mil. Se ele fosse maximizar os benefícios de saúde para compensar os riscos do procedimento, por que não editar um gene que causa doenças cardiovasculares, com quase uma em duas chances de matá-los?[12] Ou envelhecimento, que tem 90% de chance de matá-los? A imunidade ao HIV foi apenas a edição mais simples, não a mais impactante.

À medida que essas tecnologias se tornam comuns e os pais pensam em como obter o melhor retorno possível, quanto tempo levará até que outro cientista desonesto se junte a pais controladores para criar uma família geneticamente modificada com capacidade de resistir aos efeitos do envelhecimento?

Pode não demorar muito.

# Sete

# A Era da Inovação

**OS QUATRO MEDICAMENTOS PRESCRITOS QUE KUHN LAWAN TOMAVA ERAM CORRETOS** para o câncer com o qual fora diagnosticada, mas as drogas não estavam funcionando nem um pouco. O câncer de pulmão da idosa tailandesa persistia, portanto, parecia que o fim de sua vida estava ficando cada vez mais próximo.

Seus filhos estavam perturbados. Os médicos disseram que o câncer de Lawan era tratável. Afinal, ela foi diagnosticada prematuramente. O medo e a incerteza que sentiram quando a mãe foi diagnosticada foram substituídos pela esperança, apenas para ceder, mais uma vez, ao medo e à incerteza.

O Dr. Mark Boguski passou muito tempo pensando em pessoas como Lawan e como a medicina moderna é falha, sobretudo no fim da vida.

"Segundo o pensamento médico mais comum, Lawan estava recebendo os cuidados certos", disse-me um dia. "Os médicos dela na Tailândia eram de primeira qualidade. Mas é assim que fazemos a medicina."

A maioria dos médicos, disse ele, ainda conta com a tecnologia do início do século XX para diagnosticar e tratar doenças com risco de vida. Pegue um "swab" (haste flexível) e coloque-o em uma placa de Petri. Bata no joelho e aguarde por um reflexo. Inspire, expire. Olhe para a esquerda e tussa.

Quando se trata de câncer, os médicos observam onde um tumor está crescendo e fazem biópsia em uma amostra de tecido. Em seguida, eles o enviam para um laboratório, onde é colocado em cera, cortado em fatias finas, manchadas com corantes vermelho e azul, e verificado no microscópio. Isso funciona, às vezes. Em outras, o medicamento correto é administrado.

Às vezes, não dá certo. Isso porque olhar para um tumor assim é como um mecânico tentar diagnosticar o motor defeituoso de um carro sem se conectar ao computador do veículo. É um palpite. A maioria de nós aceita esse tipo de abordagem quando se trata de decisões potencialmente de vida ou morte. No entanto, apenas nos EUA, com um dos melhores sistemas de saúde do mundo, cerca de 5% dos pacientes com câncer, ou 86.500 pessoas, são diagnosticados todos os anos.[1]

Desde o momento em que começou a estudar biologia computacional, no início dos anos 1980, Boguski foi motivado pela ideia de tornar os cuidados médicos mais exigentes. Ele é um expoente no campo da genômica, e um dos primeiros cientistas envolvidos no Projeto Genoma Humano.

"O que chamamos de 'boa medicina' é fazer o que funciona para a maioria, na maior parte das vezes", disse-me Boguski. "Mas nem todo mundo é igual."

E havia uma grande chance, de que Kuhn Lawan estivesse recebendo os cuidados incorretos. E isso poderia estar realmente piorando sua saúde.

Mas Boguski acredita que há esperança em uma nova maneira de fazer medicina. Uma maneira melhor. Uma maneira de usar novas tecnologias, muitas que já estão aqui, mas que simplesmente não estão sendo utilizadas em todo o seu potencial, para reorientar nosso sistema médico em indivíduos — revertendo séculos de cultura e filosofia médicas profundamente arraigadas. Ele cunhou o termo *medicina de precisão* para descrever a promessa de monitoramento de saúde da próxima geração, sequenciamento de genoma e análises para o tratamento de pacientes com base em dados pessoais, e não em manuais de diagnóstico.

Graças aos preços em queda do sequenciamento de DNA, acessórios pessoais inteligentes, enorme poder computacional e inteligência artificial, estamos nos mudando para um mundo em que as decisões de tratamento não precisam mais se basear no que é melhor para a maioria das pessoas, na maior parte das vezes. Essas tecnologias estão disponíveis para alguns pacientes agora e estarão disponíveis para grande parte das pessoas no planeta nas próximas duas décadas. Isso poupará milhões de vidas, e prolongará o tempo de vida saudável médio, independentemente de prolongar o tempo de vida máximo.

Entretanto, para milhões de pessoas como Lawan, esses avanços podem não acontecer tão cedo. Quando sua família buscou uma segunda opinião na forma de sequenciamento preciso do DNA de sua biópsia, a totalidade do perigo em que ela se encontrava ficou clara como água. Lawan tinha um câncer agressivo, mas não o tipo que estava sendo tratado. Ela não tinha câncer de pulmão; tinha uma forma sólida de leucemia crescendo no pulmão.

Na maioria dos casos onde o câncer foi encontrado no corpo de Lawan, é realmente de pulmão. Mas, agora que podemos detectar a assinatura genética, usar o local em que se encontra o câncer como único guia para qual tratamento seguir é tão ridículo quanto categorizar uma espécie animal com base em sua localização. É como dizer que uma baleia é um peixe porque ambos vivem na água.

Uma vez que tenhamos uma ideia melhor do tipo de câncer com o qual lidamos, podemos aplicar melhor as técnicas emergentes para lidar com ele. Podemos até projetar uma terapia adaptada — matando o tumor antes que tenha a chance de crescer ou se espalhar para outro local do corpo.

Essa é a ideia por trás de uma das inovações de combate ao câncer que discutimos anteriormente, a terapia com células CAR-T, na qual os médicos removem células do sistema imunológico do sangue de um paciente e adicionam um gene que permite que as células se liguem às proteínas do tumor do paciente. Crescidas em massa em um laboratório e depois reintroduzidas no corpo do paciente, as células CAR-T trabalharão caçando células cancerígenas e matando-as com as próprias defesas do corpo.

Outra abordagem imuno-oncológica que discutimos, a terapia de bloqueio de pontos de verificação, anula a capacidade das células cancerígenas de evitar a detecção por nossos sistemas imunológicos. Grande parte do trabalho inicial sobre essa técnica foi concluída por Arlene Sharpe, cujo laboratório está localizado no piso acima do meu na Harvard Medical School. Nessa abordagem, os medicamentos são usados para bloquear a capacidade das células cancerígenas de se apresentarem como células regulares, confiscando essencialmente seus passaportes falsos e facilitando a discriminação das células T entre amigo e inimigo. Essa é a abordagem usada pelos médicos do ex-presidente Jimmy Carter, juntamente com a radioterapia, para ajudar seu sistema imunológico a combater o melanoma no cérebro e no fígado. Antes dessa inovação, um diagnóstico como o dele era, sem exceção, fatal.

A terapia com CAR-T e a inibição do ponto de verificação têm menos de uma década. E existem centenas de outros ensaios clínicos de imuno-oncologia em andamento. Os resultados até agora são promissores, com taxas de remissão superiores a 80% em alguns estudos. Médicos que passaram toda a carreira combatendo o câncer dizem que é a revolução pela qual estavam esperando.

A tecnologia de sequenciamento de DNA também nos ofereceu uma oportunidade de entender a evolução do câncer de um paciente específico. Podemos pegar células únicas de uma fatia de tumor, ler todas as letras do DNA nessas células e observar a arquitetura tridimensional da cromatina delas. Ao fazer isso, podemos ver as idades de diferentes partes do tumor. Podemos ver como cresceu, como continuou a sofrer mutações e como perdeu sua identidade ao longo do tempo. Isso é importante porque, se você observar apenas uma parte de um tumor — uma parte mais antiga, por exemplo —, poderá não ver a parte mais agressiva. Consequentemente, poderá tratá-lo com uma terapia menos eficaz.

Por meio do sequenciamento, sabemos até que tipos de bactérias entram no tumor. As bactérias, ao que parece, o protegem das drogas anticâncer. Usando a genômica, podemos identificar quais bactérias estão presentes e prever quais antibióticos funcionarão contra esses protetores de tumores unicelulares.

Podemos fazer tudo isso agora mesmo. Porém, em muitos hospitais do mundo, o diagnóstico "se está aqui, deve ser isso" e "se os sintomas são esses, deve ser aquilo" ainda é feito. E assim, processualmente falando, os médicos que trataram Lawan não fizeram nada de errado. Eles simplesmente fizeram o que os médicos de todo o mundo fazem, seguiram um processo empírico de diagnóstico e intervenção que leva a resultados positivos na maioria das pessoas, na maior parte das vezes.

Se aceitar que essa é a maneira como cuidamos das pessoas — e que geralmente produz os resultados certos —, você pode chamar isso de abordagem médica compreensível. Mas, se imaginar sua própria mãe recebendo, por engano, um tratamento contra câncer do qual não precisa enquanto o remédio que salvaria sua vida está em uma prateleira próxima, você provavelmente chegará a uma conclusão diferente sobre o que é, de fato, "compreensível".

Não se espera que os profissionais éticos da área médica que lutam contra a morte todos os dias, seguindo estipulações de atendimento-padrão de programas governamentais e planos de saúde, sejam perfeitos. Mas podemos evitar muitas mortes desnecessárias fornecendo mais informações à equipe médica, assim como os médicos de Lawan conseguiram colocá-la em um novo método de tratamento depois que entenderam melhor com o que estavam lidando.

De fato, pouco tempo após o diagnóstico baseado em DNA, Lawan estava em um novo tratamento — um específico para o câncer real em seu corpo. Meses depois, ela estava muito melhor. A esperança voltou.

Há esperança para todos. Sabemos que homens e mulheres podem viver mais de 115 anos. Já aconteceu, e pode ser feito novamente. Mesmo para quem chega apenas aos 100 anos, seus 80 e 90 anos podem estar entre os melhores.

Ajudar mais pessoas a atingir esse potencial é uma questão de reduzir os custos e usar tratamentos, terapias e tecnologias emergentes de forma que os indivíduos estejam no centro dos próprios cuidados. E não se trata de diagnosticar as pessoas corretamente quando algo dá errado, mas de saber o que fazer por nós, como indivíduos, mesmo antes de um diagnóstico ser feito.

## Conhecendo a Si Mesmo

Desde o início do novo milênio, fomos informados de que "conhecer nossos genes" nos ajudará a entender a quais doenças somos mais suscetíveis em uma idade mais avançada e nos fornecerá as informações necessárias para tomar ações preventivas para viver mais. Isso é verdade, mas é apenas uma pequena parte da revolução do sequenciamento de DNA que está em andamento.

Há 3.234 bilhões de pares de bases, ou letras, no genoma humano. Em 1990, quando o Projeto Genoma Humano foi iniciado, custava cerca de US$10 ler uma *letra* no genoma, um A, G, C ou T. O projeto inteiro precisou de 10 anos, milhares de cientistas e custou alguns bilhões de dólares. E isso tudo foi para apenas um genoma.

Hoje, posso ler um genoma humano inteiro de 25 mil genes em poucos dias por menos de US$100 no sequenciador de DNA do tamanho de uma barra de chocolate, chamado MinION, que conecto ao meu laptop. E é uma leitura completa do genoma humano, além dos marcadores de metila do DNA que indicam sua idade biológica.[2] O sequenciamento direcionado destinado a responder a uma pergunta ("Que tipo de câncer é esse?" ou "Que infecção eu tenho?") agora pode ser feito em menos de 24 horas. Dentro de 10 anos, será feito em alguns minutos e a parte mais cara será a lanceta que espeta seu dedo.[3]

Mas essas não são as únicas perguntas que nosso DNA pode responder. Cada vez mais, ele também pode dizer quais alimentos comer, quais microbiomas cultivar no intestino e na pele, e quais terapias funcionarão melhor para garantir que você atinja seu potencial máximo de tempo de vida. E isso pode lhe dar orientações sobre como tratar seu corpo como a máquina única que é.

É de conhecimento geral que nem todos respondem aos medicamentos da mesma forma. Às vezes, essas diferenças são expressivas. A deficiência genética de G6PD, por exemplo, afeta 300 milhões de pessoas de ascendência principalmente asiática e africana. É a doença genética mais comum da humanidade. Após a ingestão de doses recomendadas de medicamentos para dor de cabeça, malária e certos antibióticos, os portadores de G6PD podem ser pegos de surpresa pela hemólise, o que equivale ao suicídio em massa dos glóbulos vermelhos.[4]

Algumas mutações sensibilizam as pessoas para determinados alimentos. Se você é portador do G6PD, por exemplo, o feijão de fava pode matá-lo. Enquanto o glúten é uma proteína inofensiva que vem em alimentos ricos em fibras, vitaminas e minerais de que precisamos, para os celíacos, é um veneno.

O mesmo vale para as intervenções médicas: nossos genes podem nos dizer quais são melhores para nós e quais poderiam causar mais mal do que bem. Isso está mudando o jogo para muitos pacientes com câncer de mama. Descobriu-

-se que aqueles que pontuam em determinado intervalo em um teste genético chamado Oncotype DX respondem tão bem aos tratamentos hormonais quanto à quimioterapia, com a última tendo muito mais efeitos colaterais.[5] A tragédia dessa descoberta é que ela não existia até 2015. O teste Oncotype DX está em uso desde 2004, mas só depois que uma equipe de pesquisadores decidiu examinar novamente as possíveis opções de tratamento e resultados que ficou claro que a comunidade médica estava submetendo dezenas de milhares de mulheres a tratamentos que eram mais prejudiciais e não mais eficazes.

O que o caso de Lawan e esse estudo demonstram é que não podemos nos conformar com o "é assim que fazemos" como estratégia para o tratamento de pacientes. Precisamos desafiar as suposições sobre as quais os manuais são baseados.

Uma delas é que homens e mulheres são essencialmente iguais. Estamos lentamente chegando ao reconhecimento vergonhoso de que, durante a maior parte da história médica, nossos tratamentos e terapias foram baseados no que era melhor para homens,[6] impedindo, assim, resultados clínicos saudáveis para mulheres. Os homens não diferem apenas das mulheres em alguns locais no genoma; eles têm outro cromossomo inteiramente.

O viés começa no início do processo de desenvolvimento de medicamentos. Até pouco tempo, era perfeitamente normal estudar apenas ratos machos. Os cientistas geralmente não são machistas quanto aos roedores, mas estão sempre tentando reduzir o ruído estatístico e economizar dinheiro precioso. Desde que ratos fêmeas foram incluídos regularmente em experimentos do tempo de vida, graças em grande parte às condições do National Institutes of Health (NIH), foram observadas grandes diferenças de gênero nos efeitos de genes e moléculas de longevidade.[7] Os tratamentos que funcionam através da sinalização de insulina ou mTOR geralmente favorecem as mulheres, enquanto as terapias químicas geralmente favorecem os homens, e ninguém sabe realmente o porquê.[8]

Se fêmeas e machos estiverem no mesmo ambiente, as fêmeas viverão mais. É um tema recorrente em todo o reino animal. Os cientistas testaram se o importante era o cromossomo X ou o ovário. Usando um truque genético, eles criaram ratos com um ou dois Xs, com ovários ou testículos.[9] Aqueles com uma dose dupla do X viviam mais, mesmo que tivessem testículos e principalmente se não tivessem, provando de uma vez por todas que a mulher é o sexo mais forte.

Além do X, existem dezenas de outros fatores genéticos em jogo. Um dos usos mais promissores da genômica é prever como os medicamentos serão metabolizados. É por isso que um número crescente de medicamentos agora possui rótulos farmacogenéticos — informações sobre como o medicamento age de maneira diferente entre pessoas de genótipos diferentes.[10] Os exemplos incluem medicamentos para afinar o sangue, Coumadin e Plavix, medicamentos para quimioterapia, Erbitux e Vecitibix, e o medicamento para depressão, Celexa. No futuro, a idade epigenética de um paciente também será determinada e usada para prever respostas a medicamentos, um novo campo chamado farmacoepigenética. É uma tecnologia que avança rapidamente, mas alguns testes farmacogenéticos podem não acontecer tão cedo.

Por mais de 200 anos, a droga digoxina da família de plantas digitalis tem sido usada em pequenas doses para tratar insuficiência cardíaca (e em doses maiores por assassinos).[11] Mesmo sob a supervisão de um médico, sua chance de morte ao usar digoxina aumenta 29%, de acordo com um estudo.[12]

Para ajudar a reduzir o acúmulo de fluidos devido ao coração enfraquecido, minha mãe recebeu digoxina. Eu não tinha ideia do risco e suspeito que minha mãe também não, ela era alérgica à droga. Ela se recusava a viver uma vida razoavelmente normal e mal conseguia andar. Por sorte, meu pai, bioquímico e um cara muito inteligente, diagnosticou o problema: a quantidade de medicamento prescrito era muito baixa, mas estava se acumulando no coração dela. Ele disse ao médico para testar os níveis da droga, o que ele concordou com relutância, e o teste voltou positivo para uma overdose.

A droga foi descontinuada, e minha mãe voltou ao seu estado original em questão de semanas. Sim, o médico deveria ter feito exames regulares de sangue para verificar os níveis da droga, mas, se existisse um teste de sensibilidade à digoxina antes da prescrição, o médico poderia estar em alerta máximo. Quão perto estamos de um teste? Não o suficiente. Alguns estudos identificaram variantes genéticas que predizem os níveis sanguíneos de digoxina e o risco de morte, mas não foram repetidos.[13] Esperamos que em breve haja um teste farmacogenético para essa droga, assim como para muitas outras. Elas são necessárias. Não podemos continuar prescrevendo medicamentos como se todos respondêssemos a eles da mesma maneira, porque não é assim.

Os desenvolvedores de remédios descobriram isso, e têm usado informações genômicas para encontrar novos medicamentos e reviver os fracassados que funcionam para pessoas com variações genéticas específicas. Um deles é o Vitrakvi, da Bayer, conhecido como larotrectinibe, que é o primeiro de muitos medicamentos projetados desde o início para tratar cânceres com uma mutação genética específica, não de onde o câncer veio no corpo. Uma história semelhante está sendo escrita sobre o fracassado medicamento para pressão arterial Gencaro. Funcionou bem em um subconjunto da população e, se retomado pela FDA, se tornará a primeira droga cardíaca a exigir um teste genético.

Isso é o futuro. Cada medicamento será incluído em um enorme e crescente banco de dados de efeitos farmacogenéticos. Não demorará muito para que prescrever um medicamento sem conhecer o genoma de um paciente seja considerado medieval.

E, basicamente, com as informações genômicas auxiliando nas decisões de nossos médicos, não precisaremos esperar ficar doentes para saber quais tratamentos funcionarão melhor para impedir que essas doenças se desenvolvam.

Como apontou Julie Johnson, diretora do Florida's Personalized Medicine Program, estamos prestes a entrar em um mundo em que nossos genomas serão sequenciados, armazenados e alertados com luz vermelha para tratamentos que demonstraram ter efeitos adversos em pessoas com tipos e combinações semelhantes.[14] Da mesma forma, teremos luz verde para tratamentos conhecidos por funcionar em pessoas com genes semelhantes, mesmo que não funcionem para a maioria das outras pessoas na maior parte das vezes. Isso será particularmente importante nos países em desenvolvimento, onde a genética local e a flora intestinal são muito diferentes da população em que a droga foi testada.[15] Essas diferenças raramente são mencionadas nos círculos médicos, mas podem ter um efeito marcante na eficácia dos medicamentos e na sobrevivência do paciente, incluindo a eficácia do que se pensa como quimioterapias bem conhecidas do câncer.[16]

Estamos aprendendo a ler todo o proteoma humano — todas as proteínas que podem ser apresentadas por todos os tipos de células. Pesquisadores do meu laboratório e de outros descobriram centenas de novas proteínas no sangue humano, e cada uma pode contar uma história sobre o tipo de célula de onde veio, uma história que podemos usar para entender quais são as doenças em nossos corpos muito antes de serem detectáveis de outra maneira. Isso oferecerá uma visão mais rápida e melhor dos problemas que estamos enfrentando, dando aos médicos a capacidade de lidar com esses problemas com muito mais precisão.

No momento, quando as pessoas ficam doentes, principalmente as mais velhas, elas esperam para ver se as coisas simplesmente "funcionam" antes de marcarem uma consulta com um médico. Somente quando os sintomas persistem, fazem a ligação. Então precisam esperar — quase um mês, de acordo com um estudo de 2017 (nos EUA) — antes de poderem se consultar com um médico. Esse tempo de espera foi crescendo nos últimos anos devido à combinação de falta de médicos e aumento de pacientes baby boomers. Em alguns lugares, é muito pior. Na cidade em que moro, Boston — domicílio de 24 dos melhores hospitais do mundo —, a espera é de 52 dias.[17] Isso é cruel para os padrões norte-americanos.

Os longos tempos de espera não ocorrem apenas nos EUA, que possui um sistema médico privado; o sistema socializado do Canadá também apresenta notadamente longos tempos de espera. O problema não é como pagamos pelos cuidados, mas que estabelecemos os médicos como os únicos condutores para o diagnóstico e, muitas vezes, no caso dos médicos de atenção primária, como as únicas pessoas que podem encaminhar um paciente a um especialista.

A lista de pendências poderá desaparecer em breve, graças às tecnologias que dão aos médicos a capacidade de realizar consultas domiciliares por vídeo. Dentro de uma década, usando um dispositivo do tamanho de uma embalagem de goma de mascar e possivelmente até descartável, será tecnicamente possível coletar as amostras de que seu médico precisa de casa, conectar o dispositivo ao computador e examinar junto com ele uma leitura de seus metabólitos e genes.

Há mais de uma centena de empresas nos EUA realizando testes de DNA superdedicados e rápidos, que dão diagnósticos precoces e precisos de uma vasta gama de doenças e até estimam a taxa de envelhecimento biológico.[18] Alguns objetivam detectar a assinatura genética de câncer e outras doenças anos antes dos métodos convencionais. Em breve, não precisaremos esperar que os tumores cresçam tanto e estejam tão heterogeneamente mutados que sua disseminação não seja controlável. Com um simples exame de sangue, os médicos digitalizarão o DNA livre de células circulantes, ou cfDNA, e diagnosticarão cânceres que seriam impossíveis sem o auxílio de algoritmos de computador otimizados por processos de aprendizado de máquina experimentados em milhares de amostras de pacientes com câncer. Essas pistas genéticas circulantes lhe dirão não apenas se você tem câncer, mas o tipo e como eliminá-lo. Até indicarão em que parte do seu corpo um tumor indetectável está crescendo, uma vez que as assinaturas genéticas (e epigenéticas) dos tumores em uma parte do corpo podem ser muito diferentes umas das outras.[19]

Tudo isso significa que estamos no caminho de uma mudança fundamental na maneira de procurar, diagnosticar e tratar doenças. Nossa abordagem falha da medicina, com os primeiros sintomas, está prestes a mudar. Ficaremos à frente dos sintomas. É o caminho futuro. Ficaremos até mesmo à frente do "não estou me sentindo bem". Afinal, muitas doenças são geneticamente detectáveis muito antes de serem sintomáticas. Num futuro próximo, a varredura proativa de DNA pessoal será tão rotineira quanto escovar os dentes. Os médicos dirão cada vez menos as palavras "eu só queria que tivéssemos detectado isso antes", e finalmente não as usarão mais.

Mas a próxima era da genômica é apenas o começo.

## O CAMINHO CERTO

O painel de um carro equipado com tecnologias inteligentes é uma maravilha. Ele pode informar a que velocidade você está indo, claro, e quantos quilômetros faltam para o veículo precisar ser reabastecido — ajustado com base nas condições da estrada e na maneira como você dirige. Pode informar as temperaturas externa, interna e do motor. Ele pode indicar quais carros, bicicletas e pedestres estão ao seu redor e avisá-lo se estão se aproximando um pouco demais. Quando algo está errado — um pneu descalibrado ou uma transmissão que não está mudando perfeitamente —, também é possível saber. E, se você se distrair e começar a se desviar, o sistema assumirá o controle do volante e o colocará de volta no caminho ou dirigirá autonomamente pela estrada, com um pouco de resistência de uma mão no volante para dizer que há um humano lá, por precaução.

Na década de 1980, havia poucos sensores nos carros. Mas, em 2017, havia quase 100 em cada veículo novo, o dobro em relação aos 2 anos anteriores.[20] Os compradores de automóveis esperam cada vez mais recursos como sensores de pneus, de passageiros, climáticos, de aviso de pedestres noturno, guias de ângulo de direção, alertas de proximidade, sensores de luz ambiente, do líquido do para-brisa, de chuva, de detecção de ponto cego, farol alto automático, levantamento automático da suspensão, reconhecimento de voz, de estacionamento reverso automático, cruise control ativo (piloto automático) e frenagem automática de emergência.

Talvez haja pessoas por aí que ficariam felizes em dirigir sem nenhum painel, contando apenas com sua intuição e experiência para dizer a que velocidade estão indo, quando seu carro precisa de combustível ou recarga e o que consertar quando algo estiver errado. Porém, a grande maioria de nós nunca dirigiria um carro que não estivesse nos dando, pelo menos, um feedback quantitativo e, por meio de nossas decisões de compra, deixamos claro para as empresas de automóveis que queremos carros cada vez mais inteligentes.

É claro que fazemos isso. Queremos que nos protejam e durem.

Surpreendentemente, nunca exigimos o mesmo para nossos próprios corpos. De fato, sabemos mais sobre a saúde de nossos carros do que nossa própria saúde. É absurdo, e está prestes a mudar.

Já demos grandes passos na era dos biossensores pessoais. Nossos relógios monitoram nossa frequência cardíaca, medem nossos ciclos de sono e podem até fazer sugestões para alimentação e atividade física. Atletas e indivíduos preocupados com a saúde estão cada vez mais usando sensores 24h por dia, monitorando como se comportam seus sinais vitais e a química corporal está sendo alterada em resposta à dieta, ao estresse, ao treino e à competição.

Como qualquer pessoa com diabetes ou HIV sabe, o açúcar no sangue e o monitoramento das células sanguíneas são assuntos fáceis e cada vez mais comuns nos dias de hoje, com tecnologias de monitoramento não invasivas ou minimamente invasivas cada vez mais disponíveis, acessíveis e precisas.

Em 2017, a FDA aprovou um sensor de glicose, lançado na Europa em 2014, que faz uma leitura constante dos níveis de açúcar no sangue usando seu telefone ou relógio. Em 30 países, uma picada no dedo é só uma lembrança.

Rhonda Patrick, cientista de longevidade que se tornou especialista em saúde e boa forma, usa um dispositivo de detecção contínua de glicose no sangue para ver quais alimentos dão ao corpo um grande aumento de açúcar, algo que muitos de nós acreditamos que deve ser evitado para uma vida longa. Ela percebeu que o arroz branco é ruim e as batatas nem tanto assim. Quando perguntei qual era o alimento mais surpreendente, ela não hesitou:

"Uvas!", exclamou. "Evite uvas."

Pesquisadores do MIT estão trabalhando em scanners, diretamente de *Star Trek*, que podem fornecer leituras de milhares de biomarcadores. Enquanto isso, pesquisadores da Universidade de Cincinnati vêm trabalhando com as Forças Armadas americanas para desenvolver sensores que podem identificar doenças, mudanças na dieta, lesões e estresse por meio do suor.[21] Algumas empresas estão desenvolvendo computadores de mão analisadores de respiração que podem diagnosticar câncer, doenças infecciosas e doenças inflamatórias. Sua missão: poupar 100 mil vidas e US$1,5 bilhão em custos com saúde.[22] Várias outras empresas estão trabalhando no design de roupas com sensores capazes de rastrear biomarcadores, e os engenheiros automotivos estão explorando a colocação de biossensores em assentos de carro que enviariam um alerta ao seu painel ou médico, se houver algo errado no seu ritmo cardíaco ou no padrão respiratório.

Enquanto escrevo isso, estou usando um anel de tamanho normal que monitora minha frequência cardíaca, temperatura corporal e movimentos. Informa todas as manhãs se dormi bem, o quanto sonhei e o quão alerta ficarei durante o dia. Suponho que tecnologias como essas existem há algum tempo, mas só para pessoas como Bruce Wayne e James Bond. Agora, custam algumas centenas de dólares e podem ser encomendadas online por qualquer pessoa.[23]

Recentemente, minha esposa e meu filho mais velho chegaram em casa com piercings combinando, o que me fez pensar: não há realmente nenhuma razão para que uma joia ainda menor — particularmente uma que perfure a pele — não possa ser usada para rastrear milhares de biomarcadores. Todos os membros da família podem ser avaliados: avós, pais e filhos. Até bebês e membros da família de quatro patas terão monitores, porque são os que menos conseguem nos dizer o que estão sentindo.

Eu suspeito que algum dia poucas pessoas desejarão viver sem uma tecnologia como essa. Não sairemos de casa sem ela, da mesma forma como agimos com nossos smartphones. A próxima melhoria serão adesivos inócuos, posteriormente dando lugar a implantes subcutâneos. As gerações futuras de sensores medirão e acompanharão não apenas a glicose de uma pessoa, mas também seus sinais vitais básicos, o nível de oxigênio no sangue, o equilíbrio vitamínico e milhares de reações químicas e hormônios.

Combinados com tecnologias que conectam dados de movimentos diários e até o tom de voz,[24] os sinais vitais biométricos serão o indicador do corpo. Se você é um homem que passa mais tempo no banheiro do que o habitual, seu guardião de Inteligência Artificial verificará antígenos específicos da próstata e DNA da próstata no sangue, e marcará um exame. Alterações na maneira como você move as mãos enquanto fala e até como pressiona as teclas do seu computador[25] serão usadas para diagnosticar doenças neurodegenerativas anos antes de os sintomas serem notados por você ou seu médico.

Um avanço biotecnológico de cada vez, esse mundo está chegando e rápido. O monitoramento em tempo real de nossos corpos, que dificilmente poderíamos imaginar uma geração atrás, será tão inerente à experiência de viver quanto os painéis de controle são para a experiência de dirigir. E, pela primeira vez na história, isso nos permitirá tomar decisões diárias orientadas a dados de saúde.[26]

As decisões diárias mais críticas que afetam por quanto tempo vivemos estão centradas nos alimentos que ingerimos. Se seu açúcar no sangue estiver alto no café da manhã, você o evitará. Se seu corpo estiver com pouco ferro no almoço, você saberá e poderá pedir uma salada de espinafre para compensar. Quando chegar em casa do trabalho, se não sair para tomar sol e processar a dose diária de vitamina D, também saberá disso e poderá fazer uma vitamina que atenda à deficiência. Se estiver na estrada e precisar da vitamina X ou do mineral Y, saberá não apenas o que precisa, mas onde conseguir. Seu assistente virtual pessoal — a mesma IA que responde às suas consultas de pesquisa na internet e o lembra da sua próxima reunião — o levará ao restaurante mais próximo que tem o que você precisa ou sua necessidade será entregue por um drone onde quer que esteja. Literalmente, poderá cair do céu em seu colo.

A biometria e a análise já nos informam quando e quanto devemos nos exercitar, mas cada vez mais também nos ajudam a monitorar os efeitos do exercício, ou a falta dele, nossos níveis de estresse e até mesmo como os líquidos que bebemos e o ar que respiramos estão afetando a química e a funcionalidade do nosso corpo. Cada vez mais, nossos dispositivos oferecerão recomendações sobre o que fazer para reduzir os biomarcadores sanguíneos abaixo do ideal: passear, meditar, beber chá verde ou trocar o filtro no ar-condicionado. Isso nos ajudará a tomar melhores decisões sobre nossos corpos e estilos de vida.

Tudo isso chegará em breve. Existem empresas que estão analisando dados de centenas de milhares de exames de sangue, comparando-os com os genomas dos clientes e fornecendo feedback sobre o que comer e como realmente otimizar seus corpos, procurando lançar novas gerações dessas tecnologias todo ano.

Tenho a sorte de ter sido uma das primeiras pessoas a olhar cedo para o que esse tipo de tecnologia pode oferecer. Sou consultor científico de uma empresa criada no MIT chamada InsideTracker.[27] Ao me inscrever em testes regulares, acompanhei dezenas de biomarcadores sanguíneos nos últimos sete anos, incluindo vitaminas D e $B_{12}$, hemoglobina, zinco, glicose, testosterona, marcadores inflamatórios, função hepática, marcadores de saúde muscular, colesterol e triglicerídeos. Meus testes são feitos a cada poucos meses, e não segundos — como em breve serão —, mas os relatórios, ajustados à minha idade, sexo, raça e DNA específicos, foram fundamentais para me ajudar a escolher o que pedir quando vou a um restaurante e o que pegar quando paro no mercado a caminho de casa. Posso até receber mensagens de texto diárias, com base nos meus resultados mais recentes, que me lembram o que meu corpo precisa.

Ao longo do caminho, crio dados específicos para *meu* corpo, que com o tempo me ajudam a identificar tendências negativas e positivas que diferem das outras pessoas. Sabemos que nossa herança genética pode ter um impacto significativo nos tipos de alimentos que nosso corpo precisa, tolera ou rejeita, mas cada herança genética é única. O que você precisa, o que seu parceiro precisa e o que seus filhos precisam provavelmente pode ser encontrado nas refeições que você coloca em sua mesa, mas os detalhes podem ser bem diferentes.

O *biotracking* também nos ajudará a impedir mortes evitáveis agudas e traumáticas — aos milhões. Em 2018, um estudo revisado por colegas, publicado pela equipe da InsideTracker e por mim, mostrou que o biotracking e as recomendações alimentares geradas por computador reduzem os níveis de açúcar no sangue com tanta eficiência quanto o principal medicamento para essa doença, além de otimizar outros biomarcadores.

Os sinais de uma artéria carótida cada vez mais bloqueada podem ser difíceis de notar no dia a dia ou até mesmo em visitas periódicas ao médico, mas serão quase impossíveis de passar em branco quando nossos corpos forem medidos e monitorados o tempo todo. O mesmo vale para batimentos cardíacos irregulares, pequenos derrames, trombose durante o transporte médico aéreo e muitos outros problemas médicos que atualmente são quase sempre tratados em condições críticas — quando é tarde demais. Antes, se você suspeitava que seu coração estava com problemas, e mesmo se não, iria a consultas em alguns médicos para fazer um eletrocardiograma. Agora, milhões de pessoas podem realizar seu próprio ECG preciso em 30 segundos, onde quer que estejam, apenas pressionando o dedo no mostrador do relógio.

Uso o termo *relógio* vagamente, uma vez que os dispositivos de pulso atuais não informam apenas hora e data. Também são calendários, audiolivros, rastreadores fitness, programas de e-mail e texto, bancas de jornais, temporizadores, alarmes, estações meteorológicas, monitores de batimentos cardíacos e temperatura, gravadores de voz, álbuns, tocadores de música, assistentes pessoais e telefones. Se podem fazer tudo isso, não há razão para que não esperemos que nos ajudem a evitar incidentes traumáticos de saúde também.

No futuro, se estiver tendo um ataque cardíaco — mesmo que seja perceptível apenas como uma leve dor no braço — ou um miniAVC, que muitas vezes não é diagnosticado até que seja identificado em uma tomografia computadorizada anos depois, você será alertado, assim como aquele que estão ao seu redor. Em caso de emergência, um vizinho de confiança, um melhor amigo ou qualquer médico que esteja mais próximo também poderá ser alertado. Uma ambulância será enviada à sua porta. Dessa vez, os médicos do hospital mais próximo saberão exatamente por que você está entrando antes mesmo de chegar.

Você conhece algum médico de emergência? Pergunte a ele quanto vale um único minuto a mais de tratamento, um único exame de sangue com mais informações, um eletrocardiograma recente ou um paciente que ainda está consciente, sem dor e sem sofrer uma hemorragia no cérebro quando chega — uma pessoa capaz de ajudar no processo de fazer escolhas apropriadas de assistência médica de emergência. Pode demorar um pouco até que os médicos solicitem o download de rotina dos seus dados de biotracking mais recentes para ajudá-los a tomar o que poderiam ser decisões de vida e morte.

O biotracking nos ajuda a identificar doenças mais rápido do que nunca. Foi o que aconteceu no verão de 2017 com Suzanne. Após um período de mudanças sutis em seu ciclo menstrual, mudanças que seu médico atribuiu à entrada na menopausa, a mulher de 52 anos baixou um aplicativo que a ajudou a acompanhar seus ciclos. Três meses depois, o aplicativo enviou um e-mail alertando-a da possibilidade de que os dados estivessem "fora do padrão" para mulheres de sua idade. Munida com essa informação, Suzanne voltou ao médico. Ela foi imediatamente enviada para exames de sangue e um ultrassom que revelou tumores Mullerianos mistos, uma forma maligna de câncer encontrada predominantemente em mulheres na pós-menopausa com idade superior a 65 anos. Foi necessária uma histerectomia radical para remover o câncer antes que pudesse se espalhar ainda mais, mas a vida de Suzanne foi poupada.[28]

**TECNOLOGIAS PARA ESTENDER NOSSAS VIDAS.** Num futuro próximo, as famílias serão monitoradas por acessórios pessoais inteligentes com biossensibilidade, pequenos dispositivos em casa e implantes que otimizarão nossa saúde e salvarão vidas, sugerindo refeições e detectando quedas, infecções e doenças. Quando uma anomalia é encontrada, um médico por videoconferência assistida por IA envia uma ambulância, enfermeiros ou medicamentos à sua porta.

O aplicativo que ela usou era simples comparado aos que estão a caminho. Exigiu uma entrada proativa de dados e acompanhou apenas algumas métricas. No entanto, salvou sua vida. Imagine, então, o que os rastreadores "hands-off" que coletam milhões de dados diários podem oferecer. Agora, imagine combinar esses dados com o que aprendemos com o sequenciamento de DNA de rotina.

E não pare de imaginar por aí. Como o biotracking não informa apenas quando sua frequência cardíaca está alta, seus níveis de vitamina estão baixos ou seu nível de cortisol está aumentando, mas também indica quando nossos corpos estão sob ataque, e isso pode salvar todos neste planeta.

## Pronto Para o Pior

Em 1918 — muito antes de nossa moderna, super-rápida e hiperconectada rede de transporte tomar forma —, uma pandemia mundial de gripe que alguns historiadores acreditam ter se originado nos EUA matou mais pessoas do que qualquer outro surto de doença na história.[29] Foram mortes violentas, com hemorragia das mucosas, principalmente do nariz, estômago, olhos, ouvidos, pele e intestinos.[30] Numa época em que a era do voo humano estava engatinhando e a maioria das pessoas nunca andava de carro, o vírus H1N1 chegou a alguns dos lugares mais distantes do mundo. Matou pessoas em ilhas remotas e aldeias árticas. Matou sem levar em conta raça ou fronteiras nacionais. Matou como uma nova peste negra. A expectativa média de vida nos EUA caiu de 55 para 40 anos. O país se recuperou, mas não antes de mais de 100 milhões de pessoas de todas as idades em todo o mundo terem suas vidas interrompidas.

Isso pode acontecer novamente. Considerando o quanto mais humanos e animais estão em contato e o quanto mais interconectado nosso planeta está do que há um século, isso poderia acontecer com bastante facilidade.

Os ganhos de expectativa de vida que testemunhamos nos últimos 120 anos, e os que estão por vir, podem ser eliminados em uma geração, a menos que lidemos com a maior ameaça: outras formas de vida que buscam nos atacar. Não importa se vivemos décadas após décadas se uma pandemia rapidamente destrói centenas de milhões de vidas, negando e mesmo revertendo os ganhos de tempo de vida médio que alcançamos. O aquecimento global é uma questão crítica a longo prazo, mas também se pode argumentar que, pelo menos durante a vida, as infecções são nossa maior ameaça.

Garantir que o próximo grande surto nunca aconteça poderia ser o maior presente da revolução do biotracking. Individualmente, claro, o monitoramento em tempo real dos elementos vitais e químicos do corpo oferece benefícios incríveis para otimizar a saúde e prevenir emergências. Coletivamente, porém, isso poderia nos ajudar a superar uma pandemia global.

Graças aos acessórios pessoais inteligentes, já dispomos de tecnologia para monitorar a temperatura corporal, o pulso e outras reações biométricas de mais de 100 milhões de pessoas em tempo real. As únicas coisas que nos separam são uma necessidade reconhecida e uma resposta cultural.

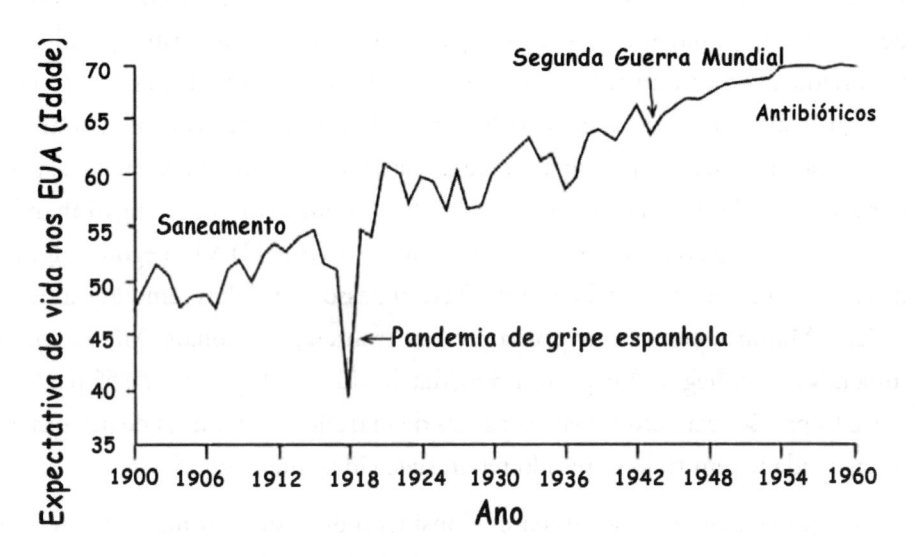

**MUDANÇA DA EXPECTATIVA DE VIDA DURANTE A EPIDEMIA DE GRIPE DE 1918.**
Fonte: SL Knobler, A. Mack, A. Mahmoud e SM Lemon, orgs., The Threat of Pandemic Influenza: Are we ready? Resumo do Workshop, Institute of Medicine (Washington, DC: National Academies Press, 2005), https://doi.org/10.17226/11150, PMID: 20669448.

A necessidade já está aqui. Já faz um tempo. Demorou cerca de 20 anos para que o Zika vírus, transmitido por mosquitos, se espalhasse da África Central, onde foi documentado pela primeira vez, para o sul da Ásia. E mais 45 anos para chegar à Polinésia Francesa no Pacífico Central, em 2013. No período de 65 anos, afetou apenas uma pequena parte do mundo. Nos quatro anos seguintes, porém — quatro anos, isso é tudo —, o vírus se espalhou como fogo pelas Américas do Sul, Central e do Norte, e depois de volta pelo Oceano Atlântico até a Europa.

O Zika, pelo menos, é limitado na forma como pode ser transmitido — principalmente por picadas de mosquito, mas também de mãe para filho e por contato sexual. Até onde sabemos, ele não pode ser transmitido por maçanetas, alimentos ou sistemas de controle climático de circulação do ar nos aviões.

Mas a gripe pode, assim como outros vírus potencialmente mais mortais.

Em 23 de março de 2014, a Organização Mundial da Saúde registrou casos da doença pelo vírus Ebola na região rural florestal do sudeste da Guiné e, a partir daí, se espalhou rapidamente para três países vizinhos, causando pânico generalizado. Até o país mais rico do mundo, onde 11 pessoas foram tratadas para o Ebola, foi pego sem um plano unificado.

Naquele mês de outubro, pessoas em trajes de proteção biológica estavam no voo 45 da American Airlines quando ele pousou em Nova Jersey para apontar detectores de calor infravermelho na testa das pessoas, na tentativa de detectar febre. Kaci Hickox, que trabalhou para a organização Médicos Sem Fronteiras, mais tarde venceu uma ação que levou a uma "declaração de direitos de quarentena", depois que ela foi colocada em "prisão privada" pelo governador Chris Christie. Naquela ocasião, e desde então, o vírus mortal foi contido, mas a humanidade pode não ter tanta sorte sempre.

"Se ocorre por uma peculiaridade da natureza, ou por um terrorista, os epidemiologistas dizem que um patógeno transportado pelo ar em rápida dispersão pode matar mais de 30 milhões de pessoas em menos de um ano", disse Bill Gates a uma multidão na Munich Security Conference, em Munique, no ano de 2017, "e eles dizem que há uma boa probabilidade de que o mundo sofra um surto nos próximos 10–15 anos."[31]

Se isso acontecer, 30 milhões podem ser uma estimativa muito conservadora.

À medida que nossas redes de transporte continuam a se expandir em alcance e velocidade, à medida que mais pessoas viajam para vários lugares do mundo mais rápido do que nossos ancestrais poderiam imaginar, patógenos de todos os tipos também viajam mais rápido que nunca. Mas com os dados certos nas mãos certas, podemos avançar com rapidez, sobretudo se combinarmos dados de "*biocloud*" em massa com sequenciamento de DNA veloz para detectar patógenos conforme se espalham pelas cidades e corredores de transporte. Ao fazer isso, podemos ficar à frente de um patógeno assassino com restrições de viagens de emergência e recursos médicos. Nessa luta, todo minuto importa. E cada minuto que passa sem ação será medido em vidas humanas.

Nem todo mundo está pronto para o mundo do biotracking. Isso faz sentido. Para muitos, claramente, parecerá um passo grande demais. Talvez vários passos.

Para chegar a um mundo em que milhões de seres humanos — todos monitorados em tempo real quanto a níveis hormonais, produtos químicos, temperatura e batimentos cardíacos — estão sentados como sentinelas para nos alertar sobre as crises de saúde pública à medida que acontecem, alguém terá que ter os dados. Quem será? Um governo? Uma coalizão? Todos eles?

Talvez uma empresa de computadores, um fabricante de produtos farmacêuticos, uma empresa de e-commerce, uma seguradora, o setor farmacêutico, uma empresa de suplementos ou uma rede hospitalar.

Provavelmente, será uma combinação dessas empresas, todas sob o mesmo teto. A consolidação já começou e continuará, já que elas estão voltadas para o setor de maior e mais rápido crescimento da economia global, o de saúde, que agora ultrapassa 10% do PNB global e aumenta a uma taxa anual de 4,1%.

Em quem você confia para passar todos os seus movimentos? Para ouvir todos os seus batimentos cardíacos? Cuidar do seu sono e saber quando está acordado, como um ser mítico benevolente do folclore? Ser capaz de identificar, através de dados, quando você está triste, dirigindo rápido demais, fazendo sexo ou bebendo demais?

Não faz sentido tentar convencer as pessoas de que não há com o que se preocupar. Claro que há coisas com as quais se preocupar. Acha que ter os dados do seu cartão de crédito roubados é ruim? Isso não é nada. Você sempre pode ligar para o banco e obter um novo cartão, mas seus registros médicos são permanentes, e muito mais pessoais. Mais de 110 milhões de registros médicos foram violados nos Estados Unidos entre 2010 e 2018.³² Jean-Frédéric Karcher, chefe de segurança da Maintel, um provedor de comunicações do Reino Unido, prevê que os ataques se tornarão muito mais comuns.

"As informações médicas podem valer dez vezes mais que os números de cartão de crédito na *deep web*. Fraudadores podem usar esses dados para criar identidades falsas e comprar equipamentos médicos ou medicamentos", alertou.³³

Já negociamos uma quantidade enorme de privacidade por serviços tecnológicos. Fazemos isso o tempo todo. Fazemos isso sempre que abrimos uma conta bancária ou solicitamos um cartão de crédito. Fazemos isso frequentemente quando apontamos nossos navegadores da internet para uma nova página da web, quando nos matriculamos na escola. Fazemos isso quando entramos em um avião. E fazemos isso — muito — quando usamos nossos telefones celulares. Foram boas trocas para todos? É uma questão de opinião pessoal, claro. Mas quando muitas pessoas imaginam não poder usar um cartão de crédito, navegar na Internet, se matricular na escola, viajar de avião ou usar seus telefones e relógios inteligentes, concluem rapidamente que a troca é tolerável.

As pessoas negociarão um pouco mais de privacidade para impedir uma pandemia global de doenças? Infelizmente, é provável que não. A tragédia dos comuns é que os humanos não são muito bons em agir individualmente para resolver problemas coletivos. O segredo da mudança revolucionária é encontrar maneiras de alinhar o interesse próprio e o bem comum. Para que as pessoas aceitem o rastreamento biométrico generalizado de uma maneira que possa nos ajudar a superar os vírus mortais que se espalham rapidamente, elas precisarão de algo que dificilmente conseguirão ver.

Como se preparar para esse mundo é uma conversa que precisamos ter. E logo.

Eu já estou nele. Antes de começar a verificar regularmente meus biomarcadores, preocupei-me com o que os sinais químicos em constante mudança no meu corpo poderiam revelar sobre mim para alguém com acesso aos meus dados.

Todos os dados são mantidos em servidores de assistência médica ou compatíveis com a HIPAA (Lei de Portabilidade e Responsabilidade do Seguro de

Saúde) e os dados são criptografados. Mas sempre há o medo de que os dados sejam invadidos. Sempre tem um jeito.

Mas, depois que comecei, as informações que recebi valiam muito mais do que as preocupações que tenho. É uma escolha pessoal, sem dúvida. Agora, tendo visto as mudanças no meu painel, não consigo imaginar viver sem ele. Assim como atualmente me pergunto como consegui dirigir sem GPS, me pergunto como tomei decisões sobre o que deveria comer e quanto deveria me exercitar antes de receber atualizações regulares dos relatórios do meu anel de biossensores e biomarcadores de sangue. Na verdade, estou ansioso pelo dia em que os dados sobre minha saúde serão processados em tempo real. E, se isso puder ajudar a proteger os outros, melhor ainda.

## Mudança Rápida

Durante meu doutorado, eu tinha um emprego noturno. Por cerca de oito dólares por hora, testei fluidos corporais (urina, fezes, líquido espinhal, sangue e swabs genitais horrivelmente enrolados com pelos) analisando a presença de bactérias, parasitas e fungos mortais. Era um trabalho fascinante.

À minha disposição, tinha todos os artifícios da tecnologia do século XIX: microscópios, placas de Petri, água estéril. Um técnico de laboratório transportado de 1895 para o laboratório de microbiologia dos anos 1980 se sentiria em casa. Hoje, ainda são muitos laboratórios de microbiologia que operam assim.

Fazer apelos de vida ou morte dessa maneira era frustrante. Em todos os outros ramos da medicina, fizemos enormes avanços tecnológicos com robótica, nanotecnologia, scanners e espectrômetros.

Hoje, porém, não estou mais frustrado. Estou furioso.

Cepas de bactérias resistentes a antibióticos continuam a se espalhar, e novos estudos envolvem bactérias como agentes causadores de câncer, doenças cardíacas e doença de Alzheimer.[34]

Mas eu não estava trabalhando para resolver esse problema, até recentemente. A luta contra a doença de Lyme tem uma maneira de intensificar os sentimentos de uma pessoa sobre esse tipo de coisa.

Nossa filha Natalie tinha 11 anos quando aconteceu. Na Nova Inglaterra, onde vivemos, há uma epidemia de carrapatos que carregam o tipo bacteriano de *Borrelia burgdorferi*, que causa a doença de Lyme. Estimativas recentes sugerem que aproximadamente 300 mil pessoas nos Estados Unidos podem contrair a doença a cada ano. Se não tratada, a *Borrelia* fica oculta nas células da pele e nos linfonodos, causando paralisia facial, problemas cardíacos, dor nos nervos, perda de memória e artrite. Ela se esconde em um biofilme protetor, tornando-se extremamente difícil de eliminar.

Natalie nunca teve irritação na pele ao redor da picada de carrapato — um sinal claro de que você contraiu o parasita. Ela estava reclamando de dor de cabeça e nas costas, sinais típicos de gripe. Mas rapidamente ficou claro que não era gripe, era algo muito pior.

Ela não conseguia virar a cabeça, estava perdendo a visão e ficou aterrorizada. Minha esposa e eu também — nunca nos sentimos tão impotentes em nossas vidas. Começamos a pesquisar online por respostas. As doenças potenciais incluíam leucemia e uma infecção viral no cérebro.

Os médicos do Boston Children's Hospital começaram a examiná-la. O primeiro teste indicou proteínas da doença de Lyme, mas a companhia de seguros precisou de confirmação porque o primeiro teste ocasionalmente dá um falso positivo. O segundo teste falhou, colocando o curso do tratamento no limbo, aguardando mais resultados laboratoriais.

Pedi uma amostra de líquido espinhal de Natalie para testar. No meu laboratório, do outro lado da rua, eu sequenciaria o DNA do patógeno. O hospital recusou.

Dado o estado de seus sintomas naquele momento, eu soube então que ela tinha 50% de chance de sobreviver. Sua vida se reduziu a nada. Num momento em que cada segundo contava, os médicos aguardavam os resultados do laboratório.

Demorou três dias para confirmar que era uma infecção pela doença de Lyme e, finalmente, os médicos deram a Natalie antibióticos diretamente na veia grande ao lado do coração. Ela recebeu esse tratamento todos os dias durante quase um mês.

Ela está bem agora, mas ficou claro para todos os envolvidos, especialmente Natalie, que precisamos desesperadamente aplicar as tecnologias do século XXI para diagnosticar doenças infecciosas. Em Cambridge, Massachusetts e Menlo Park, na Califórnia, ajudei a reunir um grupo de pessoas muito inteligentes — médicos de doenças infecciosas, microbiologistas, geneticistas, matemáticos e engenheiros de software — para desenvolver testes que poderiam informar sem equívoco aos médicos o que é uma infecção e qual a melhor forma de eliminá-la, usando o "sequenciamento de alto rendimento".

A primeira etapa desse processo é a extração de ácidos nucleicos de amostras de sangue, saliva, fezes ou líquido espinhal. Como aumenta o custo e reduz a sensibilidade, o DNA do paciente é removido usando métodos inovadores aprimorados pelos mesmos cientistas que extraem o DNA antigo das múmias — um dos inúmeros casos de um campo da ciência que beneficia outro. Posteriormente, as amostras são processadas por meio de tecnologias agnósticas de sequenciamento de DNA, o que significa que o sistema não está procurando nenhum agente infeccioso específico, mas lendo os genomas em toda a amostra. Essa lista é então analisada em um banco de dados de todos os patógenos humanos conhecidos no nível de cepa. O computador gera um relatório altamente detalhado sobre quais invasores estão presentes e qual é a melhor forma de matá-los. Os testes são tão precisos quanto os padrões, mas fornecem informações no nível cepa e são agnósticos aos patógenos. Em outras palavras, em breve os médicos não terão que adivinhar o que procurar ao solicitar um teste ou qual tratamento funcionará melhor. Eles saberão com certeza.

Somente alguns anos atrás, isso não seria apenas um processo lento, nem mesmo seria possível. Agora, pode ser feito em dias. Em breve, poderá ser feito em horas e, por fim, em minutos.

Mas há outra maneira de lidar com essas doenças: poderíamos evitá-las.

## A Nova Era da Inoculação

Não há debate racional sobre o impacto muito positivo das vacinas na expectativa de vida e vida saudável ao longo do século passado. A mortalidade infantil em todo o mundo reduziu, em grande parte, porque eliminamos doenças como a varíola. O número de crianças saudáveis no mundo aumentou porque destruímos a poliomielite. O número de adultos saudáveis também aumentou. Dentro de 50 anos, a síndrome pós-pólio, que causa fadiga, fraqueza muscular, curvatura espinhal anormal e defeitos de fala em adultos, será extinta.

E, claro, quanto mais doenças pudermos vacinar, especialmente aquelas que se aproveitam da vida das pessoas idosas, como gripe e pneumonia, mais a expectativa de vida aumentará nos próximos anos.

Quando inoculamos a população, não só nos protegemos individualmente, mas também protegemos os mais fracos entre nós: jovens e idosos. A catapora já tirou milhares de vidas a cada ano em todo o mundo — principalmente entre os mais jovens e os mais velhos — e foi responsável por centenas de milhares de hospitalizações e milhões de dias de faltas no trabalho. Esses dias acabaram.

Um exemplo brilhante do poder das vacinas para prolongar a vida veio nos anos após a introdução de vacinas para o *Streptococcus pneumoniae*, uma importante fonte de doença em idosos e a causa mais comum de morte por infecção respiratória. Depois que a vacina Prevnar para bebês foi lançada em 2000, hospitalizações e mortes por pneumonia caíram em todos os sentidos, de acordo com um estudo publicado no *New England Journal of Medicine*.

"O efeito protetor que observamos em adultos mais velhos, que não recebem a vacina, mas se beneficiam da vacinação de bebês, é bastante notável", explicou a primeira autora do estudo, Marie Griffin. "É um dos exemplos mais impressionantes de proteção indireta ou imunidade de massa que vimos nos últimos anos."[35]

Somente nos primeiros 3 anos, as mortes por pneumonia foram reduzidas pela metade, evitando mais de 30 mil casos e 3 mil mortes somente nos Estados Unidos, de acordo com outro estudo.[36]

Podemos matar muitos assassinos com vacinas como essa.

No entanto, por várias décadas, a promessa de vacinas para melhorar a vida de bilhões de pessoas em todo o mundo foi retardada, não apenas pela desconfiança em relação às vacinas divulgadas pela ciência desacreditada, mas pelas velhas forças do mercado. A era de ouro da pesquisa de vacinas ocorreu em meados do século XX, uma época que viu o rápido desenvolvimento de uma sucessão de inoculações excepcionalmente eficazes contra coqueluche, poliomielite, caxumba, sarampo, rubéola e meningite.

Mas, na última parte do século, o modelo de negócios que sustentou a pesquisa e o desenvolvimento de vacinas foi afetado. O custo do teste de novas vacinas aumentou exponencialmente, graças em grande parte ao aumento das preocupações públicas sobre segurança e órgãos reguladores avessos ao risco. As "melhores frutas" do mundo da inoculação já haviam sido colhidas. Agora, uma vacina simples pode levar mais de uma década para produzir e custar mais de meio bilhão de dólares, além de existir a chance de ela não ser aprovada para venda. Mesmo algumas vacinas que funcionaram bem e foram essenciais na prevenção de epidemias, como a vacina contra a doença de Lyme da GlaxoSmithKline, foram retiradas do mercado porque a reação infundada contra vacinas fez a continuação do produto "simplesmente não valer a pena".[37]

Governos não fabricam vacinas; empresas sim. Portanto, quando as forças do mercado não são favoráveis, não recebemos os remédios de que tanto precisamos. Às vezes, as lacunas de financiamento são preenchidas por organizações de caridade, mas não é o suficiente. E crises econômicas como a recessão global do fim dos anos 2000 e início de 2010 deixaram as fundações — muitas das quais se baseiam em ganhos de doações vinculadas ao mercado — incapazes ou não dispostas a investir nessas intervenções que salvam vidas.[38]

A boa notícia é que estamos passando por um minirrenascimento na pesquisa e no desenvolvimento de vacinas, que triplicou entre 2005 e 2015, representando cerca de ¼ de todos os produtos de biotecnologia em desenvolvimento.[39]

A maior delas é a malária, que infectou 219 milhões de pessoas e tirou 435 mil vidas em 2017.[40] Graças a Bill e Melinda Gates, GlaxoSmithKline e PATH (uma organização internacional de saúde global sem fins lucrativos), uma vacina eficaz contra a malária, a Mosquirix, foi implementada pela primeira vez em 2017, dando esperança de que o parasita da malária um dia será levado à extinção.[41]

Estamos aprendendo a preparar vacinas rapidamente em células humanas, células de mosquitos e bactérias, evitando o tempo e as despesas de infectar os milhões de ovos de galinha fertilizados que usamos, um processo bem antiquado. Um consórcio de pesquisas de Boston conseguiu uma vacina contra a febre de Lassa, uma doença semelhante ao Ebola, até o teste de animais em apenas 4 meses e por cerca de US$1 milhão, cortando anos e milhões de dólares do processo convencional.[42] Isso é nada menos que surpreendente.

Neste momento, pesquisadores estão começando a última arrancada de uma corrida muito longa para desenvolver vacinas que nos inocularão contra doenças tão onipresentes que simplesmente as aceitamos como parte da vida. Muitos formadores de opinião preveem, embora com alguma apreensão, que não demorará muito para não tomarmos mais medidas desesperadas, como a vacina anual contra gripe, que em alguns anos protege menos de um terço de quem recebe, o que ainda é muito melhor que nada. (Se você não toma vacina contra a gripe ou não vacina seus filhos, por favor vacine. Temos o privilégio de viver em uma época em que podemos proteger a nós mesmos e a nossos filhos de doenças potencialmente mortais.)

A capacidade de detectar, diagnosticar, tratar e até prevenir rapidamente doenças que não estão relacionadas ao envelhecimento, mas que reclamam muitos milhões de vidas a cada ano, permitirá continuar aumentando a expectativa de vida média cada vez mais, fechando a lacuna entre média e máxima.

Mesmo assim, os órgãos falham e partes do corpo se desgastam. O que faremos quando todas as outras tecnologias falharem? Há uma revolução acontecendo nessa área também.

## O Moedor de Órgãos

A Great Ocean Road, que percorre a costa australiana a oeste de Melbourne, está entre os trechos de rodovia mais bonitos do mundo. Mas sempre que estou nela lembro-me de um dos dias mais assustadores da minha vida — o dia em que recebi uma ligação dizendo que meu irmão Nick sofreu um acidente de moto.

Ele tinha 23 anos na época e viajava de moto pelo país. Era um piloto experiente, mas passou por uma mancha de óleo, voou da motocicleta e deslizou sob uma barreira de metal que esmagou suas costelas e rompeu seu baço.

Felizmente, ele sobreviveu, mas, para salvar sua vida, os médicos do pronto-socorro tiveram que remover o baço, que está envolvido na produção de células sanguíneas e é uma parte importante do sistema imunológico. Pelo resto da vida, ele deve tomar cuidado para não contrair uma infecção grave; assim como fica doente com mais frequência e leva mais tempo para se recuperar. Pessoas sem baço também correm maior risco de morrer de pneumonia em idade avançada.

Não é preciso idade ou doença para afetar nossos órgãos. Às vezes, a vida faz isso de outras maneiras, e temos sorte se perdermos apenas o baço. Corações, fígados, rins e pulmões são muito mais difíceis de viver sem.

O mesmo tipo de reprogramação celular que podemos usar para restaurar os nervos óticos e a visão pode um dia nos oferecer a capacidade de restaurar a função em órgãos danificados. Mas o que podemos fazer por órgãos que falharam completamente ou precisam ser removidos devido a um tumor?

No momento, só há uma maneira de substituir efetivamente órgãos danificados e doentes. É mórbido, mas mesmo assim uma verdade: quando as pessoas rezam para que um órgão se torne disponível para um ente querido que precisa dele, em parte oram por um acidente mortal de carro.

Há muita ironia, ou alguns diriam lógica, no fato de o Departamento de Trânsito nos EUA ser a organização que pede às pessoas para serem doadoras de órgãos: a cada ano, somente nesse país, mais de 35 mil pessoas são mortas devido a acidentes de automóvel, tornando-se uma das fontes mais confiáveis de tecidos e órgãos. Se você não se inscreveu como doador de órgãos, espero que reconsidere. Entre 1988 e 2006, o número de pessoas que aguardavam por um novo órgão aumentou 6 vezes. Enquanto escrevo esta frase, há 114.271 pessoas no registro online dos EUA aguardando transplantes de órgãos e, a cada 10 minutos, alguém novo é adicionado à lista de espera.[43]

É ainda pior para os pacientes no Japão, onde a capacidade de conseguir um transplante de órgão está abaixo dos países ocidentais. As razões são culturais e legais. Em 1968, a crença budista de que o corpo não deve ser dividido após a morte provocou uma comoção na mídia sobre se o primeiro doador de coração japonês havia realmente sofrido uma "morte cerebral" quando o coração foi removido pelo Dr. Juro Wada. Imediatamente foi promulgada uma lei rígida que proibia a remoção de órgãos de alguém até que o coração parasse de bater. A lei foi relaxada 30 anos depois, mas os japoneses continuam divididos sobre o assunto e bons órgãos continuam sendo difíceis de encontrar.

Meu irmão também sofre de uma doença ocular chamada ceratocone, que faz com que as córneas que cobriam as lentes se enruguem como um dedo enfiado em filme plástico. Para tratar isso, ele fez dois transplantes de córnea, um na casa dos 20 e o outro na casa dos 30 anos, em que trocaram suas córneas pelas de outras pessoas. Nas duas vezes, ele sofreu seis meses com pontadas na córnea que pareciam "galhos" em seus olhos, mas sua visão foi salva. O fato de Nick agora literalmente ver o mundo através dos olhos dos outros é um tópico divertido nas conversas de jantares, que esconde a verdadeira profundidade da gratidão de nossa família aos doadores falecidos.

Conforme chegamos à era dos carros autônomos — uma mudança de paradigma tecnológico e social que quase todo especialista espera reduzir acidentes —, precisamos enfrentar uma questão importante: De onde virão os órgãos?

A geneticista Luhan Yang e seu ex-mentor Professor George Church, no meu departamento da Harvard Medical School, acabaram de descobrir como editar células de mamíferos quando começaram a trabalhar na edição de genes em porcos. Qual foi o resultado? Eles imaginaram um mundo em que os criadores de porcos criam animais projetados especificamente para produzir órgãos para milhões de pessoas que estão nas listas de espera para um transplante. Embora os cientistas tenham sonhado com o "xenotransplante" generalizado por muitas décadas, Yang deu um dos maiores passos em direção a esse objetivo, quando ela e seus colegas demonstraram que poderiam usar a edição de genes para eliminar dezenas de genes retrovirais de porcos que atualmente os impedem de doar órgãos. Esse não é o único obstáculo ao xenotransplante, mas é um grande problema, e um que Yang descobriu como superar antes de completar 32 anos.

Essa não é a única maneira de obtermos órgãos no futuro. Desde que os pesquisadores descobriram, no início dos anos 2000, que podiam modificar as impressoras a jato de tinta para estabelecer camadas 3D de células vivas, cientistas de todo o mundo têm trabalhado em direção ao objetivo de imprimir tecidos vivos. Hoje, os cientistas implantaram ovários impressos em ratos e artérias impressas em macacos. Outros estão trabalhando na impressão de tecido esquelético para reparar ossos quebrados. A pele impressa provavelmente começará a ser usada para enxertos nos próximos anos, com fígados e rins logo depois disso, e corações — que são um pouco mais complicados — alguns anos mais à frente.

Em breve, não importará se a via mórbida para o transplante de órgãos humanos terminar. Esse caminho nunca atendeu à demanda mesmo. No futuro, quando precisarmos de partes do corpo, poderemos imprimi-las, talvez usando nossas próprias células-tronco, que serão colhidas e armazenadas para essa ocasião, ou mesmo usando células reprogramadas retiradas do sangue ou de um swab bucal. E, como não haverá competição por esses órgãos, não precisaremos esperar que as coisas deem errado catastroficamente para que outra pessoa consiga um — só precisamos esperar que a impressora faça seu trabalho.

## APENAS IMAGINE

Tudo isso é difícil de imaginar? É compreensível. Passamos muito tempo construindo nossas expectativas sobre como deve ser a assistência médica — e de fato como deve ser a vida humana. Para muitas pessoas, é bem mais fácil dizer "simplesmente não acredito que isso aconteça" e deixar as coisas assim.

Mas, na verdade, somos um pouco melhores em mudar de ideia sobre o que esperamos da vida e o que a idade significa do que muitos pensam.

Considere Tom Cruise. Quando o ator de *Top Gun* entrou na casa dos 50 anos, com músculos marcados e uma linha reta de cabelos escuros brotando de uma testa pouco enrugada, ele ainda estava na ativa. Não apenas atuando, mas fazendo o tipo de atuação que há muito tempo é esperado de atores muito mais jovens. Ele ainda estava fazendo muitas de suas acrobacias perigosas: pilotando motocicletas em alta velocidade através de becos, sendo amarrado do lado de fora de um avião enquanto ele decola, pendurado no topo do edifício mais alto do mundo, saltando de paraquedas nas camadas mais altas da atmosfera.

Com que facilidade as palavras "50 são os novos 30" saem de nossos lábios hoje? Esquecemos como costumávamos esperar a vida após os 50 anos, não centenas de anos no passado, mas apenas algumas décadas atrás.

Não parecia Tom Cruise pulando de aviões. Parecia Wilford Brimley. Na década de 1990, Brimley atuou com Cruise no filme *A Firma*. Cruise tinha 31 anos e Brimley 59, um homem já maduro de cabelos grisalhos e bigode de morsa.

Alguns anos antes, Brimley estrelou *Cocoon*, um filme sobre um grupo de idosos que encontra uma "fonte da juventude" alienígena que lhes dá a energia — embora não a aparência — de sua juventude. A imagem de idosos correndo como adolescentes foi vista com grande efeito cômico.

Foi audacioso pensar em alguém dessa idade agindo com tanta disposição. Na época em que o filme foi lançado, Brimley era cinco ou seis anos mais novo que Cruise hoje. De acordo com Ian Crouch, do *New Yorker*, Cruise passou facilmente pelo que ele chama de "a barreira de Brimley".[44]

Barreiras caem, e cairão novamente. Em outra geração, estaremos acostumados a ver estrelas de cinema de 60 e 70 anos guiando motocicletas em alta velocidade, saltando de grandes alturas e dando chutes de kung fu no ar. Porque 60 serão os novos 40. Então, 70 serão os novos 40. E assim por diante.

Quando isso acontecerá? Já está acontecendo. Não é fantasioso dizer que, se você estiver lendo estas palavras, é provável que se beneficie dessa revolução; você parecerá mais jovem, agirá de um jeito mais jovem e *será* mais jovem, tanto física quanto mentalmente. Você viverá mais e esses anos extras serão melhores.

Sim, é verdade que qualquer tecnologia pode levar a um beco sem saída. Mas simplesmente não há como todas elas falharem. Tomadas separadamente, qualquer uma dessas inovações em produtos farmacêuticos, medicina de precisão, atendimento de emergência e saúde pública salvaria vidas, proporcionando anos extras que, de outra forma, seriam perdidos. Mas, quando os reunimos, estamos olhando a estrada para décadas de vida mais longa e saudável.

Cada nova descoberta cria um novo potencial. Cada minuto economizado na busca por um sequenciamento genético mais rápido e preciso pode ajudar a salvar vidas. Mesmo que não mova muito a agulha no número máximo de anos em que vivemos, essa era de inovação garantirá que fiquemos muito mais saudáveis por muito mais tempo.

Não muitos de nós na maioria das vezes, mas todos nós.

**PARTE III**

# PARA ONDE ESTAMOS INDO

### (O FUTURO)

# Oito

# A Forma das Coisas no Futuro

**VAMOS CALCULAR UM POUCO.**

E faremos isso de maneira conservadora. Vamos supor que cada uma dessas tecnologias muito diferentes que surgirão nos próximos 50 anos contribua independentemente para um tempo de vida mais longo e saudável.

O monitoramento do DNA em breve alertará os médicos sobre doenças muito antes de elas se tornarem agudas. Vamos identificar e começar a combater o câncer anos antes. Se você tiver uma infecção, ela será diagnosticada em minutos. Se seu batimento cardíaco estiver irregular, o assento do carro lhe informará. Um analisador de hálito detectará uma doença imunológica começando a se desenvolver. As teclas digitadas no teclado sinalizarão a doença de Parkinson ou esclerose múltipla precoce. Os médicos terão muito mais informações sobre seus pacientes, e terão acesso a eles muito antes de chegarem a uma clínica ou hospital. Erros médicos e de diagnóstico serão reduzidos. O resultado de *qualquer* uma dessas inovações pode ser décadas de vida saudável prolongada.

Digamos que todas essas tecnologias *juntas* nos deem uma década.

Quando as pessoas aceitarem que o envelhecimento não é inevitável, cuidarão melhor de si mesmas? Eu fiz isso. Parece que a maioria dos meus amigos e familiares também. Mesmo sendo os primeiros a adotar ações biomédicas e tecnológicas reduzindo o ruído nos epigenomas e vigiando os sistemas bioquímicos que nos mantêm vivos e saudáveis, notei uma tendência a ingerir menos calorias, reduzir aminoácidos animais, fazer mais exercícios e estimular o desenvolvimento da gordura marrom com uma vida fora da zona termoneutra.

Esses são os remédios disponíveis para a maioria das pessoas, independentemente do status, e o impacto na vitalidade foi bem estudado. Dez anos saudáveis adicionais não são uma expectativa absurda para quem se alimenta bem e se mantém ativo. Mas vamos cortar pela metade e falar de cinco.

São mais 15 anos.

Moléculas que reforçam nosso circuito de sobrevivência, colocando nossos genes de longevidade em funcionamento, concederam entre 10% e 40% mais anos saudáveis a animais. Mas vamos com 10%, o que nos dá mais 8 anos.

São 23 anos no total.

Quanto tempo levará para que possamos redefinir nosso epigenoma com moléculas que ingerimos ou modificando geneticamente nossos corpos, como meu aluno agora faz em ratos? Quanto tempo até que possamos destruir células senescentes com medicamentos ou vacinação definitiva? Quanto tempo até que possamos substituir partes dos órgãos, cultivá-los inteiros em animais de fazenda geneticamente modificados ou criá-los em uma impressora 3D? Algumas décadas, talvez três. No entanto, uma ou todas essas inovações estão chegando em meio a tempos de vida cada vez maiores para muitos de nós. E, quando isso acontecer, quantos anos mais teremos? O potencial máximo pode ser de séculos, mas digamos que sejam apenas 10 anos.

São 33 anos.

No momento, o tempo médio de vida no mundo desenvolvido é um pouco mais de 80 anos. Adicione 33 anos a ele.

São 113 anos, uma estimativa conservadora da expectativa de vida no futuro, desde que a maioria das pessoas faça parte da jornada. E lembre-se de que significa que mais da metade da população excederá esse número. É verdade que nem todos esses avanços serão cumulativos, nem todos se alimentarão bem e se exercitarão. Mas considere também que, quanto mais vivermos, maiores as chances de nos beneficiarmos de avanços médicos radicais que não podemos prever. E os avanços que já fizemos não desaparecerão.

É por isso que, à medida que avançamos mais rápido em direção a um mundo *Star Trek*, cada mês que você se mantém vivo, ganha mais uma semana de vida. Daqui a 40 anos, podem ser mais duas semanas. Daqui a 80 anos, outras três. As coisas podem ficar realmente interessantes por volta do fim do século se, a cada mês em que estiver vivo, você viver mais quatro semanas.

É por isso que digo que Jeanne Calment, que viveu mais tempo que qualquer pessoa em nosso planeta, acabará não entrando na lista dos 10 principais humanos mais longevos da história. E algumas décadas depois ela deixará o top 100. Depois, deixará o top um milhão. Imagine se as pessoas que viveram além dos 110 anos tivessem acesso a todas essas tecnologias. Elas poderiam ter chegado a 120 ou 130? Talvez.

Alguns cientistas me alertam para eu não ser tão otimista em público. "Não é uma boa ideia", disse-me recentemente um colega bem-intencionado.

"Por quê?" perguntei.

"Porque o público não está pronto para esses números."

Eu discordo.

Dez anos atrás, eu era um pária para muitos colegas até por falar em fazer remédios que ajudam os pacientes. Um cientista me disse que nosso trabalho como pesquisadores é "mostrar que uma molécula prolonga o tempo de vida dos ratos e o público assume daí". Infelizmente, eu gostaria que fosse verdade.

Hoje, muitos dos meus colegas estão tão otimistas quanto eu, mesmo que não o admitam publicamente. Aposto que cerca de um terço deles toma metformina ou um intensificador de NAD. Alguns até tomam baixas doses de rapamicina de forma intermitente. Conferências internacionais especificamente sobre intervenções de longevidade são realizadas a cada poucas semanas, os participantes não são charlatães, mas cientistas renomados de universidades e centros de pesquisa mais prestigiados do mundo. Nessas reuniões, é comum ouvir conversas sobre como aumentar o tempo médio de vida humana em uma década, se não mais, mudará nosso mundo. Veja bem, o debate não é sobre *se* isso acontecerá; é sobre o que devemos fazer *quando* acontecer.

O equivalente é cada vez mais verdadeiro entre os líderes políticos, empresariais e religiosos com quem passo mais do meu tempo, falando não apenas sobre novas tecnologias, mas sobre suas implicações. Lenta, mas seguramente, esses indivíduos — legisladores, chefes de estado, CEOs e formadores de opinião — estão começando a reconhecer o potencial de transformação mundial do trabalho que está sendo realizado no campo do envelhecimento e querem estar prontos.

Todas essas pessoas podem estar erradas. Eu posso estar errado. Mas espero estar por aqui tempo suficiente para saber de um jeito ou de outro.

Se eu estiver errado, pode ser que tenha sido muito conservador em minhas previsões. Embora existam muitos exemplos de previsões falsas — quem esquece os aspiradores de pó nucleares e carros voadores? —, é muito mais comum que as pessoas *não* vejam algo aparecendo. Todos somos culpados. Extrapolamos linearmente. Mais pessoas, mais cavalos, mais estrume. Mais carros, mais poluição, sempre mais mudanças climáticas. Porém, não é assim que funciona.

Quando as tecnologias se tornam exponenciais, até os especialistas se surpreendem. O físico americano Albert Michelson, que ganhou o Prêmio Nobel por medir a velocidade da luz, fez um discurso na Universidade de Chicago em 1894, declarando que provavelmente havia pouco mais a descobrir na física além de casas decimais adicionais.[1] Ele morreu em 1931, quando a mecânica quântica estava em pleno andamento. E em seu livro de 1995, *A Estrada do Futuro*, Bill Gates não fez menção à internet, embora a tenha revisado bastante cerca de um ano depois, admitindo com humildade que "subestimara enormemente a importância e a rapidez" com que a internet ganhou destaque.[2]

Kevin Kelly, o editor fundador da *Wired*, com um histórico melhor do que a maioria na previsão do futuro, possui uma regra de ouro: "Abrace as coisas em vez de combatê-las. Trabalhe com elas em vez de fugir ou proibi-las."[3]

Muitas vezes deixamos de reconhecer que o conhecimento é multiplicativo e as tecnologias são sinérgicas. A humanidade é muito mais inovadora do que acreditamos. Nos últimos dois séculos, geração após geração testemunhou o surgimento repentino de novas e estranhas tecnologias: máquinas a vapor, navios de metal, carruagens sem cavalos, arranha-céus, aviões, computadores pessoais, internet, TVs de tela plana, dispositivos móveis e bebês geneticamente editados. No começo, ficamos chocados, depois, mal notamos. Quando o cérebro humano estava evoluindo, as únicas coisas a mudar eram as estações. Não é surpresa que tenhamos dificuldade em prever o que acontecerá quando milhões de pessoas trabalharem em tecnologias complexas que se fundem de repente.

Não importa se estou certo ou errado sobre o ritmo da mudança, exceto por uma guerra ou uma epidemia, nosso tempo de vida continuará a aumentar. E com quanto mais formadores de opinião eu converso em todo o mundo, mais percebo o quão vastas são as implicações. E sim, algumas dessas pessoas me permitiram pensar e planejar eventos muito além do escopo inicial de minha pesquisa. Mas as que me incentivam a pensar ainda mais são as pessoas mais jovens para quem eu ensino em Harvard e outras universidades, e as mais jovens ainda que entram em contato via e-mail ou mídia social quase todos os dias. Elas me levam a pensar em como meu trabalho impactará a força de trabalho futura, a assistência médica global e o próprio tecido de nosso universo moral — e é melhor compreender as mudanças que devem ocorrer se quisermos conhecer um mundo de vidas humanas significativamente longas e expectativa de vida com equidade, igualdade e decência humana.

Se a revolução médica acontecer e continuarmos no caminho linear em que já estamos, algumas estimativas sugerem que metade de todas as crianças nascidas no Japão hoje passará de 107 anos.[4] Nos Estados Unidos, a idade é de 104 anos. Muitos pesquisadores acreditam que essas estimativas são excessivamente generosas, mas eu não acho. Eles podem ser conservadores. Há muito tempo eu disse que, mesmo que algumas terapias e tratamentos mais promissores se concretizem, não é uma expectativa absurda para quem está vivo e saudável hoje atingir 100 em boa saúde — ativo e engajado nos níveis em que esperamos ter mais 50 anos saudáveis hoje. Cento e vinte é o nosso potencial conhecido, mas não há razão para pensar que será para poucos. E estou dizendo, por um lado para fazer um comunicado e, por outro, porque tenho lugar na primeira fila vendo o que está por vir, que poderíamos estar vivendo com o primeiro sesquicentenário do mundo. Se a reprogramação celular atingir seu potencial, no fim do século, 150 anos talvez não esteja fora de alcance.

No momento em que escrevo isso, não há ninguém em nosso planeta — cuja idade possa ser verificada, pelo menos — com mais de 120 anos. Portanto, levará várias décadas, pelo menos, antes de sabermos se estou certo sobre isso, e poderá levar 150 anos até que alguém ultrapasse esse limite.

Mas e quanto ao próximo século? E o próximo? Não é uma extravagância esperar que um dia chegar aos 150 seja padrão. E se a Teoria da Informação do Envelhecimento for sólida, poderá não haver um limite acima; poderemos potencialmente redefinir o epigenoma com *perpetuidade*.

Isso é aterrorizante para muitas pessoas, e é compreensível. Estamos prestes a reverter quase todas as ideias que já tivemos sobre o que significa ser humano. E tem muita gente dizendo não apenas que isso *não pode* ser feito, mas que *não deve* ser feito, pois certamente levará à nossa destruição.

Os críticos do trabalho da minha vida não são *trolls* ou *haters* das mídias sociais. Às vezes são meus colegas. Outras, são amigos próximos.

E muitas vezes eles são sangue do meu sangue.

Nosso filho mais velho, Alex, que aos 16 anos anseia uma carreira em política e justiça social, muitas vezes luta para ver o futuro com o mesmo otimismo que eu. Especialmente quando se é jovem, é difícil ver muito do arco do universo moral, e muito menos um que se inclina para a justiça.[5]

Afinal, Alex cresceu em um mundo que é rápido e desastrosamente aquecido, em uma nação que está em guerra há quase duas décadas e uma cidade que sofreu um ataque terrorista contra quem participava de uma de suas tradições mais queridas, a Maratona de Boston. E, como tantos outros jovens, vive em um universo hiperconectado, onde as notícias de uma crise humanitária após outra, da Síria ao Sudão do Sul, nunca estão longe da tela de um smartphone.

Então, eu compreendo, ou tento, pelo menos. Mas foi decepcionante saber, recentemente, que Alex não compartilhava do otimismo que sempre tive sobre o futuro. É claro que estou orgulhoso de nosso filho ter uma bússola moral tão forte, mas foi triste perceber que essa visão pessimista do mundo lança uma sombra significativa sobre a maneira como Alex vê o trabalho da minha vida.

"Sua geração, assim como todas as que vieram antes, não fez nada sobre a destruição do planeta", Alex me disse naquela noite. "E agora você quer ajudar as pessoas a viver mais? Para que possam causar ainda mais danos ao mundo?"

Fui dormir perturbado naquela noite. Não pela denúncia de nosso primogênito em relação a mim; disso, admito, fiquei orgulhoso. Nunca destruiremos o patriarcado global se nossos filhos não praticarem primeiro com seus pais. Não, o que me incomodou — o que me manteve acordado naquela noite e tantas outras desde então — foram as perguntas que eu simplesmente não consegui responder.

A maioria das pessoas, ao perceber que vidas humanas mais longas são iminentes, reconhece que essa transição não pode ocorrer sem uma mudança social, política e econômica significativa. E estão certas; não há evolução sem ruptura. E se a maneira como vejo o futuro não for para onde estamos indo? E se dar a bilhões de pessoas vidas mais longas e saudáveis permitir que nossa espécie faça mais danos ao planeta e uns aos outros? Maior longevidade é inevitável, tenho certeza disso. Mas e se, inevitavelmente, levar à nossa autodestruição?

E, se o que eu fizer, piorar o mundo?

Existem muitas pessoas por aí — algumas muito inteligentes e bem informadas — que acham que é esse o caso. Mas ainda estou otimista sobre nosso futuro compartilhado. Não concordo com os pessimistas, porém, isso não significa que eu não os ouça. Eu ouço, e todos nós deveríamos. É por isso que, neste capítulo, explicarei algumas de suas preocupações — na verdade, preocupações que compartilho em muitos casos —, mas também apresentarei uma maneira diferente de pensar sobre nosso futuro.

Você pode aprender com isso.

## O Alerta de Cem Anos

O número de *Homo sapiens* cresceu em pouco tempo ao longo das primeiras centenas de milhares de anos de nossa história e, pelo menos em uma ocasião, quase fomos extintos. Embora existam muitos esqueletos jovens dos períodos arcaico e paleolítico tardio, há apenas alguns esqueletos de indivíduos com mais de 40 anos. Era raro os indivíduos chegarem ao ponto em que agora temos o luxo de chamar de meia-idade.[6] Lembre-se, era uma época em que meninas adolescentes eram mães e meninos eram guerreiros. Gerações foram trocadas rapidamente. Somente os mais rápidos, mais inteligentes, mais fortes e mais resistentes sobreviviam. Desenvolvemos rapidamente habilidades bípedes e analíticas superiores, mas à custa de milhões de vidas brutais e mortes precoces.

Nossos ancestrais foram criados o mais rápido que a biologia permitia, só um pouco mais rápido que a taxa de mortalidade. Mas não bastava. A humanidade resistiu e se espalhou por todos os cantos do planeta. Foi só na época em que Cristóvão Colombo redescobriu o Novo Mundo que chegamos à marca de 500 milhões de indivíduos, mas levou apenas 300 anos para essa população dobrar. E, hoje, a cada nova vida humana, nosso planeta se torna mais cheio, aproximando-nos do limite, ou talvez mais além, do que ele pode sustentar.

Quanto é demais? Um relatório, que examinou 65 projeções científicas, concluiu que a "capacidade de carga" estimada mais comum em nosso planeta é de 8 bilhões.[7] É onde estamos *agora*. E salvo um holocausto nuclear ou uma pandemia global de proporções historicamente mortais — nada que alguém em sua mente sã desejaria —, não é onde nossa população atingirá o pico.

Quando o Pew Research Center entrevistou membros da maior associação de cientistas do mundo, 82% disseram que não há comida e outros recursos suficientes neste planeta para sua população humana em rápido crescimento.[8] Entre os que sustentaram essa opinião estava Frank Fenner, um eminente cientista australiano que ajudou a pôr fim a uma das doenças mais mortais do mundo como presidente da Global Commission for the Certification of Smallpox Eradication. Foi Fenner quem teve a honra de anunciar a erradicação da varíola ao órgão da Organização Mundial da Saúde em 1980. Como ajudou milhões de pessoas a evitar um vírus que matou quase um terço daqueles que o contraíram, Fenner foi desculpado por demonstrar pouco otimismo sobre as maneiras como as pessoas poderiam se unir para se salvar.

Ele havia planejado uma aposentadoria tranquila,[9] mas sua mente não parava de funcionar. Ele não conseguia parar de tentar identificar e resolver grandes problemas. Passou os 20 anos seguintes de sua vida escrevendo sobre outras ameaças à humanidade, muitas das quais foram praticamente ignoradas pelos mesmos líderes mundiais da saúde que se uniram para impedir a varíola.

Seu ato final de advertência ocorreu poucos meses antes de sua morte, em 2010, quando disse ao *Australian* que a explosão da população humana e o "consumo desenfreado" já haviam selado o destino de nossa espécie. A humanidade desapareceria nos próximos 100 anos. "Já existem muitas pessoas aqui."[10]

Já ouvimos esse discurso antes, claro. Na virada do século XIX, quando a população humana global gritava além da marca de 1 bilhão, o estudioso inglês Thomas Malthus alertou que os avanços na produção de alimentos inevitavelmente levariam ao crescimento da população, colocando um número crescente de pessoas pobres em maior risco de fome e doença. Visto do mundo desenvolvido, muitas vezes parece que uma catástrofe malthusiana foi amplamente evitada; os avanços agrícolas nos mantiveram um passo à frente do desastre. Visto globalmente, porém, os avisos de Malthus foram quase proféticos. Aproximadamente o mesmo número de pessoas que viviam no planeta no tempo de Malthus passa fome no nosso tempo.[11]

Em 1968, quando a população global se aproximava de 3,5 bilhões, o professor Paul Ehrlich da Universidade Stanford e sua esposa, diretora associada do Center for Conservation Biology, Anne Ehrlich, soaram o alarme malthusiano mais uma vez em um livro best-seller chamado *The Population Bomb* [A Bomba Populacional, em tradução livre]. Quando eu era jovem, esse livro ocupava um lugar de destaque na estante de livros de meu pai, bem ao nível dos olhos de um garoto. A capa era perturbadora: um bebê fofo sorridente, sentado dentro de uma bomba com o pavio aceso. Eu tive pesadelos com isso.

No entanto, o que havia no interior era pior. No livro, Ehrlich descreveu seu "despertar" para os horrores futuros, uma revelação que ele teve durante uma corrida de táxi em Nova Déli. "As ruas pareciam vivas com as pessoas", escreveu ele. "Pessoas comendo, pessoas se lavando, pessoas dormindo. Pessoas passeando, discutindo e gritando. Pessoas batendo suas mãos pela janela do táxi, implorando. Pessoas defecando e urinando. Pessoas agarradas a ônibus. Pessoas guiando animais. Pessoas, pessoas, pessoas, pessoas."[12]

A cada ano novo, escreveram os Ehrlich, a produção global de alimentos "fica um pouco mais atrás do crescimento populacional progressivo, e as pessoas vão dormir um pouco mais famintas. Embora haja reversões temporárias ou locais dessa tendência, agora parece inevitável que ela continue com sua conclusão lógica: fome em massa."[13] Por certo, é horrivelmente claro que milhões de pessoas morreram de fome nas décadas que se passaram desde que *The Population Bomb* foi publicado pela primeira vez, mas não chegava aos níveis que os Ehrlich previram e não por falta de produção de alimentos, mas como resultado de crises políticas e conflitos militares. Quando uma criança morre de fome, não importa muito para ela ou a família como isso aconteceu.

Embora a pior das previsões não tenha acontecido, ao se concentrar tão intensamente na relação produção/população de alimentos, Malthus e os Ehrlich podem realmente ter subestimado o risco maior e de longo prazo — não a fome em massa que pode reclamar centenas de milhões de vidas, mas uma rebelião planetária que matará todos nós.

Em novembro de 2016, o falecido físico Stephen Hawking previu que a humanidade tinha menos de 1 mil anos restantes em "nosso frágil planeta". Alguns meses depois, ele revisou sua estimativa em 90% a menos. Ecoando as advertências de Fenner, Hawking acreditava que a humanidade teria 100 anos para encontrar um novo lugar para viver. "Estamos ficando sem espaço na Terra", disse ele. Não servirá de nada; o planeta parecido com a Terra mais próximo do nosso sistema solar fica a 4,2 anos-luz de distância. Exceto pelos grandes avanços em alta velocidade ou na tecnologia de passagem pelo buraco negro, levaria 10 mil anos para chegarmos lá.

O problema não é só a população, é o consumo. E não só ele, mas o desperdício. Entra comida; sai rejeito. Entram combustíveis fósseis; saem emissões de carbono. Entram petroquímicos; sai plástico. Em média, os norte-americanos consomem mais de 3 vezes a quantidade de comida necessária para sobreviver e cerca de 250 vezes mais água.[14] Em troca, produzem 2kg de lixo por dia, reciclando ou compostando cerca de ⅓ desse total.[15] Graças a coisas como carros, aviões, casas grandes e secadoras de roupas que consomem muita energia,[16] as emissões anuais de dióxido de carbono de um norte-americano médio são cinco vezes maiores que a média global. Até o "pavimento" — abaixo do qual nem os monges costumam ir — é o dobro da média global.[17]

Não é apenas o fato de os americanos consumirem e desperdiçarem tanto, é que centenas de milhões de outras pessoas consomem e desperdiçam igualmente e, em alguns casos mais,[18] e bilhões de outras pessoas estão indo na mesma direção. Se todos no mundo consumirem como os norte-americanos por um ano, a Global Footprint Network, organização sem fins lucrativos, estima que seriam necessários quatro anos terrestres para regenerar o que foi usado e absorver o que foi desperdiçado.[19] É insustentável; usamos, usamos e usamos, e devolvemos pouco valor ao nosso mundo natural.

O crescente número de cientistas que fazem avisos a cada 100 anos se formou em torno de uma realidade ambiental aterradora: mesmo com "estratégias de redução rigorosas, irreais e ambiciosas",[20] não seremos capazes de impedir mudanças de temperatura globais que serão maiores que 2°C, um "ponto crítico" que muitos cientistas acreditam ser catastrófico para a humanidade.[21] De fato, como Fenner disse, pode ser realmente "tarde demais".

Ainda não estamos nesse ponto crítico de 2°C e, no entanto, as consequências já surpreendem. As mudanças climáticas causadas pelo homem estão destruindo as redes alimentares em todo o mundo e, segundo algumas estimativas, uma em cada seis espécies está agora em risco de extinção. As temperaturas mais quentes "cozinharam a vida dos corais" de nossos oceanos,[22] incluindo a Grande Barreira de Corais, que é aproximadamente do tamanho da Califórnia e o ecossistema mais diversificado do nosso planeta. Mais de 90% dessa maravilha natural da Austrália sofreram com o branqueamento, o que significa estar morrendo de fome com a escassez de algas das quais precisa para sobreviver. Em 2018, o governo australiano divulgou um relatório reconhecendo o que os cientistas estavam dizendo há anos: que o recife está caminhando para um "colapso".[23] E, no mesmo ano, pesquisadores australianos disseram que o aquecimento global havia feito sua primeira vítima de mamífero, um rato marsupial de cauda longa chamado Bramble Cay melomys, que entrou em extinção quando seu ecossistema insular foi destruído pelo aumento da água do mar.

Também não se debate, nesse momento, o fato de que o derretimento das calotas polares da Antártica e da Groenlândia está provocando um aumento no nível do mar, que a National Oceanic, a Atmospheric Association e outros órgãos alertaram que irão piorar as inundações costeiras nos próximos anos, ameaçando cidades como Nova York, Miami, Filadélfia, Houston, Fort Lauderdale, Galveston, Boston, Rio de Janeiro, Amsterdã, Mumbai, Osaka, Guangzhou e Xangai. Um bilhão de pessoas ou mais vive em áreas que provavelmente serão afetadas pelo aumento do nível do mar.[24] Enquanto isso, estamos enfrentando mais — e mais graves — furacões, inundações e secas; a Organização Mundial da Saúde estima que 150 mil pessoas já morrem a cada ano como resultado direto da mudança climática, e esse número provavelmente deve dobrar a cada ano.[25]

Todos esses avisos terríveis são baseados em um mundo em que os humanos vivem por uma média de 75 ou 80 anos. Assim, até as afirmações mais pessimistas sobre o futuro do nosso ambiente estão subestimando a extensão do problema. Simplesmente não existe um modelo no qual mais anos de vida não sejam iguais a mais pessoas e no qual isso não leva a mais aglomeração, degradação ambiental, consumo e desperdício. À medida que vivermos mais, essas crises ambientais serão exacerbadas.

E pode ser apenas parte de nossos problemas.

## O Político de Cem Anos

Se houve uma força motriz consistente que tornou nosso mundo um lugar mais gentil, tolerante, inclusivo e justo, é que os humanos não duram muito. Afinal, revoluções sociais, legais e científicas são travadas, como observou frequentemente o economista Paul Samuelson, "um funeral de cada vez".

O físico quântico Max Planck também sabia que isso era verdade.

"Uma nova verdade científica não triunfa convencendo os oponentes e os fazendo ver a luz", escreveu Planck pouco antes de morrer, em 1947, "mas porque seus oponentes morrem e uma nova geração cresce familiarizada com ela."[26]

Como testemunhei alguns tipos diferentes de revoluções durante minha vida — desde a queda do Muro de Berlim na Europa à ascensão dos direitos

LGBTQ nos EUA e o fortalecimento das leis nacionais sobre armas na Austrália e na Nova Zelândia —, posso garantir essas ideias. As pessoas podem mudar de ideia. Compaixão e bom senso podem mover nações. E sim, o mercado de ideias certamente teve um impacto na maneira como votamos quando se trata de questões como direitos civis, direitos dos animais, como tratamos doentes e pessoas com necessidades especiais e morte com dignidade. Mas é o atrito mortal daqueles que se apegam firmemente a velhas visões que mais permite que novos valores floresçam em um mundo democrático.

Morte por morte, o mundo lança ideias que precisam ser deixadas de lado. Ipso facto, nascimento por nascimento, é oferecida ao mundo uma oportunidade de fazer as coisas melhorarem. Infelizmente, nem sempre acertamos. Em geral é um progresso lento e desigual. Com um tempo de geração de 20 minutos, as bactérias evoluem rapidamente para sobreviver a um novo desafio. Com um tempo de geração de 20 anos, a cultura e as ideias humanas podem levar décadas para evoluir. Às vezes, elas involuem.

Nos últimos anos, o nacionalismo deixou de ser o escopo de grupos irritados e marginalizados para ser a força por trás de poderosos movimentos políticos em todo o mundo. Não há um único fator que possa explicar todos esses movimentos, mas o economista Harun Onder está entre os que fizeram uma observação demográfica: os argumentos nacionalistas tendem a ressoar em pessoas mais velhas.[27] Portanto, é provável que a onda antiglobalista esteja conosco por algum tempo. "Praticamente todos os países do mundo", relatou a ONU em 2015, "estão experimentando um crescimento no número e na proporção de idosos em sua população". A Europa e a América do Norte já têm a maior parcela per capita de idosos; até 2030, de acordo com o relatório, as pessoas com mais de 60 anos serão responsáveis por mais de ¼ da população nesses dois continentes, e essa proporção continuará a crescer nas próximas décadas. Mais uma vez, são estimativas baseadas em projeções ridiculamente baixas para prolongar o tempo de vida.[28]

Eleitores mais velhos apoiam políticos mais velhos. Como é agora, os políticos parecem contrários a deixar o cargo com 70, 80 anos. Mais da metade dos senadores dos EUA que se candidataram à reeleição em 2018 tinha 65 anos ou mais. A líder democrata Nancy Pelosi tinha 78 anos. Dianne Feinstein e Chuck

Grassley, dois senadores poderosos, tinham 85 anos. Em média, os membros do Congresso dos EUA são 20 anos mais velhos que seus eleitores.

Na época de sua morte em 2003, Strom Thurmond tinha 100 anos e serviu 48 anos como senador dos EUA. O fato de Thurmond ser centenário no Congresso não é vício — queremos que nossos líderes tenham experiência e sabedoria, desde que não estejam presos no passado. A farsa foi que Thurmond conseguiu, de alguma forma, manter sua cadeira, apesar de um longo histórico de apoio a segregação e opor-se aos direitos civis, incluindo os direitos básicos de voto. Aos 99 anos, ele votou pelo uso de força militar no Iraque, se opôs à legislação para tornar os produtos farmacêuticos mais acessíveis e ajudou a matar um projeto de lei que acrescentaria orientação sexual, gênero e deficiência a uma lista de categorias cobertas pela legislação sobre crimes de ódio.[29] Após sua morte, foi revelado que o político com "valores de família" teve uma filha com a governanta afro-americana adolescente de sua família quando tinha 22 anos, o que provavelmente foi um ato de estupro presumido sob a lei da Carolina do Sul. Embora ele soubesse da criança, nunca a reconheceu publicamente.[30] Thurmond viveu na aposentadoria apenas seis meses; os mais jovens para votar terão de viver com as consequências de seus votos para o resto de suas vidas.

Podemos tolerar um pouco de fanatismo entre os idosos como uma condição dos "velhos tempos", mas talvez também porque sabemos que não teremos que conviver com isso por muito tempo. Considere, no entanto, um mundo em que as pessoas na faixa dos 60 anos votem não por mais 20 ou 30 anos, mas por outros 60 ou 70 anos. Imagine um homem como Thurmond servindo no Congresso não por meio século, mas por um século *inteiro*. Ou, se facilitar a visão de seu lugar no espectro político, imagine o político que você menospreza mais do que qualquer outro detendo poder por mais tempo que qualquer outro líder na história. Agora, considere quanto tempo os déspotas em nações muito menos democráticas se apegam ao poder, e o que farão com esse poder.

O que significa para o nosso mundo politicamente? Se uma força motriz constante de bondade, tolerância, inclusão e justiça deixar de existir de repente, como será nosso mundo?

E os problemas em potencial não param por aí.

## Insegurança Social

Poucas pessoas foram poupadas do trauma causado pela Grande Depressão em todo o mundo durante os anos 1930. Mas o impacto foi particularmente sentido por aqueles nas últimas décadas de suas vidas. Quedas no mercado de ações e falências bancárias tiraram economias de uma vida de milhões de idosos. Com tantas pessoas desempregadas, os poucos empregadores que estavam oferecendo empregos foram relutantes em contratar trabalhadores mais velhos. A privação era desenfreada. Cerca de metade dos idosos era pobre.[31]

Essas pessoas foram diáconos em igrejas, pilares de comunidades, professores, agricultores e operários. Eles eram avôs e avós, e seu desespero sacudiu o país em sua essência, levando os Estados Unidos em 1935 a se juntar a outros 20 países que já haviam instituído um programa de seguro social.

A Previdência Social fazia sentido moral. Também fazia sentido matemático. Naquela época, pouco mais da metade dos homens que completavam 21 anos também chegaria aos 65 anos, momento em que a maioria poderia começar a receber uma renda suplementar. Aqueles que atingiam a idade de 65 anos poderiam contar com mais 13 anos de vida.[32] E havia muitos trabalhadores mais jovens pagando o sistema para apoiar essa curta aposentadoria; apenas naquele momento cerca de 7% dos norte-americanos tinham mais de 65 anos. Quando a economia começou a crescer novamente após a Segunda Guerra Mundial, havia 41 trabalhadores pagando o sistema por todos os beneficiários. São os números que apoiaram o sistema quando seu primeiro beneficiário, uma secretária jurídica de Vermont, chamada Ida May Fuller, começou a descontar seus cheques. Fuller trabalhou por 3 anos na Seguridade Social e pagou US$24,75 para o sistema. Ela viveu até os 100 anos de idade e, quando morreu, em 1975, havia arrecadado US$22.888,92. Nesse ponto, a taxa de pobreza entre os idosos havia caído para 15% e continuou a cair desde então, devido em grande parte ao seguro social.[33]

Agora, cerca de ¾ dos norte-americanos que atingem a idade de 21 anos também chegam aos 65. E as mudanças nas leis que governam a rede de proteção do seguro social dos EUA levaram muitos a se aposentar — e começar a receber — antes disso. Novos benefícios foram adicionados ao longo dos anos.

Claro, as pessoas também estão vivendo mais; indivíduos que chegam aos 65 anos podem contar com mais 20 anos de vida.[34] E, como quase todo profeta do seguro social pode lhe dizer, a proporção entre trabalhadores e beneficiários é insustentável de três para um.

Isso não quer dizer que a Previdência Social esteja condenada. Há ajustes razoáveis que podem ser feitos para mantê-la funcionando nas próximas décadas. Mas todos os ajustes mais comumente recomendados, como você já deve suspeitar, são baseados no pressuposto de que obteremos apenas ganhos modestos no tempo de vida nos próximos anos. Há poucos formuladores de políticas nos EUA — sem falar nos outros 170 países que agora têm algum tipo de programa de seguro social — que consideraram um mundo no qual, aos 65 anos, muitas pessoas estarão alcançando o ponto médio de suas vidas.

Mesmo considerando isso, é certo que muitos políticos, se não a maioria, escolherão se esquivar. A vitória esmagadora de Lyndon Johnson sobre Barry Goldwater na corrida presidencial dos EUA em 1964 pode ser atribuída em grande parte à hostilidade percebida por Goldwater quanto ao seguro social. Mas, na década de 1980, políticos dos dois lados apelidaram a Previdência Social de "terceiro trilho" da política norte-americana: "Toque e você está morto."[35] Naquela época, 15% dos norte-americanos estavam recolhendo Previdência. Hoje, cerca de 20% estão.[36] Atualmente, pessoas com mais de 65 anos representam 20% da população votante e crescerão 60% até 2060,[37] além de ser duas vezes mais provável de irem às urnas do que as pessoas entre 18 a 29 anos.[38]

Há um argumento muito racional para a resistência da AARP (antiga American Association of Retired Persons) a qualquer mudança no seguro social. Mais alguns anos de espera pela aposentadoria podem não parecer tão ruins para as pessoas que trabalham em ocupações com baixo impacto físico ou em um emprego que adoram, mas e as que passaram 45 anos fazendo trabalhos manuais pesados, trabalhando em uma linha de montagem ou uma fábrica de processamento de carne? É justo esperar que trabalhem ainda mais? É muito provável que medicamentos para longevidade e terapias de saúde ajudem essas pessoas a se sentir melhor e a permanecer mais saudáveis, mas isso não justificaria forçar de volta ao trabalho pessoas que trabalharam arduamente durante a maior parte de suas vidas.

Não há respostas fáceis, mas se o passado é prólogo — e muitas vezes acontece com o comportamento humano —, os políticos assistirão a esse desastre lento até que se torne veloz; então, se sentarão e assistirão um pouco mais. Em muitos países, e particularmente nos da Europa Ocidental, os programas de seguro social são relativamente generosos para os beneficiários e foram adotados por políticos de esquerda e direita. Esses programas tornaram-se tensos nos últimos anos sob o peso dos deficits dos governos e da incapacidade de cumprir promessas de longa data para trabalhadores idosos,[39] iniciando brigas sobre quais direitos são mais sagrados, colocando a educação contra a saúde, a saúde contra as pensões e as pensões contra aposentadorias por invalidez. Essas brigas só aumentam à medida que os sistemas se tornam mais tensos. E essa tensão é inevitável sem reformas revolucionárias que levem em conta o fato de que as filas de aposentados em breve estarão repletas de pessoas que, quando os sistemas foram projetados em meados do século XX, estavam fora da faixa etária.

Pelo menos a cada dois meses, recebo um telefonema de um político para atualizar os últimos desenvolvimentos em biologia, medicina ou defesa. Quase sempre discutimos o que acontecerá com a economia à medida que as pessoas viverem mais. Digo a ele que simplesmente não existe um modelo econômico para um mundo em que as pessoas vivam 40 anos ou mais após a aposentadoria tradicional. Literalmente, não temos dados sobre padrões de trabalho, planos de aposentadoria, hábitos de gastos, saúde, economia e investimentos de grandes grupos de pessoas que vivem, com bastante saúde, até os 100 anos.

Trabalhando com os economistas de renome mundial Andrew Scott, da Universidade de Londres, e Martin Ellison, da Universidade de Oxford, estamos desenvolvendo um modelo para prever como será o futuro. Existem algumas variáveis, nem todas positivas. As pessoas continuarão trabalhando? Quais empregos elas conseguirão em um mundo em que o mercado de trabalho já estará sendo abalado pela automação? Elas terão meio século ou mais de aposentadoria? Alguns economistas acreditam que o crescimento econômico é mais lento quando um país envelhece, em parte porque as pessoas gastam menos na aposentadoria.

O que acontecerá se as pessoas gastarem metade do seu tempo vivendo sem trabalho, gastando apenas o suficiente para sobreviver?

Elas economizarão mais? Investirão mais? Ficarão entediadas após a aposentadoria e iniciarão uma nova carreira? Terão longos períodos sabáticos, apenas para retornarem décadas depois, quando o dinheiro acabar? Gastarão menos em assistência médica porque são mais saudáveis? Gastarão mais com assistência médica porque vivem muito mais? Investirão mais anos e dinheiro em educação desde cedo?

Quem diz que essas perguntas não são importantes é um tolo. Não temos absolutamente nenhuma ideia do que acontecerá. Estamos voando às cegas para um dos eventos mais desestabilizadores da história mundial.

Mas isso não é o pior.

## O Que Nos Divide, Cresce Mais

Membros da classe média alta norte-americana de 1970 não apenas desfrutavam de uma vida mais rica, como também mais longa. Os da metade superior da economia viviam em média 1,2 ano a mais do que os da metade inferior.

No início dos anos 2000, a diferença aumentou drasticamente. Aqueles na metade superior do espectro da renda poderiam esperar quase seis anos adicionais de vida e, em 2018, a divisão havia aumentado, com os 10% mais ricos dos norte-americanos vivendo 13 anos a mais do que os 10% mais pobres.[40]

É impossível superestimar o impacto dessa disparidade. Só por viver mais, os ricos estão ficando mais ricos. E, claro, ficando mais ricos, eles vivem mais. Anos extras oferecem mais tempo para presidir as empresas familiares e mais tempo para os investimentos familiares se multiplicarem exponencialmente.

Riquezas não são apenas investidas em empresas; elas fornecem às pessoas ricas acesso aos principais médicos do mundo (existem cerca de cinco nos Estados Unidos com quem todos querem se consultar), nutricionistas, personal trainers, instrutores de ioga e as mais recentes terapias médicas — injeções de células-tronco, hormônios, medicamentos para longevidade —, o que significa que permanecem mais saudáveis e vivem mais, o que lhes permite acumular ainda mais riqueza durante a vida. O acúmulo de riqueza tem sido um círculo virtuoso para as famílias que tiveram a sorte de entrar nele.

E os ricos não investem apenas na saúde; também investem em política, o que em grande parte explica o motivo pelo qual uma série de revisões no código tributário dos EUA resultou em uma redução drástica nos impostos para eles.

A maioria dos países tributa as pessoas quando morrem como forma de limitar o acúmulo de riqueza por gerações, mas é um fato pouco conhecido que, nos EUA, os impostos sobre a propriedade não foram projetados para limitar a riqueza multigeracional, foram impostos para financiar guerras.[41] Em 1797, um imposto federal foi aplicado para construir uma marinha para impedir uma possível invasão francesa; em 1862, um imposto sobre herança foi instituído para financiar a Guerra Civil. O imposto predial de 1916, que era semelhante aos impostos prediais atuais, ajudou a pagar a Primeira Guerra Mundial.

Recentemente, o ônus de pagar pelas guerras mudou para o resto da população. Graças às brechas fiscais, a porcentagem de famílias norte-americanas ricas que pagam o que foi rotulado como "imposto de morte" diminuiu cinco vezes, proporcionando o menor custo para "morrer rico" nos tempos modernos.[42]

Tudo isso significa que os filhos dos ricos estão se saindo bem. A menos que haja uma revisão adiante do código tributário, eles continuarão ainda melhores em relação a quanto dinheiro herdam e quanto tempo viverão mais que os outros.

Lembre-se, também, que o envelhecimento ainda não é considerado uma doença por nenhuma nação. As seguradoras não cobrem produtos farmacêuticos para tratar doenças que não são reconhecidas pelos órgãos reguladores do governo, mesmo que isso beneficie a humanidade e os resultados financeiros do país. Sem essa designação, a menos que você já sofra de uma doença específica, como diabetes no caso da metformina, os medicamentos para longevidade deverão ser pagos pelo próprio bolso, pois serão luxos eletivos. A menos que o envelhecimento seja designado como uma condição médica, inicialmente apenas os ricos serão capazes de pagar qualquer um desses avanços. O mesmo se aplica às análises mais avançadas de biotracking, sequenciamento de DNA e epigenoma, para permitir cuidados personalizados de saúde. Cedo ou tarde, os preços cairão, mas, a menos que os governos ajam logo, haverá um período de grande disparidade entre os muito ricos e o resto do mundo.

Imagine um mundo de ricos e pobres, diferente de tudo o que experimentamos desde a idade das trevas: um mundo em que aqueles que nasceram em determinado estágio da vida podem, em virtude de nada mais que uma fortuna excepcional, viver 30 anos a mais que aqueles que nasceram sem o que significa comprar terapias que proporcionam períodos de saúde mais longos e possibilitam anos de trabalho mais produtivos e maiores retornos de investimento.

Já demos os primeiros passos tênues em um mundo previsto pelo filme de 1997 *Gattaca*, uma sociedade na qual as tecnologias originalmente destinadas a ajudar na reprodução humana são usadas para eliminar "condições prejudiciais", mas apenas para aqueles que podem pagar. Nas próximas décadas, salvo uma questão de segurança ou uma reação global contra o desconhecido, provavelmente veremos o aumento da capacidade e a aceitação da edição de genes globalmente, fornecendo aos futuros pais a opção de limitar a suscetibilidade a doenças, escolher traços físicos e até selecionar habilidades intelectuais e atléticas. Aqueles com condições e que desejam dar a seus filhos "o melhor começo possível", como um médico diz a dois pais em potencial em *Gattaca*, serão capazes de fazê-lo e, com os genes da longevidade identificados, também receberão o melhor retoque possível. Quaisquer que sejam as vantagens que as pessoas geneticamente melhoradas já terão, elas poderão ser multiplicadas em virtude do acesso econômico a medicamentos para a longevidade, substituição de órgãos e terapias com as quais ainda nem sonhamos.

De fato, a menos que ajamos para garantir a igualdade, estamos no precipício de um mundo no qual os super-ricos poderiam garantir que seus filhos e até seus animais domésticos vivam muito mais que os filhos de pessoas pobres.

Esse seria um mundo em que ricos e pobres serão separados não apenas por diferentes experiências econômicas, mas também pelas maneiras como a vida humana é definida: um mundo em que os ricos terão permissão para evoluir e os pobres serão deixados para trás.

Mas...

Não obstante o potencial que a extensão da longevidade humana tem para acentuar alguns dos problemas mais graves do mundo — e de fato para nos dar novos problemas nas próximas décadas —, continuo otimista quanto ao potencial dessa revolução em mudar o mundo para melhor.

Afinal, já estivemos nessa posição antes.

## SEGUIR À NOSSA MANEIRA

Para entender o futuro, muitas vezes é útil viajar para o passado. Portanto, se queremos entender melhor o mundo desesperado em que estamos prestes a entrar, um bom lugar para ir é para outro momento desesperador.

Em uma cidade repleta de monumentos emblemáticos, da Torre de Londres à Trafalgar Square, do Palácio de Buckingham ao Big Ben, é perfeitamente razoável que muitas pessoas, e até mesmo muitos londrinos, nunca tenham se dedicado muito a pensar na Cannon Street Railway Bridge.

Não há músicas sobre ela; pelo menos não que eu saiba. Não conheço nenhum autor que tenha colocado suas histórias nos trilhos enferrujados. Quando aparece nas pinturas urbanas, quase sempre é um personagem secundário.

É verdade que é bastante feia, uma estrutura pouco envolvente e utilitária de aço e concreto pintados de verde. E, se você olhasse para o leste no Rio Tamisa, a partir das calçadas muito mais charmosas e iluminadas da Southwark Bridge, poderia realmente ser perdoado por não vê-la, embora esteja bem diante dos seus olhos; um pouco mais à direita está o famoso edifício Shard do arquiteto Renzo Piano e um pouco além, atravessando o rio, fica a ainda mais famosa London Bridge, entre outras grandes atrações rio abaixo.

Em 1866, no ano em que a Cannon Street Railway Bridge foi aberta, havia quase 3 milhões de pessoas em Londres. Nos anos seguintes, vieram mais, chegando do exterior de barco na estação Cannon Street, o equivalente de Ellis Island em Londres, e se dispersando de trem por uma ponte humilde até as outras partes da cidade, à medida que crescia cada vez mais e ficava cada dia mais lotada. Eu mal posso imaginar o que alguém, olhando as multidões chegadas de fora da cidade, deve ter pensado nos anos em que Londres parecia tão claramente incapaz de sustentar mais pessoas, sem falar nas massas vindas de outras partes do mundo e das muitas mais nascendo na cidade já superlotada.

Mesmo o êxodo para as colônias nas Américas e na Austrália não fez nada para conter a explosão da população. Em 1800, aproximadamente um milhão de pessoas moravam em Londres e, na década de 1860, esse número triplicou, provocando terríveis consequências na capital do Império Britânico.

O centro de Londres era um lugar particularmente infernal. A lama e o estrume de cavalo costumavam ir até o tornozelo em ruas ainda mais cheias de jornais, cacos de vidro, pontas de charutos e comida apodrecida. Trabalhadores portuários, operários de fábrica, lavadeiras e suas famílias foram acolhidos em pequenas cabanas com chão de terra. O ar era denso de fuligem no verão e encharcado de fuligem com neblina no inverno. A cada respiração, os londrinos enchiam os pulmões com partículas mutagênicas, revestidas com ácido, de enxofre, madeira, metais, sujeira e poeira.

Um sistema de esgoto destinado a retirar dejetos humanos dos bairros mais ricos do centro de Londres fazia exatamente isso — enviando-o para o Rio Tamisa, onde fluía para o leste, passando a Isle of Dogs, em direção aos bairros mais pobres, onde as pessoas usavam a água para beber e tomar banho.[43, 44]

Nessas condições precárias, não surpreende que a cólera tenha se espalhado com uma velocidade devastadora. E, com três grandes surtos naquele século, em 1831, 1848 e 1853, tirou mais de 30 mil vidas, com milhares de outras perdidas em pequenos surtos durante os anos intermediários.

A catástrofe final, como ficou conhecida, se concentrou quase exclusivamente nos habitantes de Soho, no West End, onde um poço contaminado fornecia água a mais de mil pessoas. Hoje, a bomba da Broad Street é preservada no que é hoje a Broadwick Street, cercada por bares, restaurantes e lojas de roupas sofisticadas. A base de granito da bomba é frequentemente usada como assento por turistas inocentes. Salvo a placa de pedra angular no prédio próximo, não há pistas sobre o sofrimento que esse local gerou.

Vinte pessoas morreram na primeira semana do surto de cólera, de 7 a 14 de julho de 1866, devido a diarreia, náusea, vômito e desidratação. Os médicos haviam acabado de perceber que estavam lidando com outro surto quando a segunda onda começou. Mais de 300 pessoas morreram até 21 de julho. A partir daí, só piorou. Entre 21 de julho e 6 de agosto não houve menos de 100 mortos por dia, e o número continuou aumentando em novembro.

Foi nessa paisagem infernal que a ex-empregada doméstica Sarah Neal deu à luz a seu quarto filho, em 21 de setembro de 1866, a apenas 9km ao sul do surto. Ela chamou o filho de "Bertie". Assim como seu marido Joseph Wells. Mas o garoto acabaria escolhendo as iniciais de seu nome, Herbert George.

No centro do desespero, em uma cidade sob o peso de um boom populacional, no coração da desesperança, nasceu o pai do futurismo utópico, H. G. Wells.

Hoje, Wells é mais famoso por sua ficção distópica *A Máquina do Tempo*, mas em histórias como *The Shape of Things to Come*, audaciosamente previu uma "história futura" que incluía engenharia genética, lasers, aviões, audiolivros e televisão.[45] Ele também previu que cientistas e engenheiros nos afastariam de guerra após guerra em direção a um mundo desprovido de violência, pobreza, fome e doenças.[46] Foi, de várias maneiras, um projeto para a visão de Gene Roddenberry, criador de *Star Trek*, de uma Terra futura que seria uma base utópica para a exploração da "fronteira final".[47]

Como passamos de um mundo de tanta miséria para um mundo em que esses sonhos eram possíveis?

Bem, como se viu, a doença foi a cura.

A Cannon Street Bridge, concluída no mesmo ano que amaldiçoou Londres com a catástrofe final e abençoou o mundo com o gênio H. G. Wells, é um testemunho das maneiras pelas quais a Londres de ontem passou a ser a Londres de hoje, de como população e progresso estão intrinsecamente conectados e, de fato, são realizados por sonhos utópicos. O crescimento populacional do século XIX em Londres forçou a cidade a enfrentar seus desafios mais terríveis. Simplesmente não havia opção. A escolha foi clara: adaptar-se ou desaparecer.[48]

E foi assim que o fim do século XIX trouxe para Londres alguns dos primeiros projetos de habitação pública do mundo, substituindo barracos de chão de terra por habitações que poderiam, com a aprovação da Lei de Habitação da Classe Trabalhadora de 1900, também ter acesso à energia elétrica. No mesmo período, houve um aumento extraordinário no número e na qualidade das instituições públicas de educação, incluindo a escolaridade obrigatória para crianças entre 5 e 12 anos, afastando imperfeitamente, mas cada vez mais, legiões de crianças das condições perigosas e exploradoras da vida nas ruas de Londres.

Talvez a mais importante das reformas tenha sido no campo da saúde pública, começando em 1854 com a rebelião do médico John Snow contra a visão médica arraigada de que a cólera era causada por miasma ou "ar ruim". Conversando com moradores e rastreando o problema, Snow retirou a alavanca da bomba da Broad Street. A epidemia logo terminou. As autoridades do governo foram rápidas em substituir a alavanca da bomba, em parte porque a rota fecal-oral da infecção era horrível demais para ser contemplada. Finalmente, no agitado ano de 1866, o principal oponente de Snow, William Farr, estava investigando outro surto de cólera e chegou à conclusão de que Snow estava certo. A resolução desse conflito de saúde pública levou a melhores sistemas de distribuição de água e esgoto na capital do maior império do mundo.

Essas inovações foram logo copiadas em todo o mundo — uma das maiores conquistas mundiais em saúde na história da humanidade. Muito mais do que qualquer outra mudança de estilo de vida ou intervenção médica, a água potável e os sistemas de saneamento levam a vidas mais longas e saudáveis em todo o mundo. E Londres, onde tudo isso começou, apresenta nota A. O tempo de vida no Reino Unido mais do que dobrou nos últimos 150 anos, em grande parte por causa das inovações que foram feitas em resposta direta à superlotação no início do século XIX. O parlamentar do século passado William Cobbett a chamou ironicamente de Great Wen, um apelido que comparava a cidade a um cisto sebáceo inchado, cheio de pus.

O movimento da teoria miasmática para a teoria dos germes, entretanto, mudou fundamentalmente as ideias sobre como combater outros tipos de doenças, preparando o terreno para os avanços de Louis Pasteur em fermentação, pasteurização e vacinação. As ondulações são múltiplas e podem ser medidas, sem o menor sinal de hipérbole, em centenas de milhões de vidas humanas. Se não fosse pelos avanços que surgiram nesse período de nossa história, bilhões e bilhões de pessoas não estariam vivas hoje. Você pode estar aqui. Eu posso estar aqui. Mas as chances de estarmos aqui seriam muito pequenas. Afinal, a população de Londres não era o problema.

O problema não era *quantas* pessoas viviam na cidade, mas sim *como* viviam.

Com 9 milhões de habitantes e crescendo, Londres hoje tem 3 vezes mais pessoas do que em 1866, mas muito menos morte, doença e desespero.

De fato, se a Londres de hoje fosse descrita para os londrinos de 1860, afirmo que seria difícil encontrar uma única alma que não concordaria que sua cidade, no século XXI, teria superado em muito seus sonhos utópicos mais sanguinários.

Não me entenda mal: as preocupações ilimitadas e legítimas que as pessoas expressam sobre um mundo em que os humanos vivem duas vezes mais do que agora — ou mais — não podem ser descartadas com uma história sobre a velha Londres. A cidade não é de forma alguma perfeita. Quem já pesquisou preços de apartamento de um quarto na cidade sabe que isso é verdade.

Hoje, porém, podemos ver claramente que a cidade está florescendo não apesar de sua população, mas por causa dela, de tal forma que hoje a capital e a cidade mais populosa do Reino Unido abriga uma infinidade de museus, restaurantes, casas noturnas e cultura. É o lar de vários clubes de futebol da Premier League, do torneio de tênis mais prestigiado do mundo e de duas das melhores equipes de críquete do mundo. É o lar de uma das maiores bolsas de valores do mundo, um setor de tecnologia em expansão e muitos dos maiores e mais poderosos escritórios de advocacia do mundo. É o lar de dezenas de instituições de ensino superior e centenas de milhares de estudantes universitários.

E é o lar, sem dúvida, da associação científica nacional de maior prestígio no mundo, a Royal Society.

Fundada em 1600 durante a Era do Iluminismo e anteriormente liderada pelo incentivador da Austrália, o botânico Sir Joseph Banks, além de mentes lendárias como Sir Isaac Newton e Thomas Henry Huxley, o lema da entidade é fácil de seguir: "*Nullius in Verba*", diz a frase em latim sob o brasão da entidade. "Não acredite na palavra de ninguém."

Até agora, neste capítulo, apresentei um caso — concordado por muitos grandes cientistas — de que mesmo em projeções atuais e muito conservadoras de crescimento populacional, baseadas em vidas que se prolongam apenas um pouco nas próximas décadas, nosso planeta já ultrapassou a capacidade e nós, como espécie, estamos apenas agravando esse problema com a maneira como estamos cada vez mais escolhendo viver. E sim, os avanços nos tempos de saúde e de vida podem agravar alguns dos problemas que já enfrentamos como sociedade.

Mas há outro modo de ver nosso futuro — um em que vitalidade prolongada e populações crescentes são igualmente inevitáveis, mas não prejudiciais ao nosso mundo. Nesse futuro, as mudanças que surgirão serão nossa salvação.

Mas, por favor: não acredite apenas na minha palavra.

## Uma Espécie Sem Limites

Quando lembrado, o cientista amador holandês Antonie van Leeuwenhoek é quase sempre considerado o pai da microbiologia. Mas Leeuwenhoek se envolveu em grandes questões de todos os tipos, incluindo uma que pode impactar o mundo de maneira extraordinária. Em 1679, ao tentar convencer a Royal Society do quão numeroso era o mundo microscópico invisível, ele empreendeu um esforço para calcular — "mas de maneira muito grosseira", ele se apressou em acrescentar — o número de seres humanos que poderiam sobreviver na Terra.[49] Usando a população da Holanda na época, que era de aproximadamente 1 milhão de pessoas, e algumas estimativas arredondadas do tamanho do globo e da superfície terrestre, ele chegou à conclusão de que o planeta poderia suportar cerca de 13,4 bilhões de pessoas.

Não foi um palpite ruim para alguém que usou o que hoje chamamos de matemática de "guardanapo". Embora alto, está próximo das estimativas de muitos cientistas contemporâneos que exploraram a mesma pergunta com muito mais dados para trabalhar.

Um relatório do Programa das Nações Unidas para o Meio Ambiente, detalhando 65 estimativas científicas da capacidade global, constatou que a maioria, 33, determinou a população humana sustentável máxima em até 8 bilhões. E sim, por essas estimativas, já conhecemos ou em breve conheceremos o número máximo de seres humanos que nosso planeta pode manter.[50]

Mas um número quase igual de estimativas, 32, concluiu que o número está acima de 8 bilhões. Dezoito dessas estimativas sugeriram que a capacidade é de, pelo menos, 16 bilhões. E algumas estimativas sugeriram que nosso planeta tem potencial para manter mais de 100 bilhões de pessoas.

Claramente, os números de alguém devem estar muito fora da curva.

Como você pode imaginar, essas estimativas variáveis dependem em grande parte das diferenças em como os limites restritivos da população são definidos. Alguns pesquisadores consideram apenas os fatores mais básicos; não muito diferente de Leeuwenhoek, eles especulam sobre a população máxima por quilômetro quadrado, multiplicando isso por cerca de 25 milhões de quilômetros quadrados de superfície habitável no planeta, e ponto final.

Estimativas mais robustas incluíram fatores restritivos básicos, como comida e água. Afinal, não importa se podemos colocar milhares de pessoas em 1km$^2$ — como é o caso em cidades muito densas como Manilla, Mumbai e Montrouge — se elas passam fome ou morrem de sede.

Estimativas da capacidade mundial incluem a interação de fatores restritivos e o impacto da exploração humana do meio ambiente global. Ter água e terra suficientes também não importa se o crescimento contínuo da população agrava as já terríveis consequências das mudanças climáticas, destruindo ainda mais as florestas e a diversidade biológica que sustentam nossa existência.

Seja qual for o método e o número resultantes, o próprio ato de se dedicar ao processo de deduzir uma capacidade de carga reconhece que existe um limite. De fato, meu colega de Harvard, o biólogo Edward O. Wilson, vencedor do Pulitzer, escreveu em *O Futuro da Vida*: "Deveria ser óbvio para qualquer um, não em um delírio eufórico, que o que quer que a humanidade faça ou não faça, a capacidade da Terra de sustentar nossa espécie está se aproximando do limite."[51]

Isso foi em 2002, quando a população da Terra era de meros 6,3 bilhões. Nos 15 anos seguintes, mais 1,5 bilhão de pessoas foram somadas.

Os cientistas geralmente se orgulham de rejeitar a noção de que qualquer coisa "deveria ser óbvia". O que norteia nosso trabalho é a evidência, não o óbvio. Portanto, no mínimo, a certeza esmagadora de que existe um limite merece ser debatida, como qualquer ideia científica.

É preciso ressaltar que pouquíssimos modelos globais de capacidade de carga são responsáveis pela engenhosidade humana. Como explicamos, é mais fácil *não* ver o que está se aproximando, então, tendemos a inferir no futuro diretamente a partir de como as coisas são agora. Isso é lamentável e, na minha opinião, cientificamente errado, pois elimina um fator importante da equação.

As opiniões positivas sobre o futuro não são tão populares quanto as negativas. Ao rejeitar estimativas bem-intencionadas, mas imperfeitas, e argumentar que não há um limite cientificamente previsível para o número de pessoas que o planeta pode sustentar, o cientista ambiental Erle C. Ellis, da Universidade de Maryland, sofreu muitos bombardeios. É claro que é isso que acontece quando os cientistas desafiam ideias arraigadas. Mas Ellis manteve-se firme, até escrevendo um artigo para o *New York Times*, no qual chamou de "absurda" a própria noção de que poderíamos identificar uma capacidade de carga global.[52]

"A ideia de que os seres humanos devem viver dentro dos limites ambientais naturais de nosso planeta nega as realidades de toda a nossa história e, provavelmente, o futuro", escreveu ele. "A capacidade de carga de humanos do planeta emerge das capacidades de nossos sistemas sociais e tecnologias mais do que de quaisquer limites ambientais."[53]

Se havia algo como um limite "natural", argumentou Ellis, a população humana o excedeu dezenas de milhares de anos atrás, quando nossos ancestrais caçadores/coletores começaram a confiar em sistemas de controle de água e tecnologias agrícolas cada vez mais sofisticados para sustentar e aumentar seus números. A partir daí, nossa espécie cresceu apenas pela graça combinada do mundo natural e nossa capacidade de nos adaptar a ele tecnologicamente.

"Os seres humanos são criadores de nichos", afirmou Ellis. "Transformamos os ecossistemas para nos sustentar. É isso que fazemos e sempre fizemos."

Nesse modo de pensar, poucas adaptações que sustentam nossas vidas são "naturais". Os sistemas de distribuição de água não são naturais. A agricultura não é natural. A eletricidade não é natural. Escolas, hospitais, estradas e roupas não são naturais. Há muito atravessamos essas pontes figurativas e literais.

Em um avião de Boston para Tóquio recentemente, me apresentei a um homem sentado ao meu lado e conversamos sobre nosso trabalho. Quando eu disse que estava tentando prolongar vidas humanas, ele curvou o lábio superior.

"Não sei nada sobre isso", disse ele. "Parece antinatural."

Fiz um gesto para ele olhar em volta. "Estamos em cadeiras reclináveis, voando a 900km/h, a 11km acima do Polo Norte, à noite, respirando ar pressurizado, bebendo gim tônica, mandando mensagens para nossos colegas e assistindo a filmes sob demanda", disse. "E *qualquer* um desses é natural?"

Você não precisa estar em um avião para sair do mundo natural. Olhe ao redor. A sua situação atual é "natural"?

Há muito tempo deixamos um mundo em que a grande maioria dos humanos poderia esperar uma vida "sem artes, sem letras, sem sociedade", como Thomas Hobbes escreveu em 1651, "e o pior de tudo é o medo contínuo e o perigo de morte violenta".

Se isso é realmente o que é natural, não tenho interesse em viver uma vida natural e aposto que você também não.

Então, o que é natural? Certamente, concordamos que os impulsos que nos levam a viver uma vida melhor — a lutar por existências com menos medo, perigo e violência — são naturais. E é verdade que a maioria das adaptações que permitem a sobrevivência no planeta, incluindo nosso maravilhoso circuito de sobrevivência e os genes de longevidade que ele criou, são produtos da seleção natural, eliminando há bilhões de anos aqueles que falharam em se proteger quando os tempos eram difíceis, mas muitas são as habilidades que acumulamos nos últimos 500 mil anos. Quando chimpanzés usam paus para procurar ninhos de cupins, pássaros jogam pedras em moluscos para quebrar suas conchas ou macacos se banham em piscinas vulcânicas quentes do Japão, tudo é natural.

Por acaso, os seres humanos são uma espécie que se destaca em adquirir e transmitir habilidades aprendidas. Nos últimos 200 anos, inventamos e utilizamos um processo chamado método científico, que acelerou o avanço do aprendizado. Nesse modo de pensar, cultura e tecnologia são "naturais". Inovações que nos permitem alimentar mais pessoas, reduzir doenças e, sim, prolongar nossas vidas saudáveis são naturais. Carros e aviões. Computadores portáteis e celulares. Cães e gatos que compartilham nossas casas. Camas onde dormimos. Hospitais onde nos cuidamos nas épocas de doença. Tudo isso é natural para criaturas que há muito tempo excederam os números que poderiam ser sustentados em condições que Hobbes descreveu como "solitárias, pobres, desagradáveis, brutais e curtas".

Para mim, a única coisa que parece não natural — na medida em que *nunca* aconteceu na história de nossa espécie — é aceitar limitações sobre o que podemos e o que não podemos fazer para melhorar nossas vidas. Sempre pressionamos os limites percebidos; de fato, a biologia nos obriga.

Prolongar a vitalidade é uma mera extensão desse processo. E, sim, traz consequências, desafios e riscos, como o aumento da população. Mas possibilidade não é inevitabilidade, pois, como espécie, somos *naturalmente* forçados a inovar em resposta. A questão, então, não é se as recompensas naturais e não naturais da Terra sustentam 8, 16 ou 20 bilhões de pessoas. Esse é um ponto discutível. A questão é se os humanos podem continuar desenvolvendo as tecnologias que nos permitirão ficar à frente da curva em face do crescimento populacional e, de fato, tornar o planeta um lugar melhor para todas as criaturas.

Podemos?

Com certeza. E o século passado é a prova.

## Gente, Gente, gente, Gloriosa Gente

Depois que nossa espécie foi quase extinta, há 74 mil anos, até 1900, a população humana cresceu a uma taxa equivalente a uma fração de 1% ao ano, à medida que expandíamos para todas as regiões habitáveis do planeta, criando com pelo menos duas outras espécies humanas ou subespécies. Em 1930, graças ao saneamento e à diminuição da mortalidade materno-infantil, nossa espécie aumentou seu número em 1% ao ano. E, em 1970, devido à imunização e às melhorias na produção global de alimentos, a taxa era de 2% ao ano.

Dois por cento não parecem muito, mas aumentaram rapidamente. Levou mais de 120 anos para a nossa população passar de 1 bilhão para 2 bilhões, mas depois de atingir essa marca em 1927, foram necessários apenas mais 33 anos para adicionar outro bilhão e depois 14 anos para adicionar outro.

Foi assim que, no fim da segunda década do século XXI, chegamos a ter mais de 7,7 bilhões de pessoas em nosso planeta e a cada ano uma pessoa adicional por quilômetro quadrado.[54] Retrocedendo, se você representar graficamente o tamanho da população humana nos últimos 10 mil anos, a transição dos seres humanos como criaturas muito raras para a espécie dominante na Terra parece um avanço vertical. Aquele bebê no meio da bomba pareceria justificado.

Nas últimas décadas, no entanto, a taxa de crescimento da população humana vem caindo, principalmente porque as mulheres com melhores oportunidades econômicas e sociais, sem mencionar os direitos humanos básicos, optam por ter menos filhos. Até o fim da década de 1960, cada mulher no planeta tinha em média mais de 5 filhos. Desde então, essa média caiu rápido e, com isso, a taxa em que nossa população está aumentando também caiu.

A taxa de crescimento anual despencou, de 2% em torno de 1970 para cerca de 1% hoje. Em 2100, acreditam os pesquisadores, a taxa de crescimento pode cair para um décimo de 1%. Quando isso acontecer, os demógrafos das Nações Unidas antecipam que nossa população global total se estabilizará, atingindo cerca de 11 bilhões até 2100, depois irá parar e descer a partir daí.[55]

Isso pressupõe, como analisado, que a maioria das pessoas continuará a viver mais tempo em média, mas ainda morrerá na casa dos 80 anos. Provavelmente não será esse o caso. Segundo minha experiência, a maioria das pessoas tende a superestimar o impacto da morte no crescimento populacional. É claro que a morte mantém a população humana sob controle, mas não muito.

Bill Gates apresentou argumentos convincentes sobre por que melhorar a saúde humana é dinheiro bem gasto e não levará à superpopulação, em seu vídeo de 2018 "Does Saving More Lives Lead to Overpopulation?" [Salvar vidas leva à superpopulação?, em tradução livre].[56] A resposta curta é: Não.

Se parássemos *todas as mortes* — por todo o mundo — agora, adicionaríamos cerca de 150 mil pessoas ao nosso planeta todos os dias. Seriam 55 milhões de pessoas por ano. Parece muito, mas seria menos que 1%. Nesse ritmo, adicionaríamos um bilhão de pessoas às nossas hierarquias a cada 18 anos, o que ainda é consideravelmente mais lento do que o ritmo com que os últimos bilhões de pessoas apareceram e é facilmente combatido pelo declínio global das famílias.

É um aumento, mas não o crescimento exponencial com o qual muitas pessoas se preocupam quando se deparam com a ideia de retardar o envelhecimento.

Lembre-se, esses cálculos são o que teríamos se parássemos imediatamente *todas* as mortes. Embora eu esteja muito otimista sobre as perspectivas de vitalidade prolongada, não estou *tão* otimista assim. Não conheço nenhum cientista respeitável que esteja. Cem anos é uma expectativa razoável para a maioria das pessoas vivas hoje. Cento e vinte é nosso potencial conhecido e que muitas pessoas poderiam alcançar — novamente, com boa saúde e se as tecnologias em desenvolvimento venham se concretizar. Se a reprogramação epigenética atingir seu potencial ou se alguém encontrar outra maneira de convencer as células a serem jovens novamente, 150 talvez seja até possível para alguém que vive neste planeta conosco agora. E, finalmente, não há um limite biológico acima, nenhuma lei que diga que devemos morrer em certa idade.

Mas esses marcos chegarão um de cada vez e lentamente. A morte continuará sendo parte de nossas vidas por muito tempo, mesmo quando o tempo for prolongado nas próximas décadas.

**A LEI DA MORTALIDADE HUMANA.** Benjamin Gompertz, um gênio matemático autodidata, foi impedido de frequentar a universidade em Londres do século XIX por ser judeu, mas foi eleito para a Royal Society em 1819. Seu cunhado, Sir Moses Montefiore, em parceria com Nathan Rothschild, fundou a Alliance Assurance Company em 1824, e Gompertz foi nomeado atuário. Sua equação organizada, que substituiu as tabelas de mortalidade, acompanha o aumento exponencial da chance de morte com a idade. Por mais importante que essa "lei" seja para as seguradoras, não significa que o envelhecimento seja um fato da vida.

Essa mudança, no entanto, será contrária a uma queda contínua nas taxas de natalidade que está em andamento há décadas. Portanto, em geral, nossa população pode continuar a crescer lentamente, mas não de formas explosivas como experimentamos no século passado. Em vez de temer o aumento moderado da população que veremos, devemos aceitá-lo. Não esqueçamos o que aconteceu durante o século passado: nossa espécie não apenas sobreviveu no meio do crescimento exponencial da população, mas também prosperou.

Sim: *prosperou*. Ninguém pode ignorar a grande devastação que provocamos em nosso planeta, sem mencionar os males que infligimos uns aos outros. Devemos, com razão, concentrar nossa atenção nessas falhas; essa é a única maneira de aprender com elas. Mas o foco contínuo no aspecto negativo impacta como pensamos sobre o estado do mundo hoje e no futuro, provavelmente o motivo pelo qual a empresa global de pesquisas YouGov perguntou às pessoas em nove países desenvolvidos: "Considerando tudo, você acha que o mundo está melhorando ou piorando, ou não está melhorando nem piorando?", apenas 18% das pessoas acreditavam que as coisas estavam melhorando.

Ah, espera! Isso representou 18% das pessoas na Austrália — a *mais* otimista das nações ocidentais da pesquisa. Nos EUA, apenas 6% das pessoas estavam igualmente confiantes de que as coisas estavam melhorando em nosso mundo.

É importante observar que os pesquisadores não perguntaram se a vida individual dos entrevistados estava melhorando ou piorando. Eles perguntaram sobre o *mundo*. E perguntaram às pessoas em algumas das nações mais ricas do mundo.[57] Certamente, são pessoas que podem ter motivos para pensar que seus padrões de vida individuais — apoiados até recentemente por benefícios econômicos enraizados na escravidão e no colonialismo — vêm caindo um pouco nos últimos anos. No entanto, também são pessoas com grande acesso a informações sobre o mundo e, francamente, devem saber melhor.

Mas em grande parte do resto do mundo o futuro não é visto de maneira tão sombria. De modo algum.

Na China, que detém cerca de ⅕ da população global, cerca de 80% das pessoas entrevistadas em 2014 pela Ipsos MORI, uma empresa de pesquisa do

Reino Unido, acreditavam que a vida dos jovens seria melhor do que a sua. A mesma pesquisa identificou níveis igualmente significativos de otimismo no Brasil, Rússia, Índia e Turquia — todos, lugares onde os padrões de vida estão em ascensão.[58] E sim, isso inclui hábitos de aumento do consumo, mas também inclui taxas de natalidade mais baixas, taxas de pobreza em queda, maior acesso a água potável e eletricidade, acesso mais estável a comida e abrigo, e maior disponibilidade de assistência médica.

O pessimismo, ao que parece, é frequentemente indicativo de privilégio excepcional. Quando visto globalmente, porém, fica muito mais difícil argumentar que o mundo é um lugar cada vez mais infeliz. Simplesmente não é.

Nos últimos 200 anos — uma era que viu o crescimento populacional mais explosivo da história — passamos de um mundo em que quase todos, exceto monarcas e seus vice-reis, viviam na pobreza, para uma sociedade global em que a taxa de pobreza extrema está agora abaixo de 10% e caindo rapidamente. Enquanto isso, em um século em que adicionamos bilhões de pessoas à população do nosso planeta, também melhoramos o acesso educacional de pessoas em todo o mundo. Em 1800, a taxa global de alfabetização era de 12%, em 1900 era de 21% e hoje é de 85%. Vivemos agora em um mundo onde mais de quatro pessoas em cada cinco sabem ler, a maioria tendo acesso imediato essencialmente ao conhecimento de todo o mundo.

Uma razão significativa de crescimento populacional rápido no século passado foi que a mortalidade infantil caiu de mais de 36% em 1900 para menos de 8% em 2000.[59] Nenhuma pessoa razoável poderia acreditar que nosso mundo seria melhor se ⅓ de todas as crianças morressem antes de completar 5 anos.

Essas melhorias na condição humana ocorreram apesar do crescimento populacional ou por causa dele? Eu afirmo que é a última opção, mas na verdade não importa. Eles aconteceram simultaneamente. Até o momento, não há realmente nenhuma evidência nos tempos modernos de que os níveis populacionais se correlacionam com, e muito menos causam, os aumentos da miséria humana. Muito pelo contrário, na verdade, nosso mundo está mais povoado hoje do que nunca, e é um lugar melhor para mais pessoas também.

O psicólogo de Harvard, Steven Pinker, colocou dessa maneira em seu livro *Enlightenment Now: The Case for Reason, Science, Humanism, and Progress* [Iluminação agora: O Caso para Razão, Ciência, Humanismo e Progresso, em tradução livre]: "A maioria das pessoas concorda que a vida é melhor que a morte. Saúde é melhor que doença. Alimento é melhor que fome. Abundância é melhor que pobreza. Paz é melhor que guerra. Segurança é melhor que perigo. Liberdade é melhor que tirania. Direitos iguais são melhores que intolerância e discriminação. A alfabetização é melhor que o analfabetismo."[60] Hoje, temos todas essas coisas em maior plenitude do que há 100 anos, quando nosso planeta era muito menos povoado e a vida era muito mais curta.

Portanto, quando considero a perspectiva de um planeta mais populoso, é muito mais fácil imaginar um em que uma parcela maior da população global esteja vivendo melhor do que nunca. A ciência simplesmente me obriga a sonhar dessa maneira.

Mas por quê? Por que vivemos melhor mesmo com cada vez mais pessoas vivendo por mais tempo?

Existem muitos fatores, incluindo o bem que vem de redes de capital humano de todas as idades. Mas, se eu tivesse que explicar em apenas uma palavra, essa palavra seria: "anciãos."

## A Longa Corrida

Era um belo dia em San Diego, Califórnia, em junho de 2014. Milhares de corredores estavam alinhados para uma maratona. Entre eles estava uma mulher que muitos diriam ter por volta de 70 anos. Isso por si só a tornaria discrepante na multidão de corredores, predominantemente na faixa dos 20, 30 e 40 anos.

Só que Harriette Thompson não tinha mais de 70 anos. Ela tinha 91 anos. E, naquele dia, ela quebrou o recorde oficial dos Estados Unidos em uma maratona feita por uma mulher na casa dos 90 anos — levando quase duas horas.

Quando ela participou da mesma corrida novamente no ano seguinte, estava um pouco mais lenta, mas estabeleceu um novo recorde como a mulher mais velha conhecida por ter completado uma maratona. Ela cruzou a linha de chegada com a torcida do público "Vai, Harriette!", enquanto confetes vermelhos, brancos e azuis choviam ao seu redor.[61]

Thompson, que levantou mais de US$100 mil para a Leukemia & Lymphoma Society com suas corridas, era uma pessoa excepcional por seu vigor e grande coração. Mas o que ela fez fisicamente não precisa ser especial. No futuro, ninguém olhará torto ao ver um maratonista na casa dos 90 anos atravessar a linha de chegada entre uma multidão cronologicamente mais jovem. A verdade é que será difícil dizer quantos anos os corredores veteranos terão.

Esse será o caso em todas as outras facetas da vida também. Em nossas salas de aula, onde professores de 90 anos ficam diante de estudantes de 70 anos que embarcam em uma nova carreira, como meu pai. Em nossas casas, onde os tataravós brincam com seus tataranetos. E em nossos negócios, onde os trabalhadores mais velhos serão reverenciados e disputados pelos empregadores. Você já pode ver isso acontecendo em locais de trabalho que dependem da experiência.

E já era hora.

Os idosos eram reverenciados nas culturas tradicionais como fonte de sabedoria. É claro que eram: antes do texto escrito — e muito antes do advento da informação digital — os idosos eram nossas *únicas* fontes de conhecimento. Isso começou a mudar, rápida e significativamente, quando um ourives do século XV, Johannes Gutenberg, desenvolveu uma prensa que levou à Revolução da Imprensa. A Revolução Educacional subsequente, nos séculos XIX e XX, trouxe taxas de alfabetização que cresceram para atender à disponibilidade de informações. Os idosos não eram mais as únicas fontes de informação de longa data. Em vez de serem vistos como um ativo essencial para uma sociedade em funcionamento, os idosos passaram a ser vistos como um fardo.

O ganhador do Nobel Seamus Heaney descreveu nosso complicado relacionamento com os pais idosos em seu poema "The Follower", ostensivamente sobre seu próprio pai, que tinha ombros como velas, e Seamus, quando criança, "tropeçando e caindo" no rastro dele. O poema termina assim: "Mas hoje/É meu pai que continua tropeçando/Atrás de mim, e não vai embora" [em tradução livre].

O trágico poema de Heaney ecoa os sentimentos expressos em um artigo da revista *Life*, publicado em 1959, intitulado "Old Age: Personal Crisis, U.S. Problem."[62][Velhice: Crise Pessoal, Problema dos EUA, em tradução livre]

"O problema nunca foi tão grande ou a solução tão inadequada", escreveu o autor. "Desde 1900, com melhores cuidados médicos, a expectativa de vida aumentou em média 20 anos. Hoje, existem cinco vezes mais pessoas idosas do que em 1900... o problema da velhice ocorre quase da noite para o dia — quando um homem se aposenta ou depois que a mulher fica viúva."

Quando encontrei a revista mofada em uma livraria de Cape Cod, na Old King's Highway, fiquei maravilhado com a extensão da igualdade de gênero desde 1959, mas depois fiquei impressionado com o pouco que havia mudado na maneira como nos preocupamos com a calamidade do iminente dilúvio de idosos. O que faremos com eles? Eles sobrecarregarão nossos hospitais? E se eles quiserem continuar trabalhando?

O impacto dessa mudança na maneira como muitas pessoas veem os idosos tem sido particularmente sentido na força de trabalho, onde a discriminação por idade é desenfreada. Os gerentes de RH dificilmente se preocupam em esconder seus preconceitos. Eles veem os trabalhadores mais velhos como mais propensos a ficar doentes, a trabalhar devagar e a ser incapazes de lidar com novas tecnologias.

Absolutamente nada disso é verdade, sobretudo para pessoas em cargos de gerência e liderança.

Sim, era comum a tecnologia ser entendida mais devagar. Porém, os idosos instruídos agora usam a tecnologia com a mesma frequência que aqueles abaixo de 65 anos. Não se esqueça que essas são as gerações que enviaram foguetes para a lua e inventaram o jato supersônico de passageiros e o computador pessoal.

"Todos os aspectos do desempenho no trabalho ficam melhores à medida que envelhecemos", relatou Peter Cappelli, diretor do Wharton Center for Human Resources, depois que começou a investigar os estereótipos que costumam rondar os trabalhadores mais velhos. "Eu pensei que o quadro poderia ser mais misto, mas não é. A justaposição entre o desempenho superior dos trabalhadores mais velhos e a discriminação contra eles no local de trabalho simplesmente não faz sentido."[63]

Entre 2012 e 2017, a idade média dos novos CEOs nas maiores empresas dos Estados Unidos aumentou de 45 para 50 anos. Sim, é verdade que as pessoas mais velhas não podem trabalhar fisicamente da mesma maneira de quando tinham 20 anos, mas, quando se trata de gerenciamento e liderança, é o contrário. Considere alguns exemplos de liderança: Tim Cook, CEO da Apple, atualmente tem 58 anos; Bill Gates, cofundador da Microsoft, tem 63 anos; Indra Noori, que recentemente deixou o cargo de CEO da PepsiCo e agora faz parte do conselho da Amazon, tem 63 anos; e Warren Buffett, CEO da empresa de investimentos Berkshire Hathaway, tem 87 anos. Essas pessoas não são o que você chamaria de tecnófobos.

Já é ruim o suficiente quando as empresas se privam de grandes trabalhadores por causa de falsos estereótipos. Mas isso é feito em escalas nacional e internacional, marginalizando milhões de pessoas nos melhores anos de suas vidas profissionais — tudo por causa de velhas ideias sobre a idade que não são verdadeiras agora e que serão ainda menos num futuro próximo. Graças à Age Discrimination in Employment Act (lei contra discriminação no trabalho), de 1967, indivíduos nos Estados Unidos com mais de 40 anos estão legalmente protegidos da discriminação no emprego com base na idade. Mas na Europa a maioria dos trabalhadores é forçada a se aposentar por volta dos 60 anos, incluindo professores que estão apenas ficando bons no que fazem. Os melhores se mudam para os Estados Unidos para continuar inovando.

É uma perda para a Europa e é completamente retrógrada.

Se você fosse o diretor de transporte de uma grande empresa que se prepara para gastar centenas de milhares de dólares na compra de alguns caminhões novos para sua frota, seria melhor investir em um modelo reconhecidamente confiável que dura por volta de 250 mil km ou um que dura pelo menos duas vezes mais? Com todas as outras coisas sendo iguais, é claro que você escolheria os caminhões que durariam mais; é simplesmente o investimento certo.

Porém, não pensamos nas pessoas *dessa* maneira. Parece frio. Afinal, os seres humanos não são produtos que foram retirados das linhas de montagem. Mas as pessoas *são* investimentos. Toda sociedade em nosso mundo aposta em cada um de seus cidadãos — principalmente por meio de educação e treinamento — que compensam ao longo da vida de contribuinte. Esses investimentos já produzem enormes dividendos para as nossas sociedades — para cada dólar que um governo gasta em educação, o PIB do país cresce em média cerca de US$20 nos EUA.[64] E é uma época em que a doença e a morte relacionadas à idade nos roubam anos de produtividade. Imagine, então, quais seriam os retornos se prolongássemos os melhores anos produtivos da vida das pessoas.

No momento, cerca de metade das pessoas nos Estados Unidos e na Europa entre 50 e 74 anos está sofrendo de algum distúrbio de mobilidade. Cerca de ⅓ tem hipertensão. Mais de um em cada dez está lutando contra doenças cardíacas ou diabetes, e mais de um em cada vinte sofre de câncer ou doença pulmonar.[65] Muitos estão combatendo várias dessas doenças ao mesmo tempo. Mesmo assim, eles superam em muito os jovens na maioria das tarefas mentais, escrita, vocabulário e liderança.

Quando prolongamos nossas vidas *saudáveis*, aumentamos esse investimento. Quanto mais pessoas permanecerem na força de trabalho, melhor será nosso retorno. Isso não significa que as pessoas *devam* continuar trabalhando. Do meu ponto de vista, uma vez que você pagou o investimento que nossa sociedade fez em você, e se pode se sustentar, há poucas razões para não poder fazer o que quiser pelo tempo que quiser. Mas, à medida que continuamos a evoluir para uma espécie que permanece mais saudável por muito mais tempo, as velhas ideias sobre quem "pertence" à força de trabalho mudarão rapidamente.

Muitas pessoas temem que os jovens trabalhadores sejam "expulsos" dos empregos se ninguém se aposentar. Não me preocupo. Os países se estagnam porque não inovam e não utilizam seu capital humano, não porque não há empregos. Isso explica por que os países com idade inferior para a aposentadoria têm um PIB mais baixo. Na Holanda, Suécia, Reino Unido e Noruega, a idade de aposentadoria é de 66 a 68 anos, enquanto na Moldávia, Hungria, Letônia, Rússia e Ucrânia, de 60 a 62.[66] Não tenho nada contra os jovens — eu os ensino e treino todos os dias —, mas também sei que a ciência e a tecnologia estão se tornando cada vez mais complexas, e os jovens podem se beneficiar muito ao aprender a sabedoria que décadas de experiência podem trazer.

Observando revistas antigas, é fácil ver o que assustava as gerações anteriores. É sempre igual; há muitas pessoas e recursos insuficientes, muitas pessoas e empregos insuficientes.

Em outra edição da revista *Life*, de 1963, um artigo diz que a automação "substitui as pessoas. Ela dispensou centenas de milhares de pessoas do trabalho e dispensará muitas mais".[67]

Em seguida, cita um estudo recente sobre o tema: "Nas próximas duas décadas, as máquinas estarão disponíveis fora do laboratório, que farão um trabalho confiável com pensamento original, certamente tão bom quanto o esperado para a maioria das pessoas de nível médio que 'usa suas mentes'."

O profético artigo conclui: "Enquanto estamos ficando sem uso para as pessoas, ao mesmo tempo ironicamente produzimos pessoas mais rápido que nunca."

Esses medos nunca se concretizaram como fato, nem mesmo em face de outra enorme ruptura do status quo. Em 1950, a taxa de participação das mulheres na força de trabalho nos EUA era de cerca de 33%; na virada do século, quase dobrou. Dezenas de milhares de mulheres começaram a trabalhar durante essas décadas; isso não resultou em dezenas de milhares de homens perdendo o emprego.

O mercado de trabalho não é uma pizza com um número limitado de pedaços. Cada um de nós pode ter uma fatia. De fato, uma maior participação trabalhista de idosos, homens e mulheres, pode ser o melhor antídoto para as preocupações de que iremos à falência de nossos programas de seguro social. A resposta para o desafio de manter a Previdência Social pagando aposentadorias não é *forçar* as pessoas a trabalharem mais, mas sim *permitir* que elas o façam. E dado o pagamento, o respeito e as vantagens que virão com décadas extras de vitalidade e a oportunidade de continuar a encontrar um objetivo através de um trabalho significativo, muitas o farão.

Mesmo assim, muitos americanos planejam trabalhar além da idade tradicional de aposentadoria, pelo menos em período parcial, nem sempre porque precisam, mas muitas vezes porque querem.[68] E à medida que mais pessoas reconhecem que trabalhar bem nos chamados anos dourados não significa sentir-se cansado ou confuso no trabalho, ser tratado mal ou ter que tirar uma folga para visitar o médico o tempo todo, o número das que desejam permanecer engajadas nessa parte de suas vidas certamente crescerá. A discriminação relacionada à idade diminuirá, sobretudo conforme fica mais difícil dizer quem é "mais velho".

E, se você é um político querendo saber como será possível fazer um trabalho produtivo e significativo para todas as pessoas, considere a cidade de Boston, onde moro. Desde que a primeira universidade americana foi aberta, em 1724, e o primeiro escritório de patentes americano, em 1790, a cidade abriga a invenção do telefone, aparelho de barbear, radar, forno de micro-ondas, internet, Facebook, sequenciamento de DNA e edição de genoma. Somente em 2016, Boston produziu 1.869 startups e o estado de Massachusetts registrou mais de 7 mil patentes, cerca de duas vezes mais, per capita, que a Califórnia.[69] É impossível saber quanta riqueza e quantos empregos Boston gerou para os Estados Unidos e globalmente, mas em 2016 a indústria de robótica empregou mais de 4.700 pessoas em 122 startups e gerou mais de US$1,6 bilhão em receita para o Estado.[70]

A melhor maneira de criar empregos para pessoas produtivas de qualquer idade, mesmo para trabalhadores pouco qualificados, é construir e atrair empresas que contratam pessoas altamente qualificadas. Se você quer um país em que seus cidadãos prosperem e que os outros invejem, não reduza a idade da aposentadoria nem desencoraje tratamentos médicos para idosos na esperança de economizar dinheiro e abrir espaço para os jovens. Em vez disso, mantenha sua população saudável e produtiva, e destrua todas as barreiras à educação e à inovação.

Eu me esforço para estar ciente da sorte que tenho por viver em Boston e trabalhar nas coisas que amo. Enquanto eu estiver me sentindo física e mentalmente ativo, não quero me aposentar. Quando me imagino com 80 anos, vejo uma pessoa que não se sente muito diferente dos 50 (e se a reprogramação funcionar também não parecerá muito diferente). Imagino entrar em meu laboratório em Harvard, como faço hoje todas as manhãs da semana, sendo bombardeado pela energia e pelo otimismo de um grupo heterogêneo de pesquisadores trabalhando para fazer descobertas destinadas a tornar a vida de bilhões de pessoas melhor.

Eu absolutamente amo a ideia de aplicar 60 ou 70 anos de experiência à tarefa de liderar e orientar outros cientistas.

Sim, é verdade: quando as pessoas optam por continuar trabalhando por 80, 90 ou 100 anos, isso mudará fundamentalmente a maneira como nossa economia funciona. Trilhões de dólares foram escondidos em colchões virtuais e alguns reais por pessoa temendo a possibilidade de ficar sem dinheiro em um momento de suas vidas em que são frágeis demais para voltar a trabalhar. A opção de trabalhar em qualquer idade — se e quando o trabalho for desejado e necessário — oferecerá um tipo de liberdade que seria insondável apenas alguns anos atrás. O perigo de gastar uma poupança para realizar um sonho, inovar, iniciar um negócio ou uma nova jornada na educação não será arriscado; será simplesmente um investimento em uma vida longa e gratificante.

E é um investimento que também será recompensado de outras maneiras.

## Liberando o Exército

Dana Goldman ouviu todos os pessimistas.

O economista da Universidade do Sul da Califórnia entendeu — muito mais do que a maioria das pessoas — que os custos com saúde aumentaram drasticamente nas últimas décadas, não apenas em sua terra natal, os Estados Unidos, mas em todo o mundo. Ele sabia que esses custos estavam chegando no momento em que a expectativa de vida humana estava sendo prolongada, resultando em multidões de pacientes mais doentes por mais tempo. E ele estava plenamente consciente do pesadelo interminável sobre a continuidade futura de programas como a Previdência Social que proporcionam o bem-estar comum. A perspectiva de bilhões de pessoas envelhecendo ainda parecia uma tempestade perfeita de catástrofes econômicas.

Há alguns anos, no entanto, Goldman começou a perceber que havia uma diferença entre prolongar vidas e prolongar vidas *saudáveis*. Tal como está, o envelhecimento apresenta um duplo golpe econômico, porque os adultos que ficam doentes param de ganhar dinheiro e de contribuir para a sociedade ao mesmo tempo em que começam a custar muito para se manterem vivos.

Mas e se as pessoas mais velhas pudessem trabalhar por mais tempo? E se usassem menos recursos de assistência médica? E se pudessem continuar a retribuir à sociedade por meio de voluntariado, mentoria e outras formas de serviço? Talvez, apenas talvez, o valor desses anos extras saudáveis diminuísse o golpe econômico?

Então, Goldman começou a fazer as contas.

Como qualquer bom economista, ele procurou ser rigoroso e conservador ao estimar os benefícios do envelhecimento lento. Ele e seus colegas desenvolveram quatro cenários diferentes: um que simplesmente projetava gastos e economias em condições de status quo, dois que estimavam o impacto de melhorias modestas no adiamento de doenças específicas e um que avaliou os benefícios econômicos de adiar o envelhecimento e, assim, reduzir *todos* seus sintomas. Para cada cenário, os pesquisadores fizeram uma simulação 50 vezes e calcularam a média dos resultados.

Quando Goldman analisou os dados, algo ficou claro: reduzir o ônus de qualquer doença, mesmo várias, não mudaria muito. "Progredir contra uma doença significa que outra acabará por surgir em seu lugar", relatou sua equipe em *Perspectives in Medicine* [Perspectivas na Medicina, em tradução livre]. "No entanto, as evidências sugerem que, se o envelhecimento for retardado, todos os riscos de doenças fatais e incapacitantes serão reduzidos simultaneamente."[71]

Para constar, é exatamente isso que estou sugerindo que acontecerá com o fardo total de doenças à medida que retardamos e até revertemos o envelhecimento. O resultado será uma atualização do sistema de saúde como o conhecemos. Tratamentos que antes custavam centenas de milhares de dólares poderiam se tornar obsoletos com pílulas que eventualmente custam alguns centavos. As pessoas passarão os últimos dias de suas vidas em casa com suas famílias, em vez de acumular grandes contas em centros destinados a nada mais do que "envelhecer no lugar". A ideia de que antes gastamos trilhões de dólares tentando conseguir mais algumas semanas de vida de pessoas que já estavam à beira da morte será desprezada.

O "dividendo de paz" que receberemos ao encerrar nossa longa guerra contra doenças individuais será enorme.[72] Durante 50 anos, estimou Goldman, os benefícios econômicos potenciais do envelhecimento retardado somariam mais de US$7 trilhões apenas nos Estados Unidos. E essa é uma estimativa conservadora, baseada em melhorias modestas nas porcentagens de idosos vivendo sem uma doença ou incapacidade. Qualquer que seja o valor em dinheiro, os benefícios "se acumulariam rapidamente", escreveu a equipe de Goldman, "e se estenderiam a todas as gerações futuras", porque uma vez que você sabe como tratar o envelhecimento, esse conhecimento não desaparecerá.

Mesmo se reinvestirmos apenas uma pequena quantidade desse dividendo em pesquisa, entraremos em uma nova era de ouro da descoberta, que será sobrecarregada à medida que colocarmos em ação um vasto exército de pessoas brilhantes, não apenas para continuar a luta para prolongar a vitalidade humana, mas para combater os muitos outros desafios que enfrentamos atualmente, como o aquecimento global, o aumento de doenças infecciosas, a mudança para a energia limpa, aumentando o acesso à educação de qualidade, fornecendo segurança alimentar e impedindo extinções. Esses são desafios que não podemos enfrentar efetivamente em um mundo em que gastamos dezenas de trilhões de dólares a cada ano lutando contra doenças relacionadas à idade, uma a uma.

Mesmo agora, enquanto gastamos muito do nosso capital intelectual em medicina recorrente, existem milhares de laboratórios em todo o mundo, com milhões de pesquisadores. Isso parece muito, mas globalmente os pesquisadores correspondem a apenas $\frac{1}{10}$ de 1% da população.[73] Quão mais rápido a ciência se moveria se colocássemos em ação um pouco do capital físico e intelectual que está preso em hospitais e clínicas que tratam doenças uma de cada vez?

Esse exército poderia ser aumentado por bilhões de outras mulheres se elas pudessem ter janelas de oportunidade muito mais longas para gravidez e cuidados com os filhos. Estudos em animais no meu laboratório indicam que a janela da fertilidade feminina pode ser estendida em até uma década. É uma perspectiva interessante porque, nos Estados Unidos, 43% das mulheres se afastam de suas carreiras por um período de tempo, quase sempre para arcar com o ônus da criação dos filhos. Muitas nunca retornam ao trabalho. À medida que o tempo de vida e a fertilidade da mulher aumentam, as consequências de uma pausa serão vistas como relativamente menores. No fim deste século, quase certamente lembraremos com tristeza o mundo em que vivemos hoje, no qual tantas pessoas, sobretudo mulheres, são forçadas a escolher entre a maternidade e a carreira.

Agora, adicione às fileiras desse exército o poder intelectual combinado de homens e mulheres atualmente excluídos devido à discriminação etária, às ideias impostas socialmente sobre "o momento certo para se aposentar" e às doenças que lhes roubam as capacidades física e intelectual de se envolver como antes era possível. Muitas pessoas com 70 e 80 anos entrarão novamente na força de trabalho para fazer algo que sempre quiseram, ganhando mais do que nunca ou servindo suas comunidades como voluntárias e ajudando a criar seus netos, como fez meu pai. Com o dinheiro economizado com a prevenção de cuidados médicos caros, uma bolsa de requalificação profissional poderia ser fornecida por alguns anos para permitir que pessoas com mais de 70 anos voltem à escola e iniciem a carreira que sempre desejaram, mas não o fizeram porque tomaram decisões erradas ou a vida simplesmente se complicou.

Com pessoas ativas com mais de 70 anos ainda na força de trabalho, imagine as experiências que poderiam ser compartilhadas, o conhecimento institucional em que se poderia confiar e a liderança experiente que surgiria. Os problemas que hoje parecem insuperáveis parecerão muito diferentes quando atendidos pelos tremendos recursos econômicos e intelectuais oferecidos por uma prolongada vitalidade humana.

Isso pode ser especialmente verdadeiro se todos estivermos envolvidos em nosso mundo com a melhor versão de nós mesmos.

## O Maior de Todos

No início dos anos 1970, dois psicólogos decidiram testar a Parábola do Bom Samaritano.

A história bíblica, como você deve se lembrar, centra-se na obrigação moral de ajudar os necessitados, e os psicólogos imaginaram que as pessoas que tinham a parábola em mente teriam maior probabilidade de parar para ajudar alguém em perigo. Então, eles contrataram um ator para fingir estar com dor e colocaram o jovem — que estava curvado e tossindo — em um beco ao lado da porta do Green Hall, anexo ao Princeton Theological Seminary.

Os psicólogos também recrutaram 40 estudantes do seminário para apresentar uma palestra no anexo. Primeiro, porém, os alunos foram convidados a parar em outro prédio do campus. Uma vez lá, alguns seminaristas foram avisados de que não havia pressa para chegar ao anexo, outros foram informados de que chegariam a tempo desde que saíssem imediatamente e um grupo final foi informado de que precisava se apressar para chegar ao anexo a tempo.

Apenas 10% das pessoas do grupo "apressado" pararam para ajudar o homem. Pelo amor de Deus, eram estudantes do seminário e ignoraram um irmão em necessidade. Um deles, literalmente passou por cima do homem em agonia, para chegar onde deveria.

No grupo "sem pressa", porém, mais de 60% pararam para ajudar. Nesse experimento, a diferença de uma pessoa que fez uma escolha por compaixão não tinha nada a ver com a moralidade pessoal ou os estudos religiosos, mas se ela estava com pressa.[74]

Não é uma ideia nova, é claro. Nos dias em que Cristo estava contando a história do Bom Samaritano, seu contemporâneo na Roma antiga, Sêneca, o filósofo, estava implorando aos seus seguidores que parassem e cheirassem as rosas. "A vida é muito curta e ansiosa para aqueles que esquecem o passado, negligenciam o presente e temem o futuro", escreveu ele.[75]

Para pessoas que não apreciam a vida, o tempo é "considerado muito barato, de fato, sem qualquer valor", lamentou. "Essas pessoas não sabem como é precioso o tempo."

Essa pode ser a vantagem social menos considerada da vitalidade prolongada e pode ser exatamente a maior vantagem de todas. Talvez, quando não tivermos tanto medo do relógio, iremos desacelerar, respirar e ser samaritanos calmos.

Eu gostaria de enfatizar a palavra "talvez" aqui. Serei o primeiro a dizer que essa tese é mais suposição do que ciência. Mas o pequeno experimento de Princeton seguiu e pressagiou muitas outras pesquisas demonstrando que os seres humanos são muito mais humanos quando têm mais tempo. Todos os estudos, no entanto, fazem um balanço de como as pessoas se comportam quando têm alguns minutos, ou talvez mais algumas horas, sobrando.

O que aconteceria se tivéssemos mais alguns anos? Mais algumas décadas?

Alguns séculos?

Talvez não fizéssemos nada diferente, mesmo se tivéssemos 200 ou 300 anos. No grande esquema do Universo, 300 anos não são nada. Meus primeiros 50 anos se passaram como um piscar de olhos, e suspeito que mil anos, meros 20 piscares, também pareceriam curtos.

E tudo se resume a isto: Quando esses anos chegarem, como iremos passá-los? Seguiremos o caminho perigoso que finalmente leva a uma ruína distópica? Vamos nos unir para criar um mundo que excede nossos sonhos utópicos mais loucos?

As decisões que tomamos agora determinarão qual desses futuros criaremos. E isso é importante! Prevenir doenças e incapacidades é possivelmente a coisa mais impactante que podemos fazer para evitar uma crise global precipitada por mudanças climáticas, cargas econômicas incapacitantes e agitações sociais futuras. Temos de resolver essa questão.

Pois não houve mais escolhas consequentes na história de nossa espécie.

# Nove

## Um Caminho à Frente

**EM 1908, APENAS 5 ANOS APÓS OS IRMÃOS WRIGHT COMEÇAREM A VOAR, H. G. Wells** publicou um livro intitulado *A Guerra no Ar*, no qual a Alemanha inicia uma guerra aérea contra a Grã-Bretanha, a França e os EUA.

Dizer que Wells tinha uma inclinação para premonição é eufemismo.

Em 1914, o Instituto de Direito Internacional tentou proibir o lançamento de bombas de máquinas aéreas,[1] mas era tarde demais. Aviões alemães gigantes "Gotha" começaram a bombardear a Grã-Bretanha em 1917. Naquele ano, a 300km a oeste de Londres, nasceu um bebê chamado Arthur, que seria considerado o mais notável escritor de ficção científica do século XX. À medida que se tornou mais famoso, Arthur C. Clarke considerou cada vez mais prever para o futuro uma "ocupação desanimadora e perigosa". Pode ser verdade, mas Clarke era muito bom nisso, antecipando satélites, computadores domésticos, e-mail, internet, Google, TV ao vivo, Skype e relógios inteligentes.

Clarke tinha opiniões fortes sobre os cientistas: um físico na casa dos 30 já era velho demais para ser útil. Em outras disciplinas científicas, uma pessoa de 40 provavelmente passava por "decadência senil". E cientistas com mais de 50 eram "bons para reuniões do conselho e deveriam ficar fora do laboratório!"

No fim de sua vida, Clarke deu uma série de entrevistas. A maioria foi gravada e editada porque ele interrompia a fala causada pela síndrome pós-pólio. Em uma entrevista, revelou que tinha uma utilidade para cientistas acabados: "Quando um distinto cientista, mas idoso, afirma que algo é possível, está quase certo. Quando afirma que algo é impossível, provavelmente está errado."[2]

Sou um cientista que, agora, tem 50 anos. Algumas pessoas podem me chamar de ilustre. E meus alunos definitivamente não me querem no laboratório. Portanto, embora eu não possa dizer que estou certo sobre minhas previsões, aparentemente estou bem qualificado para fazê-las.

Às vezes, membros do Congresso dos EUA me pedem para fazer previsões de avanços tecnológicos e como eles podem ser usados para o bem ou o mal. Há alguns anos, opinei sobre os cinco principais avanços futuros nas ciências biológicas que seriam relevantes para a segurança nacional. Embora não possa revelar o que disse, acredito que muitas pessoas pensariam que se tratava de ficção científica. Minha melhor estimativa era que eles aconteceriam antes de 2030. Dentro de seis meses, dois deles se tornaram fatos científicos.

Não sei exatamente quando será o primeiro indivíduo a cruzar o limiar de 125 anos, mas ele certamente será discrepante, como sempre são os pioneiros. Em apenas alguns anos, ele será acompanhado por outro. Então, por algumas dezenas e depois centenas. Até que o fato não seja mais digno de nota. Vidas ainda mais longas se tornarão cada vez mais comuns. O mundo pode ver o primeiro sesquicentenário em algum momento do século XXII. (Se você acha que está longe, considere que alguns pesquisadores acreditam que *metade* de todas as crianças americanas nascidas hoje celebrarão o réveillon de 2120. Não isolados — metade.)[3]

Aqueles que pensam que tudo isso é impossível ignoram a ciência. Ou a negam. De qualquer forma, é quase certo que estejam errados. E como as coisas vão rápido demais, muitos podem até viver para perceber que estão errados.

Nenhuma lei biológica diz que há um limite para quanto tempo podemos viver; não existe um mandato científico de que a idade média na morte deve ser de 80 anos. E não há mandato dado por Deus para morrer após 80 anos. De fato, em Gênesis 35:28, diz-se que Isaque viveu "*100* e 80".[4]

Graças às tecnologias que descrevi, uma vida humana prolongada e saudável é inevitável. Como e quando a conseguiremos é mais incerto, embora o caminho geral seja claro. A evidência da eficácia dos ativadores AMPK, inibidores de TOR e ativadores de sirtuína é profunda e ampla. Além do que já sabemos sobre a metformina, intensificadores do NAD, rapalogs e senolíticos, todos os dias aumentam as chances de que uma molécula ou uma terapia gênica ainda mais eficaz seja descoberta à medida que pesquisadores brilhantes de todo o mundo se juntam à luta global para tratar o envelhecimento, o pai de todas as doenças.

Tudo isso vai além das outras inovações para prolongar a vida e fortalecer a saúde, como senolíticos e reprogramação celular. Acrescente o poder de um atendimento personalizado para manter nosso corpo funcionando, prevenir doenças e superar problemas que podem ser problemáticos no futuro. Sem mencionar os simples passos que todos podemos tomar agora para mobilizar nossos genes da longevidade de maneiras que nos proporcionarão mais bons anos.

Com uma vitalidade significativamente prolongada, uma parte inexorável do nosso mundo futuro, como você quer que esse mundo seja?

Você se sente confortável com um futuro em que os ricos vivem muito mais que os pobres e, ao fazê-lo, ficam mais ricos a cada ano que passa? Deseja viver em um mundo em que uma população cada vez maior procura avidamente todos os recursos restantes enquanto o mundo continua cada vez menos habitável?

Nesse caso, não há nada a fazer. O *status quo* nos levará até lá — independentemente de prolongarmos a vida. Você pode se sentar e ver o mundo pegar fogo.

No entanto, há outro futuro potencial, aquele em que a juventude prolongada é a luz que ilumina o caminho para uma maior prosperidade universal, sustentabilidade e decência humana. É um futuro em que enormes recursos são liberados de um complexo médico-industrial que se baseia na luta contra doenças, uma por uma, criando enormes oportunidades para enfrentar outros desafios. É um futuro em que as pessoas que vivem neste planeta há muito tempo são reverenciadas por seus conhecimentos e habilidades. É o futuro do bom samaritanismo global.

É também um futuro pelo qual devemos lutar, pois nada é garantido.

Para chegar lá, temos trabalho a fazer.

## É Hora de Investir Dinheiro Público no Combate ao Envelhecimento

Sou empreendedor em série, discípulo da inovação e beneficiário grato ao investimento em mim e nas equipes que reuni para resolver problemas difíceis.

Também reconheço, no entanto, que o livre mercado não produz magicamente boa ciência nem resultados equitativos quando se trata de cuidados de saúde. Em qualquer empreendimento de pesquisa, um equilíbrio de financiamentos público e privado é vital para produzir as condições que incentivam a exploração científica ilimitada, o investimento em descobertas precoces e um grau de propriedade comum que garanta melhor que os benefícios do novo conhecimento sejam disponibilizados ao maior número possível de pessoas.

Esse equilíbrio tornou-se cada vez mais precário nos últimos anos. A partir de 2017, pela primeira vez desde a Segunda Guerra, o governo federal dos EUA não era mais a principal fonte de financiamento das pesquisas científicas do país.

O financiamento federal para a ciência nos EUA começou nos anos 1880, quando o Marine Hospital Service, o antecessor do National Institutes of Health (NIH), foi encarregado pelo Congresso de examinar os passageiros nos navios que chegavam em busca de sinais clínicos de doenças infecciosas, como a cólera.[5] Em 1901, uma lei de rotina de fundos suplementares, fornecendo US$35 mil para um novo edifício, tornou-se a legislação fundadora do NIH. O Congresso não estava convencido de que o dinheiro fosse de bom uso, por isso assegurava que todos os anos o financiamento fosse a critério dele próprio, e assim permaneceu. Espero que o Congresso continue convencido de que o financiamento do NIH, que fornece centenas de subsídios competitivos para cientistas de todo o país, é dinheiro bem-gasto, porque sem a pesquisa financiada por ele a maioria dos medicamentos e das tecnologias médicas em que confiamos nunca teria sido descoberta, sem mencionar os milhares de novos medicamentos que ainda estão esperando na fila.

Pelo menos por enquanto, o governo federal ainda representa uma grande parte do financiamento total para pesquisas médicas em hospitais e universidades, garantindo que a pesquisa e o desenvolvimento não sejam impulsionados apenas pelo lucro. Isso é importante, pois cientistas como eu podem trabalhar com sua imaginação e instinto, às vezes por uma década, antes que qualquer aplicação comercial seja aparente e muito antes de qualquer investidor considerar apoiar o trabalho para ajudá-lo a sobreviver ao "vale da morte" da inovação.

O governo é essencial nesse ecossistema, mas em um mundo em que há mais competição pelo financiamento de pesquisas do que nunca, bons cientistas que investigam o envelhecimento precisam procurar cada vez mais apoio financeiro privado para seu trabalho; a pesquisa que muda o mundo não é barata, e quando financiada por uma empresa com objetivos de curto prazo, também não é gratuita. Por isso é importante reverter o declínio no financiamento público para pesquisa médica, que caiu 11% em dólares de 2003 a 2018.[6]

A situação é particularmente difícil para os pesquisadores que estudam o envelhecimento. O financiamento para entender a "biologia do envelhecimento" recebe menos de 1% do orçamento total da pesquisa médica nos EUA.[7] Com o envelhecimento da população e os crescentes custos com saúde, por que os governos não estão aumentando drasticamente o financiamento para pesquisas sobre envelhecimento para manter as pessoas mais saudáveis por mais tempo?

O motivo é que, em quase todas as nações que fizeram um investimento cívico em pesquisa médica, ela está atrelada à definição de doença.

Se você é cientista ou pesquisador com uma ideia para retardar a progressão do câncer ou acabar com o Alzheimer, o NIH e as agências semelhantes pelo mundo se dispõem a ajudá-lo. O NIH não é só um monte de edifícios em Bethesda, Maryland. Ele aloca mais de 80% do orçamento para quase 50 mil subsídios competitivos para cerca de 300 mil pesquisadores em mais de 2.500 universidades e instituições de pesquisa. A pesquisa médica pararia sem esse dinheiro.

Vale a pena detalhar o orçamento do NIH para ver quais das 285 doenças pesquisadas recebem mais atenção.[8]

- As doenças cardiovasculares recebem US$1,8 bilhão por uma doença que afeta 11,7% da população;
- O câncer recebe US$6,3 bilhões para impactar 9,4%;
- O Alzheimer recebe US$1,9 bilhão para uma doença que afeta 3%, no máximo.[9]

Quanto ganha a obesidade, que afeta 30% da população e reduz o tempo de vida em mais de uma década? Menos de um bilhão de dólares.

Não me interprete mal. Comparado à forma como o governo gasta — o custo de um único avião caça F-22 Raptor é superior a US$335 milhões, por exemplo — todo esse dinheiro é bem empregado. Para ter em uma perspectiva ainda maior, considere o seguinte: os consumidores dos EUA gastam mais de US$300 bilhões por ano em café.[10]

Para ser justo, a vida sem café pode não valer a pena ser vivida. Mas, se você é um pesquisador que quer tornar a vida *ainda melhor* — diminuindo ou revertendo as doenças do envelhecimento —, tem um pequeno problema. Simplesmente não há muito dinheiro público sendo gasto nessa área da ciência.

Em 2018, o Congresso destinou US$4 bilhões para pesquisas do envelhecimento, mas se os documentos orçamentários forem investigados veremos que o dinheiro foi destinado quase inteiramente à pesquisa da doença de Alzheimer, à realização de ensaios clínicos de terapia de reposição hormonal e ao estudo da vida dos idosos. Menos de 3% do financiamento para "pesquisas sobre envelhecimento" foram realmente para o estudo da biologia do envelhecimento.

O envelhecimento incapacita 93% das pessoas com mais de 50 anos, mas em 2018 o NIH gastou menos de $1/10$ do que foi gasto em pesquisas sobre o câncer.[11]

Um cientista que está particularmente irritado com o foco orçamentário em doenças individuais é Leonard Hayflick, que descobriu que as células humanas em uma placa têm uma capacidade limitada de se dividir e, por fim, senesce depois de atingir o limite de Hayflick.

"A resolução da doença de Alzheimer como causa de morte adicionará cerca de 19 dias à expectativa de vida humana", observou ele em 2016.[12] Hayflick sugeriu que o nome do National Institute on Aging, uma divisão do NIH, poderia ser alterado para National Institute on Alzheimer's Disease.

"Não que eu apoie o fim da pesquisa sobre a doença de Alzheimer, eu não apoio", disse ele, "mas o estudo da doença de Alzheimer e até sua resolução não nos dizem nada sobre a biologia fundamental do envelhecimento."

A quantia baixa que os EUA gastam em pesquisas sobre envelhecimento, no entanto, é generosa se comparada à da maioria dos outros países avançados, que investem quase nada. Não há dúvida de que essa situação é um resultado direto da visão do *establishment* de que o envelhecimento é uma parte inevitável da vida e não o que realmente é, uma doença que mata cerca de 90% da população.

Envelhecer é uma doença, e isso é tão claro que é insano precisar repetir essas palavras. Mas farei assim mesmo: envelhecer é uma doença. E não é apenas uma doença, mas é a mãe de todas as doenças, da qual todos nós sofremos.

Paradoxalmente, nenhuma agência de financiamento público em todo o mundo classifica o envelhecimento como doença. Por quê? Se tivermos sorte de viver o suficiente, sofreremos com isso. Mas, por enquanto, o conjunto de fundos públicos disponíveis para pesquisas voltadas para a vitalidade prolongada é bastante insignificante; as maiores verificações ainda estão sendo feitas para apoiar iniciativas voltadas para doenças reconhecidas. E, no momento em que escrevo essas palavras, o envelhecimento não é reconhecido como doença em *nenhuma* nação.

Há várias maneiras de acelerar a inovação para encontrar e desenvolver medicamentos e tecnologias que prolongam a vida útil saudável, porém, o mais fácil também é o mais simples: definir o envelhecimento como doença. Nada mais precisa mudar. Pesquisadores do envelhecimento competirão em pé de igualdade com pesquisadores trabalhando para curar todas as outras doenças do mundo. Os méritos científicos das propostas de doações determinarão quais esforços de pesquisa serão financiados. E o investimento privado continuará, como deveria, para impulsionar a inovação e a concorrência.

Laboratórios como o meu, focados no desenvolvimento de terapias inovadoras para tratar, interromper e reverter o envelhecimento, não serão mais raros. Haverá um ou mais em todas as universidades de ciências da saúde do mundo.

E deveria haver, porque não faltam cientistas fazendo fila para se alistar nesse exército. No momento, eu e outros pesquisadores que estudamos o envelhecimento somos sitiados por jovens ansiosos, experientes e brilhantes, que querem dedicar suas vidas à luta para impedir o envelhecimento. Para chefes de laboratório como eu, é um mercado de compradores virtuais. Há muito mais pessoas que desejam estudar o envelhecimento do que os laboratórios conseguem abarcar. O que isso significa é que há muitas pessoas que, apesar de serem muito inteligentes e ansiosas para enfrentar o problema, estão tendo que trabalhar em outros campos ou outras profissões. Isso logo mudará.

As primeiras nações a definir o envelhecimento como doença, tanto na prática quanto no papel, mudarão o futuro. Os primeiros lugares a fornecer grandes quantidades de financiamento público para aumentar os investimentos privados de rápido crescimento na área prosperarão. Seus cidadãos se beneficiarão primeiro. Os médicos se sentirão confortáveis em prescrever medicamentos, como a metformina, a seus pacientes antes que se tornem irreversivelmente frágeis. Empregos serão criados. Cientistas e fabricantes de medicamentos chegarão. As indústrias prosperarão. O orçamento nacional terá um retorno significativo sobre o investimento. Os nomes de seus líderes estarão nos livros de história.

E os detentores das patentes, das universidades e das empresas terão tanto dinheiro que nem saberão o que fazer com ele.

Tenho orgulho de dizer que a Austrália está liderando a tarefa de definir o envelhecimento como uma doença tratável. Recentemente, fiz uma viagem a Camberra para me encontrar com Greg Hunt, ministro da Saúde, o professor secretário adjunto John Skerritt, da Therapeutic Drug Authority, e cerca de 15 dos outros principais pesquisadores do tema. Aprendi que o desenvolvimento de um medicamento para o envelhecimento pode ser muito mais fácil em minha terra natal do que nos EUA. Enquanto os EUA esperam evidências de que uma doença seja curada ou aliviada, na Austrália é possível que um medicamento receba aprovação por "influenciar, inibir ou modificar um processo fisiológico em pessoas". No campo do envelhecimento, sabemos como fazer isso!

Cingapura e EUA estão entre os países que também estão considerando seriamente uma mudança regulatória. Quem o fizer primeiro tomará uma decisão historicamente importante, que lhe beneficiará em primeiro lugar.

Há uma razão para os EUA serem praticamente donos do setor aeroespacial — exportando produtos de mais de US$131 bilhões em 2017 ou mais que os próximos três exportadores juntos. "First in Flight" não é só um bom slogan para placas da Carolina do Norte, é uma declaração sobre a importância de estar na frente. Os norte-americanos mantêm o espírito pioneiro dos seus antepassados: tudo é possível. Mais de um século após os irmãos Wright voarem nos primeiros aviões em Kitty Hawk, e após quase perderem para os franceses e britânicos, os EUA ainda estão à frente no voo e possuem a força aérea mais poderosa do mundo. Chegaram primeiro à lua, e têm uma grande liderança no desenvolvimento de iniciativas públicas e privadas para colocar pessoas em Marte.

Mas nada disso afetará tanto a história humana quanto a primeira nação a declarar o envelhecimento como doença.

No mínimo, os governos têm interesse em garantir que as inovações que desenvolvemos para proteger a vida humana sejam usadas com sabedoria e para nosso benefício coletivo. Agora, é o momento de falar sobre ética e como a privacidade pessoal será afetada por essas tecnologias vindouras, pois uma vez aberta a garrafa, será muito difícil colocar o gênio de volta. Tecnologias baseadas em DNA que permitem a detecção de patógenos específicos, por exemplo, também podem ser usadas para procurar pessoas específicas. A tecnologia agora existe para criar seres humanos que são mais fortes e vivem mais. Os pais escolherão dar aos filhos o "melhor começo possível"?[13] A ONU proibirá o aprimoramento genético de cidadãos e militares?

Para criar um futuro digno de ser vivido, não será suficiente somente financiar pesquisas que prolongam e protegem a vida das pessoas e eliminam seu uso indevido. Também devemos garantir que todos se beneficiem juntos.

## É Hora de Insistir no Direito de Ser Tratado

A dentista parecia entediada. "Seus dentes estão bem", disse-me enquanto examinava minha boca. "Apenas o desgaste normal. Vamos fazer a profilaxia, e poderá voltar à sua rotina."

Parecia que ela estava se afastando antes de seus dedos saírem da minha boca.

"Doutora, se você puder me dar um minuto de sua atenção", disse, "você pode me esclarecer o que quer dizer com 'desgaste normal'?"

"Você está envelhecendo e seus dentes estão mostrando isso", disse ela. "Seus dois dentes da frente estão desgastados. Totalmente normal. Se você fosse adolescente, provavelmente os consertaríamos, mas..."

"Tudo bem, então" — falei. "Eu gostaria de consertá-los."

A dentista cedeu, não antes de eu contar a ela o que fazia da vida e explicar que esperava usar os dentes por muito tempo. Também garanti que ficaria feliz em pagar pelo procedimento, mesmo que o seguro não o fizesse.

Sua resistência era compreensível. Quando os dentistas examinam a boca dos pacientes entre 40 e 50 anos, estão olhando para dentes que estão na metade do caminho. Mas já não é o caso. Nossos dentes — como todas as outras partes do corpo — terão que durar muito mais agora.

Minha experiência no dentista foi um microcosmo da maneira como as pessoas de meia-idade são tratadas em todas as facetas do sistema de saúde. Quando um médico olha para uma pessoa de 50 anos agora, seu objetivo é manter o paciente "menos doente", não garantir que ele estará saudável e feliz nas próximas décadas. Quem entre nós, com mais de 40 anos, nunca ouviu o médico dizer as palavras: "Bem, você não tem mais 20 anos"?

Há duas coisas que orientam os tratamentos médicos mais do que qualquer outra: idade e economia. A primeira limita frequentemente o que os médicos estão dispostos a discutir em termos de opções de tratamento, porque *supõem* que as pessoas devam desacelerar, começar a lidar com um pouco de dor e experimentar aos poucos a degradação de várias partes do corpo e funções. A segunda dita essas discussões ainda mais, porque, independentemente do potencial de um procedimento para melhorar a vida de um paciente, é inútil e até sem coração contar a alguém sobre cuidados que ele não poderá pagar.

Nosso sistema médico se baseia no envelhecimento. Quando somos jovens, não recebemos tratamentos que podem nos manter saudáveis quando envelhecermos. Quando envelhecemos, não recebemos os tratamentos dos jovens.

Essa situação tem de mudar. A qualidade de nossos cuidados médicos não deve ser baseada em idade ou renda. Uma pessoa de 90 e e uma de 30 anos devem ser tratadas com o mesmo entusiasmo e apoio. Haverá dinheiro suficiente para pagar por causa dos trilhões de dólares que não precisarão ser gastos pelas seguradoras ou pelo governo e, consequentemente, por nós mesmos, no tratamento de doenças crônicas.[14] Todos devem ter direito a tratamentos e terapias que melhorem a qualidade de vida, independentemente da idade. À medida que avançamos em direção a um mundo em que o ano de nascimento indica menos sobre nós do que nunca, precisaremos ajustar suposições, regras e leis que governam os tratamentos médicos que as pessoas podem receber.

O acesso equitativo aos cuidados médicos, por mais longa que seja a vida, é uma ideia aterrorizante para muitas pessoas, porque parece muito caro. Isso é compreensível, porque, do jeito que está, os programas médicos sociais do mundo estão sobrecarregados com o custo cada vez maior dos tratamentos, especialmente aqueles fornecidos a pessoas muito doentes, muito velhas e com probabilidade de obter nada além de alguns anos extras — se tanto.

Não é assim que o futuro dos cuidados médicos será. No momento, grande parte do que gastamos em assistência médica se destina ao combate de doenças. Mas, quando pudermos tratar o envelhecimento, enfrentaremos o maior fator de todas as doenças. Medicamentos eficazes para a longevidade custarão centavos em comparação com o custo do tratamento das doenças que prevenirão.

Em 2005, um estudo de Dana Goldman e seus colegas da RAND, Santa Monica, fez alguns cálculos. Eles estimaram o valor que descobertas agregariam à sociedade e o custo para prolongar a vida humana em um ano.[15] O custo de um medicamento inovador para prevenir o diabetes: US$147.199. De um tratamento contra o câncer: US$498.809. De um marcapasso: US$1.403.740. De um "composto antienvelhecimento" que prolongaria anos saudáveis por uma década: meros US$8.790. Os números de Goldman apoiam uma ideia que deve ser de bom senso: que não há maneira mais barata de enfrentar a crise da saúde do que atacar o envelhecimento em sua essência.

Mas e se os medicamentos não mantiverem as pessoas saudáveis? E se simplesmente prolongarem a vida, como qualquer medicamento quimioterápico aprovado com base em sua capacidade de proporcionar uma vida mais longa, e não em uma qualidade de vida mais alta? A sociedade deve debater se os medicamentos para longevidade que não nos mantêm mais saudáveis devem ser aprovados. Se fossem permitidos, haveria ainda mais idosos com doenças e incapacidades e, segundo Goldman, os gastos em 30 anos seriam 70% maiores.

Felizmente, a ciência sugere que esse cenário de pesadelo não acontecerá. Quando tivermos medicamentos seguros e eficazes para retardar o envelhecimento, eles também estenderão nosso tempo saudável. O que restará será a manutenção médica, que é excepcionalmente barata; medicina de emergência, que é cara, mas rara; e doenças transmissíveis, que poderemos rastrear, tratar e prevenir com muito mais eficiência e eficácia. É similar a fazer a troca de carros movidos a gasolina que precisam de óleo, correias, ajustes e manutenção regular para carros elétricos que informam sobre o fluido do lavador de para-brisas.

Como morei na Austrália, no Reino Unido e nos EUA — três países com história, idioma, cultura e comércio interligados — achei interessante ver como eles são semelhantes em alguns aspectos e diferentes em outros.[16] Uma grande diferença é que a maioria dos australianos e britânicos raramente assume que sua maneira de fazer as coisas é a melhor. Os americanos, no entanto, muitas vezes acreditam que sua maneira é certamente a melhor.

Não estou dizendo que os EUA não se saem muito bem e não devem continuar a seguir seu próprio caminho em muitas áreas da política doméstica e global, mas há muito tempo fico perplexo com a resistência norte-americana em estudar o que realmente funciona em outro lugar.

Na ciência, chamamos isso de experimentação, e é o que impulsiona nossa civilização adiante. Quanto mais experimentos são realizados, mais informados somos. E alguns funcionam muito bem.

Estabelecida como uma colônia prisional, a Austrália é um dos países menos religiosos do mundo, mas, quando se trata de prover seus cidadãos, é símbolo de esperança.[17] Assim como os EUA, a Austrália tem seus problemas: trânsito, alto custo de vida e regras estritas destinadas a salvar vidas, mesmo que essas regras muitas vezes tirem o divertimento da vida.

Porém, há uma estatística da qual os australianos estão cada vez mais orgulhosos: um experimento de 50 anos para proteger e preservar todos os cidadãos, independentemente de status, educação ou renda. As mortes por acidentes de carro e tabagismo são as mais baixas do mundo, graças a leis rigorosas e pesadas multas. Mesmo antes da aprovação dessas leis, houve uma mudança maior em andamento. Em meados da década de 1970, foi instituído um sistema universal de saúde, um dos primeiros, e a expectativa de vida na Austrália começou a aumentar. Semelhante aos EUA na década de 2010, o governo seguinte tentou limitar o escopo dessa reforma progressiva, mas acabou fracassando.

O político controverso de direita Bronwyn Bishop ajudou a criar um órgão independente australiano, o Federal Department of Health and Ageing, que durou de 2002 a 2013 com um orçamento de cerca de AU$36 bilhões, com foco na promoção da saúde, prevenção de doenças, assim como prestação de serviços e disponibilização de cuidadores para os idosos.

No período, a Austrália continuou a trajetória ascendente, usando sua riqueza para ter mais saúde e produtividade na força de trabalho, e sua saúde e produtividade para gerar mais riqueza, um ciclo virtuoso da mais alta ordem moral.

Entre 1970 e 2018, os australianos ganharam mais 12 anos de vida. Sua expectativa de vida *saudável* é de 73 anos, 10 acima da média global, graças a um declínio na porcentagem de pessoas que sofrem de condições incapacitantes.[18]

Os idosos na Austrália estão sendo menos idosos, menos onerosos e muito mais produtivos do que em outras nações. Se você visitar a Austrália, será notável a diferença entre seus idosos ativos e em boa condição física e aqueles nos EUA que sofrem com obesidade, diabetes e incapacidade.

Meu pai pensou que estava indo para o túmulo. Em vez disso, está indo a shows ou escalando montanhas. Ele sai várias noites por semana para jantar com os amigos. É especialista em computadores e novos aparelhos de alta tecnologia, e foi uma das primeiras pessoas na Austrália a ter um *smart speaker* com assistente virtual em casa. Ele não se incomoda com viagens internacionais, então, o vemos com frequência. Ele voltou ao trabalho. Física e mentalmente ele é pelo menos 30 anos mais novo que sua mãe na idade dele.

Sua saúde notável pode ou não ser devido às moléculas que ele toma — os próximos anos de sua vida serão um indicador, enquanto as provas científicas virão apenas na forma de estudos controlados por placebo duplo-cego —, mas também é ajudado por exercício frequente, acesso a excelentes cuidados médicos e um sistema que acredita na prevenção de doenças, não apenas no tratamento em estágio tardio. Ele é um exemplo brilhante de uma nova geração de australianos de 70 e 80 anos que não apenas vive mais, mas também vive muito melhor do que qualquer um de seus antepassados. Em 2018, a Austrália ficou em sétimo lugar no Índice de Capital Humano global, uma medida do conhecimento, das habilidades e da saúde que as pessoas de um país acumulam ao longo de suas vidas, logo atrás de Cingapura, Coreia, Japão, Hong Kong, Finlândia e Irlanda. Os EUA ficaram em 24º lugar. A China ficou em 25º.

A trajetória da Austrália está em alta, e o país não está olhando para trás.

Tendo visto o que funciona, outros países principalmente europeus adotaram sistemas de saúde semelhantes. A Austrália agora tem acordos recíprocos com o Reino Unido, Suécia, Holanda, Bélgica, Finlândia, Itália, Irlanda, Nova Zelândia, Malta, Noruega e Eslovênia, o que significa que os cidadãos desses países podem receber os mesmos cuidados médicos na Austrália como se estivessem em casa e vice-versa. Imagine um mundo inteiro assim.

Enquanto isso, alguns países estão ficando para trás. E um, em particular, está regredindo.

Graças ao crescente vício em calorias e opioides, e um sistema de saúde inadequado, se não completamente inacessível a ⅓ da população, os EUA experimentaram recentemente um declínio na expectativa de vida pela primeira vez desde o início dos anos 1960. Esse declínio pode em breve exceder a diminuição na expectativa de vida causada pela epidemia de gripe espanhola em 1918. Isso está acontecendo apesar do fato de os EUA gastarem 17% de seu PIB em assistência médica, quase o dobro da Austrália.

Não pretendo menosprezar o país em que vivo — foi muito generoso com minha família e comigo. Mas estou frustrado. Desde que cheguei ao país que realmente colocou o homem na lua, foi um choque ver oportunidades para ajudar mais pessoas por menos dinheiro desperdiçadas repetidamente.

Os EUA têm sido líderes em investimentos públicos e privados em pesquisas médicas que salvam vidas. Embora possa ser difícil rastrear a origem de todos os medicamentos nesse mundo cada vez mais interconectado, estima-se que 57% de todos os medicamentos sejam desenvolvidos nos EUA. Outras nações, especialmente aquelas que não investem tanto em pesquisas médicas, devem ser gratas aos EUA por descobrirem e desenvolverem a maioria dos medicamentos que garantem uma vida cada vez mais longa.

Em um mundo justo, os cidadãos norte-americanos seriam os maiores beneficiários dos avanços médicos que subsidiam e produzem. Mas não são.

Os australianos são. Os britânicos também. Assim como os suecos, os holandeses, os irlandeses e os eslovenos. Todos estão se beneficiando em termos de expectativa de vida e saúde, porque têm o tipo de acesso universal aos serviços de saúde que 15% dos democratas registrados e metade de todos os republicanos nos EUA temem.[19] O tempo médio de vida americano ser apenas quatro anos menor que o da Austrália[20] esconde o fato de que nas regiões mais pobres dos EUA, os cidadãos vivem uma década ainda mais curta que isso.[21]

Como o exemplo australiano prova, quando *todos* vivem mais e são mais saudáveis, *todos* vivem melhor. Então, por que esse tópico não é discutido nos EUA? Por que as pessoas não cobram o Congresso com sinais de protesto e palavras de ordem, exigindo mais investimentos, acesso universal a medicamentos e a vida útil mais saudável do planeta? Com outros países desfrutando de vidas cada vez mais longas e saudáveis, talvez caia a ficha dos norte-americanos. Mas suspeito que não. Embora a OMS classifique os EUA na posição 37, abaixo da Dominica, Marrocos e Costa Rica e uma acima da Eslovênia,[22] ainda é comum ouvir os políticos norte-americanos dizerem, sem qualquer justificativa, que os EUA têm o melhor sistema de saúde do mundo, e milhões de pessoas acreditam nisso.[23]

A alternativa a um direito universal de ser tratado — independentemente da idade e da capacidade de pagamento — é um mundo em que as pessoas ricas se beneficiam cada vez mais de vidas ainda mais longas e saudáveis do que já desfrutam, enquanto as pessoas pobres têm existências curtas e doentes. Essa é uma péssima ideia para ricos e pobres.

Minha linha de trabalho me colocou em contato com algumas das pessoas mais ricas do mundo, que estão compreensivelmente interessadas em aprender os segredos de uma vida mais longa e saudável. Ainda estou para encontrar alguém que deseja ver essa divisão acontecer. Nessa direção, afinal, estão as sementes da revolução — e a revolta raramente funciona bem para a classe dominante. Como Nick Hanauer, capitalista de risco e dono de um "iate muito grande", escreveu em um memorando para "Meus Companheiros Zillionários" em 2014: "Não há exemplo na história da humanidade em que riqueza acumulada dessa maneira e palavras de ordem não tenham surgido. Você me mostra uma sociedade altamente desigual, e eu lhe mostrarei um estado policial. Ou uma revolta. Não há exemplos contrários. Nenhum. Não seremos capazes de prever quando e será terrível, para todos. Mas especialmente para nós."[24]

O aviso de Hanauer veio antes que os genes da longevidade estivessem no radar da maioria das pessoas e muito antes que a maioria sequer contemplasse o que a expectativa de vida e a saúde prolongadas significativamente poderiam fazer com a divisão entre ricos e pobres.

O acesso universal a tecnologias que prolongam a vitalidade não solucionará todos os problemas associados à desigualdade de renda, mas é um começo crucial.

## DEVEMOS SER CAPAZES DE ESCOLHER QUANDO MORRER

Pelos padrões cósmicos, essa região da Via Láctea não é um lugar terrivelmente inóspito para a evolução da vida. Afinal, estamos aqui. E os confins das galáxias espirais como a nossa parecem ter uma promessa boa para a concretização de alguns planetas que sustentam a vida,[25] muito melhores do que as galáxias anãs que são o tipo mais abundante de sistema estelar no Universo.

No entanto, como a astrônoma Pratika Dayal vê, os locais mais prováveis para a vida se formar e prosperar são as galáxias elípticas gigantes mais raras, ricas em metais e gigantes — duas vezes maiores que a Via Láctea e muitas vezes muito maiores, mantendo até 10 vezes o número de estrelas e talvez 10 mil vezes o número de planetas habitáveis.[26] A propósito, se você está com a ideia errada de que, se estragarmos este planeta, basta viajar para um novo, considere que o exoplaneta habitável mais próximo conhecido fica a 12 anos-luz, em linha reta. Isso parece próximo, mas, salvo a descoberta de um buraco negro no espaço ou a navegação com pequenas cargas próximas à velocidade da luz, levaria, pelo menos, 10 mil anos para levar alguns humanos para lá[27] (o que, como já argumentei, é outra boa razão para descobrir como estender o tempo de vida).

A galáxia elíptica gigante mais próxima é a Maffei 1, que fica a cerca de 10 milhões de anos-luz de distância. Podemos supor que, se os exploradores de Maffei 1 fizerem uma viagem para nos visitar, serão de uma sociedade excepcionalmente avançada. Espero que eles tenham algumas perguntas, pois também quererão saber até onde avançamos.

Primeiro, acredito, eles ficarão curiosos sobre coisas *fáceis*: Já conseguiram resolver o *pi* com um milhão de casas decimais? A velocidade da luz? O fato de que massa e energia são a mesma coisa? Emaranhamento quântico? A idade do Universo? Evolução?

Em seguida, nos perguntarão sobre coisas mais difíceis: Aprendemos a usar sabiamente os recursos disponíveis no planeta? Conseguiremos uma nota de aprovação, suponho, desde que não mencionemos canos de chumbo, bombas nucleares e Furbys. Fizemos isso de maneira sustentável? "Hum, próxima."

Então, provavelmente vão querer ouvir sobre outros mundos que visitamos.

"Enviamos 12 pessoas a lua", diremos. "Onde fica isso?", perguntarão.

Vamos apontar para a grande esfera branca em nosso céu noturno. "Hmmm", dirão. "Só os homens da sua espécie?" Concordamos, e eles reviram os 146 olhos.

Depois disso, eles desejarão saber sobre nosso tempo de vida. Já descobriram como viver muito além do tempo que a evolução lhes deu? "Er, nós não sabíamos que isso era algo que valia a pena estudar até alguns anos atrás." Eles oferecerão um incentivo bem entusiasmado, como um adulto humano faz com um bebê que está aprendendo a comer alimentos sólidos.

A próxima pergunta será bastante séria: "Como vocês morrem?" perguntarão. E como responderemos a essa pergunta será um indicador importante de quão avançados realmente somos.

Agora, como exemplifiquei com a morte de minha mãe, a maneira como a maioria de nós morre é bárbara. Passamos por um longo período de declínio e propomos maneiras de estender esse período de dor, sofrimento, confusão e medo para que possamos experimentar ainda mais dor, sofrimento, confusão e medo. A tristeza, o sacrifício e a turbulência que isso cria para nossas famílias e amigos são prolongados e traumáticos, de modo que, quando finalmente fazemos a passagem, costuma ser um alívio para aqueles que nos amam.

Os meios mais populares para o fim são as doenças — que podem surgir no auge da vida. Doença cardiovascular aos 50 anos. Câncer aos 55. AVC aos 60 anos. Alzheimer precoce aos 65 anos. Com frequência, o que é dito em funerais é que alguém deixou essa vida "muito cedo". Ou as doenças não matam, e a luta para combatê-las de novo e de novo dura uma década de sofrimento.

Essas são respostas terríveis para a pergunta sobre como morremos. A resposta pela qual devemos nos esforçar — tanto quanto pela vitalidade prolongada — é "quando estivermos prontos, de maneira rápida e indolor".

Por sorte, a ciência da longevidade mostra que quanto mais fazemos roedores viver, mais rápido tendem a morrer. Ainda morrem das mesmas doenças, mas, talvez porque sejam muito velhos e os animais estejam no limite, eles tendem a sofrer por dias, em vez de meses, depois perecem.

Essa não é a única maneira de encontrarmos nosso fim.

"Suicídio assistido por um médico", "Morte com dignidade", "Eutanásia eletiva". Qualquer que seja o nome, precisamos encerrar a colcha de retalhos de leis e costumes que forçam as pessoas a percorrer grandes distâncias, geralmente quando estão sofrendo, para levar suas vidas a um fim pacífico.

Esses são os tipos de barreiras que o eminente ecologista David Goodall enfrentou em 2018, aos 104 anos, quando foi forçado a deixar sua casa na Austrália, onde o suicídio assistido por médico é ilegal, e viajar para uma clínica na Suíça, onde é legal e seguro. Ninguém deveria ter que escolher entre morrer em uma terra estrangeira e cometer um crime como seu último ato na Terra.

Portanto, ninguém com uma mente sadia que tenha mais de 40 anos — mais ou menos a idade em que pagou o investimento da sociedade em sua educação — deve ter o direito negado de morrer segundo seus próprios termos. Como qualquer pessoa, em qualquer idade, com diagnóstico terminal ou doença crônica.

Sim, devem haver regras. Certamente, deve haver aconselhamento envolvido e um período de espera. Não deveria ser fácil tirar a vida por um capricho, em vez de enfrentar um mar de problemas. Se assim fosse, eu e muitos outros provavelmente não teríamos passado pela adolescência. Mas não devemos presumir aproveitar a culpa e a vergonha dos adultos sãos que desejam controlar o dia de seu último suspiro.

Quase todos os dias, e com frequência várias vezes por dia, alguém me diz que não tem interesse em viver até os 100 anos, quanto mais por décadas.

"Se eu chegar aos 100 anos, apenas atire em mim", dizem.

"Acho que 75 anos saudáveis parecem adequados", dizem eles.

"Simplesmente não consigo imaginar ter que morar com meu marido por mais tempo do que eu já tenho", uma cientista bastante ilustre me disse uma vez.

Sem problemas.

De fato, parece haver pouco apetite pela ideia de viver por mais tempo.

Recentemente, dei uma palestra para um público de cerca de 100 pessoas, com idades entre 20 e 90 anos, uma boa amostragem da comunidade local. O principal doador do instituto estava atrasado, então, tive que preencher o tempo. Peguei o microfone e fiz um pequeno experimento.

"Quanto tempo cada um de vocês quer viver?", perguntei.

Levantando as mãos, ⅓ disse que ficaria feliz com 80 anos; eu disse a esse grupo que todos deveriam pedir desculpas a todos os membros da plateia com mais de 80 anos. Houve risadas.

Outro ⅓ indicou que gostaria de chegar até os 120. "Esse é um bom objetivo", disse, "e provavelmente não é irreal".

Cerca de ¼ queria chegar a 150. "Isso não é mais uma coisa boba para se sonhar", disse.

Apenas algumas pessoas queriam viver "para sempre".

Os números foram semelhantes em um jantar recente em Harvard para cientistas que estudam o envelhecimento. Bem poucos participantes afirmaram estar buscando a imortalidade.

Conversei com centenas de pessoas sobre isso. A maioria que quer a imortalidade não tem medo da morte. Simplesmente ama a vida. Ama suas famílias. Ama suas carreiras e adoraria ver o que o futuro reserva.

Também não sou fã da morte. Não é porque tenho medo de morrer. Eu posso dizer isso sem reservas. Em um avião, minha esposa, Sandra, agarra meu braço ao primeiro sinal de turbulência, enquanto meu pulso não muda. Viajo bastante e já tiver problemas mecânicos em aviões mais de uma vez, por isso sei como reajo diante de uma possível morte. Se o avião cair, eu morro. Desapegar desse medo foi uma das melhores coisas que já fiz.

É aqui que as coisas ficam realmente interessantes: quando faço essa pequena pesquisa e digo à plateia que eles poderiam manter sua saúde, não importa quantos anos vivam, o número de pessoas que dizem que gostariam de viver para sempre dispara. Quase todo mundo quer isso.

Acontece que a maioria das pessoas não tem medo de perder a vida; elas têm medo de perder a humanidade.

E deveriam. O avô de minha esposa ficou doente por muitos anos antes de morrer, aos 70 anos. Nesse ponto, ele estava em estado vegetativo há anos — um destino verdadeiramente horrível —, mas tinha um marcapasso e, portanto, sempre que seu corpo tentava morrer, voltava à vida.

Não de volta à saúde, lembre-se. De volta à vida. Há uma grande diferença.

Em minha mente, existem poucos pecados tão deploráveis quanto prolongar a vida sem saúde. Isso é importante. Não importa se podemos estender o tempo de vida, se não podemos estender a saúde na mesma proporção. Portanto, se estendemos o primeiro, temos obrigação moral absoluta de estender o segundo.

Como a maioria das pessoas, não quero anos ilimitados, quero apenas alguns com menos doenças e mais amor. E, para a maioria das pessoas que conheço envolvidas nesse trabalho, a luta contra o envelhecimento não se trata de acabar com a morte, mas de prolongar a vida saudável e dar a mais pessoas a chance de encontrar a morte em termos muito melhores — na verdade, nos próprios termos. Rápida e indolor. Quando estiverem prontas.

Recusando tratamentos e terapias que oferecem uma vida saudável prolongada ou aceitando essas intervenções e decidindo partir quando for a hora certa, ninguém que recebeu de volta o que lhes foi dado deve ter que permanecer neste planeta se não deseja. E precisamos iniciar o processo de desenvolvimento cultural, ético e princípios legais que permitirão que isso aconteça.

## Devemos Considerar o consumo com Inovação

O escritor e ativista ambiental George Monbiot está entre aqueles que observaram que, quando se trata da saúde futura do nosso planeta, as pessoas estão excessivamente preocupadas com o número de seres humanos na Terra, ignorando o fato de que o consumo "tem o dobro de responsabilidade pela pressão sobre recursos e ecossistemas em comparação ao crescimento populacional".[28] Monbiot, que está na extrema-esquerda, não está certo sobre tudo, mas com certeza está certo sobre isso. O problema não é a população, é o consumo.

Sabemos que os seres humanos *podem* viver de maneira saudável e feliz, consumindo muito menos que a maioria no mundo desenvolvido. Mas não sabemos *se* querem. É por isso que entre os cientistas que concordam com a ideia de que o nosso planeta tem um limite de pessoas que pode sustentar, que ofereceram uma estimativa generosa da capacidade de carga da Terra, estão os que assumem que nossa espécie será capaz de ganhar mais com menos, talvez à medida que aumentamos o padrão de vida de bilhões de pessoas. Enquanto isso, os profetas mais pessimistas geralmente assumem uma "tragédia dos comuns", em que consumimos avidamente até a morte em um banquete de recursos naturais ilimitado. Em geral, as pessoas não mudam, de modo que a nossa direção será em grande parte determinada pela política e pela tecnologia.

Pelo menos em um aspecto — o "fator material", por assim dizer — a tecnologia já está conduzindo uma mudança tremenda e positiva, um processo global de "desmaterialização" que substituiu bilhões de toneladas de mercadorias por produtos digitais e serviços humanos. Assim, as enormes prateleiras dedicadas a discos e CDs foram substituídas por streaming de música; as pessoas que antes precisavam de veículos para viajar de vez em quando agora abrem um aplicativo em seus telefones para solicitar um compartilhamento de carona; e alas inteiras de hospitais que antes eram usadas para armazenar registros de pacientes foram substituídas por computadores portáteis conectados à nuvem.

Como Steven Pinker apontou, grande parte do tempo, energia e dinheiro que gastávamos produzindo "coisas" agora é "direcionada a um ar mais limpo, carros e medicamentos mais seguros para 'doenças órfãs'."[29] Enquanto isso, os movimentos "experiências, não coisas" e afins estão transformando as maneiras como economizamos e gastamos dinheiro, e nos deixando com menos tralha em nossos porões. Após um século de movimento em direção a McMansions (casas grandes por fora, mal projetadas por dentro e de baixo custo), a segunda metade da década de 2010 viu uma queda significativa na metragem quadrada de novas casas e na crescente demanda por apartamentos menores,[30] continuando a migração rural para espaços urbanos pequenos e compartilhados. Como prova o sucesso global do WeWork, os jovens de hoje não se sentem confortáveis apenas com áreas de trabalho e de vida muito menores, com espaços comunitários compartilhados, como escritórios, cozinhas, academias, lavanderias e salões, mas cada vez mais os exigem.[31]

A lenta morte das coisas não é o fim do consumo. Estamos sempre viciados em desperdiçar comida, água e energia. Tal como está, a ONU alerta, estamos poluindo a água muito mais rápido do que a natureza pode reciclar e purificar. Nós literalmente jogamos fora metade dos alimentos comestíveis do mundo a cada ano, mais de um bilhão de toneladas, mesmo quando milhões de pessoas têm fome ou estão desnutridas.[32]

No atual ritmo de crescimento populacional e mobilidade econômica, a ONU estima que, até 2050, serão necessários quase três vezes mais recursos do planeta para sustentar nosso estilo de vida por um ano. No entanto, a ONU gasta surpreendentemente pouco tempo debatendo o consumo, muito menos firmando acordos internacionais que ajudariam a construir um mundo em que nenhuma sociedade consome além de sua parcela do que a Terra pode produzir sob condições tecnológicas contemporâneas.

Essa última parte é importante: assim como nos ajuda a reduzir nosso vício em "coisas", a tecnologia tem absolutamente um papel na solução desses outros problemas de consumo — pois não há nação livre no mundo que possa unilateralmente forçar seus cidadãos a consumir menos enquanto outros no planeta consomem mais. As leis podem incentivar as empresas a se conformarem, mas também precisa tornar atraente e fácil para os indivíduos consumirem menos.

Portanto, devemos investir em pesquisas que nos permitam cultivar alimentos mais saudáveis e transportá-los com mais eficiência. E não se engane: isso inclui aceitar culturas geneticamente modificadas, aquelas projetadas para incluir uma característica na planta que não ocorre em sua forma natural, como resistência a insetos, tolerância à seca, maior produção de vitamina A ou uso mais eficiente da luz solar para converter $CO_2$ em açúcar — como uma necessidade absoluta do nosso futuro alimentar. Com plantas mais eficientes, poderíamos alimentar até 200 milhões de pessoas adicionais, apenas de plantas cultivadas no Centro-oeste dos EUA.[33]

Essas culturas foram prejudicadas por serem "não naturais", embora muitas pessoas que adotam essa visão não reconheçam que muitos alimentos que consideramos "naturais" já tenham sido alvo de significativa manipulação genética. As espigas de milho que você vê no supermercado não se parecem em nada com a planta silvestre da qual veio o milho moderno; ao longo de 9 mil anos, a erva espinhosa, conhecida como teosinto, era cultivada para desenvolver espigas maiores e mais fileiras de grãos carnudos, macios e adocicados, um processo de modificação que alterava significativamente o genoma da planta.[34] As maçãs que costumamos comer têm um pouco mais de semelhança com seus ancestrais pequenos e selvagens, mas é sorte encontrar um desses ancestrais; eles foram quase varridos do planeta, e não são uma grande perda para nossa dieta, já que o maior colaborador genético das maçãs modernas, *Malus sylvestris*, é tão azedo que quase não é comestível.[35]

Em 2016, a National Academy of Science, em um relatório abrangente sobre culturas de organismos geneticamente modificados (OGM), observou que as plantas modificadas em laboratório podem ser vitais para alimentar a crescente população humana do planeta se o aquecimento global ameaçar os produtos agrícolas tradicionais. E já que inúmeros outros relatórios das últimas décadas não foram suficientes para atenuar a preocupação pública contínua, os autores do relatório reafirmaram a posição da academia de que as culturas de OGM são seguras tanto para o consumo humano quanto para o meio ambiente.

Não há nada errado com o ceticismo, mas depois de milhares de estudos as evidências são irrefutáveis: se você acredita que a mudança climática é uma ameaça, não pode dizer que os OGMs são, porque a evidência de que são seguros é mais forte que a evidência de que uma alteração climática está ocorrendo.

A OMS, a American Association for the Advancement of Science e a American Medical Association também afirmaram que, "nenhum efeito sobre a saúde humana foi mostrado como resultado do consumo desses alimentos pela população em geral." Além disso, esses alimentos podem ser vitais para enfrentar o desafio de alimentar bilhões de pessoas que já passam fome no mundo e outros bilhões que se juntarão a nós neste planeta nos próximos anos.

Se quisermos alimentar o mundo agora e no futuro, precisamos adotar novas tecnologias seguras.

Segundo o UNICEF, até 2 milhões de mortes por ano poderiam ser evitadas se as famílias pobres tivessem acesso a mais vitamina A em seus dias em culturas perfeitamente seguras.[36] Os suplementos de vitamina A não funcionam tão bem quanto é necessário. Entre 2015 e 2016, a cobertura de suplementação de vitamina A caiu mais da metade nos 5 países com maior taxa de mortalidade infantil.

Uma carta aberta assinada por mais de 100 vencedores do Prêmio Nobel pediu aos governos que aprovassem os OGMs: "Quantas pessoas pobres no mundo devem morrer antes de considerarmos isso um 'crime contra a humanidade'?" perguntaram. Poderíamos alimentar um bilhão a mais de pessoas com mais alimentos nutritivos. Com as mudanças climáticas, podemos não ter escolha.

Para diminuir o impacto dos seres humanos, há também uma tremenda necessidade de descobrir como saciar a demanda global por proteínas sem os enormes custos ambientais da carne de animais de criação. Com 99% menos água, 93% menos terra e 90% menos gases de efeito estufa, as inovações que estão nos dando produtos semelhantes à carne — com a "legemoglobina" da planta que "sangra" e uma boa e velha ciência maluca — estão crescendo e precisarão continuar crescendo se quisermos alimentar nosso apetite por proteínas saborosas sem degradar ainda mais nosso planeta.

Não há dúvida de que um dos maiores avanços tecnológicos deste século foi a descoberta de uma "edição genômica" precisa e programável. Como na maioria das outras descobertas, houve dezenas de pessoas brilhantes envolvidas na preparação,[37] mas Emmanuelle Charpentier, no Laboratory for Molecular Infection, na Suécia, e Jennifer Doudna, da UC Berkeley, conquistaram grande fama por sua notável descoberta de que a proteína Cas9 bacteriana é uma enzima de corte do DNA com um "GPS" ou um "guia" baseado em RNA.[38] No ano seguinte, Feng Zhang, no MIT, e George Church, em Harvard, provaram que o sistema poderia ser usado para editar células humanas. Eles também conquistaram fama, e algumas patentes muito valiosas.[39] As notícias da descoberta se espalharam rapidamente pelo corredor até meu laboratório. Parecia bom demais para ser verdade, mas era.

A tecnologia é conhecida como CRISPR, por "repetições palindrômicas curtas e regularmente interespaçadas", que são os alvos naturais de DNA do corte Cas9 em bactérias. Cas9, e agora dezenas de outras enzimas de edição de DNA de outras bactérias, podem alterar os genes das plantas com precisão, sem usar nenhum DNA estranho. Podem criar exatamente o mesmo tipo de alterações que ocorre naturalmente. Usar o CRISPR é muito mais "natural" do que bombardear sementes com radiação, um tratamento que não é proibido.

É por isso que a decisão do Tribunal de Justiça da União Europeia em 2018 foi tão inesperada e perturbadora para os EUA. O tribunal decidiu a favor da Confédération Paysanne, um sindicato agrícola francês que defende os interesses da agricultura de pequena escala, e de oito outros grupos, para proibir alimentos fabricados por CRISPR.[40]

A decisão desafia a ciência. Proíbe alimentos saudáveis que poderiam aliviar a carga ambiental, aumentar a saúde dos pobres e permitir que a Europa lide melhor com o aquecimento global. A decisão também afugentou os países em desenvolvimento das culturas modificadas pelo CRISPR; lá eles poderiam ter um impacto positivo na vida das pessoas e em suas terras.

O texto da decisão deixa claro que ela não foi tomada para proteger os consumidores dos perigos dos OGMs; fazia parte de uma guerra comercial global para impedir que produtos patenteados pelos EUA entrassem na União Europeia. O secretário de Agricultura dos EUA, Sonny Perdue, deixou isso bem claro em sua resposta: "As políticas governamentais devem incentivar a inovação científica sem criar barreiras desnecessárias ou estigmatizar injustificadamente novas tecnologias. Infelizmente, a decisão do TJE daquela semana é um revés a esse respeito, pois considera estritamente novos métodos de edição de genoma dentro do escopo dos regulamentos regressivos e desatualizados da União Europeia que regem os organismos geneticamente modificados."[41]

É claro que as nações devem ajudar os agricultores locais cujos meios de subsistência estão ameaçados, mas há outras maneiras de fazer isso. No fim, é doloroso para todos no planeta usar a capa da "ciência perigosa" para justificar restrições comerciais, especialmente para quem mais precisa da nova tecnologia.

Precisamos resolver a escassez de água fresca e potável. Cidades como Las Vegas, sedenta no lugar mais seco dos EUA, demonstraram que, casando conservação com inovação, a reciclagem da água não é apenas possível, mas lucrativa; considerando que o m² de Las Vegas cresceu com meio milhão de pessoas entre 2000 e 2016, seu uso total de água caiu em ⅓.

Muitas vezes adotamos novas tecnologias lentamente, mas, quando o fazemos, elas podem resolver alguns dos nossos maiores problemas. Foi em 1962 que o cientista Nick Holonyak Jr. criou o primeiro diodo emissor de luz visível. Na General Electric, eles chamaram de "o mágico". Demorou mais meio século para desenvolver uma lâmpada LED, e mesmo assim muitos consumidores americanos se revoltaram, preferindo retardar a eliminação progressiva das lâmpadas incandescentes, enquanto outras nações avançavam com a revolução do LED. Por fim, uma combinação de incentivos fiscais e leis que proíbem a lâmpada de Edison forçou a adoção de iluminação LED. As luzes LED de hoje usam 75% menos energia que a iluminação incandescente e duram 50 vezes mais, o que em uma casa típica é cerca de duas décadas.

O uso amplo de LEDs nos EUA deve economizar o equivalente à produção anual de 44 grandes usinas elétricas, economizando cerca de US$30 bilhões por ano.[42] Para colocar isso em perspectiva, esse dinheiro poderia dobrar o orçamento dos National Institutes of Health e ter 40 mil cientistas trabalhando em medicamentos que salvam vidas. A genialidade humana não é um jogo de vitória para uns e derrota para outros.

Vidas mais longas e saudáveis pouco valerão se nos colocarmos no esquecimento. O fundamental é claro: se aumentamos ou não a longevidade humana, nossa sobrevivência depende de consumir menos, inovar mais e trazer equilíbrio ao nosso relacionamento com a generosidade natural de nosso mundo.

Pode parecer uma tarefa difícil. De fato, *é* uma tarefa difícil. Mas acredito que podemos permanecer confiantes, e juntos, para enfrentá-la.

De muitas maneiras, já estamos fazendo isso.

Na Global Climate Action Summit de 2018, por exemplo, foi anunciado que 27 cidades atingiram níveis máximos de emissão. Um pico, não um platô.

Todos esses lugares estavam vendo um declínio acentuado nas emissões. Entre esse grupo de cidades estava Los Angeles, que já foi definida por sua onipresente poluição atmosférica. Reduziu suas emissões em 11%. Em um ano.[43]

Sim, há mais pessoas do que nunca na América do Norte, América do Sul, Europa e Ásia, mas o impacto de cada ser humano está diminuindo. Estamos mudando do petróleo para o gás natural, energia solar e eletricidade. Quando conheci Bangkok, senti dificuldade para respirar. Agora, os dias de céu azul são mais comuns. Quando cheguei a Boston em 1995, um pingo de água no porto poderia levá-lo ao hospital, ou ao túmulo. Agora, é seguro nadar.[44] O mesmo vale para o porto de Sydney, o Rio Reno e os Grandes Lagos.

Retroceder ou mesmo ficar parado não é uma solução viável para a atual crise. O único caminho é abraçar o capital humano e a genialidade.

Um dos melhores exemplos vem de uma pequena cidade no sul da Austrália.

Após o fechamento da última usina a carvão no Estado, em 2016, os investidores construíram a Sundrop Farms na costa árida e contrataram 175 desempregados.[45] A fazenda utiliza energia gratuita do sol e da água do mar para produzir 180 piscinas olímpicas em água doce por ano, um esforço que no passado teria queimado um milhão de galões de diesel. Hoje, 15 mil quilos de tomates orgânicos frescos são enviados todos os anos do porto de onde o carvão entrava.

A Sundrop é um exemplo de "vendaval de destruição criativa" schumpeteriano, o tipo de mudança de paradigma tecnológico que precisamos para inaugurar a era da longevidade e da prosperidade. Para que aconteça, precisamos de mais cientistas, engenheiros e investidores visionários. Precisamos de mais legislação inteligente para acelerar, e não impedir, a adoção de tecnologias de proteção da Terra. Isso liberará dinheiro e capital humano atualmente desperdiçados. O dinheiro precisa ser reinvestido em pessoas e tecnologias, não em "coisas" sem sentido, para garantir que a humanidade e a Terra prosperem juntas.

## Precisamos Repensar o Trabalho

A Universidade da Pensilvânia era uma escola maravilhosa para estudar teologia e clássicos. Recentemente, também iniciou uma escola de medicina. Como natural da Filadélfia, Joseph Wharton tinha orgulho da universidade local. Mas o industrial milionário também acreditava que faltava algo essencial a ela.

"Com a indústria agora movida a vapor e aço, não podemos mais confiar apenas no aprendizado para criar gerações futuras versadas nos negócios", escreveu ele a amigos e associados no dia 6 de dezembro de 1880, apenas alguns meses antes de abrir oficialmente a primeira faculdade de administração do mundo, a Wharton School. "É preciso ter instituições para transmitir uma sensação do conflito da vida nos negócios e das imensas oscilações para cima ou para baixo que aguardam o soldado incompetente nesse conflito moderno."[46]

Mas Wharton mal podia prever a extensão dos "conflitos" que estavam no horizonte: um movimento trabalhista nascente na Europa logo se tornaria global, trazendo mudanças revolucionárias nos direitos dos trabalhadores.

Entre essas mudanças, havia algo que nunca existiu na história do trabalho: o fim de semana. Consideramos a semana de trabalho de cinco dias, mas é uma inovação recente. Não existia como conceito, ou expressão, até o fim dos anos 1800. O mesmo pode ser dito dos limites legais do horário de trabalho diário, da abolição do trabalho infantil, da assistência médica e regulamentos de saúde e segurança. Tudo isso foi uma resposta às necessidades e às demandas de mão de obra, e aos melhores interesses de empresários como Wharton.

A transformação schumpeteriana global agora ao alcance remodelará o mundo tão profundamente quanto a Revolução Industrial. Todas as escolas de administração devem preparar seus alunos para o que está por vir — como os advogados trabalhistas. A ideia de conectar a aposentadoria à idade cronológica de uma pessoa será um anacronismo em breve. E assim como a Previdência Social, as estruturas que apoiam as pensões trabalhistas precisarão ser reavaliadas.

Os habilidosos, que podem assumir a forma de um ano remunerado apoiado pelo governo para cada dez anos trabalhados, podem se tornar requisitos culturais e até legais, como muitas das inovações trabalhistas do século XX. Dessa forma, aqueles que estão cansados de "trabalhar pesado" teriam oportunidades de "trabalhar de modo mais inteligente" retornando à escola ou a um programa de treinamento profissional pago pelos empregadores ou pelo governo, uma variação da renda básica universal discutida nos EUA e em alguns países da Europa.

Enquanto isso, aqueles que acreditam que estão felizes e seguros em suas carreiras podem aproveitar o que ficou conhecido como "miniaposentadoria" — um ano para viajar, aprender um idioma ou um instrumento musical, ser voluntário ou atualizar e reconsiderar seu estilo de vida.

Não é um esquema louco; licença sabática é comum no ensino superior. No entanto, uma ideia como essa parece ridícula àqueles que só consideram o modo como o mundo funciona hoje. Quem pagaria por esse benefício? Como as empresas reterão trabalhadores a longo prazo sem a promessa de um plano de "aposentadoria tradicional" após décadas de serviço?

Mas quem se envolver nessa discussão agora terá vantagem quando decidirmos como redistribuir os recursos liberados pela eliminação de prêmios de seguro cada vez mais elevados e pensões por esquemas de pirâmide. No entanto, poucos professores de administração pensam nessa mudança iminente e menos cursos estão sendo ministrados sobre o assunto em lugares como a Wharton School. Enquanto isso, líderes trabalhistas estão presos em uma luta compreensível, porém inútil, por aposentadoria e benefícios para trabalhadores que, no passado, teriam trabalhado por 40 ou 50 anos, ficando aposentados por um período curto e morrido pouco tempo depois. Quase ninguém está brigando para saber como será o mundo do trabalho quando a idade não for nada além de um número.

Mas essa era está chegando. E está chegando mais cedo do que as pessoas e as instituições imaginam.

## O Preparo para Conhecermos Nossos Tataranetos

"Estou feliz por não estar por perto quando isso acontecer."

Eu ouço muito isso — principalmente, ao que parece, de pessoas aposentadas ou que estão perto de se aposentar. São pessoas que já decidiram que suas vidas acabarão em poucas décadas. Elas certamente esperam manter-se saudáveis durante esse período e talvez ganhar alguns anos extras, se puderem, mas não acham que ficarão por muito mais tempo que isso. Para elas, a metade deste século poderia muito bem ser o próximo milênio. Não está em suas intenções.

E esse é o maior problema do mundo: o futuro é visto como uma preocupação para outra pessoa.

Em parte, isso corre por causa de nosso relacionamento com o passado. Poucos de nós tiveram a oportunidade de conhecer nossos bisavós. Muitos de nós nem sabem seus nomes. Essa relação é uma abstração, portanto, a maioria não pensa nos nossos bisnetos muito mais do que uma ideia abstrata e confusa.

Certamente, nos preocupamos com o mundo em que nossos filhos viverão porque os amamos, mas o senso comum sobre envelhecimento e morte nos diz que eles desaparecerão algumas décadas depois de nós. E sim, nos preocupamos com nossos netos, mas, quando eles chegam, estamos quase tão perto da saída que parece que não há muito o que fazer sobre o futuro deles.

É isso que quero mudar — mais do que qualquer outra coisa no mundo.

Quero que todos imaginem que conhecerão não apenas seus netos, mas também seus bisnetos e tataranetos. Gerações e gerações vivendo juntas, trabalhando juntas e tomando decisões juntas. Seremos responsáveis — *nesta* vida — pelas decisões que tomamos no passado e que impactarão o futuro. Teremos que olhar nos olhos de nossos familiares, amigos e vizinhos e explicar o modo como vivíamos antes de eles aparecerem.

Mais do que qualquer outra coisa, é assim que nossa compreensão do envelhecimento e da inevitável vitalidade prolongada mudará o mundo. Isso nos obrigará a enfrentar os desafios que atualmente encontramos no caminho. Investir não somente em pesquisas que nos beneficiem agora, mas também pessoas daqui a 100 anos. Preocupar-se com os ecossistemas e o clima do planeta daqui a 200 anos. Fazer as mudanças que precisamos para garantir que os ricos não desfrutem de um modo de vida cada vez mais pródigo enquanto a classe média começa a cair em direção à pobreza. Garantir que os novos líderes tenham uma oportunidade justa e legítima de substituir os antigos. Equilibrar nosso consumo e desperdício com o que o mundo pode sustentar hoje e muitos séculos no futuro.

Não será tão simples. Os desafios são inúmeros. Não apenas teremos que "tocar no terceiro trilho" da política — a Previdência Social —, mas nos mexer, ajustar nossas expectativas sobre trabalho, aposentadoria e quem merece o que e quando. Não seremos mais capazes de esperar que pessoas preconceituosas morram; teremos de enfrentá-las e trabalhar para amolecer seus corações e mudar de ideia. Não podemos apenas permitir que a extinção Antropocênica continue — a uma taxa milhares de vezes superior à taxa natural —, precisamos abrandá-la drasticamente e, se pudermos, pará-la.

Para construir o próximo século, teremos que descobrir onde todos vão morar, como vão morar e sob quais regras viverão. Teremos que garantir que os vastos dividendos sociais e econômicos que recebemos por prolongar a vida das pessoas sejam gastos com sabedoria.

Teremos que ser mais empáticos, compassivos, tolerantes e justos.

Meus amigos, teremos que ser mais humanos.

# Conclusão

—

**DEIXE-ME LEVAR-LHE EM UM PASSEIO PELO MEU LABORATÓRIO NA HARVARD MEDICAL SCHOOL,** em Boston, Massachusetts.

Você nos encontrará no Departamento de Genética no New Research Building, o melhor grupo de biólogos do mundo. É o mesmo lugar em que Connie Cepko trabalha para criar olhos de mamífero em uma placa e estuda o potencial da terapia genética para restaurar a visão perdida. No corredor, em sua sala limpa, David Reich, autor e cientista, sequencia DNA de dentes de 20 mil anos para descobrir se nossos ancestrais tinham o hábito de se reproduzir com outras subespécies humanas. E, no andar de baixo, George Church trabalha, entre outras bruxarias, imprimindo um genoma humano inteiro e revivendo o mamute. Do outro lado da rua, Jack Szostak saiu de seu trabalho vencedor do Prêmio Nobel para descobrir segredos sobre como a vida começou há quatro bilhões de anos; ele passa por aqui algumas vezes para visitar.

Sim, as conversas no elevador são incríveis.

Meu laboratório fica no nono andar. A primeira pessoa que verá ao entrar no escritório é Susan DeStefano, que tem mantido o laboratório e minha vida sob controle nos últimos 14 anos. Susan é uma cristã devota que acredita na versão literal do Gênesis. Ela acha que cumprimos as ordens de Deus ajudando os doentes e os necessitados; não há razão para que nossas opiniões sobre Deus e a ciência não coincidam. Nós dois queremos fazer do mundo um lugar melhor.

À esquerda da porta de Susan, há o escritório do gerente de laboratório, Luis Rajman. Luis, doutor em biologia celular e molecular, administrava a instalação de ratos transgênicos na empresa gigante de biotecnologia Biogen Idec, mas quando nos conhecemos gerenciava uma empresa de estruturas sofisticadas. Ele trabalhou em pinturas que valem mais do que minha casa — e provavelmente mais do que todas as casas dos meus vizinhos juntas, então, é o tipo certo de pessoa para um trabalho que exige uma meticulosidade excepcional. Karolina Chwalek, sentada de costas para Luis, é doutora em medicina regenerativa e nossa chefe de equipe, uma gerente rigorosa, mas justa, que garante que nossa equipe de 30 a 40 cientistas seja financiada e continue relevante.

Daniel Vera senta-se ao lado de Luis e geralmente observa várias telas. Ele é o guru de dados do laboratório, tendo fundado o Center for Genomics da Universidade Florida State. Nunca esquecerei o dia em que ele me mostrou a análise do genoma completo das alterações epigenéticas nos ratos ICE que ajudou a reforçar a Teoria da Informação do Envelhecimento.

No fim do corredor, após cópias emolduradas de pesquisas que publicamos, há uma placa acima de uma porta que diz "Sala de Operações", como uma saudação ao comando central de Winston Churchill. Lá, você encontrará o laboratório e um grupo sempre rotativo das melhores mentes do mundo. Quando dei uma volta pelo laboratório recentemente, uma das coisas que mais gosto fazer, esses eram alguns dos personagens que estavam lá.

À minha esquerda estava Israel Pichardo-Casas, um biólogo celular mexicano, e Bogdan Budnik, um físico ucraniano, que encontrou mais de 5 mil novos genes humanos no "DNA lixo" não codificado. Esses pequenos genes produzem pequenas proteínas que atravessam nossas correntes sanguíneas, qualquer uma podendo ser um tratamento para curar o câncer, tratar o diabetes ou o fator que permite aos ratos jovens rejuvenescerem os velhos. À frente estavam os Michaels: Bonkowski, Schultz e Cooney. Bonkowski teve um papel fundamental em nosso estudo sobre a reversão do envelhecimento vascular, fazendo com que ratos velhos corressem duas vezes mais.[1] Ele detém o recorde de criação do rato de vida mais longa da história científica, cinco anos.

Schultz, seu pupilo, está estudando os eventos moleculares que causam inflamação relacionada à idade, procurando maneiras de suprimir essa reação e, assim, remover um fator-chave das doenças agravadas pela idade. Ele e Bonkowski estão usando terapia genética para "infectar" ratos idosos com genes de longevidade, com o objetivo de quebrar seu próprio recorde de longevidade.

# CONCLUSÃO

Cooney trabalha com a NASA para introduzir genes de reparo do DNA — a partir das microcriaturas super-resistentes e conhecidas como tardígrados — nas células humanas, em um esforço para fornecer aos astronautas proteção contra radiação cósmica e, claro, retardar o envelhecimento.

João Amorim de Portugal estuda o resveratrol e vários STACs para entender como ativam o *SIRT1* no corpo. Ele mudou apenas um par de bases no gene *SIRT1* do rato, que torna a enzima resistente ao resveratrol e outros STACs. Está testando se esse rato mutante ainda recebe os benefícios de saúde e tempo de vida do resveratrol. Se o resveratrol não funcionar, deverá resolver o debate sobre se ele está funcionando ativando diretamente a enzima SIRT1 ou através de algum outro mecanismo, como ativando o AMPK. Até agora, os resultados parecem promissores para a hipótese de ativação do SIRT1.

Jae-Hyun Yang, da Coreia do Sul, passou os últimos seis anos se divertindo com cromossomos de células e animais para entender como e por que os ratos ICE envelhecem prematuramente. Foram ele e João que mostraram primeiro que o relógio epigenético nos ratos ICE giram mais rápido. Ao lado dele fica Yuancheng Lu, um dos melhores estudantes da China, que descobriu o poderoso sistema de reprogramação epigenética que pode ser aplicado em animais idosos através de um vírus modificado.

Xiao Tian tinha acabado de usar esse vírus para proteger as células nervosas humanas da quimioterapia. Os nervos normais haviam morrido ou encolhido em uma bola, mas os reprogramados eram saudáveis, com longas e bonitas projeções celulares que se estendiam pela superfície da placa de Petri. Algumas experiências não são muito conclusivas; repetidamente. Planejamos testar nosso vírus em pacientes com distúrbios oculares dentro de alguns anos.

Patrick Griffin, meu mais recente aluno de pós-graduação, quer saber se estimular uma resposta a danos no DNA, sem criar danos reais, é suficiente para causar envelhecimento em mamíferos. Para testar, ele projetou uma maneira de amarrar proteínas de sinalização de danos no DNA ao genoma usando uma versão não cortante do Cas9/CRISPR. Se nossa teoria estiver correta, ele ainda causa envelhecimento. Jaime Ross projetou "ratos NICE" para testar ruído epigenômico acelerado apenas nos neurônios. Ela quer saber se o cérebro controla o envelhecimento no resto do corpo e se esses ratos agem como seres humanos de 80 anos. Nesse caso, eles poderiam ser usados como modelos para o envelhecimento do cérebro humano e possivelmente para o Alzheimer.

Joel Sohn trabalhou com alguns dos maiores biólogos do século XX, depois passou 30 anos como pescador capturando e exportando vida marinha, e agora procura nos mares os segredos para a imortalidade. Ele estuda cnidários, animais transparentes do oceano que podem fazer truques incríveis com seus corpos, como regenerar uma parte do corpo ou gerar um filhote com seus pés. Aquele dia foi bom para Joel: sua anêmona marinha decapitada estava refazendo a cabeça, e brotavam filhotes clonados de suas águas-vivas imortais. Talvez esses processos regenerativos sejam os mesmos que nos permitem regenerar os nervos óticos. Talvez essas criaturas tenham acesso ao equivalente biológico do observador de Shannon, aquele que armazena informações epigenéticas jovens.

Abhirup Das, que liderou o antigo projeto da maratona de ratos, estudava o impacto de precursores, como sulfeto de hidrogênio e NMN, na cicatrização de feridas. Lindsay Wu, que também coordena nossos laboratórios em Sydney, Austrália, na Universidade de New South Wales, examina moléculas que ativam uma enzima chamada G6PD, que demonstrou estender o tempo de vida de vários animais e, tragicamente, é mutada em 300 milhões de pessoas, a mais comum de todas as mutações. Ela também restaurou a fertilidade em ratos fêmeas idosos alimentando-os com NMN e protegendo seus óvulos contra danos no DNA.

A nossa residente de odontologia, Roxanne Bavarian, está trabalhando para identificar o papel das sirtuínas nas toxicidades orais e no câncer. E também estava lá Kaisa Selesniemi, da Finlândia, uma das principais especialistas do mundo em cultivar células-tronco de ovários e reverter a infertilidade feminina.

Mohammad Parvez Alam, da Índia, criava novos produtos químicos no exaustor, e Conrad Rinaldi testava se o último lote funcionava para rejuvenescer as células da pele de idosos. Giuseppe Coppotelli, da Itália, examinava os novos genes de longevidade humana que descobrimos, incluindo um chamado Copine2 que sofre mutação nos pacientes com Parkinson e Alzheimer.

Alice Kane, da Austrália, examinava alguns ratos para desenvolver um relógio de fragilidade para prever quanto tempo um rato viveria e está ajudando todos nós a ver e apreciar as diferenças de sexo. Jun Li, bioquímico sênior do nosso laboratório, investigava por que nossa capacidade de reparar o DNA diminui com a idade e descobriu que o NMN reverte o processo.[2]

Essas eram algumas das pessoas que estavam no laboratório naquele dia. Há outras — muitas — fazendo um trabalho revolucionário.

Essas pessoas são brilhantes e responderiam a qualquer pergunta no Universo, mas vieram para Harvard pesquisar o envelhecimento. Algumas são introvertidas, como costumam ser os cientistas. Outras são pesquisadoras cautelosas e conservadoras, uma característica que trabalho para corrigir. No entanto, todas acreditam que a vitalidade humana prolongada está a caminho.

E é apenas um laboratório. Existem mais três no Paul F. Glenn Center for Biology of Aging em Harvard voltados para ajudar as pessoas a viverem vidas mais longas e saudáveis. No laboratório de Bruce Yankner, eles estão explorando o impacto do envelhecimento especificamente no cérebro humano. O laboratório de Marcia Haigis investiga o papel das mitocôndrias no envelhecimento e nas doenças, e descobriu o papel das mutações da sirtuína no câncer. O laboratório de Amy Wagers foi um dos primeiros a mostrar que o sangue de ratos jovens rejuvenesce os velhos e vice-versa, levando as pessoas a injetarem soro de jovens doadores. Amy e eu estamos colaborando para encontrar os fatores no sangue e desenvolver novos produtos farmacêuticos avançados para tratar doenças relacionadas à idade sem a severidade.

Em outro Glenn Center, do outro lado do rio no MIT, Lenny Guarente, Angelika Amon e Li-Huei Tsai trabalham em questões fundamentais sobre a desaceleração, interrupção e reversão do envelhecimento. Em outras cidades dos EUA, Thomas Rando, Anne Brunet, Tony Wyss-Coray, Elizabeth Blackburn, Nir Barzilai, Rich Miller e outros administram grandes laboratórios ou centros que visam mudar como pensamos em envelhecimento. Ao norte de São Francisco, há um edifício inteiro, o Buck Institute for Research on Aging, dedicado ao entendimento e combate ao envelhecimento. A lista é longa.

Esses são apenas alguns dos laboratórios. Em todo o mundo, mais de uma dúzia de centros de pesquisa independentes trabalham duro nessas mesmas questões, e agora há pelo menos um cientista em todas as principais universidades do mundo pesquisando o envelhecimento. Muitos desses laboratórios obtêm subsídios de pesquisa para outras doenças, mas cada vez mais estão voltando sua atenção para compreender o envelhecimento, considerando que resolver esse problema corrigirá qualquer doença para a qual recebem financiamento para combater. Afinal, é um ambiente em que uma enorme fonte de financiamento à pesquisa está fora dos limites para aqueles que estão lutando contra algo que muitos acreditam ser inevitável e poucas pessoas reconhecem ser uma doença.

Enquanto isso, empresas privadas estão liderando o desenvolvimento de iniciativas baseadas em redes neurais para a descoberta e a produção de medicamentos, análise de genes, biotracking e detecção de doenças para prolongar consideravelmente nossas vidas. Todos os dias, pesquisas sobre as coisas simples que qualquer um pode fazer para prolongar o tempo de vida e a saúde aumentam também, oferecendo caminhos cada vez melhores de boa saúde e vida longa.

Uma década ou duas atrás, quando mesmo os cientistas mais otimistas estavam apenas começando a imaginar um mundo em que o envelhecimento não era inevitável, e quando havia apenas alguns pesquisadores no mundo trabalhando especificamente para retardar, parar ou reverter o envelhecimento, eu certamente conseguia entender quando as pessoas ouviam educadamente sobre meu trabalho e depois me olhavam achando que sou louco. Hoje, tenho dificuldade em entender como alguém poderia ver esse vasto e brilhante exército de pesquisadores e não acreditar que uma tremenda mudança no envelhecimento humano está chegando — e em breve.

Tenho compaixão por aqueles que dizem "Isso não pode ser feito". Na minha opinião, são as mesmas pessoas que disseram que as vacinas não funcionariam e os humanos não poderiam voar. Mas dados os benefícios que a pesquisa sobre longevidade pode trazer para o mundo, tenho menos paciência — na verdade, nenhuma — para aqueles que dizem: "Isso não deve ser feito".

## Além da Crença

Há quem acredite que as pessoas no meu laboratório, e outras ao redor do mundo, estão envolvidas em uma campanha antinatural e até imoral para mudar o que significa ser humano. Essa visão está enraizada em ideias sobre a natureza humana que podem ser caridosamente descritas como subjetivas, mas que provavelmente são chamadas com mais precisão de zelo.

Parece-me que essa foi a força orientadora por trás de um relatório de 2003 enviado à Casa Branca pelo President's Council on Bioethics, intitulado *Beyond Therapy: Biotechnology and the Pursuit of Happiness*, que alertava sobre a pesquisa do envelhecimento, porque ela vai contra a "essência humana" e viola o suposto ciclo ordenado de nascimento, casamento e morte.

As pessoas "estariam mais ou menos inclinadas a jurar fidelidade ao longo da vida 'até que a morte nos separe', se a expectativa de vida delas na época do casamento fosse 80 ou 100 anos a mais, em vez de 50?" perguntou o conselho. Que tipo de casamento infeliz, pensei, levaria as pessoas a fazerem essa pergunta? Eu *amaria* ter mais 50 anos com minha esposa, Sandra.

O envelhecimento, segundo o relatório, "é um processo que media nossa passagem pela vida e dá forma ao nosso senso de passagem do tempo"; sem ele, alertaram os membros do conselho, poderíamos "desequilibrar o ciclo de vida".[4]

Nosso "ciclo de vida natural", claro, é aquele em que nossos ancestrais nunca ficavam velhos o suficiente para ter cabelos grisalhos ou rugas e em que o consumo de carnes era perfeitamente comum. Se você está ligado a isso, fique à vontade.

"Podemos estar nos enganando", perguntou o conselho, "afastando-nos do traçado e da restrição da vida natural (nossa fragilidade e finitude), que são a lente para uma visão mais ampla, que dá coerência e significado à vida toda?"[5]

Ah, pelo amor de Deus, se realmente acreditássemos que a fragilidade era um requisito para uma vida significativa, nunca consertaríamos um osso quebrado, não vacinaríamos contra a poliomielite ou não encorajaríamos as mulheres a evitar a osteoporose, mantendo níveis adequados de cálcio e se exercitando.

Sei que não deveria me preocupar com esse tipo de coisa. Afinal, é uma história tão antiga quanto a ciência — basta perguntar a Galileu o que ocorre quando você "interrompe a ordem natural das coisas".

Porém, foi mais do que um relatório insignificante de burocratas moralistas. O presidente do comitê que o escreveu, Leon Kass, é um bioeticista influente e ficou conhecido, durante o mandato de George W. Bush, como "o Guru do Presidente". Anos após a publicação do relatório, a pesquisa foi enquadrada não como uma luta contra uma doença, mas como uma luta contra a nossa humanidade. Isso é besteira e, na minha opinião, é bastante mortal.

No entanto, uma vez definido, o esforço para mudar ideias, entendimentos e preconceitos se torna hercúleo. A luta para ajudar as pessoas a ver o envelhecimento como realmente é, em vez de "do jeito que está", será longa.

Mais financiamento para o tipo de pesquisa que está acontecendo em meu laboratório e outros poderia antecipar ainda mais esses avanços. Mas, devido à falta de capital, as pessoas com mais de 60 anos hoje podem não viver tempo suficiente para serem ajudadas. Se você e seus familiares acabarem sendo os últimos da humanidade a viver uma vida que termina muito cedo com decadência e decrepitude, ou nossos filhos nunca viverem os benefícios dessa pesquisa, pode agradecer a esses bioeticistas.

Depois de todos esses argumentos, se ainda acha que estender a parte saudável da sua vida não seria para você — talvez reduzisse a urgência da sua vida ou se opusesse ao curso natural das coisas —, considere seus amigos e familiares. Você sujeitaria seus entes queridos a uma década ou duas de dificuldades desnecessárias, tendo que cuidar de você física, emocional e financeiramente nos seus últimos anos, se não precisasse?

Passe um dia em uma casa de repouso, como minha esposa faz de vez em quando. Vá alimentar pessoas que não conseguem mastigar. Limpe suas partes íntimas. Dê banho. Veja como elas lutam para lembrar onde estão e quem são. Quando terminar, acho que concordará que seria negligente e cruel *não* fazer o que puder para combater sua própria deterioração relacionada à idade.

# CONCLUSÃO

Ainda existem muitas pessoas como Kass por aí, mas se elas viverem o suficiente também terão que aceitar a realidade. O dinamismo torna o futuro que eu descrevi, ou um parecido, inevitável. A saúde prolongada é inevitável.

Mais e mais pessoas reconhecem isso todos os dias e querem fazer parte.

Não importa o que as pessoas dizem ou acreditam, otimistas ou alarmistas, cientistas ou bioeticistas, há uma mudança no ar.

Em 18 de junho de 2018, a OMS divulgou a décima primeira edição da *Classificação Estatística Internacional de Doenças e Problemas Relacionados à Saúde*, conhecida como *CID-11*. É um documento bastante comum, exceto que alguém inseriu um novo código de doença. No início, ninguém viu. Veja a linha, que você pode encontrar no site WHO[6] se digitar o código MG2A:

**MG2A Velhice**
- velhice sem presença de psicose;
- senescência sem presença de psicose;
- debilidade senil.

Todos os países do mundo inteiro deverão começar a usar a *CID-11* a partir de 1º de janeiro de 2022. Isso significa que agora é possível diagnosticar alguém com uma condição chamada "velhice". Os países terão de informar à OMS suas estatísticas sobre quem morre de envelhecimento como condição.

Isso levará a mudanças no nível regulatório, direcionando bilhões de dólares em investimentos para desenvolver os medicamentos que merecemos? Reguladores e médicos federais finalmente reconhecerão que é eticamente aceitável prescrever medicamentos para retardar o envelhecimento e todas as doenças causadas por ele? Será que vão admitir que é realmente direito de um paciente recebê-los? Será que os planos de saúde reembolsarão os pacientes pelo custo dos tratamentos antienvelhecimento que economizarão recursos?

Veremos. Eu certamente espero que os ventos prosperem. Porém, até que chegue esse momento, há muito que podemos fazer.

## O Que Fazer

Com exceção de "Coma menos", "Não se preocupe com coisas à toa" e "Faça exercício", não dou conselhos. Sou pesquisador, não médico; não é minha função dizer a ninguém o que fazer e não endosso suplementos nem outros produtos.

Não me importo de compartilhar o que faço, embora com algumas ressalvas:

- Não é necessariamente, ou mesmo provável, que seja o que *você* deve fazer;
- Não faço ideia se é a coisa certa a fazer;
- Enquanto estão sendo realizados testes em humanos, *não* há tratamentos ou terapias para o envelhecimento que passaram por um rigoroso teste clínico de longo prazo, que seria necessário para uma compreensão mais completa da ampla gama de possíveis resultados.

As pessoas se perguntam, quando digo coisas assim, por que eu me sujeitaria ao potencial de efeitos colaterais adversos e inesperados ou mesmo à possibilidade — por mais baixa que seja — de poder acelerar minha própria morte.

A resposta é simples: Eu sei exatamente o que acontecerá comigo se eu *não* fizer nada, e isso não é bom. Então, o que tenho a perder?

E com tudo isso exposto, o que eu faço?

- Tomo 1g (1.000mg) de NMN todas as manhãs, junto com 1g de resveratrol (batido com meu iogurte caseiro) e 1g de metformina;[7]
- Tomo uma dose diária de vitamina D, vitamina $K_2$ e 83mg de aspirina;
- Esforço-me para manter a ingestão de açúcar, pão e macarrão a mais baixa possível. Deixei de comer sobremesas aos 40 anos, apesar de provar um pouco;
- Tento pular uma refeição por dia ou, pelo menos, torná-la muito pequena. Minha agenda lotada quase sempre significa perder o almoço na maioria dos dias da semana;
- A cada poucos meses, um flebotomista (especialista em coleta sanguínea) vai à minha casa coletar meu sangue, que analiso para ver alguns biomar-

cadores. Quando meus níveis de vários marcadores não são ótimos, eu os modero com alimentos ou exercícios;
- Tento dar muitos passos todos os dias e subir escadas, e vou à academia quase todos os fins de semana com meu filho, Ben; levantamos pesos, corremos um pouco e curtimos uma sauna antes de mergulhar em uma piscina gelada;
- Como muitos vegetais e tento evitar a ingestão de carne de outros mamíferos, mesmo que sejam saborosas. Quando treino, eu como carne;
- Não fumo. Tento evitar plástico em micro-ondas, exposição excessiva aos raios UV, raios X e tomografias computadorizadas;
- Tento me manter calmo durante o dia e antes de dormir;
- Tento manter meu peso corporal ou IMC na faixa ideal para a saúde, que para mim é de 23 a 25.

Muitas vezes por dia me perguntam sobre suplementos. Antes de responder, deixe-me dizer que nunca recomendo suplementos, não testo ou estudo produtos, nem os endosso; se você vir um produto sugerindo isso, certamente é uma farsa. Os suplementos são muito menos regulados que os medicamentos. Portanto, se eu tomar um suplemento, procuro um grande fabricante com boa reputação, busco moléculas puras (mais de 98% é um bom parâmetro) e procuro "BPF" no rótulo, o que significa que o produto foi fabricado sob "boas práticas de fabricação". O ribosídeo de nicotinamida, ou NR, é convertido em NMN, então, algumas pessoas tomam NR em vez de NMN, pois é mais barato. Ainda mais baratas são a niacina e a nicotinamida, mas não parecem aumentar os níveis de NAD, como fazem o NMN e o NR.

Algumas pessoas sugeriram que os reforços do NAD poderiam ser tomados com um composto que fornece às células grupos metila, como a trimetilglicina, também conhecida como betaína ou metilfolato. Conceitualmente, isso faz sentido — o "N" em NR e NMN significa nicotinamida, uma versão da vitamina $B_3$ que o corpo metila e excreta na urina quando está em excesso, potencialmente esgotando as células de metila, mas continua sendo teoria.

Meu pai segue quase o mesmo protocolo que eu e não me lembro da última vez que ele ficou doente. Ele afirma que está acelerando. Neste verão, ele deixou sua agenda social cheia na Austrália e ,depois de nos ajudar com reparos domésticos em Boston por seis semanas enquanto trabalhava remotamente em sua segunda profissão na Universidade de Sydney, ele dirigiu pela Costa Leste dos EUA por algumas semanas com seu amigo de longa data em sua peregrinação anual ao Summer Theatre Festival em Wooster, Ohio.

Papai voltou para casa no fim do verão, para me ver "cavaleiro", como ele chamava, em Washington, DC. Agora que ele está em Sydney novamente, planeja dirigir 600km ao norte por alguns dias para "ver alguns amigos". Ele está amando a vida, aparentemente mais do que nunca.

À medida que envelheço, passo cada vez mais tempo pensando em como tive sorte na vida. Como australiano, fui ensinado que "garotos não choram". Hoje, porém, quando tenho tempo e juízo para fazer uma pausa por alguns momentos para refletir sobre minha vida, é fácil ficar um pouco saudoso.

Cresci em um país livre, depois mudei para um país ainda mais livre. Tenho três filhos e amigos incríveis que tratam minha família como se fosse deles. Tenho muito orgulho de Sandra, minha esposa, que foi uma das melhores alunas da Alemanha. Ela se formou em botânica, depois veio a Boston para ficar comigo, entrou no programa de doutorado do MIT e trabalhou em um laboratório que estava clonando ratos pela primeira vez. Para obter seu doutorado, ela descobriu como curar ratos de uma doença genética letal chamada síndrome de Rett que interrompe o epigenoma e impede o desenvolvimento do cérebro em meninas pequenas. Por uma estranha coincidência, o gene em que ela trabalhou, o MECP2, se liga ao DNA metilado e pode ser um observador celular que armazena dados de correção de idade jovem.

Sandra me ensinou muito nos últimos 25 anos sobre como ser um marido e um pai melhor, sem mencionar os nomes de todas as plantas, insetos e animais que vemos em nossas caminhadas. Quando nos casamos, discutíamos muito. Ela tinha "problemas éticos" com minha pesquisa, o que me magoava. Agora, tendo examinado e discutido a riqueza de dados biológicos e econômicos ao longo dos anos, não discutimos mais e ela até começou a tomar NMN.

É impossível dizer se minha dieta está funcionando para nós, mas não parece estar fazendo mal. Agora, tenho 50 anos e sinto como se tivesse 30. Meu coração também parece ter 30 anos, de acordo com um vídeo do meu coração em 3D que um dos meus colegas gentilmente fez ao me inserir em um gerador de imagens de ressonância magnética experimental. Eu não tenho cabelos grisalhos nem tenho rugas — bem, pelo menos ainda não.

Há um ano, meu irmão mais novo, Nick, estava ficando grisalho e perdendo cabelo quando pediu para ser submetido à mesma dieta depois de me acusar, apenas de brincadeira, de usá-lo como controle negativo. Eu insisti que nunca faria isso com meu próprio irmão, mas não posso dizer que o pensamento não passou pela minha cabeça. Ele agora está seguindo a mesma dieta do meu pai.

Viver mais não faz sentido se você não tem seus amigos e familiares ao seu redor. Até nossos três cães — um pequeno poodle mestiço de 10 anos chamado Charlie e duas labradoras pretas de 3 anos, Caity e Melaleuca — usam NMN há alguns anos. Charlie é um cão de terapia cujo trabalho é acalmar as pessoas, mas ele se torna hiperativo quando Sandra lhe dá NMN no dia em que ele vai trabalhar, então, nesses dias ele tira folga. Caity sofre de um defeito renal congênito, e esperamos que o NMN permita que ela supere seu prazo de validade previsto para cinco anos. Os resultados dos testes em ratos com danos nos rins dizem que é possível.[8]

Muitas pessoas pensam que uma dieta destinada a promover vitalidade prolongada deve ser difícil de manter, mas, se fosse, minha família não conseguiria. Somos apenas pessoas normais tentando passar o dia. Vivo a vida o mais atentamente possível, concentro-me em me sentir bem e verifico meus marcadores de sangue ocasionalmente. Com o tempo, identifiquei as rotinas de dieta, exercício e suplemento que funcionam melhor no meu caso. E estou confiante de que minha família e eu continuaremos a aperfeiçoar essas práticas em resposta à pesquisa em evolução conforme nossas vidas seguem.

Seguem.

Seguem.

Sim, espero estar aqui por muito tempo. Existem muitos fatores que podem interferir nesse objetivo. Afinal, eu poderia ser atropelado por um ônibus amanhã. Mas está ficando cada vez mais fácil imaginar a vida — feliz, saudável e conectado a amigos, familiares e colegas — depois dos 100 anos.

Quanto tempo depois do meu 100º aniversário?

Bem, acho que seria incrível ver o século XXII. Isso significaria chegar ao meu 132º ano. Para mim, é uma chance remota, mas não além das leis da biologia ou muito além de nossa trajetória atual. E, se eu chegar tão longe, talvez queira ficar mais tempo.

Há tanta coisa que eu quero fazer, e tantas pessoas que eu gostaria de ajudar. Eu adoraria continuar cutucando a humanidade no que acredito ser um caminho para maior saúde, felicidade e prosperidade, e viver tempo suficiente para saber qual caminho seguimos.

## Trilha na Mata

Recentemente, voltei ao bairro onde cresci, nos subúrbios ao norte de Sydney, nos limites do Parque Nacional Garigal. Papai e Sandra estavam lá, e meu filho de 12 anos, Benjamin, também.

Fizemos uma caminhada pela trilha, exatamente a mesma que minha avó, Vera, costumava fazer com meu irmão e comigo quando tínhamos essa idade. Ela contava histórias sobre sua infância difícil, sobre a sorte de termos crescido em um país livre e sobre a sabedoria de A. A. Milne:

"Que dia é hoje?", perguntou Pooh.

"É hoje", grunhiu Leitão.

"Meu dia favorito", disse Pooh.

Papai estava ansioso para ir. Ben também estava. Esses rapazes são fortes. Mas, enquanto eu estava no começo da trilha, na beira de um alto penhasco de arenito, com vista para um barranco cheio de eucaliptos e cigarras ensurdecedoras no alto, me vi paralisado pela maneira como a savana rapidamente cedeu lugar à cidade, como o presente e o passado distante se uniram, e como era estar à beira de algo tão vasto e bonito.

Se você seguir para o sul, descendo a trilha rochosa que leva a Melaleuca Drive, a rua em que eu morava quando menino, chegará a Middle Harbor, um estuário cercado por copas de umbilas, angófloras e eucaliptos que acabam na Baía de Sydney. Se seguir para o norte, percorrerá centenas de quilômetros de parques nacionais muito maiores: Garigal de Ku-ring-gai a Marramarra, Dharug de Yengo a Wollemi, uma ondulação aparentemente interminável de estuários de água salgada e montanhas escarpadas decoradas por antigas pinturas rupestres. Seria possível andar por dias, até semanas, e não ouvir ninguém, exceto os ecos distantes dos antigos habitantes desta terra.

Naquele dia em Garigal Park, planejávamos caminhar apenas algumas horas, mas eu estava ansioso por semanas.

Há, pelo menos para mim, uma diferença sutil, mas importante, entre trilhas e caminhadas. Quando as pessoas caminham, geralmente procuram exercício, serenidade, beleza ou tempo junto com seus entes queridos. Quando os australianos vão para uma caminhada pela mata, eles estão procurando todas essas coisas, mas com a intenção de encontrar sabedoria também.

Não sei quanto tempo fiquei no penhasco. Um minuto ou dois, talvez. Cinco ou dez, possivelmente. Por mais tempo que fosse, minha família parecia não se importar. Quando o feitiço de nostalgia e admiração me libertou, eu os encontrei um pouco abaixo na trilha.

Ben estava descascando a fina casca de uma árvore de melaleuca, enquanto papai tentava explicar algo sobre os penhascos sendo feitos de areia que havia sido depositada quando os mamíferos apareceram pela primeira vez. Sandra estava examinando uma banksia — a estranha e espinhosa flor que Sir Joseph Banks coletou para mostrar à Royal Society — que ela adorava nos lembrar, pela enésima vez, que fazia parte da família Proteacea.

**TRILHA NA MATA.** Se você for para o norte da minha casa de infância, percorrerá centenas de quilômetros de parques nacionais enormes, uma ondulação aparentemente interminável de estuários de água salgada e montanhas escarpadas decoradas por antigas pinturas rupestres deixadas pelos primeiros habitantes, o clã Garigal. Papai agora tem 80 anos, a idade de sua mãe, Vera, quando perdeu a vontade de viver — o envelhecimento tem esse efeito nas pessoas. Em vez disso, meu pai caminha pelas montanhas, viaja pelo mundo e iniciou uma nova profissão, simbolizando esperança para todos nós.

# CONCLUSÃO

Enquanto escrevo isso, Ben está na sétima série. É um bom garoto. Muito esperto. Ele quer trabalhar em meu laboratório um dia e me substituir para "terminar o trabalho". Eu digo a ele que ele terá muita concorrência e não receberá nenhum tratamento especial de mim, e ele diz: "Bem, se isso for verdade, eu sempre posso trabalhar para Lenny Guarente."

Sim, ele também é um garoto espirituoso.

Nossos dois filhos mais velhos estão fazendo seus próprios caminhos: Natalie, eu acho, como veterinária; Alex, talvez, como diplomata ou político.

Papai agora tem 80 anos, a idade de sua mãe, Vera, quando a chama em seus olhos desapareceu completamente. Ela havia perdido a vontade de viver e nunca mais se aventurou sair. Não posso prever o futuro, mas, quando olho para a vida inteira que papai leva agora, suas viagens pelo mundo, seu otimismo e o estado de sua saúde, acho que ele estará conosco por muito tempo. Eu espero que sim.

Não apenas porque ele representa esperança para todos nós, mas porque eu gostaria de voltar a este lugar repetidas vezes com papai, Sandra e todos aqueles que amo. Procurando por serenidade. Ouvindo histórias. Encontrando beleza. Construindo memórias.

Compartilhando sabedoria.

Com Ben, Natalie e Alex, sim. Mas também com os filhos deles. E com os filhos de seus filhos.

Por que não? Nada é impossível.

# Notas

**INTRODUÇÃO: A PRECE DE UMA AVÓ**

1. Em uma ampla entrevista para promover suas memórias, Lanzmann falou de sua obra-prima sobre o Holocausto, "eu queria chegar o mais perto possível da morte. Nenhum relato pessoal é contado em *Shoah*, nenhuma história. É tudo sobre a morte. O filme não é sobre os sobreviventes." Claude Lanzmann, diretor de "'Shoah': 'Death Has Always Been a Scandal'", *Spiegel*, 10 de setembro de 2010 http://www.spiegel.de/international/zeitgeist/shoah-director-claude-lanzmann-death-has-always-been-a-scandal-a-716722.html.

2. O estudo analisou três conceitos sobre a morte que as crianças entendem antes dos sete anos de idade: irreversibilidade, não funcionalidade e universalidade. M. W. Speece e S. B. Brent, "Children's Understanding of Death: A Review of Three Components of a Death Concept", *Child Development* 55, nº 5 (outubro de 1984): 1671–86, https://www.ncbi.nlm.nih.gov/pubmed/6510050.

3. A autora assistiu ao nascimento do primeiro filho de sua filha junto com seu genro. R. M. Henig, "The Ecstasy and the Agony of Being a Grandmother", *New York Times*, 27 de dezembro de 2018, https://www.nytimes.com/2018/12/27/style/self-care/becoming-a-grandmother.html.

4. As recomendações do filme para aproveitar ao máximo todos os dias assumiram um tom mais sombrio após o suicídio de seu protagonista, Robin Williams. P. Weir, diretor, *Sociedade dos Poetas Mortos*, EUA: Touchstone Pictures, 1999.

5. O autor argumenta que, em vez de se concentrar em problemas cardiovasculares e oncológicos, a pesquisa médica deve se concentrar em "reduzir o envelhecimento e a morbidade relacionada à idade, aumentando assim nossa saúde e bem-estar". G. C. Brown, "Living Too Long", *EMBO Reports* 16, nº 2 (fevereiro de 2015): 137–41, https://www.ncbi.nlm.nih.gov/pmc/articles/PMC4328740/.

6. Em uma pesquisa realizada pelo jornal *Economist*, a maioria dos entrevistados em quatro países expressou o desejo de morrer em casa, embora apenas um pequeno número tenha pensado em fazê-lo. Com exceção dos brasileiros, a maioria achava que morrer sem dor era mais importante do que prolongar a vida. "A Better Way to Care for the Dying", *Economist*, 29 de abril de 2017, https://www.economist.com/international/2017/04/29/a-better-way-to-care-for-the-dying.

7. Veja meus trabalhos no fim deste livro e em https://genetics.med.har vard.edu/sinclair-test/people/sinclair-other.php.

8. Minha editora me fez escrever coisas egocêntricas sobre mim para me dar credibilidade. Espero que ela não veja esta nota final e me faça excluí-la.

9. Em 2018, minha família e eu fizemos uma peregrinação a Londres para ver o relato original da "viagem ao redor do mundo" do capitão James Cook e os espécimes botânicos australianos coletados por Sir Joseph Banks. Houve paradas para ver o modelo original de DNA de Watson e Crick, fósseis do início da vida, uma estátua Moai de Rapa Nui, um corte transversal do tronco de uma sequoia de 1.500 anos de idade, uma estátua de Charles Darwin, a bomba da Broad Street, as salas de guerra de Winston Churchill e a Royal Society, claro. Traçando o caminho de Cook ao longo da costa leste da Austrália, ou "New Holland", como era chamada, é óbvio que Banks já tinha uma colônia em mente, uma que nunca o esqueceria. Não era apenas o local original chamado Botany Bay, a costa também era denominada "Cape Banks". Depois de explorar Botany Bay, o navio alto dos exploradores, o HMS *Endeavor*, navegou para o norte, passando pelas cabeceiras de um porto chamado Port Jackson, que, graças às suas águas muito profundas e à presença de um riacho para fornecer água doce, terminou sendo um local muito superior para o governador Phillip iniciar uma colônia penal oito anos depois.

10. "Phillip's Exploration of Middle Harbour Creek", Fellowship of the First Fleeters, Arthur Phillip Chapter, http://arthurphillipchapter.weebly.com/exploration-of-middle-harbour-creek.html.

11. A busca do explorador e conquistador espanhol pela mítica Fonte da Juventude é apócrifa, mas é uma boa história. J. Greenspan, "The Myth of Ponce de León and the Fountain of Youth", "History Stories", 2 de abril de 2013, A&E Television Networks, https://www.history.com/news/the-myth-of-ponce-de-leon-and-the-fountain-of-youth.

12. Segundo a Creation Wiki: the Encyclopedia of Creation Science (um site da Northwest Creation Network, http://creationwiki.org/Human_longevity), no Gênesis, a maioria de nós chegava a 900 anos, depois não mais. Então, a maioria chegava a 400 anos, depois não mais. Então, aos 120 anos, depois não mais. Em tempos mais recentes, como Oeppen e Vaupel escreveram: "Os especialistas em mortalidade afirmam repetidamente que a expectativa de vida está próxima de um limite máximo; esses especialistas têm se mostrado equivocados. O aparente nivelamento da expectativa de vida em vários países é um artefato de retardatários alcançando e líderes ficando para trás." J. Oeppen e J. W. Vaupel, "Broken Limits to Life Expectancy", *Science* 296, nº 5570 (10 de maio 2002): 1029–31.

13. Há debates sobre o que constitui uma idade verificável. Há seres humanos que alegaram e forneceram evidências consideráveis de terem idade avançada, mas sem registro formal. De qualquer forma, essas pessoas são uma em um bilhão, se isso. Em novembro de 2018, o geriatra russo Valery Novoselov e o matemático Nikolay Zak alegaram que, após muita pesquisa, eles acreditam que a filha de Jeanne Calment, Yvonne, roubou a identidade de Jeanne em 1934, alegando que a filha havia morrido em vez da mãe para evitar o pagamento de impostos imobiliários. O debate continua. "French Scientists Dismiss Russian Claims over Age of World's Oldest Person", Reuters, 3 de janeiro de

2019, https://www.reuters.com/article/us-france-oldest-woman-controversy/french-scientists-dismiss-russian-claims-over-age-of-worlds-oldest-person-idUSKCN1OX145.

14. Pesquisadores italianos descobriram, depois de estudar 4 mil idosos, que se você atingir os 105 anos o risco de morte efetivamente paralisa entre os aniversários e as chances de morrer no próximo ano chegam a 50%. E. Barbi, F. Lagona, M. Marsili *et alii*, "The Plateau of Human Mortality: Demography of Longevity Pioneers", *Science* 360, n° 396 (29 de junho de 2018): 1459–61, http://science.sciencemag.org/content/360/6396/1459.

15. "Se as pessoas vivem, em média, entre 80 ou 90 anos, como agora, então, as vidas muito longas chegam a 110 ou 120", diz Siegfried Hekimi, professor de genética da Universidade McGill no Canadá. "Portanto, se a expectativa de vida média continuar aumentando, isso significaria que a vida seria ainda mais longa, passando de 115 anos"; A. Park, "There's No Known Limit to How Long Humans Can Live, Scientists Say", *Time*, 28 de junho de 2017, http:// time.com/4835763/how-long-can-humans-live/.

16. "Qualquer tecnologia suficientemente avançada é indistinguível da magia." "Arthur C. Clarke", Wikiquote, https://en.wikiquote.org/wiki/Arthur_C._Clarke.

## UM: *VIVA PRIMORDIUM*

1. D. Damer e D. Deamer, "Coupled Phases and Combinatorial Selection in Fluctuating Hydrothermal Pools: A Scenario to Guide Experimental Approaches to the Origin of Cellular Life" *Life* 5, n° 1 (2015): 872–87, https://www.mdpi.com/2075-1729/5/1/872.

2. De acordo com leituras radiológicas e geológicas precisas, e descobertas recentes sobre a química inicial da vida, essa é uma imagem fiel de como o inanimado ficou animado e a vida tomou conta. M. J. Van Kranendonk, D. W. Deamer e T. Djokic, "Life on Earth Came from a Hot Volcanic Pool, Not the Sea, New Evidence Suggests", *Scientific American*, agosto de 2017, https://www.scientific american.com/article/life-on-earth-came-from-a-hot-volcanic-pool-not-the-sea-new-evidence-suggests/.

3. J. B. Iorgulescu, M. Harary, C. K. Zogg *et alii*, "Improved Risk-Adjusted Survival for Melanoma Brain Metastases in the Era of Checkpoint Blockade Immunotherapies: Results from a National Cohort", *Cancer Immunology Research*, 6, n° 9 (setembro de 2018): 1039–45, http://cancerimmunolres.aacrjournals.org/content/6/9/1039.long; R. L. Siegel, K. D. Miller e A. Jemal, "Cancer Statistics, 2019", *CA: A Cancer Journal for Clinicians* 69, n° 1 (janeiro – fevereiro 2019): 7–34, https:// onlinelibrary.wiley.com/doi/full/10.3322/caac.21551.

4. Desde o tempo de Aristóteles, cientistas e filósofos têm lutado para resolver o enigma do envelhecimento, escreveram os autores. D. Fabian e T. Flatt, "The Evolution of Aging", *Nature Education Knowledge* 3, n° 10 (2011): 9, https://www.nature.com/scitable/knowledge/library/the-evolution-of-aging-23651151.

5. Um morcego da Sibéria estabeleceu um recorde mundial quando atingiu 41 anos de idade. R. Locke, "The Oldest Bat: Longest-Lived Mammals Offer Clues to Better Aging

in Humans", *BATS Magazine* 24, n° 2 (verão de 2006): 13–14, http://www.batcon.org/resources/media-education/bats-magazine/bat_article/152.

6. Pequenas colônias de lagartos em uma série de ilhas do Caribe passaram a explorar ilhas onde não havia predadores, enquanto os animais menos aventureiros sobreviviam melhor com predadores. O. Lapiedra, T. W. Schoener, M. Leal *et alii*, "Predator-Driven Natural Selection on Risk-Taking Behavior in Anole Lizards", *Science* 360, n° 3692 (1º de junho de 2018): 1017–20, http://science.sciencemag.org/content/360/6392/1017.

7. Richard Dawkins destacou com eloquência esse ponto em *River Out of Eden*, argumentando que as sociedades primitivas não têm um lugar na ciência, usando como exemplo sua crença de que a lua é uma antiga cabaça jogada no céu. R. Dawkins, *River Out of Eden* (Nova York: Basic Books, 1995).

8. Veja "A Escala das Coisas" no fim deste livro.

9. Szilard passou seus últimos anos como membro do Salk Institute for Biological Studies em La Jolla, Califórnia, como colega residente. Ele viveu em um bangalô na propriedade do Hotel del Charro e morreu em 30 de maio de 1964.

10. R. Anderson, "Ionizing Radiation and Aging: Rejuvenating an Old Idea", *Aging* 1, n° 11 (17 de novembro de 2009): 887–902, https://www.ncbi.nlm.nih.gov/pmc/articles/PMC2815743/.

11. L. E. Orgel, "The Maintenance of the Accuracy of Protein Synthesis and Its Relevance to Ageing", *Proceedings of the National Academy of Sciences of the United States of America* 49, n° 4 (abril de 1963): 517–21, https://www.ncbi.nlm.nih.gov/pmc/articles/PMC299893/.

12. Harman concluiu que as doenças relacionadas ao envelhecimento, bem como o envelhecimento em si, derivam fundamentalmente dos "ataques colaterais nocivos de radicais livres sobre os constituintes celulares e os tecidos conjuntivos". A fonte dos radicais livres, continuou ele, era o "oxigênio molecular catalisado na célula pelas enzimas oxidativas" e traços metálicos. D. Harman, "Aging: A Theory Based on Free Radical and Radiation Chemistry", *Journal of Gerontology* 11, n° 3 (1º de julho de 1956): 298–300, https://academic.oup.com/geronj/article-abstract/11/3/298/616585?redirectedFrom=fulltext.

13. A Nutraceuticals World prevê que um aumento do apetite por antioxidantes sintéticos, com uma queda nos custos, combinado com o aumento da demanda por empresas de alimentos e bebidas, alimentará o crescimento do mercado nos próximos anos. "Global Antioxidants Market Expected to Reach $4.5 Billion by 2022", *Nutraceuticals World*, 26 de janeiro de 2017, https://www.nutraceuticalsworld.com/contents/view_breaking-news/2017-01-26/global-antioxidants-market-expected-to-reach-45-billion-by-2022.

14. Um site da indústria de bebidas descobriu que o forte crescimento da demanda por bebidas com benefício para a saúde anda de mãos dadas com os consumidores que querem ingredientes que eles valorizam. A. Del Buono, "Consumers' Understanding of Antioxidants Grows", *Beverage Industry*, 16 de janeiro de 2018, https://www.bevindustry.com/articles/90832-consumers-understanding-of-antioxidants-grows?v=preview.

15. I. Martincorena, J. C. Fowler, A. Wabik *et alii*, "Somatic Mutant Clones Colonize the Human Esophagus with Age", *Science* 362, n° 6417 (23 de novembro de 2018): 911–17, https://www.ncbi.nlm.nih.gov/pubmed/30337457.

16. Os autores concluíram que seus dados "questionam seriamente a hipótese de que as alterações nos danos oxidativos/estresse desempenham um papel na longevidade dos ratos". V. I. Pérez, A. Bokov, H. Van Remmen *et alii*, "Is the Oxidative Stress Theory of Aging Dead?", *Biochimica et Biophysica Acta* 1790, n° 10 (outubro de 2009): 1005–14, https://www.ncbi.nlm.nih.gov/pmc/articles/PMC2789432/.

17. A. P. Gomes, N. L. Price, A. J. Ling *et alii*, "Declining NAD(+) Induces a Pseudohypoxic State Disrupting Nuclear-Mitochondrial Communication During Aging", *Cell* 155, n° 7 (19 de dezembro de 2013): 1624–38, https://www.ncbi.nlm.nih.gov/pubmed/24360282.

18. W. Lanouette e B. Silard, *Genius in the Shadows: A Biography of Leo Szilard: The Man Behind the Bomb* (Nova York: Skyhorse Publishing, 1992).

19. De acordo com a ficha técnica do NIH, "clones criados de células retiradas de um adulto podem ter cromossomos mais curtos que o normal, o que pode condenar as células dos clones a um tempo de vida menor". "Cloning", National Human Genome Research Institute, 21 de março de 2017, https://www.genome.gov/25020028/cloning-fact-sheet/.

20. Nos debates sobre Dolly, a ovelha clonada, o desafio a responder é qual a idade de um animal ao nascer, quando clonado da célula de um adulto. A resposta que um autor no site The Conversation descobriu foi que outros clones nascidos da mesma célula que Dolly tiveram um tempo de vida normal. "As novas Dollys estão agora nos dizendo que, se pegarmos uma célula de um animal de qualquer idade e introduzirmos seu núcleo em um óvulo maduro não fertilizado, poderemos ter um indivíduo nascido com sua vida inteiramente restaurada." J. Cibell, "More Lessons from Dolly the Sheep: Is a Clone Really Born at Age Zero?", The Conversation, 17 de fevereiro de 2017, https://theconversation.com/more-lessons-from-dolly-the-sheep-is-a-clone-really-born-at-age-zero-73031.

21. Embora alguns animais clonados correspondam às taxas de envelhecimento normal de suas espécies, é um campo que ainda precisa de mais análises para ir além das evidências, em grande parte sem comprovação científica, até agora coletadas. J. P. Burgstaller e G. Brem, "Aging of Cloned Animals: A MiniReview", *Gerontology* 63, n° 5 (agosto de 2017): 417–25, https://www.karger.com/Article/FullText/452444.

22. Pesquisadores da Universidade de Bath descobriram em camundongos clonados que os telômeros que protegem as extremidades dos cromossomos eram um pouco mais longos nas gerações sucessivas e não demonstravam evidências de envelhecimento prematuro. T. Wakayama, Y. Shinkai, K. L. K. Tamashiro *et alii*, "Ageing: Cloning of Mice to Six Generations", *Nature* 407 (21 de setembro de 2000): 318–19. "Apesar do tamanho dos telômeros relatados em diferentes estudos, a maioria dos clones envelhece normalmente. Os primeiros clones de gado estão vivos, saudáveis e fizeram 10 anos em janeiro de 2008"; "Myths About Cloning", U.S. Food & Drug Administration, 29 de agosto de 2018, https://www.fda.gov/animalveterinary/safetyhealth/animalcloning/ucm055512.htm.

23. Os autores descobriram DNA mitocondrial em um osso neandertal na Croácia que revelou datas mais antigas de sobrevivência do que se pensava anteriormente. T. Devièse, I. Karavanié, D. Comeskey *et alii*, "Direct Dating of Neanderthal Remains from the Site of Vindija Cave and Implications for the Middle to Upper Paleolithic Transition", *Proceedings of the National Academy of Sciences of the United States of America* 114, nº 40 (3 de outubro de 2017): 10606-11, https://www.ncbi.nlm.nih.gov/pubmed/28874524.

24. A. S. Adikesevan, "A Newborn Baby Has About 26,000,000,000 Cells. An Adult Has About 1.9 × 103 Times as Many Cells as a Baby. About How Many Cells Does an Adult Have?", Socratic, 26 de janeiro de 2017, https://socratic.org/questions/a-new born-baby--has-about-26-000-000-000-cells-an-adult-has-about-1-9-10-3-times-.

25. C. B. Brachmann, J. M. Sherman, S. E. Devine *et alii*, "The *SIR2* Gene Family, Conserved from Bacteria to Humans, Functions in Silencing, Cell Cycle Progression, and Chromosome Stability", *Genes & Development* 9, nº 23 (1º de dezembro de 1995): 2888-902, http://genesdev.cshlp.org/content/9/23/2888.long; X. Bi, Q. Yu, J. J. Sandmeier e S. Elizondo, "Regulation of Transcriptional Silencing in Yeast by Growth Temperature", *Journal of Molecular Biology* 34, nº 4 (3 de dezembro de 2004): 893-905, https://www.ncbi.nlm.nih.gov/pubmed/15544800.

26. É um dos artigos mais interessantes e importantes que já li. C. E. Shannon, "A Mathematical Theory of Communication", *Bell System Technical Journal* 27, nº 3 (julho de 1948): 379-423, e 27, nº 4 (outubro de 1948): 623-66, http:// math.harvard.edu/~ctm/home/text/others/shannon/entropy/entropy.pdf.

27. Pesquisas feitas pelos autores mostraram que a sinalização do mTORC1 nas células cancerígenas aumenta a sobrevivência "suprimindo os danos endógenos ao DNA e pode controlar o destino celular por meio da regulação da CHK1". X. Zhou, W. Liu, X. Hu *et alii*, "Regulation of CHK1 by mTOR Contributes to the Evasion of DNA Damage Barrier of Cancer Cells", *Nature Scientific Reports*, 8 de maio de 2017, https://www.nature.com/articles/s41598-017-01729-w; D. M. Sabatini, "Twenty-five Years of mTOR: Uncovering the Link from Nutrients to Growth", *Proceedings of the National Academy of Sciences of the United States of America* 114, nº 45 (7 de novembro de 2017): 11818-25, https:// www.ncbi.nlm.nih.gov/pmc/articles/PMC5692607/.

28. E. J. Calabrese, "Hormesis: A Fundamental Concept in Biology", *Microbial Cell* 1, nº 5 (5 de maio de 2014): 145-49, https://www.ncbi.nlm.nih.gov/pmc/articles/PMC5354598/.

## DOIS: A PIANISTA DEMENTE

1. Até 69% do genoma humano podem ser repetitivos ou derivados de repetições endógenas de DNA viral, em comparação com estimativas anteriores de cerca da metade. A. P. de Konig, W. Gu, T. A. Castoe *et alii*, "Repetitive Elements May Comprise over Two-thirds of the Human Genome", *PLOS Genetics* 7, nº 12 (7 de dezembro de 2011), https://www.ncbi.nlm.nih.gov/pmc/articles/PMC3228813/.

2. O que queremos dizer com a palavra *terminada* quando se trata do sequenciamento do genoma humano? Mais do que pensávamos no início dos anos 2000. Regiões do genoma anteriormente consideradas não funcionais estão agora tendo papéis potenciais para câncer, autismo e envelhecimento. S. Begley, "Psst, the Human Genome Was Never Completely Sequenced. Some Scientists Say It Should Be", *STAT*, 20 de junho de 2017, https://www.statnews.com/2017/06/20/human-genome-not-fully-sequenced/.

3. Datado da década de 1960, a cada 3 ou 4 anos, o centro publica um catálogo de suas cepas de *Saccharomyces cerevisiae*. R. K. Mortimer, "Yeast Genetic Stock Center", Grantome, 1998, http://grantome.com/grant/NIH/P40-RR004231-10S1.

4. Pesquisadores de leveduras têm nomes curiosos. John Johnston e meu conselheiro Dick Dickinson são apenas dois deles.

5. Em 2016, o Dr. Yoshinori Ohsumi ganhou o Nobel de Fisiologia ou Medicina pela autofagia em leveduras, quando as células evitam a extinção digerindo partes não chaves de si. B. Starr, "A Nobel Prize for Work in Yeast. Again!", Stanford University, 3 de outubro de 2016, https://www.yeastgenome.org/blog/a-nobel-prize-for-work-in-yeast-again.

6. O delicioso passeio de Dawes por suas experiências no mundo da pesquisa acadêmica e de biologia celular é um relato revitalizante, direto e pessoal de uma jornada notável na pesquisa de leveduras ao longo de quatro décadas. I. Dawes, "Ian Dawes — the Third Pope — Lucky to Be a Researcher", *Fems Yeast Research* 6, nº 4 (junho de 2016), https://academic.oup.com/femsyr/article/16/4/fow040/2680350.

7. Aprendi da pior maneira que não devo beber grandes quantidades de cerveja fermentada.

8. Quatro anos depois, enviei ao professor Melton um vinho tinto para o Ano-Novo, agradecendo por mudar minha vida. Ele nunca agradeceu, porque não achava que um renomado professor deveria fazer isso ou porque é muito reservado. Pelo menos ele sabia que eu estava agradecido. A seleção do vinho acabou sendo irônica, pois esse alimento impulsionou minha carreira uma segunda vez nove anos depois.

9. C. E. Yu, J. Oshima, Y. H. Fu *et alii*, "Positional Cloning of the Werner's Syndrome Gene", *Science* 27, nº 5259 (12 de abril de 1996): 258–62, https://www.ncbi.nlm.nih.gov/pubmed/8602509.

10. *SIR2* significa "regulador de informação silenciosa 2". Quando *SIR2* é escrito em maiúsculas e itálico, refere-se ao gene; quando está escrito como Sir2, refere-se à proteína.

11. Em um artigo publicado no fim de 1997, mostrei como os ERCs causam envelhecimento e diminuem a vida útil das células de levedura. D. A. Sinclair e L. Guarente, "Extrachromosomal rDNA Circles — A Cause of Aging in Yeast", *Cell* 91, nº 7 (26 de dezembro de 1997): 1033–42, https://www.ncbi.nlm.nih.gov/pubmed/9428525.

12. Uma maneira de pensar no epigenoma é como o software de uma célula. Da mesma forma como os arquivos digitais são armazenados na memória de um telefone e o software usa uns e zeros para transformar um telefone em um relógio, calendário ou music player, as informações de uma célula são armazenadas como As, Ts, Gs e Ts e o epigenoma

usa essas letras para direcionar uma célula de levedura para se tornar macho ou fêmea e transformar uma célula de mamífero em nervo, célula epitelial ou óvulo.

13. Não sou a primeira pessoa a usar essa analogia. Um dos primeiros usos da metáfora do piano que encontrei veio de um guia de estudo destinado a acompanhar um programa de epigenética em 2007, a *Nova ScienceNOW*. "Nova ScienceNOW: Epigenetics", PBS, http://www.pbs.org/wgbh/nova/education/viewing/3411_02_nsn.html.

14. C. A. Makarewich e E. N. Olson, "Mining for Micropeptides", *Trends in Cell Biology* 27, nº 9 (27 de setembro de 2017): 685–96, https://www.ncbi.nlm.nih.gov/pubmed/28528987.

15. D. C. Dolinoy, "The Agouti Mouse Model: An Epigenetic Biosensor for Nutritional and Environmental Alterations on the Fetal Epigenome", *Nutrition Reviews* 66, suppl. 1 (agosto de 2008): S7–11, https://www.ncbi.nlm.nih.gov/pmc/articles/PMC2822875/.

16. Quanto mais extrovertido você for, maior será seu tempo de vida, enquanto, talvez sem surpresas, pessimistas e psicóticos veem aumentos significativos no risco de morte em idade mais precoce. Isso é de acordo com um estudo de 3.752 gêmeos de 50 anos ou mais que analisou a relação entre personalidade e expectativa de vida pelo prisma de influências genéticas. M. A. Mosing, S. E. Medl e A. McRae *et alii*, "Genetic Influences on Life Span and Its Relationship to Personality: A 16-Year Follow-up Study of a Sample of Aging Twins", *Psychosomatic Medicine* 74, nº 1 (janeiro de 2012): 16–22, https://www.ncbi.nlm.nih.gov/pubmed/22155943. Os autores consideraram definições de extrema longevidade, usando vários registros de gêmeos europeus. A. Skytthe, N. L. Pedersen, J. Kaprio, *et alii*, "Longevity Studies in GenomEUtwin", *Twin Research* 6, nº 5 (outubro de 2003): 448–54, https://www.ncbi.nlm.nih.gov/pubmed/14624729.

17. Foi um momento eureca — descobrindo por que as células de levedura envelhecem. Círculos superemaranhados de DNA ribossômico retiram o cromossomo da levedura e se acumulam à medida que a levedura se divide, distraindo a enzima Sir2 de seu principal papel de controlar genes para sexo e reprodução. David A. Sinclair e Leonard Guarente, "Extrachromosomal rDNA Circles — A Cause of Aging in Yeast", *Cell* 91 (26 de dezembro de 1997): 1033–42.

18. D. A. Sinclair, K. Mills e L. Guarente, "Accelerated Aging and Nucleolar Fragmentation in Yeast SGS1 Mutants", *Science* 277, nº 5330 (29 de agosto de 1997): 1313–16, https://www.ncbi.nlm.nih.gov/pubmed/9271578.

19. Sinclair e Guarente, "Extrachromosomal rDNA Circles — A Cause of Aging in Yeast."

20. K. D. Mills, D. A. Sinclair e L. Guarente, "MEC1-Dependent Redistribution of the Sir3 Silencing Protein from Telomeres to DNA Double-Strand Breaks", *Cell* 97, nº 5 (28 de maio de 1999): 609–20, https://www.ncbi.nlm.nih.gov/pubmed/10367890.

21. Sinclair, Mills e Guarente, "Accelerated Aging and Nucleolar Fragmentation in Yeast SGS1 Mutants."

22. P. Oberdoerffer, S. Michan, M. McVay *et alii*, "SIRT1 Redistribution on Chromatin Promotes Genomic Stability but Alters Gene Expression During Aging", *Cell* 135,

n° 5 (28 de novembro de 2008): 907-18, https://www.cell.com/cell/fulltext/S0092-8674(08)01317-2; Z. Mao, C. Hine, X. Tian *et alii*, "SIRT6 Promotes DNA Repair Under Stress by Activating PARP1", *Science* 332, n° 6036 (junho de 2011): 1443-46, https://www.ncbi.nlm.nih.gov/pubmed/21680843.

23. A. Ianni, S. Hoelper, M. Krueger *et alii*, "Sirt7 Stabilizes rDNA Heterochromatin Through Recruitment of DNMT1 and Sirt1", *Biochemical and Biophysical Research Communications* 492, n° 3 (21 de outubro de 2017): 434-40, https://www.ncbi.nlm.nih.gov/m/pubmed/28842251/.

24. Os autores mostram como o SIRT7, ao proteger contra a instabilidade do rDNA, também protege contra a morte de células humanas. S. Paredes, M. Angulo-Ibanez, L. Tasselli *et alii*, "The Epigenetic Regulator SIRT7 Guards Against Mammalian Cellular Senescence Induced by Ribosomal DNA Instability", *Journal of Biological Chemistry* 293 (13 de julho de 2018): 11242-50, http://www.jbc.org/content/293/28/11242.

25. Oberdoerffer *et alii*, "SIRT1 Redistribution on Chromatin Promotes Genomic Stability but Alters Gene Expression During Aging."

26. M. W. McBurney, X. Yang, K. Jardine *et alii*, "The Mammalian SIR2alpha Protein Has a Role in Embryogenesis and Gametogenesis", *Molecular and Cellular Biology* 23, n° 1 (23 de janeiro de 2003): 38-54, https://mcb.asm.org/content/23/1/38.long.

27. R.-H. Wang, K. Sengupta, L. Cuiling *et alii*, "Impaired DNA Damage Response, Genome Instability, and Tumorigenesis in SIRT1 Mutant Mice", *Cancer Cell* 14, n° 4 (7 de outubro de 2008): 312-23, https://www.cell.com/cancer-cell/fulltext/S1535-6108(08)00294-8.

28. R. Mostoslavsky, K. F. Chua, D. B. Lombard *et alii*, "Genomic Instability and Aging-like Phenotype in the Absence of Mammalian SIRT6", *Cell* 124 (27 de janeiro de 2006): 315-29, https://doi.org/10.1016/j.cell.2005.11.044.

29. O tratamento é melhor em machos, por razões que ainda não são conhecidas, mas meu ex-pós-doutorando Haim Cohen, da Bar-Ilan University, em Israel, ganhou o prêmio pelo melhor nome já atribuído a uma cepa de rato transgênica: MOSES. A. Satoh, C. S. Brace, N. Rensing *et alii*, "Sirt1 Extends Life Span and Delays Aging in Mice Through the Regulation of Nk2 Homeobox 1 in the DMH and LH", *Cell Metabolism* 18, n° 3 (3 de setembro de 2013): 416-30, https://www.ncbi.nlm.nih.gov/pmc/articles/PMC3794712.

30. Quando *SIR2* é escrito em maiúsculas e itálico, refere-se ao gene; quando escrito Sir2 refere-se à proteína que o gene codifica.

31. É possível que, ao não permitir que genes do tipo acasalamento sejam ativados, a levedura com cópias adicionais de *SIR2* tenha um reparo de DNA menos eficiente por recombinação homóloga, que é o que a expressão dos genes do tipo acasalamento também faz quando ativada, além de impedir o acasalamento. Isso precisa ser testado. Mas, pelo menos em condições laboratoriais confiáveis, as células crescem perfeitamente bem.

32. M. G. L. Baillie, *A Slice Through Time: Dendrochronology and Precision Dating* (Londres: Routledge, 1995).

33. Junto com os bristlecones, Matthew LaPlante, meu coautor em *Tempo de Vida*, examina várias discrepâncias da biologia que definem os limites de nossa compreensão de plantas e animais, de tubarões e elefantes fantasmas a besouros e microbactérias. M. D. LaPlante, *Superlative: The Biology of Extremes* (Dallas: BenBella Books, 2019).

34. Quando os pesquisadores compararam árvores de várias idades procurando um declínio constante no crescimento anual de brotações, não descobriram "nenhuma diferença estatisticamente significativa relacionada à idade". R. M. Lanner e K. F. Connor, "Does Bristlecone Pine Senesce?", *Experimental Gerontology* 36, n° 4-6 (abril de 2001): 675-85, https://www.sciencedirect.com/science/article/pii/S0531556500002345?via%3Dihub.

35. Investigando mutações no gene Daf-2, os pesquisadores fizeram uma descoberta notável: a maior extensão de vida útil relatada de qualquer ser vivo, ou seja, duas vezes mais. Isso dependia do envolvimento de dois genes, Daf-2 e Daf-16, abrindo a porta para novos horizontes de maneiras de entender como prolongar a vida. C. Kenyon, J. Chang, E. Gensch *et alii*, "A *C. elegans* Mutant That Lives Twice as Long as Wild Type", *Nature* 366 (2 de dezembro de 1993): 461-64, https://www.nature.com/articles/36 6461a0; F. Wang, C.-H. Chan, K. Chen *et alii*, "Deacetylation of FOXO3 by SIRT1 or SIRT2 Leads to Skp2-Mediated FOXO3 Ubiquitination and Degradation", *Oncogene* 31, n° 12 (22 de março de 2012): 1546-57, https://www.nature.com/articles/onc2011347.

36. Por que os genes têm vários nomes? A linguagem da genética é como qualquer outra; suas palavras têm ecos da história. Conhecer todo o genoma de uma célula de levedura, um verme de nematoide ou um ser humano era o sonho a menos de ¼ de século atrás. Agora, posso sequenciar meu próprio genoma em um dia em um sequenciador do tamanho de uma unidade USB. Quando era estudante, os genes eram nomeados conforme as características dos mutantes que geraríamos com produtos sintéticos mutagênicos. Tudo o que sabíamos sobre um gene era sua localização aproximada em um cromossomo específico. Somente mais tarde seus primos distantes foram identificados.

37. A. Brunet, L. B. Sweeney, J. F. Sturgill *et alii*, "Stress-Dependent Regulation of FOXO Transcription Factors by the SIRT1 Deacetylase", *Science* 303, n° 5666 (24 de março de 2004): 2011-15, https://www.ncbi.nlm.nih.gov/pubmed/1497 6264.

38. O. Medvedik, D. W. Lamming, K. D. Kim e D. A. Sinclair, "*MSN2* and *MSN4* Link Calorie Restriction and TOR to Sirtuin-Mediated Lifespan Extension in *Saccharomyces cerevisiae*", *PLOS Biology*, 2 de outubro de 2007, http://journals.plos.org/plosbiology/article?id=10.1371/journal.pbio.0050261.

39. Os autores encontraram evidências que vinculam *FOXO3* e longevidade em seres humanos. L. Sun, C. Hu, C. Zheng *et alii*, "*FOXO3* Variants Are Beneficial for Longevity in Southern Chinese Living in the Red River Basin: A Case-Control Study and Meta-analysis", *Nature Scientific Reports*, 27 de abril de 2015, https://www.nature.com/articles/srep09852.

40. H. Bae, A. Gurinovich, A. Malovini *et alii*, "Effects of *FOXO3* Polymorphisms on Survival to Extreme Longevity in Four Centenarian Studies", *Journals of Gerontology, Series*

A: Biological Sciences and Medical Sciences 73, nº 11 (8 de outubro de 2018): 1437-47, https://academic.oup.com/biomedgerontology/article/73/11/1439/3872296.

41. Se você é um atleta dedicado de meia-idade, as chances são de que seu coração se pareça com o de alguém muito mais jovem, revelaram vários estudos. Não é assim para o trabalhador de escritório que não se exercita ou alguém que frequenta a academia ou corre esporadicamente. O que não está claro, porém, é se o início de um programa agressivo de exercícios na meia-idade pode reverter os efeitos de um estilo de vida sedentário no funcionamento e na estrutura do coração. G. Reynolds, "Exercise Makes the Aging Heart More Youthful", *New York Times*, 25 de julho de 2018, https://www.nytimes.com/2018/07/25/well/exercise-makes-the-aging-heart-more-youthful.html.

42. "Essas descobertas têm implicações para melhorar o fluxo sanguíneo para órgãos e tecidos, aumentar o desempenho humano e restabelecer a boa mobilidade em idosos". A. Das, G. X. Huang, M. S. Bonkowski *et alii*, "Impairment of an Endothelial NAD+--H2S Signaling Network Is a Reversible Cause of Vascular Aging", *Cell* 173, nº 1 (22 de março de 2018): 74-89, https://www.cell.com/cell/pdf/S0092-8674(18)30152-1.pdf.

## TRÊS: A EPIDEMIA DE CEGUEIRA

1. F. Bacon, *Of the Proficience and Advancement of Learning, Divine and Human* (Oxford, UK: Leon Lichfield, 1605). Um original deste livro está acima de nossa lareira em casa, um presente de Sandra, minha esposa.

2. C. Kenyon, J. Chang, E. Gensch *et alii*, "A *C. elegans* Mutant That Lives Twice as Long as Wild Type", *Nature* 366, nº 6454 (2 de dezembro de 1993): 461-64, https://www.nature.com/articles/366461a0.

3. L. Partridge e P. H. Harvey, "Methuselah Among Nematodes", *Nature* 366, nº 6454 (2 de dezembro de 1993): 404-5, https://www.ncbi.nlm.nih.gov/pubmed/8247143.

4. "O envelhecimento desacelerado", escreveu Gems, "tem um elemento de inevitabilidade trágica: seus benefícios para a saúde nos obrigam a persegui-lo, apesar da transformação da sociedade humana e até da natureza humana, que isso poderia acarretar". D. Gems, "Tragedy and Delight: The Ethics of Decelerated Ageing", *Philosophical Transactions of the Royal Society B: Biological Sciences* 366 (12 de janeiro de 2011): 108-12, https://royalsocietypublishing.org/doi/pdf/10.1098/rstb.2010.0288.

5. "Você conhece o desenho animado em que Pernalonga está dirigindo um carro velho que, de repente, se desmonta, todos os parafusos caem, com as rodas sem pneus até que ele para?" O repórter David Brown escreveu em 2010 no *Washington Post*: "Algumas pessoas morrem assim também. O problema é que não existe um bom nome para isso." D. Brown, "Is It Time to Bring Back 'Old Age' as a Cause of Death?" *Washington Post*, 17 de setembro de 2010, http://www.washingtonpost.com/wp-dyn/content/article/2010/09/17/AR201 0091703823.html?sid=ST2010091705724.

6. "Realmente, as pessoas não morrem de velhice", escreveu Chris Weller no Medical Daily. "Algo mais tem que estar acontecendo." C. Weller, "Can People Really Die of

Old Age?", "The Unexamined Life", Medical Daily, 21 de janeiro de 2015, http://www.medical daily.com/can-people-really-die-old-age-318528.

7. B. Gompertz, "On the Nature of the Function Expressive of the Law of Human Mortality, and on a New Mode of Determining the Value of Life Contingencies", *Philosophical Transactions of the Royal Society* 115 (1° de janeiro de 1825): 513–85, https://royalsocietypublishing.org/doi/10.1098/rstl.1825.0026.

8. D. A. Sinclair e L. Guarente, "Extrachromosomal rDNA Circles — A Cause of Aging in Yeast", *Cell* 91, n° 7 (26 de dezembro de 1997): 1033–42, https://www.ncbi.nlm.nih.gov/pubmed/9428525.

9. Com base nas estimativas da população global e nos relatórios do censo, entre outras fontes, o Banco Mundial traçou um período de 56 anos terminando em 2016, mostrando a expectativa de vida aumentando de 52 para 72. "Life Expectancy at Birth, Total (Years)", The World Bank, https://data.worldbank.org/indicator/SP.DYN.LE00.IN.

10. Eu herdei a mutação SERPINA1 de minha mãe. Mesmo que eu nunca tenha fumado acho difícil respirar em algumas situações, como quando estou visitando um lugar com muita poluição. Munido com essas informações, evito aspirar poeira e outros contaminantes quando possível. Sinto-me empoderado por conhecer as instruções genéticas dentro de cada uma das minhas células, uma experiência que as gerações anteriores nunca tiveram.

11. A. M. Binder, C. Corvalan, V. Mericq *et alii*, "Faster Ticking Rate of the Epigenetic Clock Is Associated with Faster Pubertal Development in Girls", *Epigenetics* 13, n° 1 (15 de fevereiro de 2018): 85–94, https://www.tandfonline.com/doi/full/10.1080/15592294.2017.1414127.

12. Mulheres com mais de 65 anos são mais propensas a fraturas de quadril, sendo a sepse a principal causa de morte. Os pesquisadores vincularam a sepse a cuidados médicos precários, falta de apoio da família e demência. "Em termos de tempo, a mortalidade foi maior nos primeiros seis meses, com 10 mortes (50%) e no primeiro ano, com seis mortes (30%)." J. Negrete-Corona, J. C. Alvarano-Soriano e L. A. Reyes-Santiago, "Hip Fracture as Risk Factor for Mortality in Patients over 65 Years of Age. Case-Control Study" (resumo traduzido do espanhol), *Acta Ortopédica Mexicana* 28, n° 6 (novembro–dezembro de 2014): 352–62, https://www.ncbi.nlm.nih.gov/pubmed/260 16287, (espanhol) http://www.medigraphic.com/pdfs/ortope/or-2014/or146c.pdf.

13. Mais de 74% dos pacientes com pé amputado devido ao diabetes morrem dentro de 5 anos após a cirurgia. Os autores defendem um foco mais agressivo na questão por médicos e pacientes. "As úlceras nos pés diabéticos de início recente devem ser consideradas um marcador de aumento significativo da mortalidade e devem ser gerenciadas agressivamente local, sistêmica e psicologicamente". J. M. Robbins, G. Strauss, D. Aron *et alii*, "Mortality Rates and Diabetic Foot Ulcers: Is It Time to Communicate Mortality Risk to Patients with Diabetic Foot Ulceration?", *Journal of the American Podiatric Medical Association* 98, n° 6 (novembro–dezembro de 2008): 489–93, https://www.ncbi.nlm.nih.gov/pubmed/19017860.

14. Fizemos um acordo com o médico demônio que saiu pela culatra? Olshansky pensa assim, contrastando a busca pela longevidade e saúde humanas com a narrativa sombria do acordo de Fausto e Mefistófeles. "É possível que a humanidade tenha espremido o máximo de vida saudável nas intervenções de saúde pública e que o corpo esteja agora correndo contra limites que os atributos geneticamente fixos da biologia impõem". S. J. Olshansky, "The Future of Health", *Journal of the American Geriatrics Society* 66, nº 1 (5 de dezembro de 2017): 195–97, https://onlinelibrary.wiley.com/doi/full/10.1111/jgs.15167.

15. Os números surpreendem: cerca de 800 mil norte-americanos morrem anualmente de doenças cardiovasculares; os custos médicos relacionados a problemas cardiovasculares deverão ultrapassar US$818 bilhões até 2030 e os custos de produtividade perdidos acima de US$275 bilhões. "Heart Disease and Stroke Cost America Nearly $1 Billion a Day in Medical Costs, Lost Productivity", CDC Foundation, 29 de abril de 2015, https://www.cdcfoundation.org/pr/2015/heart-disease-and-stroke-cost-america-nearly-1-billion-day-medical-costs-lost-productivity.

16. Como os tratamentos para pacientes com doenças prolongaram suas vidas, a quantidade de doenças na sociedade aumentou. Essa situação significa que a única maneira de aumentar o tempo de vida humana será "retardando o envelhecimento" ou a fisiologia da mudança que resulta em doença e incapacidade", argumenta o autor. Junto com avanços científicos, mudanças nas desigualdades socioeconômicas, estilo de vida e comportamento podem contribuir para melhorar a expectativa e o tempo de vida. E. M. Crimmins, "Lifespan and Healthspan: Past, Present, and Promise", *Gerontologist* 55, nº 6 (dezembro de 2015): 901–11, https://www.ncbi.nlm.nih.gov/pmc/articles/PMC4861644/.

17. Segundo a Organização Mundial da Saúde, um DALY pode ser pensado como um ano perdido de vida "saudável". A soma desses DALYs na população, ou o ônus da doença, pode ser considerada uma medida da diferença entre o status atual de saúde e uma situação ideal de saúde na qual toda a população vive até uma idade avançada, livre de doenças e incapacidades. "Metrics: Disability-Adjusted Life Year (DALY)", World Health Organization, https://www.who.int/healthinfo/global_burden_disease/metrics_daly/en/.

18. E quase todo mundo nessa idade passa uma parte considerável da vida indo ao médico. Segundo o estudo, publicado em 2009 pelo British Medical Journal, 94% das pessoas de 85 anos tiveram contato com um médico no ano passado, e 1 em cada 10 estava em atendimento. J. Collerton, K. Davies, C. Jagger *et alii*, "Health and Disease in 85 Year Olds: Baseline Findings from the Newcastle 85+ Cohort Study", *British Medical Journal*, 23 de dezembro de 2009, https://www.bmj.com/content/339/bmj.b4904.

19. A possibilidade de que tanto o envelhecimento genético quanto o epigenético sejam necessários para o desenvolvimento de tumores é denominada "tumorigênese" e explica por que os tumores não ocorrem em jovens, mesmo após uma exposição solar extrema, pois demora décadas para que o dano ao DNA leve a um tumor, mesmo que evite o sol mais tarde na vida, e por que os cânceres costumam ter um metabolismo incomum (nomeado em homenagem ao físico Otto Warburg), que consome glicose, diminui a atividade mitocondrial e usa menos oxigênio para gerar energia, como o metabolismo de células antigas.

20. De acordo com a Organização Mundial da Saúde, "The State of Global Tobacco Control", 2008, http://www.who.int/tobacco/mpower/mpower_report_global_control_2008.pdf.

21. R. A. Miller, "Extending Life: Scientific Prospects and Political Obstacles", *Milbank Quarterly* 80, n° 1 (março de 2002): 155-74, https://www.ncbi.nlm.nih.gov/pmc/articles/PMC2690099/; gráfico redesenhado de D. L. Hoyert, K. D. Kochanek e S. L. Murphy, "Deaths: Final Data for 1997", *National Vital Statistics Report* 47, n° 19 (30 de junho de 1999):1-104, https://www.ncbi.nlm.nih.gov/pubmed/10410536.

22. Usando uma pesquisa com 593 pessoas que foi repetida quatro anos depois, os autores exploraram o papel da "idade subjetiva" (significando com quantos anos um indivíduo se sente em comparação a sua idade biológica) na formação do processo de envelhecimento. A. E. Kornadt, T. M. Hess, P. Voss e K. Rothermund, "Subjective Age Across the Life Span: A Differentiated, Longitudinal Approach", *Journals of Gerontology: Psychological Sciences* 73, n° 5 (1° de junho de 2018): 767-77, http://europepmc.org/abstract/med/27334638.

23. "Função de consultor no passado e atualmente de David A. Sinclair, posições do conselho, fontes de financiamento, invenções licenciadas, investimentos, financiamento e palestras", Sinclair Lab, Harvard Medical School, 15 de novembro de 2018, https://genetics.med.harvard.edu/sinclair-test/people/sinclair-other.php.

## QUATRO: A LONGEVIDADE HOJE

1. É provável que ele tenha tido relações sexuais pelo menos mais uma vez, pois teve uma filha, Clara, com sua esposa, Veronica. L. Cornaro, *Sure and Certain Methods of Attaining a Long and Healthful Life: With Means of Correcting a Bad Constitution, &c.*, https://babel.hathitrust.org/cgi/pt?id=dul1.ark:/13960/t0dv2fm86;view=1up;seq=1.

2. Há outras traduções. Isto vem da edição publicada em Milwaukee por William F. Butler em 1903.

3. Um rato com 3 anos de idade medido nos termos do tempo humano teria a aparência de um ser humano de 90 anos, de acordo com um pesquisador citado pelos autores. Um de seus ratos, criado com uma dieta experimental de 6 semanas de idade, viveu até 40 meses, enquanto o mais velho dos ratos criados com uma dieta normal chegou a 34 meses; "espera-se que menos de ⅓ dos ratos da nossa colônia viva mais de dois anos." T. B. Osborne, L. B. Mendel e E. L. Ferry, "The Effect of Retardation of Growth upon the Breeding Period and Duration of Life of Rats", *Science* 45, n° 1160 (23 de março de 1917): 294-95, http://science.sciencemag.org/content/45/1160/294.

4. I. Bjedov, J. M. Toivonen, F. Kerr *et alii*, "Mechanisms of Life Span Extension by Rapamycin in the Fruit Fly *Drosophila melanogaster*", *Cell Metabolism* 11, n° 1 (6 de janeiro de 2010): 35-46, https://www.ncbi.nlm.nih.gov/pmc/articles/PMC2824086/.

5. Entre as descobertas de Kagawa sobre o impacto das dietas ocidentais nos japoneses estavam aumentos significativos no câncer de cólon e pulmão, e diminuições de câncer de estômago e útero, embora o consumo de alimentos fosse menor que o de norte-ame-

ricanos e europeus. Quando analisou os moradores de Okinawa, eles tinham "a menor energia total, açúcar e sal, e o menor físico, mas uma longevidade saudável e a maior taxa centenária". Y. Kagawa, "Impact of Westernization on the Nutrition of Japanese: Changes in Physique, Cancer, Longevity and Centenarians", *Preventive Medicine* 7, n° 2 (junho de 1978): 205–17, https://www.sciencedi rect.com/science/article/pii/0091743578902463.

6. Dois dos autores do relatório fizeram parte da equipe que optou por ficar trancada na Biosfera por 2 anos e viver com uma dieta hipocalórica, com apenas 12% de proteína e 11% de gordura em termos de consumo de calorias. Apesar dessa restrição calórica e de uma perda de peso de 17 ± 5%, todos os 8 participantes estavam saudáveis e altamente ativos durante o período de 2 anos. R. L. Walford, D. Mock, R. Verdery e T. MacCallum, "Calorie Restriction in Biosphere 2: Alterations in Physiologic, Hematologic, Hormonal, and Biochemical Parameters in Humans Restricted for a 2-Year Period", *Journals of Gerontology, Series A: Biological Sciences and Medical Sciences* 57, n° 6 (junho de 2002): 211–24, https://www.ncbi.nlm.nih.gov/pubmed/12023257.

7. L. K. Heilbronn e E. Ravussin, "Calorie Restriction and Aging: Review of the Literature and Implications for Studies in Humans", *American Journal of Clinical Nutrition* 3, n° 178 (setembro de 2003): 361–69, https://academic.oup.com/ajcn/article/78/3/361/4689958.

8. Os autores usaram os resultados de um estudo público de 24 meses, realizado pelo National Institute on Aging de restrição calórica em jovens não obesos. D. W. Belsky, K. M. Huffman, C. F. Pieper *et alii*, "Change in the Rate of Biological Aging in Response to Caloric Restriction: CALERIE Biobank Analysis", *Journals of Gerontology, Series A: Biological Sciences and Medical Sciences* 73, n° 1 (janeiro de 2018): 4–10, https://academic.oup.com/biomedgerontology/article/73/1/4/3834057.

9. McGlothin escreveu em um artigo: "Estou encantado com o fato de uma pessoa de 70 anos ter biomarcadores semelhantes aos de uma criança saudável em idade escolar". P. McGlothin, "Growing Older and Healthier the CR Way®", *Life Extension Magazine*, setembro de 2018, https://www.lifeextension.com/Magazine/2018/9/Calorie-Restriction-Update/Page-01.

10. Os autores não têm dúvida dos benefícios que a restrição calórica oferece aos seres humanos em termos de tratamento de doenças e envelhecimento. "Um entendimento claro da biologia do envelhecimento, em oposição à biologia de doenças individuais relacionadas à idade, pode ser o ponto de virada crítico para novas abordagens em estratégias preventivas para facilitar o envelhecimento humano saudável", escreveram eles. "A restrição calórica (RC) oferece um poderoso paradigma para descobrir as bases celulares e moleculares para o aumento relacionado à idade na vulnerabilidade geral à doença, compartilhada por todas as espécies de mamíferos". J. A. Mattison, R. J. Colman, T. M. Beasley *et alii*, "Caloric Restriction Improves Health and Survival of Rhesus Monkeys", *Nature Communications*, 17 de janeiro de 2017, https:// www.nature.com/articles/ncomms14063.

11. Y. Zhang, A. Bokov, J. Gelfond *et alii*, "Rapamycin Extends Life and Health in C57BL/6 Mice", *Journals of Gerontology, Series A: Biological Sciences and Medi cal Sciences* 69, n° 2 (fevereiro de 2014): 119–30, https://www.ncbi.nlm.nih.gov/pubmed/23682161.

12. "Estudamos isso como um paradigma para entender o envelhecimento", disse em 2017, para *Scientific American*. "Não estamos recomendando que as pessoas façam isso". R. Conniff, "The Hunger Gains: Extreme Calorie-Restriction Diet Shows Anti-aging Results", *Scientific American*, 16 de fevereiro de 2017, https://www.scientificamerican.com/article/the-hunger-gains-extreme-calorie-restriction-diet-shows-anti-aging-results/.

13. "A quantidade ideal parecia ser jejuar 1 a cada 3 dias, e isso aumentou a vida útil de machos companheiros de ninhada em cerca de 20% e fêmeas de ninhada em cerca de 15%." A. J. Carlson e F. Hoelzel, "Apparent Prolongation of the Life Span of Rats by Intermittent Fasting: One Figure", *Journal of Nutrition* 31, nº 3 (1º de março de 1946): 363–75, https://academic.oup.com/jn/article-abstract/31/3/363/4725632?redirectedFrom=fulltext.

14. H. M. Shelton, "The Science and Fine Art of Fasting", em *The Hygienic System*, vol. III, *Fasting and Sunbathing* (San Antonio, Texas: Dr. Shelton's Health School, 1934).

15. C. Tazearslan, J. Huang, N. Barzilai e Y. Suh, "Impaired IGF1R Signaling in Cells Expressing Longevity-Associated Human IGF1R Alleles", *Aging Cell* 10, nº 3 (junho de 2011): 551–54, https://onlinelibrary.wiley.com/doi/full/10.1111/j.1474-9726.2011.00697.

16. Um em três icarianos atinge a idade de 90 anos e a maioria não apresenta demência e muitas outras doenças crônicas do envelhecimento. "Ikaria, Greece. The Island where People Forget to Die", Blue Zones, https://www.bluezones.com/exploration/ikaria-greece/.

17. O jejum se estende a 180 dias no ano e requer abstinência de produtos lácteos e animais e peixes de sangue vermelho, o que significa que polvos e lulas ainda podem ser consumidos. Na preparação para a Sagrada Comunhão, o jejum abrange todos os alimentos. N. Gaifyllia, "Greek Orthodox 2018 Calendar of Holidays and Fasts", The Spruce Eats, 6 de outubro de 2018, https://www.thespruceeats.com/greek-orthodox-calendar-1706215.

18. Bapan tem sido ignorada pelos pesquisadores ocidentais, principalmente porque as pessoas naquela parte do sul da China — uma região há muito reconhecida por suas grandes populações de centenários saudáveis — não possuem registros formais de nascimento. O cardiologista John Day e seus colegas, no entanto, argumentaram que há boas razões para acreditar em suas alegações. J. D. Day, J. A. Day e M. LaPlante, *The Longevity Plan: Seven LifeTransforming Lessons from Ancient China* (Nova York: HarperCollins, 2017).

19. Evitar proteína animal não é fácil. Uma das principais razões é que seu consumo gera saciedade. Ninguém fez mais para entender por que comer carboidratos não afasta a fome do que Stephen Simpson, diretor do Centro Charles Perkins em Sydney, Austrália. Simpson começou sua carreira tentando entender por que os gafanhotos se organizam em nuvens. Se descobrisse isso, achava, impediria a perda global de milhões de toneladas de colheitas. O que descobriu foi que os gafanhotos buscam proteína. Eles a desejam. Avançam consumindo qualquer coisa comestível, mas se não há proteína suficiente em sua dieta, se transformam em criaturas vorazes e famintas que buscam proteína de qualquer fonte possível. E a fonte mais próxima de proteína é o gafanhoto à sua frente. Nessas condições, a melhor maneira de permanecer vivo é seguir em frente, parando ocasionalmente para comer um parente mais lento. O trabalho mais recente de Simpson é fascinante: mostra que esse mesmo gatilho existe no cérebro dos mamíferos. Quando

nos falta proteína, também nos tornamos famintos e, embora normalmente não tentemos comer nossos vizinhos, no auge da fome extrema, quem não considerou a possibilidade? O que isso tudo nos diz é que é melhor não comer muita proteína animal, mas é difícil evitá-la completamente. F. P. Zanotto, D. Raubenheimer e S. J. Simpson, "Selective Egestion of Lysine by Locusts Fed Nutritionally Unbalanced Foods", *Journal of Insect Physiology* 40, nº 3 (março de 1994): 259–65, https:// www.sciencedirect.com/science/article/pii/0022191094900493.

20. Embora cachorro-quente ou hambúrguer pareçam aceitáveis, uma análise de 800 estudos realizados por 22 especialistas constatou que uma dieta diária que incluía 50g de carne processada parecia aumentar as chances de os indivíduos desenvolverem câncer colorretal em 18%. S. Simon, "World Health Organization Says Processed Meat Causes Cancer", American Cancer Society, 26 de outubro de 2015, https://www.cancer.org/latest-news/world-health-organization-says-processed-meat-causes-cancer.html.

21. Sem alimentos processados e ricos em calorias, em grande parte na dieta, e um estilo de vida dominado pela atividade física, há pouca obesidade ou doença cardiovascular nas comunidades de caçadores-coletores. H. Pontzer, B. M. Wood e D. A. Raichlen, "Hunter-Gatherers as Models in Public Health", *Obesity Reviews* 19, supl. 1 (dezembro de 2018): 24–35, https://onlinelibrary.wiley.com/doi/full/10.1111/obr.12785.

22. M. Song, T. T. Fung, F. B. Hu *et alii*, "Association of Animal and Plant Protein Intake with All-Cause and Cause-Specific Mortality", *JAMA Internal Medicine* 176, nº 10 (1º de outubro de 2016): 1453–63, https://jamanetwork.com/journals/jamainternalmedicine/fullarticle/2540540.

23. Um estudo de 2011 identificou uma nova via de sinalização usada pelos aminoácidos para ativar o mTOR. I. Tato, R. Bartrons, F. Ventura e J. L. Rosa, "Amino Acids Activate Mammalian Target of Rapamycin Complex 2 (mTORC2) via PI3K/Akt Signaling", *Journal of Biological Chemistry* 286, nº 8 (25 de fevereiro de 2011): 6128–42, http://www.jbc.org/content/286/8/6128.full.

24. C. Hine, C. Mitchell e J. R. Mitchell, "Calorie Restriction and Methionine Restriction in Control of Endogenous Hydrogen Sulfide Production by the Transsulfuration Pathway", *Experimental Gerontology* 68 (agosto de 2015): 26–32, https:// www.ncbi.nlm.nih.gov/pubmed/25523462.

25. Em vez de restrição calórica, os pesquisadores do Lamming Lab desenvolveram um regime de privação de metionina a curto prazo que reduziu a massa gorda, restaurou o peso corporal normal e restabeleceu o controle glicêmico em ratos machos e fêmeas. D. Yu, S. E. Yang, B. R. Miller *et alii*, "Short-Term Methionine Deprivation Improves Metabolic Health via Sexually Dimorphic, mTORC1-Independent Mechanisms", *FASEB Journal* 32, nº 6 (junho de 2018): 3471–82, https://www.ncbi.nlm.nih.gov/pubmed/29401631.

26. A eterna busca por uma dieta bem equilibrada, a resposta, sugerem os autores, pode ter a ver com como "a longevidade pode ser estendida em animais alimentados à vontade, manipulando a proporção de macronutrientes para inibir a ativação do mTOR". S. M. SolonBiet, A. C. McMahon, J. W. Ballard *et alii*, "The Ratio of Macronutrients, Not

Caloric Intake, Dictates Cardiometabolic Health, Aging, and Longevity in Ad Libitum–Fed Mice", *Cell Metabolism* 3, n° 19 (4 de março de 2014): 418–30, https:// www.ncbi.nlm.nih.gov/pmc/articles/PMC5087279/.

27. Em outras palavras, a composição específica de aminoácidos da dieta de uma pessoa pode ser mais importante do que limitar todos os aminoácidos. A maneira mais fácil de fazer isso, no entanto, é ainda reduzir a ingestão de carne. L. Fontana, N. E. Cummings, S. I. Arriola Apelo *et alii*, "Decreased Consumption of Branched Chain Amino Acids Improves Metabolic Health", *Cell Reports* 16, n° 2 (12 de julho de 2016): 520–30, https://www.ncbi.nlm.nih.gov/pmc/articles/PMC4947548/.

28. Alguns sugeriram que uma melhor compreensão dessa conexão poderia ajudar os pesquisadores a desenvolver terapias direcionadas ao mTOR para evitar a perda de massa muscular. M. S. Yoon, "mTOR as a Key Regulator in Maintaining Skeletal Muscle Mass", *Frontiers in Physiology* 8 (2017): (17 de outubro de 2017): 788, https://www.ncbi.nlm.nih.gov/pmc/articles/PMC5650960/.

29. Reduzir o consumo de aminoácidos de cadeia ramificada por um dia melhora a resistência à insulina. F. Xiao, J. Yu, Y. Guo *et alii*, "Effects of Individual Branched-Chain Amino Acids Ceprivation on Insulin Sensitivity and Glucose Metabolism in Mice", *Metabolism* 63, n° 6 (junho de 2014): 841–50, https://www.ncbi.nlm.nih.gov/pubmed/24684822/.

30. Certamente existem outros fatores de estilo de vida em jogo. Mas uma metanálise de 7 estudos, incluindo quase 125 mil participantes, publicada em 2012 em *Annals of Nutrition and Metabolism*, é uma evidência convincente. Entre os vegetarianos, os pesquisadores que conduziram o estudo observaram uma mortalidade 16% menor por doenças circulatórias e 12% menor por doença cerebrovascular. T. Huang, B. Yang, J. Zheng *et alii*, "Cardiovascular Disease Mortality and Cancer Incidence in Vegetarians: A Meta-analysis and Systematic Review", *Annals of Nutrition & Metabolism* 4, n° 60 (1° de junho de 2012): 233–40, https://www.karger.com/Article/FullText/337301.

31. O estudo analisou quase 6 mil homens e mulheres inscritos na National Health and Nutrition Examination Survey. Se deseja lembrar o quão pouco uma vida sedentária faz para prolongar a existência, veja o seguinte: "Estima-se que os adultos com alta atividade tenham uma vantagem biológica de envelhecimento de 9 anos (140 pares de bases ÷ 15,6) em relação aos sedentários. A diferença no envelhecimento celular entre aqueles com atividades alta e baixa foi significativa, 8,8 anos, assim como entre aqueles com AF alta e moderada (7,1 anos)." L. A. Tucker, "Physical Activity and Telomere Length in U.S. Men and Women: An NHANES Investigation", *Preventive Medicine* 100 (julho de 2017): 145–51, https://www.sciencedirect.com/science/article/pii/S0091743517301470.

32. Intrigados com os possíveis insights sobre o envelhecimento proporcionados pela saúde e a constituição física dos ciclistas de meia-idade, cientistas britânicos, entre os atletas recreativos, analisaram como o exercício afeta a longevidade. Recrutaram ciclistas homens e mulheres entre 55 e 79 anos para o estudo e os compararam com sedentários mais velhos e mais jovens. "Os ciclistas provaram ter reflexos, memórias, equilíbrio e perfis metabólicos que mais se pareciam com os de 30 anos do que com o grupo sedentário mais velho."

G. Reynolds, "How Exercise Can Keep Aging Muscles and Immune Systems 'Young'", *The New York Times*, 14 de março de 2018, https://www.nytimes.com/2018/03/14/well/move/how-exercise-can-keep-aging-muscles-and-immune-systems-young.html.

33. D. Lee, R. R. Pate, C. J. Lavie *et alii*, "Leisure-Time Running Reduces All-Cause and Cardiovascular Mortality Risk", *Journal of the American College of Cardiology* 54, n° 5 (agosto de 2014): 472–81, http://www.onlinejacc.org/content/64/5/472.

34. M. M. Robinson, S. Dasari, A. R. Konopka *et alii*, "Enhanced Protein Translation Underlies Improved Metabolic and Physical Adaptations to Different Exercise Training Modes in Young and Old Humans", *Cell Metabolism* 25, n° 3 (7 de março de 2017): 581–92, https://www.cell.com/cell-metabolism/comments/S1550-4131(17)30099-2.

35. As sábias recomendações da Mayo Clinic incluem dedicar 150 minutos por semana a atividades como nadar ou cortar a grama ou fazer 75 minutos de exercícios mais desafiadores, como spinning ou corrida. "Seja realista e não se esforce demais no começo", escreveu a equipe. "O condicionamento é um compromisso vitalício, não a linha de chegada", "Exercise Intensity: How to Measure It", Mayo Clinic, 12 de junho de 2018, https://www.mayoclinic.org/healthy-lifestyle/fitness/in-depth/exercise-intensity/art-20046887.

36. Investigando como o hipotálamo controla aspectos do envelhecimento, os autores descobriram que "a inibição imune ou a restauração do GnRH no hipotálamo/cérebro" oferece duas direções possíveis para prolongar a vida útil e combater os problemas de saúde que acompanham o envelhecimento. G. Zhang, J. Li, S. Purkayasatha *et alii*, "Hypothalamic Programming of Systemic Ageing Involving IKK-β, NF-KB and GnRH", *Nature* 497, n° 7448 (9 de maio de 2013): 211–16, https://www.nature.com/articles/nature12143.

37. A equipe não soube dizer por que isso aconteceu, apenas que aconteceu. Naquela época, eles teorizaram que a redução da temperatura corporal dos ratos poderia diminuir o metabolismo e, assim, reduzir os radicais livres. Nós aprendemos muito desde então. B. Conti, M. Sanchez-Alvarez, R. Winskey-Sommerer *et alii*, "Transgenic Mice with a Reduced Core Body Temperature Have an Increased Life Span", *Science* 314, n° 5800 (3 de novembro de 2006): 825–28, https://www.ncbi.nlm.nih.gov/pubmed/17082459.

38. Os ratos sofriam de taxas aumentadas de obesidade, disfunção das células beta e diabetes tipo 2. C.Y. Zhang, G. Baffy, P. Perret *et alii*, "Uncoupling Protein-2 Negatively Regulates Insulin Secretion and Is a Major Link Between Obesity, β Cell Dysfunction, and Type 2 Diabetes", *Cell* 105, n° 6 (15 de junho de 2001): 745–55, https://www.sciencedirect.com/science/article/pii/S0092867401003786.

39. Os pesquisadores também acreditam que isso ocorreu devido a uma redução no dano oxidativo. Y. W. C. Fridell, A. Sánchez-Blanco, B. A. Silvia *et alii*, "Targeted Expression of the Human Uncoupling Protein 2 (hUCP2) to Adult Neurons Extends Life Span in the Fly", *Cell Metabolism* 1, n° 2 (fevereiro de 2005): 145–52, https://www.sciencedirect.com/science/article/pii/S155041310500032X.

40. Os pesquisadores concluíram que o UCP2 regula a termogênese do tecido adiposo marrom através de ácidos graxos não esterificados. A. Caron, S. M. Labbé, S. Carter *et alii*, "Loss of

UCP2 Impairs Cold-Induced Non-shivering Thermogenesis by Promoting a Shift Toward Glucose Utilization in Brown Adipose Tissue", *Biochimie* 134 (março de 2007): 118–26, https://www.sciencedirect.com/science/article/pii/S030090841630270X?via%3Dihub.

41. Os pesquisadores, liderados por Justin Darcy, da Universidade do Alabama, demonstraram uma função do tecido marrom em animais que viveram 40% a 60% mais que os companheiros. J. Darcy, M. McFadden, Y. Fang *et alii*, "Brown Adipose Tissue Function Is Enhanced in Long-Lived, Male Ames Dwarf Mice", *Endocrinology* 157, n° 12 (1° de dezembro de 2016): 4744–53, https://academic.oup.com/endo/article/157/12/4744/2758430.

42. "Como a gordura marrom é regulada em humanos e se relaciona ao metabolismo é incerto", escreveram os autores em 2014. Desde então, o mecanismo ficou claro. Endocrine Society, "Cold Exposure Stimulates Beneficial Brown Fat Growth", *Science Daily*, 23 de junho de 2014, https://www.sciencedaily.com/releases/2014/06/140623091949.htm.

43. T. Shi, F. Wang, E. Stieren e Q. Tong, "SIRT3, a Mitochondrial Sirtuin Deacetylase, Regulates Mitochondrial Function and Thermogenesis in Brown Adipocytes", *Journal of Biological Chemistry* 280, n° 14 (8 de abril de 2005): 13560-67, http://www.jbc.org/content/280/14/13560.long.

44. A. S. Warthin, "A Fatal Case of Toxic Jaundice Caused by Dinitrophenol", *Bulletin of the International Association of Medical Museums* 7 (1918): 123–26.

45. W. C. Cutting, H. G. Mertrens e M. L. Tainter, "Actions and Uses of Dinitrophenol: Promising Metabolic Applications", *Journal of the American Medical Association* 101, n° 3 (15 de julho de 1933): 193–95, https://jamanetwork.com/journals/jama/article-abstract/244026.

46. Os autores calcularam que, com 1,2 milhão de cápsulas fornecidas pela Stanford Clinics, em 1934, isso correspondia a 4.500 pacientes tomando o medicamento por um período de 3 meses. No geral, estimaram que, nos EUA, pelo menos 100 mil pessoas foram tratadas com o medicamento. M. L. Tainter, W. C. Cutting e A. B. Stockton, "Use of Dinitrophenol in Nutritional Disorders: A Critical Survey of Clinical Results", *American Journal of Public Health* 24, n° 10 (1935): 1045–53, https://ajph.aphapublications.org/doi/pdf/10.2105/AJPH.24.10.1045.

47. O dinitrofenol tem vários nomes na internet. Os autores listam, juntamente com o DNP, "'Dinosan', 'Dnoc', 'Solfo Black', 'Nitrophen', 'Alidfen' e 'Chemox'". Na década de 2000, houve um aumento nas mortes relacionadas ao DNP como comercializado online para fisiculturistas e com consciência de peso J. Grundlingh, P. I. Dargan, M. El-Zanfaly e D. M. Wood, "2,4-Dinitrophenol (DNP): A Weight Loss Agent with Significant Acute Toxicity and Risk of Death", *Journal of Medical Toxicology* 7, n° 3 (setembro de 2011): 205–12, https://www.ncbi.nlm.nih.gov/pmc/articles/PMC3 550200/.

48. T. L. Kurt, R. Anderson, C. Petty *et alii*, "Dinitrophenol in Weight Loss: The Poison Center and Public Health Safety", *Veterinary and Human Toxicology* 28, n° 6 ( dezembro de 1986): 574–75, https://www.ncbi.nlm.nih.gov/pubmed/3788046.

49. A história de uma morte horrível por overdose de DNP é descrita no Vice; veja G. Haynes, "The Killer Weight Loss Drug DNP Is Still Claiming Young Lives", Vice, 6 de agosto de 2018, https://www.vice.com/en_uk/article/bjbyw5/the-killer-weight-loss-drug-dnp-is-still-claiming-young-lives; veja também Grundlingh *et alii*, "2,4-Dinitrophenol (DNP)".

50. Isso acontece de maneira diferente entre as espécies, mas a tendência geral é clara: frio e exercício juntos desenvolvem gordura marrom. F. J. May, L. A. Baer, A. C. Lehnig *et alii*, "Lipidomic Adaptations in White and Brown Adipose Tissue in Response to Exercise Demonstrates Molecular Species-Specific Remodeling", *Cell Reports* 18, nº 6 (7 de fevereiro de 2017): 1558–72, https://www.ncbi.nlm.nih.gov/pmc/articles/PMC5558157/.

51. "Até que novas pesquisas estejam disponíveis", concluiu uma equipe internacional de pesquisadores em 2014, "os atletas devem permanecer cientes de que os modos mais baratos de crioterapia, como a aplicação local de compressas de gelo ou a imersão em água fria, oferecem efeitos fisiológicos e clínicos comparáveis". C. M. Bleakley, F. Bieuzen, G. W. Davison e J. T. Costello, "Whole-Body Cryotherapy: Empirical Evidence and Theoretical Perspectives", *Open Access Journal of Sports Medicine* 5 (10 de março de 2014): 25–36, https://www.ncbi.nlm.nih.gov/pmc/articles/PMC3956737/.

52. O tempo médio gasto na sauna foi de 15 minutos a 80 °C. T. E. Strandberg, A. Strandberg, K. Pitkälä e A. Benetos, "Sauna Bathing, Health, and Qual ity of Life Among Octogenarian Men: The Helsinki Businessmen Study", *Aging Clinical and Experimental Research* 30, nº 9 (setembro de 2018): 1053–57, https://www.ncbi.nlm.nih.gov/pubmed/29188579.

53. T. Laukkanen, H. Khan, F. Zaccardi e J. A. Laukkanen, "Association Between Sauna Bathing and Fatal Cardiovascular and All-Cause Mortality Events", *JAMA Internal Medicine* 175, nº 4 (abril de 2015): 542–48, https://www.ncbi.nlm.nih.gov/pubmed/25705824.

54. H. Yang, T. Yang, J. A. Baur *et alii*, "Nutrient-Sensitive Mitochondrial NAD+ Levels Dictate Cell Survival", *Cell* 130, nº 6 (21 de setembro de 2007): 1095–107, https://www.ncbi.nlm.nih.gov/pmc/articles/PMC3366687/.

55. R. Madabhushi, F. Gao, A. R. Pfenning *et alii*, "Activity-Induced DNA Breaks Govern the Expression of Neuronal Early-Response Genes", *Cell* 161, nº 7 (18 de junho de 2015): 1592–605, https://www.ncbi.nlm.nih.gov/pmc/articles/PMC4886855/.

56. H. Katoka, "Quantitation of Amino Acids and Amines by Chromatography", *Journal of Chromatography Library* 70 (2005): 364–404, https://www.sciencedirect.com/topics/chemistry/aromatic-amine.

57. Outro produto químico altamente prevalente usado em garrafas plásticas e latas de alimentos e bebidas é o bisfenol A ou BPA. É tão onipresente que pode ser encontrado na urina de quase todos os norte-americanos; em grandes quantidades, foi associado a "doenças cardiovasculares e diabetes, e pode estar associado a um risco aumentado de aborto espontâneo com cariótipo embrionário anormal". P. Allard e M. P. Colaiácovo, "Bisphenol A Impairs the Double-Strand Break Repair Machinery in the Germline and Causes Chromosome Abnormalities", *Proceedings of the National Academy of Sciences of*

*the United States of America* 107, n° 47 (23 de novembro de 2010): 20405–10, http://www.pnas.org/content/107/47/20405.

58. "Nossas descobertas sugerem que esse corante pode causar efeitos nocivos aos seres humanos se for metabolizado ou absorvido pela pele." F. M. Chequer, V. de Paula Venâncio *et alii*, "The Cosmetic Dye Quinoline Yellow Causes DNA Damage in Vitro", *Mutation Research/Genetic Toxicology and Environmental Mutagenesis* 777 (1° de janeiro de 2015): 54–61, https://www.ncbi.nlm.nih.gov/pubmed/25726175.

59. Apreciadores de cerveja tomem nota: "A cerveja é uma fonte de NDMA, na qual foram relatados até 70mcg l(-1) em alguns tipos de cerveja alemã, embora os níveis usuais sejam muito mais baixos (10 ou 5mcg l(-1)); isso pode significar uma ingestão considerável para um apreciador de cerveja que ingere vários litros por dia." A boa notícia, acrescenta o escritor, é que nas últimas décadas houve não apenas uma redução no nível de nitratos nos alimentos, mas também "um maior controle da exposição do malte aos óxidos de nitrogênio na fabricação de cerveja". W. Lijinsky, "N-Nitroso Compounds in the Diet", *Mutation Research* 443, n° 1–2 (15 de julho de 1999): 129–38, https://www.ncbi.nlm.nih.gov/pubmed/10415436.

60. L. Robbiano, E. Mereto, C. Corbu e G. Brambilla, "DNA Damage Induced by Seven N-nitroso Compounds in Primary Cultures of Human and Rat Kidney Cells", *Mutation Research* 368, n° 1 (maio de 1996): 41–47, https://www.ncbi.nlm.nih.gov/pubmed/8637509.

61. O Estado de Massachusetts fez um estudo em 1988 para entender a prevalência de radônio por município. Foi descoberto que uma em cada quatro casas aparentemente tinha níveis acima do nível identificado pela EPA de 4pCi/L, o que requer mais investigação. "Public Health Fact Sheet on Radon", Health and Human Services, Commonwealth of Massachusetts, 2011, http://web.archive.org/web/20111121032816/http://www.mass.gov/eohhs/consumer/community-health/environmental-health/exposure-topics/radiation/radon/public-health-fact-sheet-on-radon.html.

62. "A maior parte do mercúrio que contamina o peixe vem de resíduos domésticos e industriais que são incinerados ou liberados durante a queima de carvão e outros combustíveis fósseis. Os produtos que contêm mercúrio que são jogados incorretamente no lixo ou nos esgotos acabam em aterros, incineradores ou em instalações de tratamento de esgoto." "Contaminants in Fish", Washington State Department of Health, https:// www.doh.wa.gov/CommunityandEnvironment/Food/Fish/ContaminantsinFish.

63. S. Horvath, "DNA Methylation Age of Human Tissues and Cell Types", *Genome Biology* 14, n° 10 (2013): R115, https://www.ncbi.nlm.nih.gov/pubmed/24138928.

## CINCO: UM REMÉDIO MELHOR PARA ENGOLIR

1. Se Schrödinger não conseguiu responder exatamente à pergunta sobre o que é a vida, seu livro sem dúvida fez todo o resto, menos isso. Ele é creditado como um dos principais influenciadores do desenvolvimento do pensamento científico do século XX e ajudou

a lançar as bases para o surgimento da biologia molecular e a descoberta do DNA. E. Schrödinger, *What Is Life? The Physical Aspect of the Living Cell* (Cambridge, UK: Cambridge University Press, 1944).

2. V. L. Schramm e S. D. Schwartz, "Promoting Vibrations and the Function of Enzymes. Emerging Theoretical and Experimental Convergence", *Biochemistry* 57, nº 24 (19 de junho de 2018): 3299–308, https://www.ncbi.nlm.nih.gov/pubmed/29608286.

3. "Cell Size and Scale", Genetic Science Learning Center, Universidade de Utah, http:// learn.genetics.utah.edu/content/cells/scale/.

4. Os catalisadores biológicos macromoleculares cujos nomes terminam em *-ase* são enzimas.

5. Entre tantas citações eminentes, essa é uma que os cientistas consideram sábia para as idades: "O primeiro princípio é que você não deve se enganar — e você é a pessoa mais fácil de se enganar." R. P. Feynman, *The Quotable Feynman*, ed. Michelle Feynman (Princeton, NJ: Princeton University Press, 2015), 127.

6. Depois que o empregador de Sehgal foi comprado pela empresa internacional de saúde Wyeth, ele retomou seu trabalho com rapamicina. "Em 1999, a FDA dos EUA aprovou a rapamicina como medicamento para pacientes transplantados. Sehgal morreu alguns anos após a aprovação, antes de ver sua ideia salvar a vida de milhares de pacientes transplantados e continuar fazendo a Wyeth ganhar centenas de milhões de dólares." B. Gifford, "Does a Real Anti-aging Pill Already Exist?", Bloomberg, 12 de fevereiro de 2015, https://www.bloomberg.com/news/features/2015-02-12/does-a-real-anti-aging-pill-already-exist-.

7. Os autores concluíram que "a regulação positiva de uma resposta altamente conservada ao estresse induzido pela fome é importante para a extensão da vida útil, devido à diminuição da sinalização TOR em leveduras e eucariontes superiores." R. W. Powers III, M. Kaeberlein, S. D. Caldwell *et alii*, "Extension of Chronological Life Span in Yeast by Decreased TOR Pathway Signaling", *Genes & Development* 20, nº 2 (15 de janeiro de 2006): 174–84, https://www.ncbi.nlm.nih.gov/pmc/articles/PMC1356109/.

8. I. Bjedov, J. M. Toivonen, F. Kerr *et alii*, "Mechanisms of Life Span Extension by Rapamycin in the Fruit Fly *Drosophilia melanogaster*", *Cell Metabolism* 11, nº 1 (6 de janeiro de 2010): 35–46, https://www.ncbi.nlm.nih.gov/pmc/articles/PMC2824086/.

9. Foram os primeiros resultados a mostrar que o mTOR auxilia a extensão da vida: "A rapamicina prolonga o tempo de vida adiando a morte por câncer, retardando os mecanismos do envelhecimento ou ambos." D. E. Harrison, R. Strong, Z. D. Sharp *et alii*, "Rapamycin Fed Late in Life Extends Lifespan in Genetically Heterogeneous Mice", *Nature* 460 (8 de julho de 2009): 392–95, https://www.nature.com/articles/nature08221.

10. K. Xie, D. P. Ryan, B. L. Pearson *et alii*, "Epigenetic Alterations in Longevity Regulators, Reduced Life Span, and Exacerbated Aging-Related Pathology in Old Father Offspring Mice", *Proceedings of the National Academy of Sciences of the United States of America* 115, nº 10 (6 de março de 2018): E2348–57, https://www.pnas.org/content/115/10/E2348.

11. Como eles escolhem tantos vencedores? De acordo com um comunicado da imprensa, um executivo da Thomson Reuters explicou o seguinte: "Trabalhos altamente citados acabam sendo um dos indicadores mais confiáveis da pesquisa de renome mundial e dão uma visão de que a pesquisa tem grande chance de ser reconhecida com o Prêmio Nobel." Thomson Reuters, "Web of Science Predicts 2016 Nobel Prize Winners", PR Newswire, 21 de setembro de 2016, https://www.prnewswire.com/news-releases/web-of-science-predicts-2016-nobel-prize-winners-300331557.html.

12. Nesse caso, os autores mostraram que três meses de rapamicina aumentaram a expectativa de vida de ratos de meia-idade em 60%, além de melhorar seu tempo de vida saudável. A. Bitto, K. I. Takashi, V. V. Pineda *et alii*, "Transient Rapamycin Treatment Can Increase Lifespan and Healthspan in Middle-Aged Mice", *eLife* 5 (23 de agosto de 2016): 5, https://www.ncbi.nlm.nih.gov/pmc/articles/PMC4996648/.

13. Baixas doses de um medicamento chamado everolimo foram administradas a pessoas com mais de 65 anos. Sua resposta às vacinas contra gripe melhorou em cerca de 20%. A. Regalado, "Is This the Anti-aging Pill We've All Been Waiting For?", *MIT Technology Review*, 28 de março de 2017, https://www.technologyreview.com/s/603997/is-this-the-anti-aging-pill-weve-all-been-waiting-for/.

14. A metformina, administrada a pacientes com diabetes, foi particularmente promissora, observaram dois pesquisadores. "Embora existam ressalvas em qualquer estudo dessa natureza, os resultados sugerem que a metformina pode afetar os processos básicos de envelhecimento subjacentes a várias doenças crônicas e não apenas ao diabetes tipo 2." B. K. Kennedy e J. K. Pennypacker, "Aging Interventions Get Human", *Oncotarget* 6, n° 2 (janeiro de 2015): 590–91, https://www.ncbi.nlm.nih.gov/pmc/articles/PMC4359240/.

15. C. J. Bailey, "Metformin: Historical Overview", *Diabetologia* 60 (2017): 1566–76, https://link.springer.com/content/pdf/10.1007%2Fs00125-017-4318-z.pdf.

16. Os pacientes que tomaram metformina apresentaram taxas mais baixas de mortalidade, não apenas em comparação aos diabéticos, mas também aos não diabéticos, descobriram os pesquisadores. Outros resultados incluíram menos câncer e menos doenças cardiovasculares nos pacientes tratados com metformina. J. M. Campbell, S. M. Bellman, M. D. Stephenson e K. Lisy, "Metformin Reduces All-Cause Mortality and Diseases of Ageing Independent of Its Effect on Diabetes Control: A Systematic Review and Meta-analysis", *Ageing Research Reviews* 40 (novembro de 2017): 31–44, https://www.sciencedirect.com/science/article/pii/S1568163717301472.

17. R. A. DeFronzo, N. Barzilai e D. C. Simonson, "Mechanism of Metformin Action in Obese and Lean Noninsulin-Dependent Diabetic Subjects", *Journal of Clinical Endocrinology & Metabolism* 73, n° 6 (dezembro de 1991): 1294–301, https:// www.ncbi.nlm.nih.gov/pubmed/1955512.

18. A. Martin-Montalvo, E. M. Mercken, S. J. Mitchell *et alii*, "Metformin Improves Healthspan and Lifespan in Mice", *Nature Communications* 4 (2013): 2192, https:// www.ncbi.nlm.nih.gov/pmc/articles/PMC3736576/.

19. V. N. Anisimov, "Metformin for Aging and Cancer Prevention", *Aging* 2, nº 11 (novembro de 2010): 760-74.

20. S. Andrzejewski, S.-P. Gravel, M. Pollak e J. St-Pierre, "Metformin Directly Acts on Mitochondria to Alter Cellular Bioenergetics", *Cancer & Metabolism* 2 (28 de agosto de 2014): 12, https://www.ncbi.nlm.nih.gov/pmc/articles/PMC4147388/.

21. N. Barzilai, J. P. Crandall, S. P. Kritchevsky e M. A. Espeland, "Metformin as a Tool to Target Aging", *Cell Metabolism* 23 (14 de junho de 2016): 1060-65, https://www.cell.com/cell-metabolism/pdf/S1550-4131(16)30229-7.pdf.

22. C. P. Wang, C. Lorenzo, S. L. Habib *et alii*, "Differential Effects of Metformin on Age Related Comorbidities in Older Men with Type 2 Diabetes", *Journal of Diabetes and Its Complications* 31, nº 4 (2017): 679-86, https://www.ncbi.nlm.nih.gov/pmc/articles/PMC5654524/.

23. J. M. Campbell, S. M. Bellman, M. D. Stephenson e K. Lisy, "Metformin Reduces All-Cause Mortality and Diseases of Ageing Independent of Its Effect on Diabetes Control: A Systematic Review and Meta-analysis", *Ageing Research Reviews* 40 (novembro de 2017): 31-44, https://www.ncbi.nlm.nih.gov/pubmed/28802803.

24. N. Howlader, A. M. Noone, M. Krapcho *et alii*, "SEER Cancer Statistics Review, 1975-2009", National Cancer Institute, 20 de agosto de 2012, https://seer.cancer.gov/archive/csr/1975_2009_pops09/.

25. Quando alguém atinge 90 anos, descobriram os autores, há uma redução de 3 vezes na probabilidade de desenvolver câncer. Se chegar a 100 anos, a partir daí a probabilidade é mínima, de 0 a 4%. N. Pavlidis, G. Stanta e R. A. Audisio, "Cancer Prevalence and Mortality in Centenarians: A Systematic Review", *Critical Reviews in Oncology/Hematology* 83, nº 1 (julho de 2012): 145-52, https://www.ncbi.nlm.nih.gov/pubmed/22024388.

26. I. Elbere, I. Silamikelis, M. Ustinova *et alii*, "Significantly Altered Peripheral Blood Cell DNA Methylation Profile as a Result of Immediate Effect of Metformin Use in Healthy Individuals", *Clinical Epigenetics* 10, nº 1 (2018), https://doi.org/10.1186/s13148-018-0593-x.

27. B. K. Kennedy, M. Gotta, D. A. Sinclair *et alii*, "Redistribution of Silencing Proteins from Telomeres to the Nucleolus Is Associated with Extension of Lifespan in *S. cerevisiae*", *Cell* 89, nº 3 (2 de maio de 1997): 381-91, https://www.ncbi.nlm.nih.gov/pubmed/?term=SIR4-42+sinclair+gotta; D. A. Sinclair e L. Guarente, "Extrachromosomal rDNA Circles — A Cause of Aging in Yeast", *Cell* 91, nº 7 (26 de dezembro de 1997): 1033-42, https://www.ncbi.nlm.nih.gov/pubmed/9428525; D. Sinclair, K. Mills e L. Guarente, "Accelerated Aging and Nucleolar Fragmentation in Yeast *SGS1* Mutants", *Science* 277, nº 5330 (29 de agosto de 1997): 1313-16, https://www.ncbi.nlm.nih.gov/pubmed/9271578.

28. A pesquisa do resveratrol sugere que é promissor tanto para a prevenção de câncer quanto para doenças cardiovasculares. A capacidade do resveratrol de atuar no crescimento do tumor aponta outras possibilidades. "Como os agentes promotores de tumores alteram a

expressão de genes cujos produtos estão associados à inflamação, a quimioprevenção de doenças cardiovasculares e câncer podem compartilhar os mesmos mecanismos comuns." E. Ignatowicz e W. Baer-Dubowska, "Resveratrol, a Natural Chemopreventive Agent Against Degenerative Diseases, "*Polish Journal of Pharmacology* 53, nº 6 (novembro de 2001): 557–69, https://www.ncbi.nlm.nih.gov/pubmed/11985329.

29. O título do nosso artigo é uma combinação de duas palavras gregas: "xenos, a palavra grega para estranho, e *hormese*, o termo para benefícios de saúde fornecidos pelo estresse biológico leve, como danos celulares ou falta de nutrição." K. T. Howitz e D. A. Sinclair, "Xenohormesis: Sensing the Chemical Cues of Other Species", *Cell* 133, nº 3 (2 de maio de 2008): 387–91, https://www.ncbi.nlm.nih.gov/pmc/articles /PMC2504011/.

30. Um copo médio de vinho tinto contém cerca de 1 a 3mg de resveratrol. Não há resveratrol no vinho branco, pois ele é produzido em grande parte pelas peles da uva, que não são usadas na produção de vinho branco. Para ter mais informações sobre e fontes dietéticas de resveratrol, veja J. A. Baur e D. A. Sinclair, "Therapeutic Potential of Resveratrol: The in Vivo Evidence", *Nature Reviews Drug Discovery* 5, nº 6 (junho de 2006): 493–506, https://www.ncbi.nlm.nih.gov/pubmed/16732220.

31. Continuando a partir de nosso trabalho, os pesquisadores propuseram "um novo caminho pelo qual os produtos da resposta ao estresse vegetal conferem tolerância ao estresse e ampliam a longevidade em animais". Eles também destacaram como a xenoformese pode melhorar a saúde e as propriedades medicinais das plantas, ao mesmo tempo em que abordam questões em torno da adaptação em um mundo que está sempre mudando. P. L. Hooper, P. L. Hooper, M. Tytell e L. Vigh, "Xenohormesis: Health Benefits from an Eon of Plant Stress Response Evolution", *Cell Stress & Chaperones* 15, nº 6 (novembro de 2010): 761–70, https://www.ncbi.nlm.nih.gov/pmc/articles/PMC3024065/.

32. As implicações para os seres humanos com sobrepeso eram claras, descobrimos. "Este estudo mostra que uma pequena molécula disponível oralmente em doses viáveis em seres humanos pode reduzir com segurança muitas das consequências negativas do excesso de ingestão calórica, com uma melhoria geral na saúde e na sobrevivência." J. A. Baur, K. J. Pearson, N. L. Price *et alii*, "Resveratrol Improves Health and Survival of Mice on a High-Calorie Diet", *Nature* 444, nº 7117 (1º de novembro de 2006): https://www.ncbi.nlm.nih.gov/pmc/articles/PMC4990206/.

33. J. A. Baur e D. A. Sinclair, "Therapeutic Potential of Resveratrol: The *In Vivo* Evidence", *Nature Reviews Drug Discovery* 5, (2006): 493–506, https://www.nature.com/articles/nrd2060.

34. K. J. Pearson, J. A. Baur, K. N. Lewis *et alii*, "Resveratrol Delays Age-Related Deterioration and Mimics Transcriptional Aspects of Dietary Restriction Without Extending Life Span", *Cell Metabolism* 8, nº 2 (6 de agosto de 2008): 157–68, https:// www.cell.com/cell-metabolism/abstract/S1550-4131%2808%2900182-4.

35. Nossas descobertas despertaram uma inevitável agitação na mídia sobre o fato de que beber vinho tinto pode aumentar a longevidade, e também reconheço ser um exemplo mais calmo, como o artigo "Life-Extending Chemical Is Found in Some Red Wines" no

*New York Times*. K. T. Howitz, K. J. Bitterman, H. Y. Cohen *et alii*, "Small Molecule Activators of Sirtuins Extend *Saccharomyces cerevisiae* Lifespan", *Nature* 425, n° 6954 (11 de setembro de 2003): 191-96, https://www.ncbi.nlm.nih.gov/pubmed/12939617.

36. Para combater o envelhecimento em ratos, nós os alimentamos com o equivalente a cerca de 100 copos de vinho tinto por dia, não "1 mil"; não recomendo nenhum dos dois.

37. Martin-Montalvo *et alii*, "Metformin Improves Healthspan and Lifespan in Mice".

38. Quarenta pacientes com diferentes graus de psoríase participaram do estudo, pouco mais de ⅓ teve melhora "boa a excelente", em biópsias da pele. J. G. Kreuger, M. Suárez-Fariñas, I. Cueto *et alii*, "A Randomized, PlaceboControlled Study of SRT2104, a SIRT1 Activator, in Patients with Moderate to Severe Psoriasis", *PLOS One*, 10 de novembro de 2015, https://journals.plos.org/plosone/article?id=10.1371/journal.pone.0142081.

39. O hidrogênio é usado para centenas das chamadas reações redox na célula. NAD é um "portador de hidrogênio". O sinal positivo em "NAD+" indica a forma de NAD que não tem um átomo de hidrogênio ligado. Quando tem, é chamado de "NADH".

40. À medida que os níveis de NAD diminuem com a idade, o corpo torna-se mais suscetível a doenças, como dois colaboradores que eu observei: "A restauração dos níveis de NAD+ em animais idosos ou doentes pode promover a saúde e prolongar a vida útil, o que levou a uma busca de moléculas seguras e eficazes que aumentam o NAD que têm a promessa de aumentar a resiliência do corpo, não apenas para uma doença, mas muitas, estendendo assim a vida humana saudável." L. Rajman, K. Chwalek e D. A. Sinclair, "Therapeutic Potential of NAD-Boosting Molecules: The *in Vivo* Evidence", *Cell Metabolism* 27, n° 3 (6 de março de 2018): 529-47, https://www.ncbi.nlm.nih.gov/pubmed/29514064.

41. Y. A. R. White, D. C. Woods, Y. Takai *et alii*, "Oocyte Formation by Mitotically Active Germ Cells Purified from Ovaries of Reproductive Age Women", *Nature Medicine* 18 (26 de fevereiro de 2012): 413-21, https://www.nature.com/articles/nm.2669.

42. J. L. Tilly e D. A. Sinclair, "Germline Energetics, Aging, and Female Infertility", *Cell Metabolism* 17, n° 6 (junho de 2013): 838-50, https://www.sciencedirect.com/science/article/pii/S1550413113001976.

43. Nosso artigo, no qual mostramos que o SIRT2 é essencial na regulação da expectativa de vida em um organismo vivo, saiu em 2014. B. J. North, M. A. Rosenberg, K. B. Jeganathan *et alii*, "SIRT2 Induces the Checkpoint Kinase BubR1 to Increase Lifespan", *EMBO Journal* 33, n° 13 (1° de julho de 2014): 1438-53, https://www.ncbi.nlm.nih.gov/pmc/articles/PMC4194088/.

44. Os pesquisadores enquadram seus resultados dentro da epidemia de obesidade nos países em desenvolvimento e sua ligação com questões de saúde reprodutiva, incluindo não apenas a fibrose policística, mas também diabetes mellitus gestacional e câncer de endométrio. Eles concluem que "a metformina pode ser uma alternativa valiosa ou adjunta para modificar os efeitos tóxicos da obesidade nessas populações." V. N. Sivalingam, J. Myers, S. Nicholas *et alii*, "Metformin in Reproductive Health, Pregnancy and Gynaecological

Cancer: Established and Emerging Indications", *Human Reproduction* 20, n° 6 (novembro de 2014): 853–68, https://academic.oup.com/humupd/article/20/6/853/2952671.

45. "Os animais quimioterápicos tiveram menos prole em comparação com todos os outros grupos de tratamento, enquanto o cotratamento com inibidores do mTOR preservou a fertilidade normal." K. N. Goldman, D. Chenette, R. Arju *et alii*, "mTORC1/2 Inhibition Preserves Ovarian Function and Fertility During Genotoxic Chemotherapy", *Proceedings of the National Academy of Sciences of the United States of America* 114, n° 2 (21 de março de 2017): 3196–91, http://www.pnas.org/content/114/12/3186.full.

46. Nos ratos deficientes em mTORC1, os autores descobriram "espermatozoides presentes com mobilidade diminuída, sugerindo que o mTORC1, além de controlar o tamanho glandular e a composição do fluido seminal, regula a fisiologia do esperma na passagem pelo epidídimo". P. F. Oliveira, C. Y. Cheng e M. G. Alves, "Emerging Role for Mammalian Target of Rapamycin in Male Fertility", *Trends in Endocrinology and Metabolism* 28, n° 3 (março de 2017): 165–67, https://www.ncbi.nlm.nih.gov/pmc/articles/PMC5499664/.

47. O termo "envelhecer no lugar" refere-se a uma filosofia dos países ocidentais de incentivar os idosos a envelhecer em lugares que atendam às suas necessidades e circunstâncias. A Austrália, como tantos outros países, enfrenta uma explosão demográfica no número de idosos, que tem um aumento de implicações orçamentárias e sociais. Espera-se que a população de 65 a 84 anos da Austrália dobre ou mais até 2050. H. Bartlett e M. Carroll, "Aging in Place Down Under", *Global Ageing: Issues & Action* 7, n° 2 (2011): 25–34, https://www.ifa-fiv.org/wp-content/uploads/global-ageing/7.2/7.2.bartlett.carroll.pdf.

## SEIS: GRANDES PASSOS A FRENTE

1. Em um amplo levantamento de intervenções, os autores cobriram os benefícios de saúde e prolongamento de vida de várias pequenas moléculas, exercícios e jejum. "As epidemias atuais de obesidade, diabetes e distúrbios relacionados impedem o envelhecimento saudável", escreveram. "Só estendendo a vida humana saudável encontraremos a premissa do poeta romano Cícero: Ninguém é tão velho a ponto de pensar que pode não viver mais um ano." R. de Cabo, D. CarmonaGuttierez, M. Bernier *et alii*, "The Search for Antiaging Interventions: From Elixirs to Fasting Regimens", *Cell* 157, n° 7 (19 de junho de 2014): 1515–26, https://www.cell.com/fulltext/S0092-8674(14)00679-5.

2. J. Yost e J. E. Gudjonsson, "The Role of TNF Inhibitors in Psoriasis Therapy: New Implications for Associated Comorbidities", *F1000 Medicine Reports* 1, n° 30 (8 de maio de 2009), https://www.ncbi.nlm.nih.gov/pmc/articles/PMC2924720/.

3. Matar células senescentes em ratos levou a uma vida mais saudável, escreveu o autor em uma história para *Nature* sobre o trabalho de Baker e van Deursen. Suas funções renais melhoraram e seus corações eram mais resistentes ao estresse, eles exploravam mais suas gaiolas e desenvolveram cânceres mais tarde. E. Callaway, "Destroying Wornout Cells Makes Mice Live Longer", *Nature*, 3 de fevereiro de 2016, https://www.nature.com/news/destroying-worn-out-cells-makes-mice-live-longer-1.19287.

4. O impacto das células senescentes injetadas em ratos jovens foi notável em sua destruição. "Duas semanas após o transplante, os ratos SEN apresentaram função física prejudicada, determinada pela velocidade máxima de caminhada, força muscular, resistência, atividade diária, ingestão de alimentos e peso corporal", de acordo com o comunicado de imprensa do NIH. "Além disso, os pesquisadores viram um aumento no número de células senescentes, além do que foi injetado, sugerindo uma propagação do efeito da senescência nas células vizinhas." "Senolytic Drugs Reverse Damage Caused by Senescent Cells in Mice", National Institutes of Health, 9 de julho de 2018, https://www.nih.gov/news-events/news-releases/senolytic-drugs-reverse-damage-caused-senescent-cells-mice.

5. R. M. Laberge, Y. Sun, A. V. Orjalo et alii, "MTOR Regulates the Pro-tumorigenic Senescence-Associated Secretory Phenotype by Promoting IL1A Translation", *Nature Cell Biology* 17, n° 8 (6 de julho de 2015): 1049–61, https://www.ncbi.nlm.nih.gov/pmc/articles/PMC4691706/.

6. P. Oberdoerffer, S. Michan, M. McVay et alii, "DNA Damage–Induced Alterations in Chromatin Contribute to Genomic Integrity and Age-Related Changes in Gene Expression", *Cell* 135, n° 5 (28 de novembro de 2008): 907–18, https://www.ncbi.nlm.nih.gov/pmc/articles/PMC2853975/.

7. M. De Cecco, S. W. Criscione, E. J. Peckham et alii, "Genomes of Replicatively Senescent Cells Undergo Global Epigenetic Changes Leading to Gene Silencing and Activation of Transposable Elements", *Aging Cell* 12, n° 2 (abril de 2013): 247–56, https://www.ncbi.nlm.nih.gov/pmc/articles/PMC3618682/.

8. "A transferência adotiva de células T isoladas de ratos com tumor tratados com vacina inibiu o crescimento tumoral em receptores não vacinados, indicando que a vacina iPSC promove uma resposta da célula T antitumoral específica para o antígeno", descobriram os pesquisadores N. G. Kooreman, K. Youngkyun, P. E. de Almeida et alii, "Autologous iPSC-Based Vaccines Elicit Anti-tumor Responses *in Vivo*", *Cell Stem Cell* 22, n° 4 (5 de abril de 2018), http://www.cell.com/cell-stem-cell/fulltext/S1934-5909(18)30016-X.

9. As células foram retiradas da pele da bochecha e da barriga do cão de Streisand e enviadas para um laboratório no Texas. O processo de clonagem resultou em quatro filhotes, embora um tenha morrido logo após o nascimento. Streisand escreveu que a aparência dos cachorros semelhantes à sua amada Samantha fisicamente era suficiente. "Você pode clonar a aparência de um cachorro, mas não a alma. Ainda assim, toda vez que olho para o rosto deles, penso na minha Samantha e sorrio." B. Streisand, "Barbara Streisand Explains: Why I Cloned My Dog", *The New York Times*, 2 de março de 2018, https://www.nytimes.com/2018/03/02/style/barbra-streisand-cloned-her-dog.html.

10. Um dos artigos mais interessantes e importantes que já li. C. E. Shannon, "A Mathematical Theory of Communication", *Bell System Technical Journal* 27, n° 3 (julho de 1948): 379–423 e n° 4 (outubro de 1948): 623–66, http://math.harvard.edu/~ctm/home/text/others/shannon/entropy/entropy.pdf.

11. Os resultados de seus experimentos foram extremamente promissores quando se tratou de retardar o envelhecimento, interrompendo as alterações moleculares que o causam.

"Alterações moleculares induzidas pela reprogramação in vivo podem potencialmente levar a uma melhor manutenção da homeostase do tecido e da extensão da vida útil", escreveram. A. Ocampo, P. Reddy, P. Martinez-Redondo *et alii*, "In Vivo Amelioration of Age-Associated Hallmarks by Partial Reprogramming", *Cell* 167, n° 7 (15 de dezembro de 2016): 1719-33, https://www.cell.com/cell/pdf/S0092-8674(16)31664-6.pdf.

12. "Sinto uma grande responsabilidade de que não é só criar o primeiro, mas também torná-lo um exemplo", disse ele à Associated Press. "A sociedade decidirá o que fazer em seguida" se esses experimentos devem continuar ou ser banidos. M. Marchione, "Chinese Researcher Claims First Gene-Edited Babies", Associated Press, 26 de novembro de 2018, https://www.apnews.com/4997bb7aa36c45449b488e19ac83e86d.

## SETE: A ERA DA INOVAÇÃO

1. H. Singh, A. N. D. Meyer e E. J. Thomas, "The Frequency of Diagnostic Errors in Outpatient Care: Estimations from Three Large Observational Studies Involving US Adult Populations", *BMJ Quality & Safety* 23, n° 9 (12 de agosto de 2014), https://qualitysafety.bmj.com/content/23/9/727.

2. M. Jain, S. Koren, K. H. Miga *et alii*, "Nanopore Sequencing and Assembly of a Human Genome with Ultra-long Reads", *Nature Biotechnology* 36, n° 4 (2018): 338-45, https://www.nature.com/articles/nbt.4060.

3. A evolução dessa tecnologia está ligada por seus inventores a beneficiar a comunidade, e não às corporações. Dito isso, essa empresa em particular também estava promovendo a ideia de uma "moeda" ou moeda digital, não para investimento ou como garantia, segundo o escritor, mas para incentivar indivíduos a compartilhar seus dados genômicos com cientistas. "A ideia subjacente é incentivar os usuários a tornar seus dados genômicos disponíveis para pesquisas biomédicas e relacionadas à saúde, para maior benefício da descoberta médica." B. V. Bigelow, "Luna DNA Uses Blockchain to Share Genomic Data as a 'Public Benefit,'" *Exome*, 22 de janeiro de 2018, https://xconomy.com/san-diego/2018/01/22/luna-dna-uses-blockchain-to-share-genomic-data-as-a-public-benefit/.

4. S. W. H. Lee, N. Chaiyakunapruk e N. M. Lai, "What G6PD-Deficient Individuals Should Really Avoid", *British Journal of Clinical Pharmacology* 83, n° 1 (janeiro de 2017): 211-12, https://www.ncbi.nlm.nih.gov/pmc/articles/PMC5338146/; "Glucose-6-Phosphate Dehydrogenase Deficiency", MedlinePlus, https://medline plus.gov/ency/article/000528.htm.

5. J. A. Sparano, R. J. Gray, D. F. Makower *et alii*, "Adjuvant Chemotherapy Guided by a 21-Gene Expression Assay in Breast Cancer", *New England Journal of Medicine* 379 (12 de julho de 2018): 111-21, https://www.nejm.org/doi/full/10.1056/NEJMoa1804710.

6. K. A. Liu e N. A. D. Mager, "Women's Involvement in Clinical Trials: Historical Perspective and Future Implications", *Pharmacy Practice* 14, n° 1 (janeiro-março de 2016): 708-17, https://www.pharmacypractice.org/journal/index.php/pp/article/view/708/424.

7. Ratos fêmeas que receberam tratamento com mTOR viveram 20% mais que os não tratados no grupo controle. Leibniz Institute on Aging, Fritz Lipmann Institute, "Less Is More? Gene Switch for Healthy Aging Found", Medical Xpress, 25 de maio de 2018, https://medicalxpress.com/news/2018-05-gene-healthy-aging.html.

8. Os registros suecos mostraram que, todos os anos desde 1800, as mulheres viveram mais que os homens. "Essa vantagem de sobrevivência extraordinariamente consistente das mulheres em comparação com os homens no início da vida, no fim da vida e na vida total não se limita à Suécia, mas é vista em todos os países, todos os anos para os quais existem registros confiáveis de nascimento e morte. Pode não haver um padrão mais robusto na biologia humana", observaram os autores. S. N. Austad e A. Bartke, "Sex Differences in Longevity and in Responses to Anti-aging Interventions: A Mini-review", *Gerontology* 62, nº 2 (2015): 40–46, https://www.karger.com/Article/FullText/381472.

9. E. J. Davis, I. Lobach e D. B. Dubal, "Female XX Sex Chromosomes Increase Survival and Extend Lifespan in Aging Mice", *Aging Cell* 18, nº 1 (fevereiro de 2019), e12871, https://www.ncbi.nlm.nih.gov/pmc/articles/PMC6351820/.

10. Um exemplo em que a informação farmacogenômica já é usada para informar a prescrição de medicamentos está no tratamento do HIV. Pacientes com HIV são testados quanto a uma variante genética específica para ver se podem ter uma reação ruim a um medicamento antiviral chamado abacavir, de acordo com uma ficha técnica no site do National Human Genome Research Institute; consulte "Perguntas frequentes", National Human Genome Research Institute, 2 de maio de 2016, https://www.genome.gov/27530645/.

11. A autópsia de um cadáver mumificado de um senhor da guerra italiano do século XIV deu crédito a rumores de séculos que, dias após sua conquista triunfante de Treviso, Cangrande I della Scala, 38 anos, havia sido envenenado com digitalis. H. Thompson, "Poison Hath Been This Italian Mummy's Untimely End", Smithsonian.com, 14 de janeiro de 2015, https://www.smithsonianmag.com/science-nature/poison-hath-been--italian-mummys-untimely-end-digitalis-foxglove-180953822/.

12. M. Vamos, J. W. Erath e S. H. Hohnloser, "Digoxin-Associated Mortality: A Systematic Review and Meta-analysis of the Literature", *European Heart Journal* 36, nº 28 (21 de julho de 2015): 1831–38, https://academic.oup.com/eurheartj/article/36/28/1831/2398087.

13. M. N. Miemeijer, M. E. van den Berg, J. W. Deckers *et alii*, "*ABCB1* Gene Variants, Digoxin and Risk of Sudden Cardiac Death in a General Population", *BMJ Heart* 101, nº 24 (dezembro de 2015), https://heart.bmj.com/content/101/24/1973?heartjnl--2014-307419v1=; A. Oni-Orisan e D. Lanfear, "Pharmacogenomics in Heart Failure: Where Are We Now and How Can We Reach Clinical Application?", *Cardiology in Review* 22, nº 5 (1º de setembro de 2015): 193–98, https://www.ncbi.nlm.nih.gov/pmc/articles/PMC4329642/.

14. Em 2015, Johnson achou que seriam apenas mais 10 anos até que nosso genoma fosse definido e armazenado para uso enquanto estivéssemos vivos. "Quando isso acontece, o uso de informações genéticas para informar decisões sobre o medicamento certo e a dose certa provavelmente envolverá abordagens computadorizadas que casam os dados

genéticos com conhecimento sobre medicamentos e genes, para levar a uma recomendação personalizada de tratamento", escreveu ela. J. A. Johnson, "How Your Genes Influence What Medicines Are Right for You", *Conversation*, 20 de novembro de 2015, https://theconversation.com/how-your-genes-influence-what-medicines-are-right-for-you-46904.

15. Isso está mudando, de acordo com os autores, com mais colegas publicando, garantindo que "a microbiota intestinal saia das sombras e vá para o centro dos estudos de segurança de medicamentos e atendimento médico personalizado." I. D. Wilson e J. K. Nicholson, "Gut Microbiome Interactions with Drug Metabolism, Efficacy and Toxicity", *Translational Research: The Journal of Laboratory and Clinical Medicine* 179 (janeiro de 2017): 204–22, https://www.ncbi.nlm.nih.gov/pmc/articles/PMC5718288/; veja também B. Das, T. S. Ghosh, S. Kedia *et alii*, "Analysis of the Gut Microbiome of Rural and Urban Healthy Indians Living in Sea Level and High-Altitude Areas", *Nature Scientific Reports* 8 (4 de julho de 2018), https://www.nature.com/articles/s41598-018-28550-3.

16. P. Lehouritis, J. Cummins, M. Stanton *et alii*, "Local Bacteria Affect the Efficacy of Chemotherapeutic Drugs", *Nature Scientific Reports* 5 (29 de setembro de 2015), https://www.nature.com/articles/srep14554.

17. A espera aumentou de 18,5 dias em 2014 para 24 dias em 2017, de acordo com um estudo da MerrittHawkins. B. Japsen, "Doctor Wait Times Soar 30% in Major U.S. Cities", *Forbes*, 19 de março de 2017, https://www.forbes.com/sites/brucejapsen/2017/03/19/doctor-wait-times-soar-amid-trumpcare-debate/#7ac0753b2e74.

18. O site do myDNAge incentiva: "Você não pode mudar seus genes, mas pode mudar como eles se comportam através da epigenética", diz o slogan. Tudo o que precisa fazer é enviar seus fluidos corporais (sangue ou urina) e eles determinarão sua idade biológica medindo as modificações epigenéticas em seu DNA. "Reveal Your Biological Age Through Epigenetics", myDNAge, 2017, https://www.mydnage.com/. TeloYears se oferece para rastrear sua idade celular com base em seus telômeros, que, informa aos leitores do site, são "os limites do seu DNA que, diferentemente de seus ancestrais, você pode realmente mudar". TeloYears, 2018, https://www.teloyears.com/home/.

19. M. W. Snyder, M. Kircher, A. J. Hill *et alii*, "Cell-free DNA Comprises an *in Vivo* Nucleosome Footprint That Informs Its Tissues-of-Origin", *Cell* 164, nº 1–2 (14 de janeiro de 2016): 57–68, https://www.ncbi.nlm.nih.gov/pmc/articles/PM C4715266/.

20. "Global Automotive Level Sensor Market Analysis, Trends, Drivers, Challenges & Forecasts 2018–2022, with the Market Set to Grow at a CAGR of 4.13% — ResearchAndMarkets.com", Business Wire, 2 de maio de 2018, https://www.business wire.com/news/home/20180502005988/en/Global-Automotive-Level-Sensor-Market-Analysis-Trends.

21. O cientista sênior da Universidade de Cincinnati, Jason Heikenfeld, e sua equipe trabalharam com o Laboratório de Pesquisa da Força Aérea dos EUA em Ohio sobre uma maneira simples de acompanhar como os aviadores respondem a tudo, de dieta, estresse e lesões a medicamentos e doenças. Criaram adesivos que estimulam e monitoram o suor e enviam dados para um smartphone J. Heikenfeld, "Sweat Sensors Will Change How Wearables Track Your Health", *IEEE Spectrum*, 22 de outubro de 2014, https://

spec trum.ieee.org/biomedical/diagnostics/sweat-sensors-will-change-how-wearables--track-your-health.

22. A Owlstone já iniciou ensaios clínicos de câncer de pulmão no Reino Unido, testando centenas de pacientes em busca de sinais precoces. No Reino Unido, observa em seu site: "apenas 14,5% das pessoas são diagnosticadas com câncer de pulmão tratável em estágio inicial. Se conseguirmos aumentar para 25%, salvaremos 10 mil vidas só no Reino Unido." D. Sfera, "Breath Test Detects Cancer Markers", Medium, 2 de agosto de 2018, https://medium.com/@TheRealDanSfera/breath-test-detects-cancer-markers-c57dcc86a583. Com os avanços nos tratamentos com medicamentos, a detecção precoce, aponta a empresa, é uma ferramenta mais poderosa para salvar vidas do que o desenvolvimento de novos medicamentos. "A Breathalyzer for Disease", Owlstone Medical, https://www.owlstone medical.com/.

23. Dois exemplos: Öura Ring (https://ouraring.com/) e Motiv Ring (https://my motiv.com/).

24. "Um crescente corpo de evidências sugere que uma série de condições físicas e mentais podem fazer você reprimir suas palavras, alongar sons ou falar em um tom mais nasal." R. Robbins, "The Sound of Your Voice May Diagnose Disease", *Scientific American*, 30 de junho de 2016, https://www.scientificamerican.com/article/the-sound-of-your--voice-may-diagnose-disease/.

25. Os pesquisadores usaram o tempo que as pessoas levaram para pressionar e soltar uma tecla no computador e o converteram em um índice motor da doença de Parkinson. L. Giancardo, A. Sánchez-Ferro, T. Arroyo-Gallego *et alii*, "Computer Keyboard Interaction as an Indicator of Early Parkinson's Disease", *Nature Scientific Reports* 6 (5 de outubro de 2016): 34468, https://www.nature.com/articles/srep34468.

26. Para ter uma descrição mais detalhada do que está por vir, vale a pena ler este livro: E. Topol, *The Creative Destruction of Medicine: How the Digital Revolution Will Create Better Health Care*, edição Kindle (Nova York: Basic Books, 2011).

27. Sou investidor e ex-membro do conselho da InsideTracker, uma empresa da Segterra com sede em Massachusetts, http://www.insidetracker.com/. Investi e aconselho a empresa, além de ser inventor de um pedido de patente apresentado para calcular a idade biológica com base em marcadores conhecidos por mudarem com a idade.

28. O aplicativo é Clue. E. Avey, "'The Clue App Saved My Life': Early Detection Through Cycle Tracking", Clued In, 24 de setembro de 24, 2017, https://medium.com/clued-in/the-clue-app-saved-my-life-early-detection-through-cycle-tracking-91732dd29d25.

29. Nas últimas três décadas, uma nova doença infecciosa apareceu todos os anos em alguma parte do mundo. No total, os pesquisadores colocam o número de vírus desconhecidos em aves e mamíferos que podem infectar seres humanos entre 631 mil e 827 mil. Embora haja esforços em andamento para identificar todos eles, "provavelmente nunca seremos capazes de prever qual será o próximo; até vírus conhecidos como o Zika, descobertos em 1947, podem subitamente se transformar em epidemias imprevistas". E. Yong, "The

Next Plague Is Coming. Is America Ready?", *The Atlantic*, julho-agosto 2018, https://www.theatlantic.com/magazine/archive/2018/07/when-the-next-plague-hits/561734/.

30. L. M. Mobula, M. MacDermott, C. Hoggart *et alii*, "Clinical Manifestations and Modes of Death Among Patients with Ebola Virus Disease, Monrovia, Liberia, 2014", *American Journal of Tropical Medicine and Hygiene* 98, n° 4 (abril de 2018): 1186-93, https://www.ncbi.nlm.nih.gov/pmc/articles/PMC5928808/.

31. As medidas para se preparar para uma futura pandemia que Gates afirma em um editorial e devem ser colocadas em prática incluem a criação de sistemas de saúde pública em países vulneráveis a epidemias e a imitação de como os militares se preparam para a guerra com "jogos biológicos e outros exercícios de preparação para que possamos melhor entender como as doenças se espalharão, como as pessoas responderão em pânico e como lidar com coisas como estradas e sistemas de comunicação sobrecarregados". B. Gates, "Bill Gates: A New Kind of Terrorism Could Wipe Out 30 Million People in Less than a Year — and We Are Not Prepared", Business Insider, 18 de fevereiro de 2017, http://www.business insider.com/bill-gates-op-ed-bio-terrorism-epidemic-world-threat-2017-2.

32. Foi somente após a aprovação de uma lei de 2009 que as empresas tiveram que informar ao público e ao governo sobre qualquer violação. Desde então, o volume de violações a prestadores de serviços de saúde aumentou constantemente, passando de 150 em 2010 para 250 sete anos depois. Consumer Reports, "Hackers Want Your Medical Records. Here's How to Keep Your Info from Them", *Washington Post*, 17 de dezembro de 2018, https://www.washingtonpost.com/national/health-science/hackers-want-your-medical-records-heres-how-to-keep-your-info-from-them/2018/12/14/4a9c9ab4-fc9c-11e8-ad-40-cdfd0e0dd65a_story.html?utm_term=.ea4e14662e4a.

33. A. Sulleyman, "NHS Cyber Attack: Why Stolen Medical Information Is So Much More Valuable than Financial Data", *Independent*, 12 de maio de 2017, https://www.independent.co.uk/life-style/gadgets-and-tech/news/nhs-cyber-attack-medical-data-records-stolen-why-so-valuable-to-sell-financial-a7733171.html.

34. S. S. Dominy, C. Lynch, F. Ermini *et alii*, "*Porphyromonas gingivalis* in Alzheimer's Disease Brains: Evidence for Disease Causation and Treatment with SmallMolecule Inhibitors", *Science Advances* 5, n° 1 (23 de janeiro de 2019), http://advances.sciencemag.org/content/advances/5/1/eaau3333.full.pdf.

35. Essa taxa continuou nos próximos anos, graças ao menor número de idosos que necessitam de hospitalização por pneumonia. "Em 2009, mais da metade do declínio nacional das hospitalizações por pneumonia poderia ser atribuído a adultos mais velhos, com cerca de 70 mil hospitalizações anuais a menos para aqueles com 85 anos ou mais". "Infant Vaccine for Pneumonia Helps Protect Elderly", VUMC Reporter, 11 de julho de 2013, http:// news.vumc.org/2013/07/11/infant-vaccine-for-pneumonia-helps-protect-elderly/.

36. M. R. Moore, R. Link-Gelles, W. Schaffner *et alii*, "Impact of 13-Valent Pneumococcal Conjugate Vaccine Used in Children on Invasive Pneumococcal Disease in Children and Adults in the United States: Analysis of Multisite, Population-Based Surveillance",

*Lancet Infectious Diseases* 15, nº 3 (março de 2015): 301–09, https:// www.ncbi.nlm.nih.gov/pmc/articles/PMC4876855/.

37. Se você tem um animal de estimação, ele pode receber a vacina contra a doença de Lyme nos EUA.

38. "'O modelo [de pesquisa e desenvolvimento] está quebrado', disse Kate Elder, consultora de política de vacinas da Médicos sem Fronteiras. 'As prioridades são escolhidas com base em onde está o dinheiro… doenças predominantemente no mundo desenvolvido', disse ela." H. Collis, "Vaccines Need a New Business Model", *Politico*, 27 de abril de 2016, https://www.po litico.eu/article/special-report-vaccines-need-a-new-business-model/.

39. "A análise foi conduzida por Ronald Evens, professor adjunto de pesquisa da Tufts CSDD e da Tufts University School of Medicine, e professor adjunto da School of Pharmacy and Health Sciences at University of the Pacific, usando dados de relatórios da empresa, relatórios periódicos de biotecnologia da Pharmaceutical Research and Manufacturers of America, dados de vendas IMS e bancos de dados do FDA e Tufts CSDD. M. Powers, "Tufts: The Vaccine Pipeline Is Soaring and Global Sales Could Hit $40B by 2020", BioWorld, 21 de abril de 2016, http:// www.bioworld.com/content/tufts-vaccine-pipe-line-soaring-and-global-sales-could-hit-40b-2020.

40. A África suportou o peso de mais de 90% dos casos e mortes de malária no mundo. "Malaria", World Health Organization, 19 de novembro de 2018, https://www.who.int/news-room/fact-sheets/detail/malaria.

41. "Gana, Quênia e Malawi participarão do programa-piloto de vacinas contra a malária da OMS", World Health Organization, Regional Office for Africa, 24 de abril de 2017, http://www.afro.who.int/news/ghana-kenya-and-malawi-take-part-who-malaria-vacci-ne-pilot-programme.

42. Crises como um surto de Ebola destacam uma falha na pesquisa e no desenvolvimento de medicamentos, disseram pesquisadores a um repórter do *Boston Globe*. A menos que haja preocupação pública, pesquisadores e empresas farmacêuticas têm "pouco incentivo para desenvolver vacinas e medicamentos para doenças pouco vistas." Y. Abutaleb, "Speeding Up the Fight Against Ebola, Other Diseases", *Boston Globe*, 22 de agosto de 2014, https:// www.bostonglobe.com/metro/2014/08/21/faster-development-vaccines-an-d-drugs-targeting-diseases-such-ebola-horizon/yrkrN56VgehrSzCtETPzzH/story.html.

43. Uma estatística igualmente preocupante é que todos os dias 20 pessoas morrem esperando por um transplante, enquanto apenas um doador de órgãos pode salvar 8 vidas. "Transplant Trends", United Network for Organ Sharing, https://unos.org/data/.

44. Dito isso, Crouch observa, no épico de Tom Cruise, *Missão Impossível — Fallout*, o personagem de 56 anos de idade, Ethan Hunt, parece reconhecer que com o avanço dos anos vêm limitações, como, por exemplo, precisar de um dublê mais jovem para ajudá-lo a derrotar um vilão em uma longa briga ou ter olhos para namoradas cada vez mais jovens. I. Crouch, "The Wilford Brimley Meme That Helps Measure Tom Cruise's Agelessness", "Rabbit Holes", *The New Yorker*, 11 de agosto de 2018, https://

www.newyorker.com/culture/rabbit-holes/the-wilford-brimley-meme-that-helps-measure-tom-cruises-agelessness.

### OITO: A FORMA DAS COISAS DO FUTURO

1. A. Jenkins, "Which 19th century physicist famously said that all that remained to be done in physics was compute effects to another decimal place?", Quora, 26 de junho de 2016, https://www.quora.com/Which-19th-century-physicist-famously-said-that-all-that-remained-to-be-done-in-physics-was-compute-effects-to-another-decimal-place.

2. "*The Road Ahead* (Bill Gates book)", Wikipedia, https://en.wikipedia.org/wiki/The_Road_Ahead_(Bill_Gates_book)#cite_note-Weiss06-3.

3. Kelly acrescentou um ponto-chave a esse excelente mantra: "É por meio do uso que descobrimos para que servem as coisas." O que talvez seja outra maneira de dizer: "Siga o fluxo e veja aonde isso o leva." J. Altucher, "One Rule for Predicting What You Never Saw Coming.", The Mission, 15 de julho de 2016, https://medium.com/the-mission/kevin-kelly-one-rule-for-predicting-what-you-never-saw-coming-1e9e4eeae1da.

4. L. Gratton e A. Scott, *The 100 Year Life: Living and Working in an Age of Longevity* (Londres e Nova York: Bloomsbury Publishing, 2018).

5. Uma frase que se originou com o teólogo Theodore Parker, mas ficou famosa com o Dr. Martin Luther King, Jr., e foi usada várias vezes pelo presidente Barack Obama.

6. Era uma época de densidade populacional suficiente quando as pessoas começaram a se interessar por sua imagem, mudando notavelmente a aparência com contas e pigmentos. E. Trinkaus, "Late Pleistocene Adult Mortality Patterns and Modern Human Establishment", *Proceedings of the National Academy of Sciences of the United States of America* 108, nº. 4 (25 de janeiro de 2011): 12267–71, https://www.ncbi.nlm.nih.gov/pubmed/21220336.

7. Até 4 mil anos atrás, o número de pessoas era mínimo, de acordo com um escritor do Global Environmental Alert Service. Desde então, o crescimento aumentou cada vez mais rápido, com a taxa atingindo o pico na década de 1960. Em 2012, a ONU estimou que até o fim do século a população mundial será de 10,1 bilhões. "One Planet, How Many People? A Review of Earth's Carrying Capacity", UNEP Global Environmental Alert Service, junho de 2012, https://na.unep.net/geas/archive/pdfs/geas_jun_12_carrying_capacity.pdf.

8. Sentimentos parecidos são mantidos pelo público norte-americano, de acordo com uma pesquisa do Pew Research Center, que constatou que 59% adotaram uma "visão pessimista sobre o crescimento da população, dizendo que será um grande problema, porque não haverá comida e recursos suficientes para continuar". "Attitudes and Beliefs on Science and Technology Topics", Pew Research Center, Science & Society, 29 de janeiro de 2015, http:// www.pewinternet.org/2015/01/29/chapter-3-attitudes-and-beliefs-on-science-and-technology-topics/#population-growth-and-natural-resources-23-point-gap.

9. M. Blythe, "Professor Frank Fenner, Microbiologist and Virologist", Australian Academy of Science, 1992 e 1993, https://www.science.org.au/learning/general-audience/history/interviews-australian-scientists/professor-frank-fenner.

10. Fenner comparou o destino da humanidade com o dos residentes da Ilha de Páscoa, que foram dizimados em 1600 por confiar nas florestas que eles mesmos haviam derrubado. A diminuição das fontes de alimentos, seguida pela guerra civil e pela chegada de marinheiros estrangeiros que trouxeram violência e doença, fez sua população cair para 111 indivíduos até 1872. Embora os números tenham se recuperado desde então, as visões de Fenner sobre o futuro da humanidade não sustentavam uma possibilidade tão generosa, disse ele a um repórter do *Australian*. "Conforme a população cresce para 7, 8 ou 9 bilhões, haverá muito mais guerras por comida", disse ele. "Os netos das gerações atuais enfrentarão um mundo muito mais difícil." C. Jones, "Frank Fenner Sees No Hope for Humans", *Australian*, 16 de junho de 2010, https://www.theaustralian.com.au/higher-education/frank-fenner-sees-no-hope-for-humans/news=-story8/77d0806f8a3591a47013d7f75699d9b?nk-099645834c69c221f 8ecf836d72b8e4b-1520269044.

11. "Há 925 milhões de pessoas que passam fome todos os dias, apesar da incrível prosperidade econômica que desfrutamos nos últimos 60 anos", escreveu Michael Schuman em um artigo sobre as previsões de Malthus para a revista *Time*. "E duas vezes nos últimos três anos sofremos picos desestabilizadores no custo dos alimentos que prenderam dezenas de milhões na pobreza. Hoje, os preços estão quase no máximo histórico." M. Schuman, "Was Malthus Right?", *Time*, 15 de julho de 2011, http://business.time.com/2011/07/15/was-malthus-right/.

12. P. R. Ehrlich, *The Population Bomb* (Nova York: Ballantine Books, 1968), 1.

13. *Ibidem*, 3.

14. Algumas das estatísticas são simplesmente espantosas. Não apenas nossa população global cresce 83 milhões por ano, mas "consumimos mais recursos nos últimos 50 anos do que toda a humanidade antes de nós". https://population.un.org/wpp/DataQuery/

15. "Municipal Solid Waste", Environmental Protection Agency, 29 de março de 2016, https://archive.epa.gov/epawaste/nonhaz/municipal/web/html/.

16. Se você usar o secador duas vezes por ano, de acordo com uma coluna do *Guardian* sobre a pegada de carbono dos itens do dia a dia, geraria aproximadamente meia tonelada de $CO_2$. M. Berners-Lee e D. Clark, "What's the Carbon Footprint of a Load of Laundry?", *Guardian*, 25 de novembro de 2010, https://www.theguardian.com/environment/green-living-blog/2010/nov/25/carbon-footprint-load-laundry.

17. Os alunos do MIT estimaram que "se você mora em uma caixa de papelão ou em uma mansão luxuosa, se subsiste com vegetais cultivados em casa ou devora bifes importados, sendo você da alta sociedade ou um aposentado sedentário, quem mora nos EUA contribui duas vezes mais com o efeito estufa na atmosfera do que a média global". Massachusetts Institute of Technology, "Carbon Footprint of Best Conserving Ame-

ricans Is Still Double Global Average", Science Daily, https://www.sciencedaily.com/releases/2008/04/080428120658.htm.

18. Residentes de Luxemburgo, Qatar, Austrália e Canadá têm níveis médios de consumo e desperdício maiores, de acordo com a Global Footprint Network, https:// www.footprintnetwork.org/.

19. "Country Overshoot Days", Earth Overshoot Day, https://www.overshootday.org/about-earth-overshoot-day/country-overshoot-days/.

20. O economista de Yale William D. Nordhaus argumentou que, embora 2 °C não sejam possíveis, 2,5 ° podem, embora sejam necessárias medidas políticas globais extremas para chegar lá. W. D. Nordhaus, "Protections and Uncertainties about Climate Change in an Era of Minimal Climate Policies", Cowles Foundation for Research in Economics, Yale University, dezembro de 2016, https://cowles.yale.edu/sites/default/files/files/pub/d20/d2057.pdf.

21. O professor da Universidade Estadual da Pensilvânia, David Titley, evoca uma poderosa metáfora para gradações nos limites de temperatura acima de 2 °C. Pense em 2° como a velocidade de 50km/h para um caminhão que desce uma colina. Então, cada fração ou grau inteiro além de 2 aumenta a velocidade do caminhão e, consequentemente, as chances cada vez maiores de desastre. D. Titley, "Why Is Climate Change's 2 Degrees Celsius of Warming Limit So Important?", The Conversation, 23 de agosto de 2017, https:// theconversation.com/why-is-climate-changes-2-degrees-celsius-of-warming-limit-so-important-82058.

22. A Grande Barreira de Corais não é apenas um dos ecossistemas mais impressionantes do mundo, mas uma grande parte da indústria de turismo da Austrália. Arrecada US$4,5 bilhões anuais em receita de turistas e gera empregos para 70 mil pessoas. B. Kahn, "Bleaching Hits 93 Percent of the Great Barrier Reef", *Scientific American*, 20 de abril de 2016, https://www.scientificamerican.com/article/bleaching-hits-93-per cent-of-the-great-barrier-reef/.

23. A menos que o aumento da temperatura global seja mantido em 1,5 °C, o recife, cuja área equivale ao tamanho da Itália, não sobreviverá, concluíram os cientistas. N. Hasham, "Australian Governments Concede Great Barrier Reef Headed for 'Collapse'", *Sydney Morning Herald*, 20 de julho de 2018, https://www.smh.com.au/politics/federal/australian-governments-concede-great-barrier-reef-headed-for-collapse-20180720-p4zsof.html.

24. Até o fim do século, preveem os cientistas, o nível do mar poderá subir entre 0,5 e 1,4 metro. Uma subida de 5 metros poderia inundar 3,2 milhões de quilômetros quadrados de costas, afetando 670 milhões de pessoas. À medida que as águas quentes afetam o gelo da Groenlândia e da Antártica, elas acelerarão o ritmo do aumento do nível do mar em todo o mundo. "Study Says 1 Billion Threatened by Sea Level Rise", Worldwatch Institute, 27 de janeiro de 2019, http://www.worldwatch.org/node/5056.

25. A OMS divide sua estimativa de 250 mil mortes extras devido às mudanças climáticas por ano entre 2030 e 2050 nessas categorias: exposição ao calor matando idosos (38 mil), diarreia (48 mil), malária (60 mil) e desnutrição infantil (95 mil). "Climate Change

26. *Wissenschaftliche Selbstbiographie* de Max Planck foi traduzido do alemão por Frank Gaynor e publicado como *A Scientific Autobiography* em 1949 por Greenwood Press Publishers, Westport, Connecticut.

27. O Brexit é um bom exemplo, observou Onder. Enquanto apenas ¼ dos jovens votou para deixar a União Europeia, seis em cada dez pessoas com 65 anos ou mais votaram para sair. H. Onder, "The Age Factor and Rising Nationalism", Brookings, 18 de julho de 2016, https://www.brookings.edu/blog/future-development/2016/07/18/the-age-factor-and-rising-nationalism/.

28. Aqueles com 80 anos ou mais — o "mais velho", de acordo com a ONU — estão aumentando em número mais rapidamente do que os idosos (acima de 60 anos) no geral. Em 2015, havia 125 milhões de pessoas com mais de 80 anos; até 2050, espera-se que esteja perto de 450 milhões Department of Economic and Social Affairs, Population Division, *World Population Ageing 2015* (Nova York: United Nations, 2015), http://www.un.org/en/development/desa/population/publications/pdf/ageing/WPA2015_Report.pdf.

29. "Strom Thurmond's Voting Records", Vote Smart, https://votesmart.org/candidate/key-votes/53344/strom-thurmond.

30. Em um trabalho incisivo na *Nation*, a UCLA e a professora Kimberlé Williams Crenshaw, da Columbia Law 'School, destacaram alguns dos padrões duplos abomináveis que cercavam Thurmond. "Para a maioria dos críticos do racismo sexual, este é simplesmente um caso de homem branco fugindo de um comportamento sexual que teria enviado um homem afro-americano à sua morte", escreveu ela. De fato, em 1942, o juiz Thurmond enviou um homem negro para a cadeira elétrica "com base na identificação de uma suposta vítima de estupro, testemunho agora conhecido por ser extremamente não confiável." K. W. Crenshaw, "Was Strom a Rapist?", *Nation*, 26 de fevereiro de 2004, https://www.thenation.com/article/was-strom-rapist/.

31. As únicas alternativas dos idosos pobres eram a família, os amigos ou um abrigo. B. Veghte, "Social Security, Past, Present and Future", National Academy of Social Insurance, 13 de agosto de 2015, https://www.nasi.org/discuss/2015/08/social-security%E2%80%99s-past-present-future.

32. Homens que atingiram a idade de 65 anos em 1940 viveram em média por mais 12,7 anos. Em 1990, essa média havia subido para 15,3 anos. A expectativa média de vida das mulheres para o mesmo período (supondo que elas também tenham sobrevivido a 65 anos) aumentou em quase 5 anos, para 19,6 anos. "Life Expectancy for Social Security", Social Security, https://www.ssa.gov/history/lifeexpect.html.

33. Em 2015, cerca de 8% dos idosos estavam abaixo da linha da pobreza. "Per Capita Social Security Expenditures and the Elderly Poverty Rate, 1959–2015", The State of Working America, 26 de setembro de 2014, http://www.stateofworkingamerica.org/chart/swa-poverty-figure-7r-capita-social-security/.

34. "Actuarial Life Table", Social Security, 2015, https://www.ssa.gov/oact/STATS/table4c6.html.

35. William Safire localizou a fonte dessa citação para o *New York Times* em 2007: Kirk O'Donnell era um dos principais assessores de Tip O'Neill. W. Safire, "Third Rail", *New York Times*, 18 de fevereiro de 2007, http://www.nytimes.com/2007/02/18/magazine/18wwlnsafire.t.html.

36. "Social Security Beneficiary Statistics", Social Security, https://www.ssa.gov/oact/STATS/OASDIbenies.html.

37. "Quick Facts: United States", United States Census Bureau, https://www.census.gov/quickfacts/fact/table/US/PST045217.

38. Os eleitores mais velhos têm um impacto maior no que diz respeito às primárias, de acordo com o professor de administração pública de Harvard, Stephen Ansolabe. "Os idosos tendem a votar com mais frequência nas primárias", diz ele. "E como a participação primária tende a ser menor, isso significa que a coligação pode ser ainda mais importante." D. Bunis, "The Immense Power of the Older Voter", *AARP Bulletin*, 30 de abril de 2018, https://www.aarp.org/politics-society/government-elections/info-2018/power-role-older-voters.

39. Os dias de férias de verão (deixando as capitais da Europa continental quase vazias), a aposentadoria antecipada e o seguro médico estão se tornando uma coisa do passado na Europa, escreveu Edward Cody, do *Washington Post*. "Na nova realidade, os trabalhadores foram forçados a aceitar congelamentos de salários, diminuição de horas, adiamento de aposentadorias e reduções de assistência médica". E. Cody, "Europeans Shift Long-Held View That Social Benefits Are Untouchable", *Washington Post*, 24 de abril de 2011, https:// www.washingtonpost.com/world/europeans-shift-long-held-view-that-social-benefits-are-untouchable/2011/02/09/AFLdYzdE_story.html?utm_term=.bcf29d 628eea.

40. Parte da razão pela qual existe uma diferença tão acentuada na expectativa de vida, segundo os pesquisadores de saúde pública, é o desaparecimento do tabagismo no estilo de vida dos ricos e instruídos. S. Tavernise, "Disparity in Life Spans of the Rich and the Poor Is Growing", *New York Times*, 12 de fevereiro de 2016, https://www.nytimes.com/2016/02/13/health/disparity-in-life-spans-of-the-rich-and-the-poor-is-growing.html.

41. Joint Committee on Taxation, U.S. Congress, "History, Present Law, and Analysis of the Federal Wealth Transfer Tax System", JCX-52-15, 16 de março de 2015, https://www.jct.gov/publications.html?func=startdown&id=4744.

42. "SOI Tax Stats—Historical Table 17", IRS, 21 de agosto de 2018, https://www.irs.gov/statistics/soi-tax-stats-historical-table-17.

43. Cavalos puxando carruagens cobriam as ruas com esterco. Cadáveres apodreciam em cemitérios transbordando. Lixo empilhado nas ruas. L. Jackson, *Dirty Old London: The Victorian Fight Against Filth* (New Haven, CT: Yale University Press, 2015).

44. W. Luckin, "The Final Catastrophe — Cholera in London, 1886", *Medical History* 21, nº 1 (janeiro de 1977): 32–42, https://www.ncbi.nlm.nih.gov/pmc/articles/PMC1081893/?page=5.

45. H.G. Wells destacou a possibilidade de destruição do mundo decorrente da divisão do átomo, escreveu Brian Handwerk, do *Smithsonian*, bem como a ameaça de dispositivos portáteis capazes de destruição em massa. "Wells também viu os perigos da proliferação nuclear e os cenários do dia do Juízo Final que podem surgir quando as nações forem capazes de 'destruição mutuamente garantida' e quando atores não estatais ou terroristas entrarem em conflito." B. Handwerk, "The Many Futuristic Predictions of H. G. Wells That Came True", smithsonian.com, 21 de setembro de 2016, https://www.smithsonianmag.com/arts-culture/many-futuristic-predictions-hg-wells-came-true-180960546/.

46. Segundo o autor e historiador de cinema Mark Clark, o clássico de ficção científica de Wells *Things to Come*, e o filme subsequente de 1936, que Clark alega ter sido feito sob o controle criativo do autor, foi sua tentativa de "salvar o mundo". Literalmente. É a história de um mundo atormentado pela guerra, apenas para ser oferecida salvação pelos aviadores. "Eles são uma sociedade de cientistas e engenheiros que, escondidos do resto do mundo, fizeram grandes avanços científicos e agora estão preparados para levar a humanidade a um futuro melhor — desde que ela se submeta a seu governo benevolente. M. Clark, "Common Thread: Wells and Roddenberry", Onstage and Backstage, 29 de julho de 2013, https://onstageandbackstage.wordpress.com/tag/gene-roddenberry/.

47. Clark apontou que a escrita de tema utópico de Wells refletiu no trabalho de Roddenberry. *Ibidem*.

48. Como Wells observou em seus escritos, essas são as duas únicas opções para a humanidade.

49. A. van Leeuwenhoek, "Letters 43–69", Digitale Bibliotheek oor de Nederlandse, 25 de abril de 1679, http://www.dbnl.org/tekst/leeu027alle03_01/leeu027alle03_01_0002.php#b0043.

50. Há muito que perdemos a batalha para equilibrar a evolução tecnológica de bens e serviços com o impacto ambiental do crescimento populacional. "Um planeta, quantas pessoas?"

51. Edward O. Wilson, *The Future of Life* (2002; repr., Nova York: Vintage Books), 33. Em uma crítica do *New Yorker* (4 de março de 2002): "Wilson, um eminente biólogo evolucionário, mostra até que ponto a prosperidade humana, mesmo na era da informação, repousa sobre os alicerces de um mundo natural diversificado, já que quanto mais espécies um ecossistema tiver, mais estável e produtivo ele será."

52. Em nenhum lugar o debate foi maior do que na Austrália. Os holandeses podem ter sido os primeiros europeus a descobrir a grande terra do sul, Terra Australis, mas foram os britânicos que colonizaram a faixa costeira habitável do sudeste em 1788. Cem anos depois que os prisioneiros deram os primeiros passos nas praias de Sydney e a maioria dos habitantes originais foi expulsa ou exterminada por armas de fogo e varíola, os britânicos estavam cheios de otimismo em relação ao futuro do país. Isso fazia sentido: as colônias americanas estavam prosperando, embora um pouco demais para os gostos britânicos,

e o continente australiano era tão grande quanto a América. Em 1888, uma história no *Spectator* parecia uma orgulhosa mãe falando sobre o futuro de seu filho, com apenas uma pitada de racismo, sexismo e desdém pelos americanos: "Existe toda uma probabilidade razoável de que, em 1988, a Austrália seja uma República Federal, povoada por 50 milhões de homens de língua inglesa, que, originários das mesmas raças dos americanos da União, terão desenvolvido um tipo separado e reconhecível. Os australianos, concebemos, com um clima mais genial e mais quente, sem tradições puritanas, e com riqueza entre eles desde o início, será um povo mais suave, embora não mais fraco, que gosta de luxo e é mais preparado para apreciar arte. O descontentamento que permeia todo o caráter norte-americano estará ausente e, se não for exatamente mais feliz, ficará mais à vontade. O australiano típico será um homem mais ensolarado." "Topics of the Day: The Next Centenary of Australia", *Spectator* 61 (28 de janeiro de 1888): 112–13.

Embora a previsão sobre a solidão masculina australiana e a relativa escassez de puritanismo estivesse certa, ela estava errada. Após 1888, a população da Austrália cresceu menos da metade da velocidade prevista, em grande parte devido à ausência de terras aráveis. Em 2018, o país tinha uma população de apenas 25 milhões, mas a maioria dos australianos discorda de Sheridan, ainda mais depois de algumas cervejas. Eles acreditam que o país já está superlotado e a terra está se aproximando de sua capacidade de carga. As chamadas para limitar a imigração dominam conversas, talk shows e política há três décadas, muito antes de estar na moda nos Estados Unidos. Muitos estão profundamente descontentes com os crescentes custos de moradia e os tempos de deslocamento. Alguns são simplesmente racistas. Outros são alarmistas profissionais. Ted Trainer, a resposta da Austrália a Paul Ehrlich, argumenta que os níveis de consumo humano e uso de recursos já são insustentáveis. Sei porque fiz o curso universitário dele em 1988. Segundo Trainer, a gasolina acabaria antes dos anos 2000 e nós todos deveríamos estar morrendo de fome agora. A versão da utopia de Trainer é seu estilo de vida alternativo, uma fazenda educacional descuidada a uma hora de carro ao sul de Sydney, chamada Pigface Point. Passei um dia lá, aprendendo pelo exemplo, entre outras coisas, que para salvar o mundo precisamos começar a viver em fazendas de três acres, usar fornos movidos a energia solar para cozinhar ovos caseiros e viajar uma hora em cada direção, com um carro enferrujado e soltando fumaça para dar palestras sobre vida sustentável. Sim, temos grandes problemas a resolver — as mudanças climáticas são as mais ameaçadoras. Mas, ao contrário dos ensinamentos de Trainer, a tecnologia não é o inimigo. Na saga da história humana, a tecnologia finalmente veio em nosso socorro. Para a maioria de nós, nossa vida diária está melhorando e continuará a melhorar, assim como Londres em 1840 e Nova York em 1900. Há mais pessoas do que nunca nas cidades da América do Norte, Europa e Australásia, mas hoje o impacto de cada ser humano está diminuindo e, ao contrário do que me foi ensinado na década de 1980 sobre o futuro, as cidades estão ficando mais limpas. Estamos mudando rapidamente do petróleo para o gás natural, a energia solar e a eletricidade. Uma visita a Bangcoc costumava provocar problemas respiratórios. Agora, há céu azul. Quando cheguei a Boston em 1995, um pingo de água do porto poderia levá-lo ao hospital — ou ao túmulo. Agora, é seguro para nadar.

53. E. C. Ellis, "Overpopulation Is Not the Problem", *The New York Times*, 13 de setembro de 2013, https://www.nytimes.com/2013/09/14/opinion/overpopulation-is-not-the--problem.html.

54. "World Population Projections", Worldometers, http://www.worldometers.info/world--population/world-population-projections/.

55. Ibid. and Population Division, Department of Economic and Social Affairs, United Nations Secretariat, "2017 Revision of World Population Prospects", https://population.un.org/wpp/.

56. O argumento é simples: ao melhorar a saúde das crianças para não morrerem cedo, as famílias têm menos filhos. B. Gates, "Does Saving More Lives Lead to Overpopulation?", YouTube, 13 de fevereiro de 2018, https:// www.youtube.com/watch?v=obRG-2jurz0.

57. Os outros eram Dinamarca, Finlândia, Noruega, Grã-Bretanha, Alemanha e França. M. Roser, "Share of the Population Who Think the World Is Getting Better", Our World in Data, https://ourworldindata.org/wp-content/uploads/2016/12/Optimistic--about-the-future-2.png.

58. *The Guardian* perguntou: "Até que ponto os jovens terão uma vida melhor ou pior do que a geração dos pais?" Embora os chineses pesquisados estivessem otimistas com o futuro de seus jovens, apenas 20% no Reino Unido pensaram que as coisas seriam melhores para os futuros jovens, com 54% esperando que piorassem. A pesquisa foi realizada diante do aumento dos aluguéis, dos preços das casas e das taxas universitárias na Grã-Bretanha, juntamente com uma queda acentuada nos salários, que por sua vez impulsionou políticas de austeridade. S. Malik, "Adults in Developing Nations More Optimistic than Those in Rich Countries", *Guardian*, 14 de abril de 2014, https://www.theguardian.com/politics/2014/apr/14/developing-nations-more-optimistic-richer-countries-survey.

59. Nos países em desenvolvimento, que ainda podem ter altas taxas de mortalidade infantil, eles também estão vendo declínios nos números. Max Roser, do Our World in Data, destacou que na África subsaariana a mortalidade infantil caiu de forma consistente nos últimos 50 anos; enquanto década de 1960 uma em cada quatro crianças morria, agora é uma em cada dez. M. Roser, "Child Mortality", Our World in Data, https://ourworldindata.org/child-mortality.

60. Steven Pinker, *Enlightenment Now: The Case for Reason, Science, Humanism, and Progress* (Nova York: Viking, 2018), 51.

61. Entre seus encantos, presentes e habilidades, havia um humor ácido e autodepreciativo. Em um almoço para mulheres executivas pouco antes de sua morte, Thompson contou sua última maratona: "Não recebi muita atenção, mesmo estando em primeiro lugar — eu era a única na minha faixa etária." R. Sandomir, "Harriette Thompson, Marathon Runner into Her 90s, Dies at 94", *The New York Times*, 19 de outubro de 2017, https://www.nytimes.com/2017/10/19/obituaries/harriette-thompson-dead-ran-marathons-in--her-90s.html.

62. "Old Age: Personal Crisis, U.S. Problem", *Life*, 13 de julho de 1959, pág. 14–25.

63. O preço que os trabalhadores desempregados mais velhos pagam por essa discriminação é severo. "Quarenta e quatro por cento dos trabalhadores desempregados com 55 anos ou mais estavam desempregados há mais de um ano em 2012, informou um estudo da Pew. Enquanto os trabalhadores mais velhos têm uma taxa de desemprego mais baixa no geral, quem perde o emprego pode achar a longa busca por trabalho insuportável." Muitos são forçados a aproveitar sua Previdência Social, o que põe em risco não apenas seus benefícios, mas também uma aposentadoria financeiramente segura. N. Reade, "The Surprising Truth About Older Workers", *AARP The Magazine*, setembro de 2015, https://www.aarp.org/work/job-hunting/info-07-2013/older-workers-more-valuable.html.

64. Conforme a pesquisa de Fabrizio Carmignani, professor de administração da Universidade de Griffith, na Austrália. F. Carmignani, "Does Government Spending on Education Promote Economic Growth?", The Conversation, 2 de junho de 2016, https://theconversation.com/does-government-spending-on-education-promote-economic-growth-60229.

65. M. Avendano, M. M. Glymour, J. Banks e J. P. Mackenbach, "Health Disadvantage in US Adults Aged 50 to 74 Years: A Comparison of the Health of Rich and Poor Americans with That of Europeans", *American Journal of Public Health* 99, n° 3 (março de 2009): 540-48, https://www.ncbi.nlm.nih.gov/pubmed/19150903.

66. De todos os países europeus, o Reino Unido terá a população ativa mais antiga, depois de definir a idade da aposentadoria para 69 em 2046. "Retirement in Europe", Wikipedia, https://en.wikipedia.org/wiki/Retirement_in_Europe.

67. "Impact of Automation", *Life*, 19 de julho de 1963, 68-88.

68. A. Swift, "Most U.S. Employed Adults Plan to Work Past Retirement Age", Gallup, 8 de maio de 2017, http://news.gallup.com/poll/210044/employed-adults-plan-work-past-retirement-age.aspx?g_source=Economy&g_medium=lead&g_campaign=tiles.

69. Apenas 25% disseram que parariam de trabalhar completamente na idade da aposentadoria, segundo Gallup. Aqueles que planejavam trabalhar em período parcial após a idade da aposentadoria representavam 63% dos entrevistados. *Ibidem*.

70. Em 2014, Massachusetts ficou em 5° lugar no país em relação ao número de patentes emitidas, tendo aumentado 81,3% nos últimos 10 anos em patentes emitidas para inventores estatais. E. Jensen-Roberts, "When It Comes to Patents, Massachusetts Is a Big Player", *Boston Globe*, 9 de agosto de 2015, https://www.bostonglobe.com/magazine/2015/08/08/when-comes-patents-massachusetts-big-player/3AmNfmSE8xWzzNbUnDzvPK/story.html.

71. D. Goldman, "The Economic Promise of Delayed Aging", *Cold Spring Harbor Perspectives in Medicine* 6, n° 2 (18 de dezembro de 2015): a025072, http://perspectivesinmedicine.cshlp.org/content/6/2/a025072.full.

72. Os autores afirmam que "os benefícios sociais, econômicos e de saúde que resultariam de tais avanços podem", da mesma forma que um "dividendo de paz" permite que os países saiam da pobreza, "ser considerados 'dividendos da longevidade' e devem ser perseguidos como a nova abordagem para a promoção da saúde e prevenção de doenças no século

XXI". S. J. Olshansky, D. Perry, R. A. Miller e R. N. Butler, "Pursuing the Longevity Dividend: Scientific Goals for an Aging World", *Annals of the New York Academy of Sciences* 114 (outubro de 2017): 11-13, https://www.ncbi.nlm.nih.gov/pubmed/17986572.

73. Embora 0,1% possa não parecer muito da população global, ainda são 7,8 milhões de pesquisadores em período integral. "Facts and Figures: Human Resources", UNESCO, https://en.unesco.org/node/252277.

74. Se o experimento é familiar, talvez o seja porque sua inspiração veio do assassinato de Kitty Genovese, em 1964, em Queens, Nova York. Seus gritos de ajuda chegaram aos ouvidos de 38 vizinhos, mas nenhum tentou ajudá-la. I. Shenker, "Test of Samaritan Parable: Who Helps the Helpless?", *The New York Times*, 10 de abril de 1971, https://www.nytimes.com/1971/04/10/archives/test-of-samaritan-parable-who-helps-the-helpless.html.

75. Sêneca, o filósofo que viveu de 5 a.C. a 65 d.C., escreveu sobre a brevidade da vida, a arte de viver e a importância da moralidade e da razão. Seneca, *On the Shortness of Life: Life Is Long if You Know How to Use It*, trans. G.D.N. Costa, Penguin Books Great Ideas (Nova York: Penguin Books, 2004).

## NOVE: UM CAMINHO A FRENTE

1. J. M. Spaight, *Aircraft in War* (Londres: Macmillan, 1914), 3.

2. Uma das três leis conhecidas por Clarke, famosas por mérito próprio. As outras duas foram: "A única maneira de descobrir os limites do possível é se aventurar um pouco além do impossível" e "Qualquer tecnologia suficientemente avançada é indistinguível da mágica". A. C. Clarke, "Hazards of Prophecy: The Failure of Imagination", in *Profiles of the Future: An Inquiry into the Limits of the Possible* (Nova York: Orion, 1962), 14, 21, 36

3. L. Gratton e A. Scott, *The 100 Year Life: Living and Working in an Age of Longevity* (Londres e Nova York: Bloomsbury Publishing, 2018).

4. "Foram os dias de Isaque 180 anos. E Isaque expirou, e morreu, e foi recolhido ao seu povo, velho e farto de dias; e Esaú e Jacó, seus filhos, o sepultaram." Gênesis 35:29. Gênesis 35:28, Versão do rei Tiago.

5. Foi inicialmente financiado por um funcionário do Departamento do Tesouro, que ganhava 20 centavos por mês do salário de cada marinheiro mercante para pagar por vários hospitais contratados. "A Short History of the National Institutes of Health", Office of NIH History, https://history.nih.gov/exhibits/history/index.html.

6. É de acordo com o Buck Institute for Research on Aging, que também observou que "se passarmos da pesquisa acadêmica para o dinheiro gasto em aplicações de pesquisa comercializadas por empresas privadas, a fatia mudará bastante. No total, as empresas farmacêuticas gastam o NIH em P&D todos os anos em mais de US$20 bilhões". "Who funds basic aging research in the US?", Fight Aging!, 25 de março de 2015, https://www.fightaging.org/archives/2015/03/who-funds-basic-aging-research-in-the-us/.

7. Os autores destacam a crise que o mundo enfrenta em termos do número crescente de idosos. Estima-se que, em 2050, o número de pessoas com mais de 60 anos seja de pouco mais de 2 bilhões, 5 vezes o número de um século antes. E 1,5 bilhão será de países em desenvolvimento. L. Fontana, B. K. Kennedy, V. D. Longo et alii, "Medical Research: Treat Ageing", *Nature* 511, n° 750 (23 de julho de 2014): 405–7, 24 de julho de 2014, https://www.nature.com/news/medicalresearch-treat-age ing-1.15585.

8. "Estimates of Funding for Various Research, Condition, and Disease Categories (RCDC)", National Institutes of Health, 18 de maio de 2018, https://report.nih.gov/categorical_spending.aspx.

9. R. Brookmeyer, D. A. Evans, L. Hebert et alii, "National Estimates of the Prevalence of Alzheimer's Disease in the United States", *Alzheimer's & Dementia* 7, n° 1 (janeiro de 2011): 61–73, https://www.ncbi.nlm.nih.gov/pmc/articles/PMC3052294/.

10. O norte-americano médio gasta US$1.100 em café por ano. "2017 Money matters report", Acorns, 2017, https://sqy7rm.media.zestyio.com/Acorns2017_MoneyMatters Report.pdf.

11. "Actuarial Life Table", Social Security, 2015, https://www.ssa.gov/OACT/STATS/table4c6.html.

12. Relembrando sua vida em entrevista com Jordana Cepelewicz, da Nautilus, Hayflick observou que o dinheiro de pesquisas do envelhecimento não foi para onde achava que deveria. A maioria dos estudos sobre o envelhecimento se concentra em determinantes da longevidade ou doenças relacionadas à idade, disse ele. "Menos de 3% do orçamento do National Institute on Aging, na década passada ou mais, foram gastos em pesquisas sobre a biologia fundamental do envelhecimento." J. Cepelewicz, "Ingenious: Leonard Hayflick", *Nautilus*, 24 de novembro de 2016, http://nautil.us/issue/42/fakes/ingenious-leonard-hayflick.

13. O filme *Gattaca* é sobre uma sociedade futura impulsionada pela eugenia, na qual as crianças são selecionadas geneticamente para garantir que possuam as melhores características hereditárias. Um pai pergunta ao geneticista: "Estávamos imaginando se deveríamos deixar algumas coisas ao acaso." O geneticista responde: "Você quer dar ao seu filho o melhor começo possível. Acredite, já temos imperfeições suficientes. Seu filho não precisa de mais um fardo." A. Nicols, director, *Gattaca*, 1997.

14. Os autores calcularam que "de 1970 a 2000, os ganhos na expectativa de vida adicionaram cerca de US$3,2 trilhões *ao ano* à riqueza nacional, com metade desses ganhos devido ao progresso somente em relação a doenças cardíacas." Uma cura para o câncer "valeria cerca de US$50 *trilhões*." K. M. Murphy e R. H. Topel, "The Value of Health and Longevity", *Journal of Political Economy* 114, n° 5 (outubro de 2006): 871–904, https://ucema.edu.ar/u/je49/capital_humano/Murphy_Topel_JPE.pdf.

15. D. Goldman, B. Shang, J. Bhattacharya e A. M. Garber, "Consequences of Health Trends and Medical Innovation for the Future Elderly", *Health Affairs* 24, supl. 2 (fevereiro de 2005): W5R5–17, https://www.researchgate.net/publication/7578563_Consequences_Of_Health_Trends_And_Medical_Innovation_For_The_Future_Elderly.

16. Para uma boa leitura, recomendo os livros de Bill Bryson. *Notes from a Big Country* (UK)/*I'm a Stranger Here Myself* (USA), 1999; e *Down Under*, 2000, são meus favoritos.

17. Uma frase usada por políticos dos EUA, da Parábola do Sal e da Luz no Sermão da Montanha de Jesus. Em Mateus 5:14, Jesus diz a seus ouvintes: "Vós sois a luz do mundo. Não se pode esconder uma cidade edificada sobre um monte."

18. Está claramente impactando a força de trabalho. A tendência de viver mais "é um fator que contribui para um aumento constante da taxa de participação da força de trabalho dos australianos mais velhos, especialmente mulheres", escreveu Matt Wade no jornal *Sydney Morning Herald*. "Cerca de 1 em cada 5 trabalhadores australianos tem agora mais de 55 anos, em comparação com menos de um em cada 10 nas décadas de 1980 e 1990". M. Wade, "Trend for Australians to Live Longer Reshapes Economy", *Sydney Morning Herald*, 12 de agosto de 2018, https://www.smh.com.au/business/the-economy/trend-for-australians-to-live-longer-reshapes-econ omy-20180810-p4zwuv.html?btis.

19. O que significa "Medicare for all"? De acordo com um artigo da CNBC, a Reuters define como "um sistema de financiamento público com entrega privada, com todas as pessoas registradas e todos os serviços médicos necessários cobertos". Enquanto isso, o custo dos cuidados de saúde para os cidadãos americanos continua subindo. "A franquia média anual dos planos de saúde patrocinados pelo empregador, que compõem a maioria dos planos nos EUA, foi de US$1.505 em 2017, em comparação com US$303 em 2006", segundo a Fundação Kaiser Family, escreveu Yoni Blumberg para a CNBC Make It. Y. Blumberg, "70% of Americans Now Support Medicare-for-All—Here's How Single-Payer Could Affect You", CNBC Make It, 28 de agosto de 2018, https://www.cnbc.com/2018/08/28/most-americans-now-support-medicare-for-all-and-free-college-tuition.html.

20. "Australians Living Longer but Life Expectancy Dips in US and UK", *Guardian*, 16 de agosto de 2018, https://www.theguardian.com/society/2018/aug/16/australians-living--longer-but-life-expectancy-dips-in-us-and-uk.

21. Os norte-americanos que vivem nas regiões de alta renda desfrutam de 20 anos a mais do que os que vivem nas mais pobres, escreveu o senador Bernie Sanders, e isso deve-se em parte ao que ele chamou de "acesso grosseiramente desigual a cuidados de saúde de qualidade". B. Sanders, "Most Americans Want Universal Healthcare. What Are We Waiting For?", *Guardian*, 14 de agosto de 2017, https://www.theguard ian.com/commentisfree/2017/aug/14/healthcare-a-human-right-bernie-sanders-single-payer-system.

22. De fato, o The Patient Factor lista no topo dos sistemas de saúde do mundo (cortesia da OMS) os seguintes países: (1) França, (2) Itália, (3) San Marino, (4) Andorra, (5) Malta. "World Health Organization's Ranking of the World's Health Systems", The Patient Factor, http://thepatientfactor.com/canadian-health-care-information/world-health-organizations-ranking-of-the-worlds-health-systems/.

23. "My father says that America has the best healthcare system in the world. What can I say to prove him wrong?", Quora, https://www.quora.com/My-father-says-that-America-has-the-best-healthcare-system-in-the-world-What-can-I-say-to-prove-him-wrong.

24. N. Hanauer, "The Pitchforks Are Coming For Us Plutocrats", *Politico*, julho/agosto de 2014, https://www.politico.com/magazine/story/2014/06/the-pitchforks-are-coming-for-us-plutocrats-108014.

25. Veja *International Journal of Astrobiology*, https://www.cambridge.org/core/journals/international-journal-of-astrobiology.

26. P. Dayal, C. Cockell, K. Rice e A. Mazumdar, "The Quest for Cradles of Life: Using the Fundamental Metallicity Relation to Hunt for the Most Habitable Type of Galaxy", *Astrophysical Journal Letters*, 15 de julho de 2015, https://arxiv.org/abs/1507.04346.

27. "List of Nearest Terrestrial Exoplanet Candidates", Wikipédia, https://en.wikipedia.org/wiki/List_of_nearest_terrestrial_exoplanet_candidates.

28. George Monbiot, "Cutting Consumption Is More Important Than Limiting Population", "George Monbiot's Blog", *Guardian*, 25 de fevereiro de 2009, https://www.theguardian.com/environment/georgemonbiot/2009/feb/25/population-emissions-monbiot.

29. S. Pinker, *Enlightenment Now: The Case for Reason, Science, Humanism, and Progress* (Nova York: Penguin Random House, 2018), 333.

30. Um empreiteiro disse à repórter da CNBC Diana Olick que os jovens estão relutantes em deixar os apartamentos alugados pelos proprietários como "resort", uma vez que não podem comprar um apartamento com infraestrutura semelhante. Olick descobriu que os americanos mais jovens "parecem atraídos por uma vida menor e mais simples", citando a tendência de casas minúsculas, sustentada pela tecnologia que equipa pequenos espaços com "grandes facilidades". D. Olick, "Why Houses in America Are Getting Smaller", CNBC, 23 de agosto de 2016, https://www.cnbc.com/2016/08/23/why-houses-in-america-are-getting-smaller.html.

31. Uma startup nova-iorquina de US$20 bilhões chamada WeWork se concentra em oferecer ambientes de trabalho compartilhados com infraestrutura acessível e rápida. A empresa de 8 anos de idade, na época o perfil de negócios do *New York Times* de David Gelles, tinha "construído uma rede de 212 espaços de trabalho compartilhados em todo o mundo" e estava montando um prédio de 15 andares, Dock 72, em East River. Juntamente com um vasto espaço de coworking, "haverá um bar de sucos, um bar de verdade, uma academia com estúdio de boxe, uma quadra de basquete ao ar livre e vistas panorâmicas de Manhattan. Haverá restaurantes e talvez até serviços de lavagem a seco e uma barbearia". D. Gelles, "The WeWork Manifesto: First, Office Space. Next, the World", *The New York Times*, 17 de fevereiro de 2018, https://www.nytimes.com/2018/02/17/business/the-wework-manifesto-first-office-space-next-the-world.html.

32. E não esqueçamos a água que gastamos na produção de colheitas e carne que nunca comemos. As estimativas de 2013 colocam a quantidade de água usada na produção de alimentos em 2050 entre 10 e 13 trilhões de metros cúbicos por ano, o que é 3,5 vezes a quantidade de água doce atualmente consumida pela população do planeta. J. von Radowitz, "Half of the World's Food 'Is Just Thrown Away,'" *Independent*, 10 de janeiro

de 2013, https://www.independent.co.uk/environment/green-living/half-of-the-worlds-food-is-just-thrown-away-8445261.html.

33. Carl R. Woese Institute for Genomic Biology, Universidade de Illinois em Urbana-Champaign, "Scientists Engineer Shortcut for Photosynthetic Glitch, Boost Crop Growth 40%", Science Daily, 3 de janeiro de 2019, https://www.sciencedaily.com/releases/2019/01/190103142306.htm.

34. P. Mirocha e A. Mirocha, "What the Ancestors Ate", Edible Baja Arizona, setembro/outubro de 2015, http://ediblebajaarizona.com/what-the-ancestors-ate.

35. J. Wenz, "The Mother of All Apples Is Disappearing", *Discover*, 8 de junho de 2017, http://blogs.discovermagazine.com/crux/2017/06/08/original-wild-apple-going-extinct/#.W_3i8ZNKjOQ.

36. "A deficiência de vitamina A é a principal causa de cegueira infantil evitável e aumenta o risco de morte por doenças comuns da infância, como diarreia", segundo um relatório da UNICEF no fim de 2017. Ela afirmou que a vitamina A demonstrou "reduzir todas as causas de mortalidade em 12 a 24% e, portanto, é um programa importante em apoio aos esforços para reduzir a mortalidade infantil." "Vitamin A Deficiency", UNICEF, fevereiro de 2019, https://data.unicef.org/topic/nutrition/vitamin-a-deficiency/.

37. Luciano Marraffini e Erik Sontheimer, da Universidade Northwestern, em Evanston, Illinois, foram os primeiros a mostrar como o CRISPR protege as bactérias do DNA estranho: o mecanismo de interferência direciona o DNA diretamente. "Do ponto de vista prático, a capacidade de direcionar a destruição específica e endereçável do DNA poderá ter uma boa utilidade funcional, especialmente se o sistema puder funcionar fora de seu contexto bacteriano ou arqueia nativa", eles escreveram. L. A. Marraffini e E. J. Sontheimer, "CRISPR Interference Limits Horizontal Gene Transfer in Staphylococci by Targeting DNA", *Science* 322, nº 5909 (19 de dezembro de 2008): 1843–45, https://www.ncbi.nlm.nih.gov/pmc/articles/PMC2695655/; veja também J. Cohen, "How the Battle Lines over CRISPR Were Drawn", *Science*, 17 de fevereiro de 2017, https://www.sciencemag.org/news/2017/02/how-battle-lines-over-crispr-were-drawn.

38. M. R. O'Connell, B. L. Oakes, S. H. Sternberg *et alii*, "Programmable RNA Recognition and Cleavage by CRISPR/Cas9", *Nature* 516, nº 7530 (11 de dezembro de 2014): 263–66, https://www.ncbi.nlm.nih.gov/pubmed/25274302.

39. L. Cong, F. A. Ran, D. Cox *et alii*, "Multiplex Genome Engineering Using CRISPR/Cas Systems", *Science* 339, nº 6121 (15 de fevereiro de 2013): 819–23, https://www.ncbi.nlm.nih.gov/pubmed/23287718.

40. Tribunal de Justiça da União Europeia, "Organisms Obtained by Mutagenesis Are GMOs and Are, in Principle, Subject to the Obligations Laid Down by the GMO Directive", 25 de julho de 2018, https://curia.europa.eu/jcms/upload/docs/application/pdf/2018-07/cp180111en.pdf.

41. "Secretary Perdue Statement on ECJ Ruling on Genome Editing", Departamento de Agricultura dos EUA, 27 de julho de 2018, https://www.usda.gov/media/press-releases/2018/07/27/secretary-perdue-statement-ecj-ruling-genome-editing.

42. Os LEDs são pequenos, não maiores que um grão de pimenta, e a mistura de LEDs de cores primárias, como vermelho, verde e azul, resulta em luz branca. "LED Lighting", Energy Saver, https://www.energy.gov/energysaver/save-electricity-and-fuel/lighting--choices-save-you-money/led-lighting.

43. Em 2016, a Cidade dos Anjos alcançou um corte de 11% nas emissões (o mesmo que 737 mil carros saindo das ruas) por meio de um sistema de transporte público aprimorado e investimentos em energia solar, criando ainda "30 mil novos empregos ecológicos", escreveu Matt Simon na *Wired*. M. Simon, "Emissions Have Already Peaked in 27 Cities—and Keep Falling", *Wired*, 13 de setembro de 2018, https://www.wired.com/story/emis sions-have-already-peaked-in-27-cities-and-keep-falling/.

44. Descobriu-se que a fonte da poluição eram "conexões problemáticas entre os canos que levavam esgoto e os que deveriam levar água da chuva limpa para o rio", de acordo com uma história da Citylab de Stephanie Garlock. Quando acontecia uma tempestade, "tudo nos canos, esgoto e tudo, era despejado diretamente no Charles e seus afluentes através de canos de drenagem mais antigos." As reformas nos sistemas de esgoto praticamente erradicaram o problema. S. Garlock, "After 50 Years, Boston's Charles River Just Became Swimmable Again", Citylab, 19 de julho de 2013, https://www.citylab.com/life/2013/07/after-50-years-bostons-charles-river-just-became-swimmable-again/6216/.

45. A construção da fazenda custou 200 milhões de dólares australianos e possui uma usina solar composta por 23 mil espelhos que refletem o calor do sol em uma torre solar. Em vez de solo, os tomateiros crescem em "uma solução aquosa alimentada por cascas de coco ricas em nutrientes." E. Bryce, "These Farms Use Sun and Seawater to Grow Crops in the Arid Australian Desert", *Wired*, 14 de fevereiro de 2017, https://www.wired.co.uk/article/sundrop-farms-australian-desert. Veja também a Sundrop Farms, http://www.sun dropfarms.com.

46. Carta de Joseph Wharton, 6 de dezembro de 1880, https://giving.wharton.upenn.edu/wharton-fund/letter-joseph-wharton/.

47. P. Sopher, "Where the Five-Day Workweek Came From", *Atlantic*, 21 de agosto de 2014, https://www.theatlantic.com/business/archive/2014/08/where-the-five-day-workweek-came-from/378870/.

## CONCLUSÃO

1. E. Pesheva, "Rewinding the Clock", Harvard Medical School, 22 de março de 2018, https://hms.harvard.edu/news/rewinding-clock; veja também A. Das, G. X. Huang, M. S. Bonkowski *et alii*, "Impairment of an Endothelial NAD+-H2S Signaling Network Is a Reversible Cause of Vascular Aging", *Cell* 173, nº 1 (março de 2018): 74–89, https://www.sciencedirect.com/science/article/pii/S0092867418301521.

2. J. Li, M. S. Bonkowski, S. Moniot *et alii*, "A conserved NAD+ Binding Pocket That Regulates Protein-Protein Interactions During Aging", *Science* 355, nº 6331 (24 de março de 2017): 1312-17, https://www.ncbi.nlm.nih.gov/pmc/articles/PMC5 456119/.

3. President's Council on Bioethics, *Beyond Therapy: Biotechnology and the Pursuit of Happiness* (Nova York: HarperCollins, 2003), 190.

4. 4. *Ibidem*, 192.

5. 5. *Ibidem*, 200.

6. "ICD-11 for Mortality and Morbidity Statistics: MG2A Old Age", World Health Organization, dezembro de 2018, https://icd.who.int/browse11/l-m/en#/http:// id.who.int/icd/entity/835503193.

7. Bravo Probiotic Yogurt, https://www.bravo-probiotic-yogurt.com/.

8. Y. Guan, S.-R. Wang, X.-Z. Huang *et alii*, "Nicotinamide Mononucleotide, an NAD+ Precursor, Rescues Age-Associated Susceptibility to AKI in a Sirtuin 1– Dependent Manner", *Journal of the American Society of Nephrology* 28, nº 8 (agosto de 2017): 2337-52, https://jasn.asnjournals.org/content/28/8/2337; veja também S. Wakino, K. Hasegawa e H. Itoh, "Sirtuin and Metabolic Kidney Disease", *Kidney International* 88, nº 4 (17 de junho de 2015): 691-98, https://www.ncbi.nlm.nih.gov/pmc/articles/PMC4593995/.

# DAVID SINCLAIR

O Dr. Sinclair está comprometido em transformar as principais descobertas em medicamentos e tecnologias que colaboram para um mundo melhor. Ele está envolvido em várias atividades fora do ensino acadêmico, incluindo ser fundador, proprietário, assessor, membro do conselho de administração, consultor, investidor, colaborador e inventor de patentes vinculadas a empresas que trabalham para melhorar a condição humana, que incluem: Vium; CohBar; Biociência Galileo; Wellomics; A EdenRoc Sciences e suas afiliadas Arc Bio, Dovetail Genomics, Claret Medical, Revere Biosciences, UpRNA, MetroBiotech e Liberty Biosecurity; e Life Biosciences e suas afiliadas Selphagy Therapeutics, Senolytic Therapeutics, Spotlight Therapeutics, Lua, Animal Biosciences, Iduna, Continuum Innovation, Prana (agora Alterity); e Jumpstart Fertility. Ele é inventor de mais de 40 patentes, a maioria licenciada para a indústria ou registrada por empresas, incluindo um pedido de patente apresentado pela Mayo Clinic e a Harvard Medical School, e licenciado para a Elysium Health; os rendimentos desses produtos são doados para pesquisa. Ele dá palestras em conferências, museus, eventos sem fins lucrativos e, ocasionalmente, em empresas, além de fazer parte de conselhos de organizações sem fins lucrativos, incluindo a American Federation for Aging Research e atuar como consultor do Lorraine Cross Award. Para obter uma lista atualizada de atividades, acesse https://genetics.med.harvard.edu/sinclair/ [conteúdo em inglês].

# Escala das Coisas

| | |
|---|---|
| 1 grão de areia = 10 células da pele | 0,5 milímetros |
| 1 célula da pele = 5 células sanguíneas | 50 micrômetros |
| 1 célula sanguínea = 2 X cromossomos ou ~2 células de levedura | 10 micrômetros |
| 1 X cromossomo = 1 célula de levedura = 10 E. coli | 5 micrômetros |
| 1 E. coli ou mitocôndria = 2 M. superstes | 0,5 micrômetros |
| 1 M. superstes = 4 ribossomos | 0,25 micrômetros |
| 1 ribossomo = 6 enzimas catalase | 30 nanômetros |
| 1 enzima catalase = 5 moléculas de glicose | 5 nanômetros |
| 1 molécula de glicose ou aminoácido = aprox. 4-6 moléculas de água | 1 nanômetros |
| 1 molécula de água = 275 mil núcleos atômicos | 0,275 nanômetros |
| 1 núcleo atômico | 1 picômetro |

1 polegada = 25,4 milímetros

1 pé (12 polegadas) = 0,3048 metro

1 jarda (3 pés) = 0,9144 metro

1 milha = 1,6093 quilômetros

1 milhão = $10^6$ (1 com 6 zeros)

1 bilhão = $10^9$ (1 com 9 zeros)

1 trilhão = $10^{12}$ (1 com 12 zeros)

mili = $10^{-3}$ (1 milésimo)

micro = $10^{-6}$ (1 milionésimo)

nano = $10^{-9}$ (1 bilionésimo)

pico = $10^{-12}$ (1 1 mil bilionésimos ou 1 trilionésimo)

32 °F = 0 °C

212 °F = 100 °C

# *Personalidades*

ALEXANDRE GUÉNIOT (1832-1935): Médico francês centenário que escreveu o livro *Pour vivre cent ans* [Como viver até os 100 anos, em tradução livre] *L'Art de prolonger ses jours* [A Arte de Viver um Século, em tradução livre]. Atribuiu grande significado à "força vital hereditária" que ele sugeriu que determina a duração natural da vida humana em nada menos que 100 anos.

ALVISE (LUIGI) CORNARO (1464 ou 1467 - 8 de maio de 1566): Nobre veneziano e patrono das artes que escreveu quatro livros de *Discorsi* sobre o caminho da saúde e da longevidade, que incluíam jejum e sobriedade.

ARTHUR C. CLARKE (16 de dezembro de 1917 - 19 de março de 2008): Escritor de ficção científica e futurista britânico conhecido como "Profeta da Era Espacial". Passou a maior parte de sua vida adulta no Sri Lanka, prevendo o advento das viagens espaciais e dos satélites. Defensor da proteção de gorilas. A paralisia infantil em 1962 deixou sequelas com a síndrome pós-pólio.

ARTHUR PHILLIP (11 de outubro de 1738 - 31 de agosto de 1814): Almirante britânico da Royal Navy e primeiro governador de Nova Gales do Sul; navegou para a Austrália para estabelecer a colônia penal britânica em Botany Bay que, mais tarde, depois de mudar um porto para o norte, se tornou a cidade de Sydney, na Austrália.

BENJAMIN GOMPERTZ (5 de março de 1779 - 14 de julho de 1865): Matemático britânico autodidata, mais conhecido pela Lei de Mortalidade Humana de Gompertz--Makeham, um modelo demográfico (1825). Tornou-se membro da Royal Society e depois atuou na empresa Alliance Assurance, fundada por seu cunhado Sir Moses Montefiore com seu parente Nathan Mayer Rothschild.

CLAUDE E. SHANNON (30 de abril de 1916 - 24 de fevereiro de 2001): Matemático e engenheiro americano que trabalhou no MIT, e é conhecido como o "pai da teoria da informação". Seu artigo "A Mathematical Theory of Communication" (1948) resolveu problemas de perda de informações e sua restauração, conceitos que lançaram as bases para os protocolos TCP/IP que rodam a internet. Seu herói era Thomas Edison, que ele soube mais tarde ser seu parente.

CLIVE M. McCAY (21 de março de 1898 - 8 de junho de 1967): Nutricionista e bioquímico americano que passou décadas na Universidade Cornell pesquisando a soja e a farinha. Mais conhecido por seu trabalho inicial, confirmando que a restrição calórica prolonga a vida dos ratos. Em 1955, ele e sua esposa publicaram *You Can Make Cornell Bread* [Você pode fazer pão de milho, em tradução livre]."

CONRAD H. WADDINGTON (8 de novembro de 1905 - 26 de setembro de 1975): Geneticista e filósofo britânico que lançou as bases da biologia e da epigenética de sistemas. Sua Paisagem de Waddington foi proposta para ajudar a entender como uma célula pode se dividir para se tornar as centenas de diferentes tipos de células no corpo.

CYNTHIA J. KENYON (21 de fevereiro de 1954 -): Geneticista norte-americana que mostrou que as mutações do Daf-2 duplicam o tempo de vida dos nematoides, depois de estudar com o vencedor do Prêmio Nobel, Sydney Brenner, usando os nematoides como organismo modelo. Kenyon é professora da Universidade da Califórnia em São Francisco e vice-presidente da pesquisa sobre envelhecimento na Calico.

DENHAM HARMAN (14 de fevereiro de 1916 - 25 de novembro de 2014): Químico americano que formulou a "Teoria dos Radicais Livres" e a "Teoria do Envelhecimento Mitocondrial". Harman foi um dos fundadores da American Aging Association, corria 3km por dia até os 82 anos e morreu aos 98 anos.

EILEEN M. CRIMMINS: Demógrafa americana da Universidade do Sul da Califórnia, que foi a primeira a combinar indicadores de incapacidade, doença e mortalidade para prever uma expectativa de vida saudável. Ela mostrou que a prevalência de demência em mulheres decorre em grande parte de sua vida mais longa.

ELIZABETH BLACKBURN (26 de novembro de 1948 -): australiana-americana laureada com um Prêmio Nobel que, junto com Carol W. Greider e Jack W. Szostak, descobriu a telomerase, a enzima que estende os telômeros. Em 2004, houve polêmica com sua demissão do President's Council on Bioethics na administração do presidente Bush, supostamente por defender a pesquisa com células-tronco e a pesquisa científica livre de políticas.

GEORGE C. WILLIAMS (12 de maio de 1926 - 8 de setembro de 2010): Biólogo evolucionário americano da Universidade do Estado de Nova York, Stony Brook, conhecido por desenvolver uma visão centrada em genes da evolução e da "Pleiotropia Antagonista", uma teoria importante sobre por que envelhecemos; basicamente, um gene que ajuda os jovens a sobreviverem pode voltar e prejudicá-los quando mais velhos.

H. G. WELLS (21 de setembro de 1866 - 13 de agosto de 1946): Escritor britânico de ficção científica que previu ataques aéreos na Segunda Guerra Mundial, tanques, armas nucleares, televisão por satélite e internet. Mais conhecido por *A Guerra dos Mundos*, *The Shape of Things to Come* [A Forma das Coisas que Virão, em tradução livre] e *A Máquina do Tempo*. Ele queria, em seu epitáfio, a citação de *A Guerra no Ar*: "Eu avisei. Seus tolos."

PERSONALIDADES

JAMES L. KIRKLAND: Médico e biólogo americano na Mayo Clinic em Rochester, Nova York; pioneiro no estudo de células senescentes "zumbis" e no desenvolvimento de medicamentos chamados senolíticos que as matam.

JOHN B. GURDON (2 de outubro de 1933 -): Biólogo britânico que em 1958 clonou um sapo usando um núcleo da célula de um girino adulto, demonstrando que o envelhecimento pode ser redefinido, compartilhando o Prêmio Nobel com Shinya Yamanaka em 2012.

JOHN SNOW (15 de março de 1813 - 16 de junho de 1858): Anestesista inglês e líder na adoção da anestesia e da higiene médica; mais conhecido por seu trabalho de rastreio da fonte de um surto de cólera resultante da bomba d'água em Broad Street no Soho, Londres, em 1854.

JOSEPH BANKS (24 de fevereiro de 1743 - 19 de junho de 1820): Naturalista inglês, botânico e ex-presidente da Royal Society que acompanhou o capitão James Cook em sua viagem ao redor do mundo. Assim como Lord Sydney, ferrenho defensor da colonização da Austrália em Botany Bay, Cape Banks. Homônimo da flor *Banksia*.

LEO SZILARD (11 de fevereiro de 1898 - 30 de maio de 1964): Físico e humanista norte-americano de origem húngara que propôs a DNA Damage Hypothesis of Aging. Escreveu a carta que resultou no Projeto Manhattan. Concebido da reação em cadeia nuclear, energia nuclear, quimiostato, microscópios eletrônicos, inibição de feedback enzimático e clonagem de uma célula humana.

LEONARD HAYFLICK (20 de maio de 1928 -): Biólogo norte-americano que inventou o microscópio invertido; conhecido por sua descoberta de 1962 de que as células normais de mamíferos têm uma capacidade limitada de replicação. O limite de Hayflick na divisão celular derrubou a crença declarada pelo cirurgião e biólogo francês Alexis Carrel no início do século XX de que as células normais na cultura se proliferariam continuamente.

LEONARD P. GUARENTE (6 de junho de 1952 -): Biólogo molecular americano e professor do MIT, mais conhecido por descobrir o papel das sirtuínas no envelhecimento e a necessidade de NAD+ para a atividade da sirtuína, ligando o metabolismo energético à longevidade.

NIR BARZILAI (23 de dezembro de 1955 -): Endocrinologista americano nascido em Israel e professor da Albert Einstein College of Medicine em Nova York, mais conhecido por seu trabalho de desvendar os genes que permitem aos membros de famílias Askenazi viverem mais de 100 anos, hormônios que controlam o tempo de vida e os efeitos da metformina.

PETER B. MEDAWAR (28 de fevereiro de 1915 - 2 de outubro de 1987): Biólogo britânico nascido no Brasil, cujo trabalho de rejeição de enxertos e descoberta de tolerância imunológica adquirida foi fundamental para a prática de transplantes de tecidos e órgãos. Percebeu que a força da seleção natural diminui com a idade devido ao reduzido "valor reprodutivo"

PIERRE LECOMTE DU NOUY (20 de dezembro de 1883 - 22 de setembro de 1947): Biofísico e filósofo francês que notou que as feridas dos soldados mais velhos saravam mais lentamente do que as dos mais jovens. Sua hipótese "telefinalista" de que Deus dirige a evolução foi criticada como não científica.

RAFAEL DE CABO (20 de janeiro de 1968 -): Cientista espanhol no National Institutes of Health, especialista no estudo dos efeitos da dieta na saúde e no tempo de vida de roedores e primatas.

ROY L. WALFORD (29 de junho de 1924 - 27 de abril de 2004): Biólogo americano que rejuvenesceu o campo da restrição calórica. Um dos oito participantes da Biosfera 2 do Arizona, de 1991 a 1993. Na faculdade de medicina, supostamente usava análise estatística para prever os resultados de uma roleta em Reno, Nevada, para pagar a faculdade de medicina e um iate; navegou pelo Caribe por mais de um ano.

SHIN-ICHIRO IMAI (9 de dezembro de 1964 -): Biólogo nipo-americano conhecido por sua Heterochromatin Hypothesis of Aging, seu trabalho sobre sirtuínas de mamíferos e a descoberta com Lenny Guarente de que as sirtuínas precisam de NAD+.

SHINYA YAMANAKA (4 de setembro de 1962-): Biólogo japonês que descobriu a reprogramação de genes que transformam células normais em células-tronco, compartilhando o Prêmio Nobel de Fisiologia ou Medicina com John Gurdon em 2012.

STEVE HORVATH (25 de outubro de 1967 -): Professor austro-americano da Universidade da Califórnia, em Los Angeles, conhecido por seu trabalho pioneiro em epigenética e envelhecimento, e por algoritmos de desenvolvimento de código que preveem a idade dos organismos com base nos padrões de metilação do DNA, conhecido como relógio de envelhecimento Horvath.

THOMAS B. L. KIRKWOOD (6 de julho de 1951 -): Nascido na África do Sul, biólogo e reitor associado para o envelhecimento na Universidade Newcastle, no Reino Unido. Propôs a hipótese de Soma descartável, a ideia de que as espécies visam equilibrar energia e recursos entre a reprodução e a construção de um corpo robusto e duradouro.

# Glossário

**ÁCIDOS NUCLEICOS OU NUCLEOTÍDEOS:** As unidades químicas básicas que são unidas para formar DNA ou RNA. Consistem em uma base, um açúcar e um grupo fosfato. Os fosfatos se ligam aos açúcares para formar o esqueleto de DNA/RNA, enquanto as bases se ligam a seus parceiros complementares para formar pares.

**ALELO:** Uma das várias versões possíveis de um gene. Cada um contém uma variação distinta em sua sequência de DNA. Por exemplo, um "alelo deletério" é a forma de um gene que causa doenças.

**AMINOÁCIDO:** Componente químico das proteínas. Durante a tradução, diferentes aminoácidos são amarrados para formar uma cadeia que se dobra em uma proteína.

**BASE:** As quatro "letras" do código genético, A, C, T e G, são grupos químicos chamados bases ou nucleobases. A = adenina, C = citosina, T = timina e G = guanina. Em vez de timina, o RNA contém uma base chamada uracilo (U).

**BIOTRACKING/BIOHACKING:** O uso de dispositivos e testes de laboratório para monitorar o corpo para tomar decisões sobre alimentação, exercícios e outras opções de estilo de vida para otimizá-lo. Não confunda com biohacking, que é o aprimoramento do próprio corpo.

**CÂNCER:** Doença causada pelo crescimento descontrolado das células. As células cancerígenas podem formar aglomerados ou massas conhecidas como tumores e podem se espalhar para outras partes do corpo através de um processo conhecido como metástase.

**CÉLULA:** Unidade básica da vida. O número de células em um organismo vivo varia de um (como em leveduras) a quatrilhões (por exemplo, em uma baleia azul). Uma célula é composta por quatro macromoléculas-chave que permitem seu funcionamento: proteínas, lipídios, carboidratos e ácidos nucleicos. Entre outras coisas, as células podem construir e quebrar moléculas, mover-se, crescer, dividir e morrer.

**CÉLULA GERMINATIVA:** Células envolvidas na reprodução sexual: óvulos, espermatozoides e células precursoras que se desenvolvem em óvulos ou espermatozoides. O DNA nas células germinativas, incluindo quaisquer mutações ou edições genéticas intencionais, pode ser passado para a próxima geração. A edição do genoma em um embrião inicial é considerada edição da linha germinativa, pois qualquer alteração no DNA provavelmente terminará em todas as células do organismo que, por fim, nascerá.

**CÉLULAS SOMÁTICAS:** Todas as células de um organismo multicelular, exceto as células germinativas (óvulos ou esperma). Mutações ou alterações no DNA no soma não serão herdadas pelas gerações subsequentes, a menos que a clonagem ocorra.

**CÉLULAS-TRONCO:** Células com potencial para se transformar em um tipo especializado de célula ou se dividir para produzir mais células-tronco. A maioria das células do seu corpo é diferenciada, ou seja, o destino delas já foi decidido e elas não podem se transformar em outro tipo. Por exemplo, uma célula do cérebro não pode se transformar em uma célula epitelial. As células-tronco adultas reabastecem o corpo à medida que se danificam com o tempo.

**CIRCUITO DE SOBREVIVÊNCIA:** Sistema de controle antigo nas células que pode ter evoluído para desviar a energia do crescimento e da reprodução para o reparo celular durante tempos de adversidade. Após a resposta à adversidade, o sistema pode não ser completamente redefinido, o que, com o tempo, leva à uma ruptura do epigenoma, à perda da identidade celular e, consequentemente, ao envelhecimento (consulte Pleiotropia Antagonista).

**CÍRCULO EXTRACROMOSSÔMICO DE DNA RIBOSSOMAL (ERC):** A geração de círculos de DNA ribossômico extracromossômico leva à quebra do nucléolo em células antigas e, em leveduras, distraem as sirtuínas e causam o envelhecimento.

**COMPLEMENTAR:** Descreve quaisquer duas sequências de DNA ou RNA que podem formar uma série de pares de bases entre si. Cada base forma um vínculo com um parceiro complementar: T (no DNA) e U (no RNA) se ligam a A e C se liga a G.

**CRISPR:** Pronuncia-se "crisper". Um sistema imunológico encontrado em bactérias e arqueias, cooptou como uma ferramenta de engenharia de genoma para cortar o DNA em locais precisos em um genoma. CRISPR, que significa "Repetições Palindrômicas Curtas Agrupadas e Regularmente Interespaçadas", é uma seção do genoma hospedeiro que contém sequências repetitivas alternadas e fragmentos de DNA estranho. As proteínas CRISPR, como a Cas9, uma enzima de corte de DNA, as usam como "alvos" moleculares enquanto procuram e destroem o DNA viral.

# GLOSSÁRIO

**CROMATINA:** Filamentos de DNA enrolam em torno de estruturas de proteínas conhecidas como histonas. A eucromatina é uma cromatina aberta que permite a ativação de genes. A heterocromatina é uma cromatina fechada que impede a célula de ler um gene, também conhecido como silenciamento de genes.

**CROMOSSOMO:** Estrutura compacta na qual o DNA de uma célula é organizado, mantida unida por proteínas. Os genomas de diferentes organismos são organizados em números variáveis de cromossomos. As células humanas têm 23 pares.

**DAF-16/FOXO:** Aliado das sirtuínas, o DAF-16/FOXO é uma proteína de controle gênico chamada fator de transcrição que ativa os genes de defesa celular, cuja regulação positiva prolonga o tempo de vida de vermes, moscas, ratos e talvez humanos; necessário para que o Daf-2 estenda o tempo de vida de vermes.

**DEACETILAÇÃO:** Remoção enzimática de marcadores de acetila das proteínas. A remoção de acetilas das histonas pelas histonas deacetilases (HDACs) faz com que elas sejam mais compactadas, desativando um gene. As sirtuínas são deacetilases dependentes de NAD. Deacetilação é um termo genérico que inclui a deacetilação e a remoção de outros marcadores mais exóticos, como butiril e succinil.

**DESMETILAÇÃO:** Desmetilação é a remoção de metilos e é realizada por enzimas chamadas histona desmetilases (KDMs) e DNA desmetilases (TETs). A fixação de metilos é obtida por uma histona ou DNA metiltransferases (DMTs).

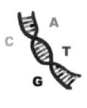

**DNA:** Abreviação de ácido desoxirribonucleico, a molécula que codifica as informações necessárias para uma célula funcionar ou um vírus se replicar. Aparenta um formato de dupla hélice que se assemelha a uma escada torcida, semelhante a um zíper. Bases, abreviadas como A, C, T e G, são encontradas em cada lado da escada, ou filamento, que correm em direções opostas. As bases têm uma atração uma pela outra, fazendo A grudar em T e C grudar em G. A sequência dessas letras é chamada de código genético.

**DNA RIBOSSÔMICO (rDNA):** Componente-chave da fabricação de novas proteínas nas células; a fonte do código genético do RNA ribossômico, que é o bloco de construção do ribossomo. Essas moléculas unem aminoácidos que se tornam novas proteínas.

**ENZIMA:** Uma proteína composta de sequências de aminoácidos que se dobra em uma bola que pode realizar reações químicas que normalmente levariam muito mais tempo ou nunca aconteceriam. As sirtuínas, por exemplo, são enzimas que usam o NAD para remover grupos químicos acetil das histonas.

**EPIGENÉTICA:** Refere-se a alterações na expressão gênica de uma célula que não envolvem a alteração de seu código de DNA. Em vez disso, o DNA e as histonas em que o DNA está envolvido são "marcados" com sinais químicos removíveis (consulte Desmetilação e Deacetilação). Marcas epigenéticas dizem a outras proteínas onde e quando ler o DNA, comparável a colar uma nota que diz "Pule" na página de um livro. Um leitor ignorará a página, mas o livro em si não foi alterado.

**EXDIFERENCIAÇÃO:** Perda de identidade celular devido ao ruído epigenético. A exdiferenciação pode ser uma das principais causas de envelhecimento (consulte Ruído Epigenético).

**EXPRESSÃO GÊNICA:** Um produto baseado em um gene; pode se referir ao RNA ou à proteína. Quando um gene é ativado, as máquinas celulares expressam isso transcrevendo o DNA em RNA e/ou traduzindo o RNA em uma cadeia de aminoácidos. Por exemplo, um gene altamente expresso terá muitas cópias de RNA produzidas e é provável que seu produto proteico seja abundante na célula.

**FILAMENTO:** Uma cadeia de nucleotídeos conectados; pode ser DNA ou RNA. Duas cadeias de DNA podem se unir quando complementares; as bases coincidem para formar pares. O DNA normalmente existe em forma de fita dupla, que assume a forma de uma escada torcida ou dupla hélice. O RNA é tipicamente composto por apenas uma única fita, embora possa dobrar-se em formas complexas.

**GENE:** Um segmento de DNA que codifica as informações usadas para fazer uma proteína. Cada gene é um conjunto de instruções para fabricar uma máquina molecular específica que ajuda uma célula, organismo ou vírus a funcionar.

**GENOMA:** Toda a sequência de DNA de um organismo ou vírus. O genoma é essencialmente um enorme conjunto de instruções para criar partes individuais de uma célula e direcionar como tudo deve funcionar.

**GENÔMICA:** O estudo do genoma, todo o DNA de um determinado organismo. Envolve a sequência de DNA de um genoma, a organização e o controle de genes, as moléculas que interagem com o DNA e a maneira como esses diferentes componentes afetam o crescimento e a função das células.

**HIPÓTESE DE XENOHORMESE:** A ideia de que nosso corpo evoluiu para sentir os sinais de estresse de outras espécies, como plantas, a fim de se proteger em tempos de adversidades iminentes. Explica por que tantos medicamentos vêm de plantas.

# GLOSSÁRIO

**HISTONAS:** As proteínas que formam o núcleo da embalagem de DNA no cromossomo e a razão pela qual quase 1m de DNA pode caber dentro de uma célula. O DNA envolve cada histona quase duas vezes, como contas em um barbante. A embalagem das histonas é controlada por enzimas como as sirtuínas, que adicionam e subtraem grupos químicos. A embalagem apertada forma a heterocromatina "silenciosa", enquanto a embalagem solta abre a eucromatina, onde os genes são ativados.

**HORMESE:** A ideia de que tudo o que não mata, fortalece. Um nível de dano ou adversidade biológica que estimula os processos de reparo que fornecem benefícios à sobrevivência e à saúde das células. Originalmente descoberto quando plantas foram pulverizadas com herbicida diluído e depois cresceram mais rapidamente.

**METFORMINA:** Molécula derivada do heléboro francês usado para tratar diabetes tipo 2 (associado à idade) que pode ser um medicamento para a longevidade.

**MITOCÔNDRIA:** Muitas vezes chamada de potência da célula, as mitocôndrias quebram nutrientes para criar energia em um processo chamado respiração celular. Elas contêm seu próprio genoma circular.

**MUTAÇÃO:** Alteração de uma letra genética (nucleotídeo) em outra. Uma variação na sequência de DNA produz a incrível diversidade de espécies entre diferentes organismos do mesmo gênero. Embora algumas mutações não tenham consequências, outras podem causar doenças diretas. As mutações podem ser causadas por agentes danosos ao DNA, como luz ultravioleta, radiação cósmica ou cópia de DNA por enzimas. Elas também podem ser criadas deliberadamente através de métodos de engenharia genômica.

**NAD:** Nicotinamida adenina dinucleotídeo, substância química usada por mais de 500 reações químicas e sirtuínas para remover grupos acetil de outras proteínas, como histonas, para desativar genes ou atribuir a eles funções protetoras das células. Uma dieta saudável e exercícios aumentam os níveis de NAD. O sinal "+" que você vê, às vezes, como em NAD+, indica que não está carregando um átomo de hidrogênio.

**NUCLEASE:** Enzima que quebra a espinha dorsal do RNA ou do DNA. Quebrar um filamento gera um entalhe e quebrar os dois filamentos gera um rompimento de filamento duplo. Uma endonuclease corta o centro do RNA ou DNA, enquanto uma exonuclease corta o fim do filamento. Ferramentas de engenharia genômica, como Cas9 e *I-PpoI* são endonucleases.

**NUCLÉOLO:** Localizado dentro do núcleo das células eucarióticas, o nucléolo é uma região onde estão situados os genes do DNA ribossômico (rDNA) e são montadas as máquinas celulares para costurar aminoácidos para formar proteínas.

**ORGANISMO GENETICAMENTE MODIFICADO (OGM):** Um organismo que teve seu DNA alterado intencionalmente usando ferramentas científicas. Qualquer organismo pode ser manipulado dessa maneira, incluindo micróbios, plantas e animais.

**PAISAGEM DE WADDINGTON:** Uma metáfora biológica de como as células são dotadas de identidade durante o desenvolvimento embrionário na forma de um mapa de relevo em 3D. Esferas representando células-tronco rolam para vales bifurcantes, cada um marcando um caminho de desenvolvimento diferente para as células.

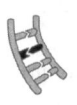

**PAR DE BASES:** "Dentes" no "zíper" torcido do DNA. Produtos químicos conhecidos como bases formam uma fita de DNA, cada fita corre na direção oposta e as bases atraem seu parceiro oposto para formar um par: C faz par com G, A faz par com T (exceto no RNA, onde é um U).

**PATÓGENO:** Um micróbio que causa doenças. A maioria dos microrganismos não é patogênica para os seres humanos, mas algumas cepas ou espécies são.

**PLEIOTROPIA ANTAGONISTA:** Teoria proposta por George C. Williams como uma explicação evolutiva para o envelhecimento: um gene que reduz o tempo de vida no fim da vida pode ser selecionado se seus benefícios iniciais superarem os custos tardios. Um exemplo disso é o circuito de sobrevivência.

**PROTEÍNA:** Cadeia de aminoácidos envolta em uma estrutura tridimensional. Cada proteína é especializada para desempenhar um papel específico para ajudar as células a crescer, dividir e funcionar. As proteínas são uma das quatro macromoléculas que compõem todos os seres vivos (proteínas, lipídios, carboidratos e ácidos nucleicos).

**QUEBRAS DE DNA BICATENÁRIO (DSB):** O que acontece quando ambas as cadeias de DNA são quebradas e duas extremidades livres são criadas. Pode ser feito intencionalmente com uma enzima como Cas9 ou *I-PpoI*. As células reparam seu DNA para evitar a morte celular, às vezes, alterando a sequência de DNA no local do rompimento. Iniciar ou controlar esse processo com a intenção de alterar uma sequência de DNA é conhecido como engenharia do genoma.

# GLOSSÁRIO

**RAPAMICINA:** Também conhecida como sirolimus, a rapamicina é um composto com funções imunossupressoras em seres humanos. Inibe a ativação de células T e B, reduzindo sua sensibilidade à molécula de sinalização interleucina-2. Aumenta o tempo de vida inibindo o mTOR.

**REDIFERENCIAÇÃO:** Reversão das alterações epigenéticas durante o envelhecimento.

**RELÓGIO DE METILAÇÃO DE DNA:** Alterações no número e nos locais dos marcadores de metilação no DNA podem ser usadas para prever o tempo de vida, marcando o tempo desde o nascimento. Durante a reprogramação epigenômica ou a clonagem de um organismo, os marcadores de metila são removidos, revertendo a idade da célula.

**REPROGRAMAÇÃO CELULAR:** A mudança de células de um tipo de tecido para um estágio anterior de desenvolvimento.

**RNA:** Abreviação de ácido ribonucleico. Transcrito a partir de um modelo de DNA e normalmente usado para direcionar a síntese de proteínas. As proteínas associadas ao CRISPR usam RNAs como guias para encontrar sequências-alvo correspondentes no DNA.

**SENESCÊNCIA CELULAR:** Processo que ocorre quando as células normais param de se dividir e começam a liberar moléculas inflamatórias, algumas vezes causadas pelo encurtamento dos telômeros, danos ao DNA ou ruído epigenômico. Apesar do aparente estado de "zumbi", as células senescentes permanecem vivas, danificando as células próximas com suas secreções inflamatórias.

**SENOLÍTICOS:** Produtos farmacêuticos atualmente em desenvolvimento que esperam matar células senescentes, a fim de retardar ou até reverter problemas relacionados ao envelhecimento.

**SIRTUÍNAS:** Enzimas que controlam a longevidade; elas são encontradas em organismos de levedura a seres humanos e precisam de NAD+ para funcionar. Elas removem grupos de acetil e de acilos das proteínas para instruí-los a proteger as células de adversidades, doenças e morte. Durante o jejum ou exercícios, os níveis de sirtuína e NAD aumentam, o que pode explicar por que essas atividades são saudáveis. Nomeados segundo o gene de longevidade da levedura *SIR2*, *SIRT1–7* (homólogos de Sir2 1 a 7), os genes em mamíferos desempenham papéis importantes na proteção contra doenças e deterioração.

**SOMA DESCARTÁVEL:** Hipótese proposta por Tom Kirkwood para explicar o envelhecimento. As espécies evoluem para crescer e se multiplicar rapidamente ou construir um corpo duradouro, mas não ambos; recursos limitados na natureza não permitem os dois.

**TELÔMEROS/PERDA DE TELÔMEROS:** Um telômero é uma capa que protege o fim do cromossomo do atrito, análogo à ponteira no final de um cadarço ou de uma corda queimada para impedir que se desfaça. À medida que envelhecemos, os telômeros corroem até o ponto em que a célula atinge o limite de Hayflick. É quando a célula vê o telômero como uma quebra de DNA, para de se dividir e se torna senescente.

**TEORIA DA INFORMAÇÃO DO ENVELHECIMENTO:** A ideia de que o envelhecimento se deve à perda de informações com o tempo, principalmente informações epigenéticas, muitas das quais podem ser recuperadas.

**TERAPIA GENÉTICA:** A entrega do DNA corretivo às células humanas como tratamento médico. Certas doenças podem ser tratadas ou mesmo curadas adicionando uma sequência de DNA saudável aos genomas de células específicas. Cientistas e médicos normalmente usam um vírus inofensivo para transportar genes para as células ou tecidos-alvo, onde é incorporado em algum lugar do DNA existente nas células. A edição do genoma do CRISPR às vezes é chamada de técnica de terapia genética

**TRADUÇÃO:** Processo pelo qual as proteínas são produzidas com base nas instruções codificadas em uma molécula de RNA. Realizado por uma molécula chamada ribossomo, que liga uma série de blocos de aminoácidos. A cadeia polipeptídica resultante se dobra em um objeto 3D específico, conhecido como proteína.

**TRANSCRIÇÃO:** Processo pelo qual a informação genética é copiada em uma cadeia de RNA; realizada por uma enzima chamada RNA polimerase.

**VARIAÇÃO EPIGENÉTICA E RUÍDO EPIGENÉTICO:** Alterações no epigenoma que ocorrem com a idade devido a alterações na metilação, geralmente, relacionadas à exposição de um indivíduo a fatores ambientais. A variação epigenômica e o ruído podem ser um fator essencial do envelhecimento em todas as espécies. Os danos ao DNA, especialmente as quebras, são um direcionador desse processo.

**VÍRUS:** Uma entidade infecciosa que pode persistir apenas capturando um organismo hospedeiro para se replicar. Tem seu próprio genoma, mas tecnicamente não é considerado um organismo vivo. Os vírus infectam todos os organismos, de seres humanos a plantas e micróbios. Os organismos multicelulares possuem sistemas imunológicos sofisticados que combatem os vírus, enquanto os sistemas CRISPR evoluíram para interromper a infecção viral em bactérias e arqueias.

# Índice

## A

Alterações epigenéticas, 37
Antonie van Leeuwenhoek, cientista, 240
Ascetismo intencional, 92
Ativadores
    de AMPK, 152
    de sirtuína, 265

## B

Benjamin Gompertz, 71
Biossensibilidade, 196
Biossensores pessoais, 190
Biotracking, 194, 233, 300
BRAF, inibidor, 10

## C

CAR-T, 181
Cas9, proteína, 287
Células zumbis, 154
cfDNA, 189
CID-11, 303
CID. Veja Classificação Internacional de Doenças, 70
Circuitos de sobrevivência, 45, 104, 134
    ancestral, 59, 105
Citocinas, 154
Classificação Internacional de Doenças, 70
Claude Shannon, 163, 174
Conrad Waddington, 60
Crioterapia, 113
CRISPR, 50, 288
Curto-circuito mitocondrial, 111

## D

DAF-16
    gene, 58
DALY, 80
Dame Linda Partridge, 68
Dana Goldman, 257
Declínio mitocondrial, 15
Desacoplador mitocondrial, 111
Desmaterialização, 284
Dieta, 100
    5:2, 100
    16:8, 100
    de longevidade, 90
    restrita, 93
DNA, 3
    helicase, 35
    lixo, 158
    sequenciamento, 182
DNP. Veja desacoplador mitocondrial, 111

## E

Ebola, vírus, 199
Edição genômica, 287
Edna Ferry, 93
Eileen Crimmins, 79
Envelhecimento epigenético, 170
Enzima
    catalase, 121
    glicoquinase, 120
    SIRT2, 143
    telomerase, 153
Epigenética, 21
Epigenoma, 21, 38, 115, 140
ERC, 93
ERCs, 42
Erwin Schrödinger, 120
Eucromatina, 38
Exaustão das células-tronco, 19

## F

Farmacoepigenética, 186
FOXO3, 59
Frank Fenner, 222

## G

Gene
   da longevidade, 140, 234, 265
   de longevidade, 105
   de reprogramação, 168
   OSK, 173
   SIR2, 138
Genoma
   mapeamento, 29
George Williams, 156
Gillian Bates, 68
Gordura marrom, 110, 216

## H

H1N1, vírus, 197
Herança genética, 194
Heterocromatina, 38
H. G. Wells, 237
HIIT, 106
Hipotermia, 113
Hipótese catástrofe-erro, 14
Homeostase, 108
Hormese, 48, 114

## I

Ian Dawes, 32
IGF-1, 98
Ilha de Páscoa, 123
Índice de Capital Humano, 276
Informações epigenéticas, 129, 166, 298
Inibição do TOR, 125
Inibidores
   de mTOR, 152
   de TOR, 265
Instabilidade do hipergenoma, 153
iPSCs, 167

## J

Janet Thornton, 68
J. B. S. Haldane, biólogo, 11
Jejum, 92
   intermitente, 97, 135
   periódico, 100
Johannes Gutenberg, 251
John Gurdon, 163
John Johnston, 31

## K

Konrad Howitz, 131

## L

Lafayette Mendel, 93
Lei da Mortalidade Humana, 71, 78
Leonard Guarente, 33
Limite de Hayflick, 153
   Leonard Hayflick, 153
Louis Pasteur, 238
Luigi Cornaro, 92

## M

Marcadores de metila, 175, 184
Matéria escura genética, 30
Matt Kaeberlein, 43
Medicina de precisão, 180
Metformina, 127, 144, 217
Metilação, 54
MinION, 184
Molécula buteína, 131
Mononucleotídeo de nicotinamida, 138
   NMN, 138, 142
mTOR, 102, 115, 185
Mudanças epigenéticas, 140
Mutações deletérias, 56

## N

NAD, 105, 115, 137, 217
   intensificador de, 217
Nicotinamida ribosídeo, 138
NR. Veja nicotinamida ribosídeo, 138

# O

Oncogenes, 30
Organismos geneticamente modificados (OGM), 286

# P

Paisagem epigenética, 60, 167
Paradoxo francês, 133
Peter Medawar, 13
Physarum polycephalum, 51
Pleiotropia antagonista, 156
Previdência Social, 229
Programação epigenética, 107
Programa de hormese, 105
Programa de sirtuína, 93
Projeto Genoma Humano, 180, 184
Proteína silenciadora, 5
Proteoma humano, 188

# R

Rapalogs, 125
Rapamicina, 124, 125, 217
ratos ICE, 297
rDNA, 36, 42
Reguladores de longevidade, 105
relógio Horvath, 173
Reprogramação
    celular, 162, 176, 219, 265
    epigenética, 246, 297
Restrição
    calórica, 93, 94, 136
        RC, 93, 96, 107
    de metionina, 102
Resveratrol, 133, 136
Retrotranspositores, 158
Revolução
    da Imprensa, 251
    Educacional, 251
    Industrial, 291
Richard Dickinson, 32
Richard Feynman, físico, 122
ricos vs. pobres, 233
RNA, 3
RNA ribossômico, 36

Robert Hooke, 119
Robert Mortimer, 31
Robert Zipkin, 131, 136
Roy Walford, 94
Rube Goldberg, 26
Ruído
    epigenético, 40, 149, 164
    epigenômico, 46, 163, 297
    inflamatório, 158
    estatístico, 185
    informativo, 140

# S

Saccharomyces cerevisiae, 31
Seleção natural, 156, 243
Senescência celular, 19, 40, 156
Senolíticos, 158
Sequenciamento de alto rendimento, 204
SGS1, 35
Síndrome de Werner, 34, 84
Sir Francis Bacon, 67
Sirtuína, 115
    genes, 45
Southern blot, técnica, 42
SRT, teste, 75
STAC, 131
STACs, 136, 152
Stephen Hawking, 224
Steven Pinker, 250

# T

T, células, 10
Telômeros, 105
    curtos, 153
Teoria
    da Informação do Envelhecimento, 35, 85, 164, 220, 296
    Matemática da Comunicação, 165
TETs, 175
Thomas Kuhn, 17
Thomas Osborne, 93
TMAO, 101
Transformação schumpeteriana, 291
Treino intervalado de alta intensidade, 148
Tumorigenese, 81

## U

UCP2, gene, 110

## V

Varredura proativa de DNA pessoal, 189
Vírus de reprogramação
    OSK, 172
Vitalidade prolongada, xxx

## W

William Harvey, 104
WRN, gene, 35

## X

Xenohormese, 134
Xenotransplante, 209

## Y

Yamanaka, fatores, 167, 173
Yasuo Kagawa, 94

## Z

Zika, vírus, 198
Zonas Azuis, 90, 99
Zona termoneutra, 108, 114, 216